# FAROUCHE

JUDITH MICHAEL

# FAROUCHE

FRANCE LOISIRS
123, boulevard de Grenelle, Paris

Une édition du Club France Loisirs, Paris,
réalisée avec l'autorisation des Éditions Robert Laffont



Titre original : SLEEPING BEAUTY

Traduit de l'américain par Marie-Lise Hieaux-Heitzmann

---

ISBN 2-7242-7646-9

*Pour Ronald Barnard,*
*avec amitié et affection*

# 1.

Anne sortit de la voiture et, le regard fixé sur les lourdes portes sculptées de la chapelle, se demanda si elle arriverait à entrer. Le chauffeur pianotait sur le volant ; évidemment, il ne comprenait pas ce qu'elle attendait alors qu'elle avait passé une heure à bouillir d'impatience sur le siège arrière pendant qu'il se battait comme un beau diable pour sortir avant 10 heures de la voie express qui menait de l'aéroport à Lake Forest. Malgré son retard, elle contemplait les pierres froides et tristes de la chapelle gothique qui se détachait sur les nuages noirs. Les chauffeurs des autres limousines levèrent les yeux de leur journal pour la regarder. Bon, bon, j'y vais, leur lança-t-elle en silence, et elle se dirigea vers les marches de l'entrée. Elles semblaient se multiplier jusqu'aux lourdes portes. Il le faut, pensa-t-elle. Pour Ethan.

Elle tira sur un des anneaux de cuivre et la porte céda sans bruit. Un huissier ouvrit pour elle une autre porte. La chapelle était bondée ; tous les sièges étaient pris et il y avait des gens debout dans le fond et sur les bas-côtés. Un homme imposant avec un attaché-case fit une place à Anne qui se glissa à côté de lui. Quelqu'un parlait, mais elle l'entendait à peine. Elle regardait sans bouger les dos des Chatham, de toutes les générations de Chatham, des rangées de Chatham, d'amis, d'associés et même d'ennemis des Chatham ; et devant l'autel, le cercueil d'Ethan Chatham, mort à quatre-vingt-onze ans.

La chapelle ondula et bruissa comme un champ de blé sous la brise : chacun se penchait à droite, à gauche, et murmurait à l'oreille de son voisin tout en écoutant les orateurs parler d'Ethan. Tous se connaissaient, beaucoup avaient grandi ensemble, fréquenté les meilleures écoles ; ils étaient maintenant banquiers, cadres supérieurs dans des multinationales, industriels, prestataires de services ou présidents de compagnies d'assurances. Ils constituaient l'essence même de Chicago ; Ethan Chatham avait été l'un d'eux et ils avaient toléré ses excentricités, et même sa fuite dans les montagnes du Colorado parce que, après tout, il avait tellement d'argent.

Sans bruit, Anne se fraya un chemin par le bas-côté jusqu'aux premiers rangs car elle voulait voir leurs visages. La plupart lui étaient étrangers. Mais les deux premiers rangs étaient occupés par la famille Chatham et chaque profil lui était si familier qu'elle les nomma tous instantanément. C'était incroyable. Mais pourquoi auraient-ils changé ? songea-t-elle. C'est moi qui suis partie. Eux sont restés là, confortablement campés dans leur suffisance, les mêmes. Depuis tant d'années.

« C'était un bâtisseur, dit Harrison Ervin, président de la plus grosse banque de Chicago ; il a créé des maisons – des villes entières – qui lui ont valu des prix et nous ont conféré à tous le prestige. Puis il est parti à l'Ouest, comme l'ont toujours fait les hommes pressés au long de l'histoire des Etats-Unis, et a découvert Tamarack, dans les montagnes du Colorado, dont il a fait une station célèbre dans le monde entier. Il savait ce qu'il voulait et comment y arriver. Là était sa force. »

Charles Chatham n'écoutait plus. Quelle force y avait-il à tourner le dos à sa famille pour passer les vingt dernières années de sa vie au cœur de ce paradis privé, édifié sur les ruines d'un petit village de montagne abandonné ? Son père avait aussi tourné le dos à Chatham Development, la société qu'il avait créée, comme si elle pouvait bel et bien crever en enfer ; et Charles – qui tentait de diriger l'affaire, de diriger la famille – pouvait y crever aussi, pour ce que son père en avait à faire. Ce n'était pas de la force ; c'était de l'obsession.

« Je suis allé le voir à Tamarack, poursuivit Ervin. Là aussi il bâtissait, comme toujours, modelant la ville aux formes de son rêve. Il lui arrivait de s'impatienter devant la lenteur des choses, ou d'être frustré à l'idée qu'il ne verrait pas son œuvre achevée. Mais jamais il ne s'est montré découragé ou en colère ; il n'était pas homme à laisser la colère entamer son énergie. »

Marian Jax s'agitait. Ethan s'était mis en colère quand elle avait insisté pour épouser Fred. Malgré sa gentillesse, il était sorti de ses gonds. Car il perdait toute douceur lorsqu'il pensait que ses enfants étaient stupides ; il tonnait alors comme un volcan en fusion. Il avait tonné après Marian quand elle s'était obstinée à vouloir épouser Fred Jax. C'était un sournois et un arriviste, lui répétait-il sans cesse, qui s'intéressait moins à Marian qu'à son argent. Les mains sagement croisées sur ses genoux, elle jeta un bref regard à Fred, assis, imperturbable, à côté d'elle. Bien sûr, son père avait eu raison.

« C'était un ami fidèle, dit Ervin. Il nous manquera, à plus d'un titre. Sa sagesse, sa... »

Il me manque déjà, se dit Nina Chatham Grant. J'avais besoin de lui, probablement plus que d'autres. Il m'écoutait et ne me reprochait jamais mon dernier divorce en date. Il croyait à l'amour et à la fidélité – il ne s'est jamais remarié après la mort de maman ; je crois même qu'il n'a jamais eu personne depuis – mais il était toujours si gentil avec moi ; il savait que je voulais être raisonnable, que j'essayais vraiment. Elle secoua tristement la tête. J'ai bientôt cinquante-neuf ans et encore tant de choses à apprendre de la vie. Elle tourna les yeux vers son frère William qui croisa son regard et posa sur son bras une main réconfortante. Nina lui sourit à travers ses larmes. Il ne valait pas son père, mais c'était mieux que rien. On a tous besoin d'une famille, songea-t-elle, ne serait-ce que pour écouter et se montrer compréhensif.

« ... et surtout, poursuivit Ervin, son affection pour ses amis et sa famille... »

Robin, huit ans, la petite-fille de Charles, vit les traits de son visage se contracter.

– Ne sois pas triste, grand-père, murmura-t-elle. Ça va aller. Elle regarda autour d'elle, à la recherche de quelque chose qui le distrairait. Qui est cette jolie dame ? demanda-t-elle soudain. Elle est de la famille ?

Charles suivit son regard. Il ne connaissait aucune des personnes qui se tenaient le long du mur : comme il connaissait peu la vie de son père !

– Elle est belle, tu ne trouves pas ? murmura Robin. Et en plus elle a l'air gentille.

Il regarda à nouveau et c'est alors qu'il vit Anne en partie cachée par quelqu'un d'autre. Un instant surpris, il fronça les sourcils. Il la dévisageait, à moitié debout, prêt à foncer sur le bas-côté. Il entendit l'assistance bouger légèrement derrière lui ; du coin de l'œil, il aperçut Harrison Ervin s'interrompre et le regarder avec étonnement.

Tout confus, Charles hésita, genoux fléchis, puis se rassit lentement et regarda droit devant lui.

– Alors, qui est-ce ? murmura Robin avec impatience. C'est de notre famille ?

Charles ferma un instant les yeux, comme s'il souffrait.

– Oui.

« Et c'était un pédagogue, poursuivit Ervin. Il nous a enseigné de nouvelles façons de penser la construction ; il a partagé avec nous sa vision de notre ville ; il nous a appris ce qu'était vivre. »

Il ne m'a rien appris, pensa Walter Holland, sauf qu'il est complètement débile d'épouser à la fois une famille et une affaire. En bougeant, il heurta le bras de Rose. On était trop serré ici ; pourquoi fallait-il se tasser les uns contre les autres ? C'était comme se marier avec une Chatham : toujours coincé, sous pression, pressé comme un citron, piétiné. Demander Rose en mariage ou se faire avaler par une baleine, quelle différence ?

Rose Holland s'écarta de son mari. Il y avait trop de Chatham, ici ; elle savait bien que ça le contrarierait. Mais qu'y faire ? C'étaient des funérailles, pas un cocktail en comité restreint. Walter le savait bien ; il n'avait qu'à se tenir. Mais il n'avait jamais réussi à se contrôler quand il se sentait entouré de Chatham, dernier survivant face à une armée d'occupation. Ça doit être affreux pour lui de partir travailler tous les jours, se dit-elle.

Devant, elle vit oncle Charles s'agiter sur le banc, croisant et décroisant les jambes ; elle se demanda s'il était malade ou s'il voulait aller aux toilettes. Elle s'aperçut qu'il ne se sentait pas mal au point de ne s'intéresser à personne ; il n'arrêtait pas de tourner la tête sur le côté. Elle essaya de suivre son regard mais ne vit personne de connaissance. Un groupe d'hommes habillés décontracté sans doute de Tamarack, quelques types de la société, quelques femmes à l'allure de secrétaires, une femme superbe en tailleur noir strict à moitié dissimulée derrière un des hommes. Décidément, elle ne connaissait personne. Rose haussa les épaules et regarda à nouveau devant elle, posant une main sur Gretchen qui commençait à gigoter. Les obsèques ne sont pas faites pour les petites filles de trois ans. Mais Charles avait insisté, comme pour se convaincre qu'ils formaient une grande et heureuse famille.

Assise de l'autre côté de sa fille Robin, Gail Calder vit son père et sa cousine Rose regarder en direction du bas-côté. Elle en fit autant. Elle observa les gens qui se tenaient le long du mur, sur deux ou trois files, essayant de reconnaître les visages dans la pénombre. Son regard se figea un long moment.

– Anne ? murmura-t-elle enfin.

« Je ne voudrais pas paraître trop solennel, dit Ervin en rassemblant ses notes. Nous avons eu ensemble de merveilleux moments. Mais ce qui me manquera le plus, c'est son affection, la façon dont il se préoccupait des autres... »

Certains virent la famille regarder sur le côté, ce qui occasionna du mouvement et des murmures de plus en plus nets.

– Qui regardent-ils ?

– Aucune idée.

– Qui est-ce ?

« ... et leur offrait son attention et son énergie... »

Ervin se tourna vers le bas-côté puis, ne voyant rien d'inconvenant, regarda sévèrement l'assistance et éleva la voix.

« ... et son aide. Il a toujours été mon ami. Pour beaucoup d'entre nous, ce fut notre meilleur ami. Il laisse un vide que personne ne pourra combler. Nous sommes ici pour le reconnaître et lui dire adieu. »

Il y eut un bref silence. Ervin prit ses papiers et retourna s'asseoir. Le prêtre vint à sa place clore la cérémonie. Et les murmures s'amplifièrent.

– Je ne sais pas qui c'est. Elle te dit quelque chose ?

– Tu sais bien que oui. Il y a un je-ne-sais-quoi... je parie que je l'ai déjà vue.

– Elle ressemble un peu à Gail. Tu ne trouves pas ? Mais... en plus sophistiquée. Tu sais, comme si quelqu'un avait pris Gail et l'avait fait briller.

– Oui, peut-être. Mais elle a l'air beaucoup plus dur.

– D'accord, mais je parie que c'est une Chatham. Une branche de la famille, en tout cas.

– Leo, dit Gail à son mari en lui serrant le bras, je crois qu'Anne est là.

– Où ça ? Tu crois qu'elle viendrait après tant d'années ?

Les voisins de Lake Forest essayaient de voir.

– Ça alors ! Tu sais qui ça peut être ? La sœur aînée... comment s'appelle-t-elle, déjà ? Anne.

– La sœur aînée de qui ?

– De Gail. Mais je me demande ; elle ne lui ressemble pas vraiment ; il y a un je-ne-sais-quoi...

– Que lui est-il arrivé ?

– Elle a fait une fugue, oh, il y a quinze ans, vingt ans de ça. Peut-être plus.

– Une fugue ?

– En fait, ils ont dit qu'elle était partie en pension, mais elle n'est jamais revenue, alors... En tout cas, c'est ce qu'on raconte.

– Alors, elle serait la fille de Charles. La petite-fille d'Ethan.

– Si c'est bien elle.

– Pourquoi se serait-elle sauvée ?

– Qui sait ? Les gosses, dans les années soixante... le sexe, la drogue, les bombes, la révolution. Dieu sait quoi.

– Mes amis, dit le prêtre, la famille m'a demandé de faire quelques annonces. L'enterrement aura lieu au cimetière de Memorial Park. La famille recevra...

Au bout du premier rang, Dora Chatham posa la main sur le bras de son père.

– Tout le monde regarde cette femme.

Vince, qui était en train de lire, leva les yeux.

– Quelle femme ?

Dora inclina la tête et Vince se tourna. Ses yeux croisèrent ceux d'Anne.

– Nom de Dieu, dit-il doucement.

C'est Anne qui détourna le regard.

Gail se leva, dépassa Leo et leur fils Ned en direction du bas-côté. A chaque pas, elle était plus pressée, plus déterminée. Une fois devant Anne, ses mains se tendirent.

– Tu es Anne, n'est-ce pas ? Je suis sûre que tu es Anne. Je suis ta sœur. Je ne peux pas me tromper.

Leurs mains se serrèrent.

– Bonjour, Gail, dit Anne dans un murmure.

Le sénateur Vince Chatham les regarda s'étreindre. Au bout d'un moment, il se retourna et fit signe à son neveu Keith Jax, assis juste derrière lui.

– Cette femme, dit-il lorsque Keith se pencha.

– Celle que tout le monde regarde ? Tu la connais ?

– Débarrasse-t'en. Tâche de savoir ce qu'elle veut, donne-le-lui si ça ne pose pas de problème puis débarrasse-t'en. Et assure-toi qu'elle ne reviendra pas.

# 2.

Anne avait treize ans quand Vince commença à entrer dans sa chambre sans frapper. Il avait trente ans ; c'était le plus bel homme qu'elle connaissait. D'un charme débordant, doué pour les affaires, c'était le frère préféré de son père à elle. Son préféré tout court.

Elle l'avait toujours craint parce que son père le traitait comme un prince, comme s'il était le centre de la famille. Elle savait que c'était faux. C'était son grand-père qui régnait sur la famille ; il établissait les règles et Vince devait y obéir, comme tout le monde. Néanmoins, lorsque son père et Vince étaient ensemble, son père semblait se ratatiner alors que Vince, de onze ans son cadet et plus petit, paraissait devenir plus grand et plus beau. Si son père était toujours calme, Vince s'enthousiasmait pour ses voyages et les affaires qu'il traitait. On avait du mal à croire qu'il n'était qu'un des Chatham, vivait à Lake Forest, au nord de Chicago, travaillait dans l'affaire familiale et était de surcroît le plus jeune des cinq enfants d'Ethan.

Tous vivaient à quelques kilomètres les uns des autres et, s'ils étaient en ville et n'avaient pas d'engagement d'important, ils devaient se retrouver dans la maison d'Ethan pour dîner, tous les dimanches ainsi que pour les anniversaires et les vacances. C'était le règlement et même Vince, qui détestait les règlements, ne pouvait le transgresser. Ils s'asseyaient autour de la grande table dans la magnifique salle à manger que la mère d'Anne avait redécorée juste avant sa mort et, tour à tour, ils racontaient leur semaine. Ethan parlait le premier, et Anne aimait l'écouter évoquer avec gravité et courtoisie la Chatham Development Corporation – nouvelles maisons, nouvelles boutiques, villes entières surgissant des champs de maïs autour de Chicago – et comment ce jour-là ils avaient fait les plans de la zone scolaire ou prévu un centre commercial ou baptisé les rues. Les rues de la ville de Chatham s'appelaient Vince, Charles, Anne, Marian, William, Gail et tous les autres. Ethan était trop modeste pour s'inclure dans la liste, mais son fils Charles le faisait pour lui, si bien que tous les Chatham étaient là, enchâssés dans des panneaux de métal balayés par les vents du Midwest et indiquant les maisons construites par les Chatham.

Quand Ethan avait fini de parler, venait le tour de Charles, puis de Vince. Anne se laissait distraire : elle trouvait les affaires ennuyeuses et préférait regarder les visages autour de la table et imaginer ce que cachaient les sourires, les petits rires et les sourcils froncés. Tous semblaient heureux de déjeuner ensemble, mais Anne savait que rien n'était moins sûr ; il fallait creuser bien au-delà d'un sourire ou d'un froncement de sourcils pour savoir à quoi ressemblaient vraiment les gens.

Tous les hommes travaillaient ensemble – Charles et Vince étaient vice-présidents, William directeur financier et Fred Jax, le mari de Marian, directeur commercial –, mais, chaque semaine, ils trouvaient de nouvelles histoires à raconter au point qu'Anne se demandait s'ils ne se les partageaient pas pendant l'apéritif pour être sûrs d'impressionner tout le monde par leurs hauts faits de la semaine. Les femmes avaient elles aussi leurs histoires à raconter. Rita, la femme de Vince, énumérait les nouveaux mots de Dora, qui avait trois ans, et parlait des cours de natation et de maintien qu'elles avaient suivis. Nina évoquait Dieu sait quelle petite société dans laquelle elle venait d'investir, et parfois son nouveau mariage ou son nouveau divorce. Anne avait l'impression que Nina confondait les débuts et les fins ; elle espérait toujours quelque chose de bon ou de meilleur, soit en se lançant dans un nouveau mariage, soit en disant au revoir à son dernier mari en date. La sœur d'Anne, Gail, qui avait sept ans, parlait de l'école ou de colonie de vacances. Rose et Keith avaient deux ans et se contentaient de manger très salement. Si elle avait pu, Anne serait demeurée silencieuse, mais elle avait treize ans et pas d'excuse. Elle parlait de ses amis.

– Amy et moi avons joué aux charades près de l'étang.

– Amy ? s'enquit Ethan. C'est une nouvelle amie ?

– Si on veut. Elle habite tout près d'ici.

– Quel est son nom de famille ? On les connaît ? demanda Marian.

– Je crois qu'on devrait laisser Anne avoir les amis qu'elle veut, intervint Ethan en la voyant rougir. C'est tout ? ajouta-t-il. N'as-tu rien d'autre à raconter cette semaine ?

Anne secoua la tête. Elle adorait son grand-père tout en lui reprochant de ne pas lui consacrer suffisamment de temps. Elle l'aimait tant qu'elle le voulait tout à elle ; c'était le plus gentil de tous et il semblait s'intéresser à elle. Anne ne supportait pas que tant d'intrus les séparent. C'est vrai qu'il avait une énorme affaire et des amis importants ; il avait sa propre vie. Il était bien trop occupé pour passer du temps avec Anne – et de toute façon, ça ne lui disait probablement rien. Pourquoi un homme de soixante-cinq ans aurait-il envie de bavarder avec une fille de treize ans, fût-elle sa petite-fille ?

Vu comme ça, ça paraissait raisonnable, mais ça la rendait furieuse. Elle semblait furieuse presque sans arrêt, contre beaucoup de gens. Elle ne le voulait pas, mais c'était comme ça depuis que sa mère était morte. Elle avait sept ans alors, Marian était arrivée une nuit pour l'emmener avec Gail chez Ethan, où elle habitait. Un peu plus tard, elle épousa Fred Jax et Anne et Gail suivirent dans une nouvelle maison ; presque tout de suite il y eut Keith et Rose. Du jour où Marian l'arracha à sa maison, Anne eut l'impression d'être partout une étrangère.

C'est là qu'elle a commencé à haïr. C'était incontrôlable ; pourtant, à cause de ça, elle se sentait différente des autres et très seule. Non que sa famille ne lui prêtât aucune attention. Mais il lui semblait que c'était surtout pour la critiquer sur sa tenue : elle ne se lavait pas les cheveux, ou ils n'étaient pas coiffés, elle ne se brossait pas les ongles, elle oubliait de s'essuyer les pieds en entrant. Partout dans le monde, des gens mouraient de faim, d'autres étaient jetés en prison pour oser parler de liberté ou dormaient dans la rue, mais, dans sa famille, on ne s'occupait que de propreté. Ils lui reprochaient de disparaître des heures dans les bois près de la maison, mais Anne savait pertinemment qu'ils se moquaient de ce qu'elle faisait. Tout ce qu'ils voulaient, au fond, c'est qu'elle soit propre, sage et gentille, et leur donne l'impression de bien s'occuper d'elle-même. Gail se débrouillait pour y arriver, pas Anne. Anne faisait tout de travers.

– Puis-je me lever de table ?

– Pas avant le dessert, dit son père par réflexe.

– Je n'en veux pas.

– Pas question d'aller dans les bois la nuit, dit tante Marian.

– Il y a du soleil, dit Anne d'une voix forte. Elle se dandinait près de sa chaise, prête à filer. Tout le monde la regardait. C'est l'été et il n'est que 8 heures et il y a du soleil et les gens intelligents profitent de la chaleur au lieu de traîner à table à s'empiffrer comme de gros balourds ! C'est comme mourir ! Votre vie suinte de partout et s'échappe sous la table en une mare de boue !

– Anne, quelle façon de s'exprimer, surtout à table ! protesta Nina. Ethan pouffa de rire.

– J'y penserai chaque fois que je m'assiérai pour prendre mon café.

– Ou alors vous vous desséchez, poursuivit Anne, enhardie. Vous restez assis avec la lumière allumée au lieu d'être au soleil à respirer les fleurs et le lac et vous vous déshydratez et votre peau desquame et vous abandonne et bientôt vous êtes tous des squelettes assis en rond à écouter cliqueter vos os...

– Je crois que ça suffit, cette fois, coupa Marian avec fermeté. Tout cela est très intelligent, ma petite, mais fort mal venu, et tu le sais parfaitement. Nous achevons tout simplement notre repas, tranquillement, en personnes civilisées que nous sommes, au lieu de gober notre nourriture pour ficher le camp dans toutes les directions. Si tu veux quitter la table, personne ne t'en empêche, mais ne va pas dans les bois. Je t'ai déjà dit que je te l'interdisais. C'est mal. N'y va pas. Jamais.

– Je reviens, dit Anne, et elle quitta la salle à manger en courant.

Elle sentait qu'ils la regardaient à travers les portes-fenêtres tandis qu'elle traversait la grande pelouse. Sa silhouette se détacha contre le bleu intense du lac Michigan avant de disparaître dans les bois de pins qui couvraient le reste de la propriété. Elle continua de courir jusqu'à une clairière avec un petit étang bordé d'herbes folles, de marguerites et d'hysopes qui parfumaient l'air de menthe. Seul le chant des oiseaux troublait le silence. Anne s'assit et croisa ses jambes longues et fines sous la robe bain de soleil qu'elle portait au dîner.

« Bonjour, Amy, dit-elle. Désolée d'être en retard. On a eu droit à un esclandre à table. Je crois que tante Marian est en pleine ménopause. Tu crois qu'à trente-trois ans c'est trop jeune ? De toute façon ça ne change rien ; elle est sans doute vieille de naissance. »

Elle sortit un carnet et un crayon de sa poche et commença à écrire.

« Je prends des notes sur la famille ; je te l'ai dit ? Un jour j'écrirai un livre sur eux. Personne ne me croira, évidemment. Je suis contente que tu sois là, Amy ; tout va tellement mieux quand on a quelqu'un à qui parler. »

Elle s'allongea sur le dos, creusant son trou dans les aiguilles de pin comme un chiot. Elle mâchouilla ses ongles et regarda le ciel. Le sommet effilé des arbres s'inclinait dans la brise du soir ; Anne devait plisser les yeux pour les distinguer tant le ciel était lumineux.

« Ecoute, Amy. Les arbres craquent. Comme dans un film d'horreur. Tu ne trouves pas qu'on dirait un film d'horreur ? Ferme les yeux et tu auras l'impression qu'il va se passer quelque chose de vraiment horrible. »

Elle trembla et se redressa.

« C'est probablement l'esprit de tante Marian qui se glisse dans la forêt. La respectabilité rôde. Soyons sur nos gardes, Amy. La respectabilité rôde. Le problème c'est qu'avec tante Marian c'est une respectabilité galopante. »

Non loin de là, debout entre les arbres, Vince Chatham étouffa un rire.

– Marian tout craché, dit-il.

Anne bondit. Le carnet tomba.

– Oncle Vince ? dit-elle d'une voix incertaine.

Il s'approcha.

– Je me promenais quand j'ai entendu ta voix. Ton amie doit s'être sauvée dare-dare.

– Qu'est-ce que tu fais là ? demanda-t-elle, furieuse. Tu ne te promenais pas, tu ne te promènes jamais. Tu me suivais.

Il se pencha pour ramasser le carnet.

– Pourquoi personne ne croirait-il ce que tu écris sur nous ?

– Ce n'est pas à toi que je parlais, répondit-elle en rougissant.

– Mais tu parlais de moi ; je fais partie de la famille. Il choisit un coin d'herbe au bord de la clairière et s'assit sur un tronc qui semblait fait pour ça. Je nous ai apporté du dessert. J'aimerais que nous partagions.

Anne ne bougeait pas.

– Où est-il ?

Vince tendit la main derrière lui et exhiba une boîte blanche.

– Des petits éclairs au chocolat. Il n'y a pas meilleur au monde. Ça fond dans la bouche même si on n'a plus faim, on peut en manger des dizaines en pique-nique, on s'en met partout. Ce sont vraiment mes gâteaux préférés.

– Si tu as apporté du dessert, tu ne te promenais pas. Tu me suivais.

Vince, qui ouvrait la boîte, s'interrompit et sourit de toutes ses dents.

– Les gens ont vraiment tort, Anne ; tu es la plus intelligente de nous tous. Tu es une jeune femme remarquable.

Menteur, pensa Anne.

– Tu as changé de chaussures, en plus. Tu savais que tu marcherais dans les bois.

– On a intérêt à se méfier avec toi, remarqua-t-il, souriant toujours.

– Pourquoi m'as-tu suivie ?

– Pour t'apporter du dessert, soupira-t-il en lui tendant un éclair. Il y en a une boîte pleine. Joli endroit pour pique-niquer, ajouta-t-il en regardant autour de lui. Ça vaut un salon particulier. Bien choisi.

Anne regarda ses yeux noisette qui brillaient, ses cheveux blonds qui ondulaient en arrière, ses lèvres fines qui pouvaient s'ouvrir en un sourire radieux, la fossette de son menton qui ajoutait du mystère à son visage. Il était si beau, si raffiné – trente ans, homme d'affaires, mari, père – et elle avait toujours eu peur de lui, et ne l'avait jamais aimé. Il était si impeccable et si sûr de lui qu'en sa présence elle se sentait toujours encore plus crasseuse, plus jeune, presque un bébé ; le plus bizarre, c'est qu'elle en avait peur ; pourtant, c'était son oncle. Elle pensait qu'elle aurait beau creuser derrière son sourire, elle ne saurait jamais ce qu'il pensait, et cela lui semblait anormal et dangereux.

– Je compte sur toi pour m'empêcher de céder à la gourmandise.

Anne eut un petit rire gêné.

– Tu veux que je les mange pour te faire plaisir.

Elle hésita, comme si accepter revenait à accepter l'intrusion de son oncle dans son territoire. Mais elle avait encore faim et résistait mal aux éclairs.

– Bon, d'accord, dit-elle, renfrognée, puis elle s'assit en tailleur près du tronc d'arbre et prit l'éclair.

– Qu'en dis-tu ? demanda-t-il au bout de quelques minutes alors qu'il sortait deux autres éclairs de la boîte.

La bouche pleine, elle hocha la tête. Elle était moins furieuse mais toujours mal à l'aise. C'était son endroit secret, depuis toujours. Elle ne savait pas que quelqu'un était au courant. Et maintenant Vince était là et tout était différent. Ce n'était plus son endroit ; c'était le leur, et ça la tracassait.

Le soleil était bas et la clairière retenait la chaleur odorante de ce jour d'été. Anne était assise à quelques pas de Vince, raide comme un piquet, le regard fixé sur les épais buissons qui s'assombrissaient dans la lumière bleu nuit.

– Tu viens là tous les jours ? s'enquit Vince.

Les éclairs étaient tous mangés et il faisait des ricochets sur l'étang. Anne regardait les petites pierres rondes rider la surface de l'eau. Elles étaient si vives, si légères, si libres. Comme Vince. Elle aurait voulu être comme ça, mais elle se trouvait lourde et maladroite. C'est alors que le bruit régulier des pierres sur l'eau enfla et remplit la clairière à lui faire exploser la tête.

– Arrête ! hurla-t-elle.

– Arrêter quoi ? demanda-t-il, surpris.

– Ce satané bruit ! C'est un endroit calme, ici ! Arrête de lancer des pierres dans l'eau !

Il contempla le petit galet dans sa main. Un sourire s'esquissa sur ses lèvres.

– Désolé, dit-il doucement. Je ne savais pas que ça te dérangeait. Tu viens ici tous les jours ? répéta-t-il en ramassant une brindille pour dessiner par terre.

Anne acquiesça d'un signe.

– Pour écrire un livre sur nous ?

Elle haussa les épaules.

– Je ne veux pas en parler.

– Tu préfères parler d'Amy ?

– Ça ne te regarde pas !

– J'aimerais juste savoir pourquoi tu t'inventes des amies. Tu n'en as pas à l'école ?

Elle haussa les épaules.

– Qu'est-ce que ça veut dire ? Que tu ne veux pas d'amis ? Que tu n'en as pas suffisamment ? Que tu ne veux pas en parler ?

– Je ne veux pas...

– Bon. De quoi veux-tu parler ?

– De pourquoi tu m'as suivie.

– Tu es si obstinée, ma petite Anne. J'ai adoré ta façon de leur tenir tête, déchaînée, et de leur dire d'aller se faire voir.

– Ce n'est pas vrai ! Jamais je n'aurais dit...

– C'était le message. Je l'ai bien reçu. Eux aussi.

Anne ne quittait pas le sol des yeux. Ils la détesteraient s'ils pensaient que c'était ce qu'elle avait voulu dire. C'était discourtois et peu féminin, le contraire de ce que voulait Marian. Mais c'était plus fort qu'elle ; quand elle se sentait seule ou effrayée ou malheureuse, les mots sortaient avant qu'elle puisse les arrêter. Et tout le monde la détestait, elle le savait. Elle commença à se ronger les ongles.

Vince la regardait. Treize ans, déjà extraordinairement belle sans s'en douter le moins du monde. Ou alors elle s'en moquait. Peut-être ne s'aimait-elle pas assez pour se regarder dans la glace. Avant, il ne faisait pas attention à elle : elle était trop jeune, trop insignifiante, brute de décoffrage. La fille de son frère, élevée par Marian depuis que sa mère était morte ; une enfant qui n'avait sa place nulle part. Même Charles paraissait mal à l'aise avec elle ; il n'avait rien d'un père gâteux. Mais ce soir-là, au dîner, Vince avait vu Anne dominer la pièce, ne fût-ce qu'un moment, et ça l'avait intrigué. Ces derniers temps, Rita et lui se bagarraient sans arrêt ; il en avait assez du mariage et de ses contraintes, et Anne arrivait, agréable distraction.

Il se pencha pour contempler son profil. Elle avait une bouche généreuse, sa lèvre inférieure était un peu trop lourde et tirait ses jolis traits quand elle boudait. Mais le bref instant où elle avait ri, son visage s'était métamorphosé et même Vince, que les femmes impressionnaient rarement, avait retenu son souffle devant cette beauté si soudaine, si radieuse. Elle avait un petit nez légèrement retroussé et ses pommettes hautes étaient un peu trop saillantes. Ses yeux, cachés derrière de lourdes paupières, étaient d'un bleu profond qui virait au noir étincelant sous l'effet de la colère. Son visage et ses mains avaient besoin d'une bonne friction, et un peigne serait le bienvenu dans l'entrelacs de ses boucles noires, sans parler de sa robe qu'on aurait dû brûler depuis longtemps pour l'habiller de lin ou de soie sauvage. Elle avait les coudes pointus ; Vince devinait de longues jambes aux genoux maigrichons sous les plis défaits de sa robe. Cette image l'excitait. Des os pointus sous une peau douce, des yeux de braise, une bouche enfantine, des membres dégingandés à qui on n'avait pas appris à bouger, à saisir, à agripper...

– Mais ç'aurait très bien pu ne pas être moi, dit Anne brusquement en le regardant avec colère. Si tu as reçu le message qu'ils aillent se faire voir, c'est peut-être parce que c'est ce à quoi tu t'attendais. Ou encore celui que tu voulais leur envoyer, toi.

Il y eut un bref silence. Vince sourit.

– Un jour, ma petite, tu seras un adversaire redoutable.

Anne le dévisagea avec gravité.

– Tu crois me faire un compliment ?

– Oui, et tu le sais parfaitement. Tu aimes te battre : tu étais bien partie, ce soir.

– Erreur. J'ai horreur de ça.

– Tu veux que je t'apprenne ?

– A aimer les combats ?

– A les gagner. On dit que je suis plutôt bon.

– Qui ça, on ?

– Ceux qui m'ont vu. Ceux qui ont perdu contre moi.

– Non, merci. Il y a d'autres choses que je veux apprendre.

– Quoi ?

– Peu importe, dit Anne dans un haussement d'épaules.

– Nom de Dieu ! lança-t-il, faisant reculer Anne. Désolé, fit-il d'une voix redevenue douce pour masquer sa contrariété.

Il tenait à ce qu'une femme lui répondît quand il prenait la peine de lui poser des questions sur elle. Il se pencha.

– Bien sûr que ça importe, Anne. Je veux te connaître.

Elle se rassit sur ses talons, plus loin de lui.

– Pourquoi ?

Un animal se faufila dans les broussailles derrière Vince, le faisant sursauter. Sa contrariété augmenta. Il avait horreur de l'inattendu.

– Je te l'ai dit, j'ai adoré ta façon de te comporter ce soir, tout feu tout flamme. Quand je vois quelque chose d'inhabituel, je veux en savoir plus.

– Avant, tu ne voulais rien savoir sur moi.

– C'est le cas maintenant. Anne, tout cela est ridicule. Pourquoi ne serions-nous pas amis ?

– Tu es mon oncle.

– Quel est le rapport ?

– Je ne sais pas, dit-elle, confuse. C'est seulement que... je ne sais pas.

Il sourit.

– Tu n'as rien à craindre, Anne, je te le promets. Mais s'il y a quelque chose que je n'ai pas compris, je prends ça sur moi. Ça n'est pas ton rôle.

Elle bondit sur ses pieds et se tint près de l'étang, le regard fixé sur les eaux noires.

– Nous sommes de la même famille, dit-elle.

Vince acquiesça.

– Justement, on devrait être encore plus proches. N'es-tu pas d'accord ?

Des insectes faisaient de petites taches et des ridules sur la surface de l'étang. Anne se concentrait sur eux.

– Je suppose que si.

– Moi, j'en suis sûr, dit Vince d'une voix chaude. Ils devraient essayer de se rendre heureux. Ne l'es-tu pas de m'avoir là ? N'est-ce pas mieux d'avoir vraiment quelqu'un à qui parler au lieu d'un ami imaginaire ? Dis-moi, Anne, n'est-ce pas mieux ainsi ?

Elle hocha la tête avec lenteur. C'était mieux. C'était bon, ces deux voix dans la clairière plutôt que de parler toute seule. Même un endroit secret, bien à soi, finissait par avoir un goût de solitude. Elle se demandait pourquoi tout s'embrouillait. Elle savait que quelque chose clochait dans cette conversation, mais Vince lui faisait sentir que si elle se sentait mal à l'aise c'était de sa faute à elle ; qu'elle était idiote, disait ce qu'il ne fallait pas et gâchait un moment agréable.

Elle lui jeta un bref regard. Il souriait. Il paraissait si beau, si honnête qu'Anne eut envie de pleurer parce qu'elle n'y comprenait rien. Il étendit ses jambes croisées.

– Tu as dit que tu voulais apprendre d'autres choses. Lesquelles ?

Anne continuait de se ronger les ongles. Il s'intéressait vraiment à elle.

Pourquoi s'inquiéter ? Elle n'était pas paniquée ; c'est juste qu'elle ne saisissait pas exactement ce qui se passait et se sentait donc en état d'infériorité. Dansant d'un pied sur l'autre, elle finit par dire :

– Je veux apprendre des choses difficiles et compliquées et qui demandent beaucoup de travail.

– Pourquoi ? demanda-t-il, surpris.

– Parce que comme ça je n'aurai pas le temps de penser à autre chose. Peu importerait où je vis, comment je me sens, si j'ai des amis ou non ; je m'en moquerais parce que je serais trop occupée. Et quand j'aurais appris un tas de choses et que je serais quelqu'un, on viendrait me féliciter et me dire à quel point je suis merveilleuse et je ne serais plus furieuse après tout le monde.

– Pourquoi es-tu furieuse après les gens ?

Elle haussa les épaules.

– Anne, dit Vince avec douceur. Dis-moi. Dis-moi pourquoi tu n'es pas heureuse.

– Je suis heureuse, dit Anne avec défi.

– Ce n'est pas vrai. Raconte-moi. Nous sommes amis, Anne. Raconte-moi.

Elle haussa les épaules et s'acharna sur son ongle.

– C'est seulement que je n'aime pas grand monde, alors ils m'énervent. Je n'ai pas envie de faire partie de leur bandes débiles ; elles poussent des cris, rient bêtement et racontent des blagues sur les garçons... tout cela est tellement ridicule.

– Et tu crois que tout changera quand tu apprendras des choses difficiles et compliquées ?

– Et comment ! Parce ce que je serai quelqu'un d'important qui rencontrera d'autres gens importants et nous serons amis parce que... les gens aimeront être avec moi.

Vince se leva et s'approcha d'elle. Il fit courir son doigt le long de sa joue.

– Tu es déjà quelqu'un de très important, ma petite Anne, et j'aime être avec toi. C'est même avec toi que je préfère être.

Le soleil toucha l'horizon et disparut. L'air était encore chaud, mais semblait fraîchir sous l'effet des ombres. Anne tressaillit.

Vince s'approcha encore et prit son visage entre ses mains.

– Douce petite Anne. Tout le monde devrait t'aimer. Anne scruta son regard. Et moi je vais t'aimer, ajouta-t-il en s'approchant encore pour l'embrasser.

La bouche de Vince couvrit celle d'Anne et sa langue s'insinua violemment, poussant celle d'Anne au fond de sa gorge. C'était terrifiant, mais Anne ne bougea pas, ne cria pas ; elle eut soudain peur qu'il ne se fâche. Il prenait soin d'elle. Il l'aimait. Il l'aimait assez pour lui demander ce qu'elle éprouvait et pour l'écouter. Il l'aimait assez pour l'embrasser. Il disait qu'elle était quelqu'un d'important. Il disait qu'elle était douce.

Elle aurait bien voulu qu'il ne l'embrasse pas; elle voulait juste qu'on la prenne dans ses bras, comme sa maman le faisait, elle s'en souvenait, et aussi son père, avant que sa maman meure. Elle trembla et Vince mit ses bras autour d'elle, l'attirant contre lui. Il la serrait si fort qu'elle avait mal, mais elle s'en moquait. Elle aimait qu'il la tienne. Elle aimait sa voix grave et chaude qui lui disait des choses gentilles. Elle voulait qu'il en dise encore, mais il ne le ferait pas s'il pensait qu'elle était gourde, et elle était sûre qu'il le penserait si elle s'échappait de cette langue dans sa bouche. Elle devait faire attention, sinon il s'en irait et ne ferait plus jamais attention à elle; alors elle reviendrait dans la clairière et y serait seule, pour toujours.

Mais Rita et Dora ? Vince était en train de l'embrasser et il avait une femme. Et une fille.

*Ce n'est qu'un baiser.* Ses pensées tourbillonnaient comme des feuilles d'automne; elles effleuraient son esprit sans qu'elle parvienne à les maîtriser. *Ce n'est qu'un baiser. Ça ne veut rien dire.*

Vince ôta sa bouche. Il tourna Anne sur le côté et, tenant ses fesses d'une main et son épaule de l'autre, il la fit marcher jusqu'à l'herbe au bord de la clairière et l'obligea à s'agenouiller.

– Non! Oncle Vince! cria-t-elle, mais il la poussa en arrière et l'allongea sous lui.

– Vince! hurla-t-elle à nouveau. Je ne veux pas! Je t'en prie, non, je...!

– Si. Tu en as envie.

Sa voix était dure. A genoux au-dessus d'elle, il saisit ses poignets dans une main et releva prestement la robe bain de soleil, puis lui ôta sa petite culotte qu'il repoussa du pied.

– Non, je ne veux pas! Non. Vince, arrête, je t'en supplie!

Il s'assit sur ses jambes qui gigotaient et déboucla sa ceinture.

– Ça t'a plu que je t'embrasse. Je l'ai bien vu.

– Non! Je voulais juste...

– Ne mens pas!

Perdue, terrifiée, Anne le dévisagea. Le visage rouge, la respiration forte, il la regardait avec colère. Elle ferma les yeux si fort qu'elle eut mal. Etait-ce vrai ? Avait-elle aimé être embrassée ? Elle avait aimé ses bras autour d'elle; peut-être aussi qu'il l'embrasse. Sans doute. Elle avait dû faire quelque chose qui le lui avait laissé croire. Il en savait tellement plus qu'elle; il savait tout. Elle rien, sauf qu'elle avait peur et envie de vomir. Elle secoua la tête de droite et de gauche sur le sol.

– Je ne sais pas. Je t'en prie, Vince, lâche-moi, je ne veux pas...

– Si. Moi, je sais ce que tu veux.

Il jeta son pantalon de côté. Il lui maintint les bras au-dessus de la tête et força ses doigts entre ses cuisses serrées, obligeant ses genoux à s'ouvrir, grand.

– Tu vas voir comme c'est bon. Je vais t'apprendre.

Il était terriblement excité. Les genoux d'Anne étaient noueux, exactement comme il se les était figurés ; ses cuisses étaient fines et dures. De la peau, des os, des muscles tendus, des endroits fermés, secrets. Pour lui. Il allait découvrir, il allait prendre. Avec ses jambes, il lui ouvrit les cuisses plus encore et enfonça ses doigts en elle, profondément, cherchant sous le duvet noir et bouclé.

– Ne lutte pas contre moi, Anne. Je vais t'apprendre à aimer.

Ses oreilles bourdonnaient. Anne n'entendit qu'un mot. *Aimer.* Elle gémit longuement. Vince prit ça pour de la passion. Sans attendre, il s'enfonça en elle, perdant presque le souffle devant cette exquise étroitesse. Il ne l'entendit pas crier ; il ne vit pas les larmes s'échapper de ses paupières closes. Il ne voyait qu'une chose : elle ne luttait pas ; elle était allongée sous lui comme une gentille fille, et elle était étroite comme personne et il ne pouvait pas se retenir ; avec une fille comme Anne, il faudrait du temps pour arriver à se retenir. Les yeux fermés, il cogna en elle et une explosion le fit s'écrouler sur elle comme une masse, le visage dans son cou.

Anne ouvrit les yeux et regarda les arbres qui tanguaient au-dessus d'elle. Ils craquaient en se balançant. *Tu ne trouves pas qu'on dirait un film d'horreur ? Ferme les yeux et tu auras l'impression qu'il va se passer quelque chose de vraiment horrible.*

# 3.

Le lendemain soir, il vint dans sa chambre. Elle y avait passé la journée en pyjama et robe de chambre de seersucker, refusant toute nourriture, interdisant l'entrée à Marian qui voulait lui prendre sa température.

– Je vais bien, dit Anne. Je n'ai envie de rien, c'est tout. Je veux qu'on me laisse tranquille !

– Les enfants qui ont le goût du drame ne sont pas faciles à manier, murmura Marian pour elle-même. Mais à treize ans, n'est-ce pas toujours le cas ? ajouta-t-elle avec sagesse avant de retourner à son jardinage.

Anne se pelotonna sur le coussin de chintz de la petite banquette sous sa fenêtre. Elle était entourée de fleurs vives : le papier du mur, le baldaquin, le jupon de sa coiffeuse et le grand fauteuil dans le coin près de la table ronde recouverte d'un tissu qui traînait par terre. Partout, des photos de sa mère dans des cadres d'argent. Non loin du lit, une petite cheminée de marbre dont le manteau s'ornait des portraits de Marian et de Charles. Chaque jour, la bonne mettait sur la table ronde des roses fraîchement cueillies. La gaieté de l'ensemble était insupportable. Anne ferma les yeux.

Ça la brûlait entre les jambes, d'une douleur aiguë et lancinante. Si on lui demandait de la peindre, ce serait d'un rouge vif, encore plus rouge que le sang qu'elle avait découvert sur ses cuisses en se déshabillant la veille au soir. Vince avait fait presque tout le chemin du retour avec elle, l'entourant de son bras pour l'empêcher de trébucher, évoquant un voyage qu'Ethan prévoyait pour lui.

– Mais ça n'est pas pour tout de suite, dit-il en s'arrêtant près de la porte latérale. Je ne pourrais pas te quitter maintenant. Il posa un baiser sur le front d'Anne et lui prit le menton dans la main. N'en parle à personne. Tu comprends ? Tu comprends, n'est-ce pas ? répéta-t-il en enfonçant son ongle dans sa peau. Elle hocha la tête. C'est bien. Allez, entre, petite ; je passe par-devant. A demain soir.

Le lendemain, chacun allait et venait sous ses fenêtres du deuxième étage, comme si tout était normal. Les jardiniers bavardaient en espagnol, taillant les buissons, tondant la pelouse; l'odeur acide de l'herbe coupée monta jusqu'à la chambre d'Anne. Le postier tendit des lettres et des magazines à une des bonnes. Marian se rendit à la roseraie, posa son panier d'osier, enfila ses gants de coton fleuri, ajusta son grand chapeau de paille puis examina avec soin chaque fleur avant de choisir lesquelles couper et placer délicatement dans le panier. Une nounou promenait Keith dans sa poussette et Marian leur fit signe avec son sécateur.

Anne avait la tête vide. Elle avait essayé de se confier à Amy, mais en vain. Malgré ses efforts, Amy ne surgissait pas et Anne savait confusément qu'Amy était partie pour toujours. Les heures passaient, Anne restait immobile à contempler la vie d'en bas. Fred entra et posa un petit baiser sur la joue de Marian dont le regard s'échappait au loin. Un peu plus tard, elle frappa à la porte.

– Puis-je entrer ?

– Non.

La chambre d'Anne était au bout du couloir, derrière une lourde porte; elle devait élever la voix pour qu'on l'entende.

– Bon, comme tu veux, ma chérie, dit Marian en élevant elle aussi la voix. C'est l'heure, Anne; Nina n'aime pas qu'on soit en retard. Ce serait mal venu pour l'anniversaire de grand-père, n'est-ce pas ?

– Je n'irai pas, répondit Anne qui regardait toujours dehors.

– Tu as encore quelques minutes pour te faire belle, si c'est ça qui t'inquiète.

– Je n'irai pas.

– Ou pour te changer. Ce serait bien que nous soyons tous sur notre trente et un; ça ajoute à la fête. Et grand-père y est sensible.

Anne se taisait.

– Bon, dit Marian d'une voix calme car elle ne s'énervait jamais. Evidemment, si tu ne te sens pas bien, mieux vaut ne pas sortir. Je leur expliquerai, et je suis sûre que grand-père sera aussi heureux que tu lui souhaites son anniversaire demain. Je te conseille de garder la chambre. Je vais te faire monter à dîner. Du potage. Ça guérit presque tout. Désires-tu autre chose ?

*Quelqu'un à qui parler.* Elle pleurait.

– Anne ?

– Non.

– Alors, couche-toi. Ça ira mieux demain.

La maison était silencieuse. Le soleil posait ses rayons obliques dans la cour déserte et l'ombre des arbres et des grilles. Bientôt, le soleil disparut et tout devint bleu-gris, calme, en attente. C'est alors que la porte s'ouvrit. Vince apparut.

– Dieu que tu m'as manqué, dit-il en relevant Anne de son siège pour la conduire jusqu'au lit. J'ai pensé à toi toute la journée. Ce dîner n'en finissait pas; Ethan était d'humeur bavarde. Déshabille-toi, petite fille, ajouta-t-il en asseyant Anne au bord du lit, je ne vais pas le faire pour toi. C'est la première chose à apprendre.

Immobile, Anne écarquilla les yeux.

Vince soupira bruyamment, s'assit près d'elle et l'entoura de ses bras.

– Bon, il va falloir quelques préliminaires. Allez, petite, détends-toi, tu n'as pas à t'inquiéter. Oncle Vince va s'occuper de toi. Tu en as grand besoin. Tu te rappelles ce que je t'ai dit hier ? Dans une famille, on devrait se rendre heureux. C'est ce que nous allons faire. Contente-toi d'être gentille et nous nous amuserons beaucoup et nous serons heureux. Et tu vas tout apprendre sur l'amour.

Ce mot se transforma en un long soupir et il sourit avec tant de gentillesse qu'Anne s'approcha de lui, attirée; elle voulait qu'on la serre dans ses bras, qu'on l'aime. Vince resserra son étreinte et, lentement, elle laissa son corps raide reposer contre sa poitrine chaude et solide. Il n'était guère plus grand qu'elle, en fait c'était le plus petit de la famille et elle avait toujours pensé que ça le contrariait, mais peut-être pas; peut-être que rien ne contrariait Vince. Il était si fort qu'il dominait tout le monde. Sa présence emplissait la pièce. Il était le plus fort, se dit Anne. Elle se blottit contre lui et ferma les yeux. Elle voulait s'endormir ainsi, au chaud, en sécurité.

– Réveille-toi, dit Vince gaiement.

Il lui prit le menton, l'attira à lui et l'embrassa, comme la veille, forçant sa bouche et sa langue. Mais cette fois, tout en l'embrassant, il déplaçait sa main sur son corps. Il releva sa veste de pyjama et fit rouler ses mains sur ses petits seins; il glissa une main dans sa culotte de pyjama, agrippa ses fesses et fouilla la chair brûlante et à vif entre ses jambes. Anne poussa un cri. Il interrompit son baiser.

– Tu as mal ici ?

Elle hocha la tête, des larmes plein les yeux.

– Bon, n'y pense plus; on va le laisser tranquille pour cette nuit. Il y a plein d'autres choses à faire. Enlève ton pyjama, je veux te voir.

Ses mains se levèrent et hésitèrent.

– Fais ce que je te dis, nom de Dieu!

C'était la voix de l'autorité. C'était la voix de tous les hommes de la famille. C'était la voix d'oncle Vince et son père avait toujours dit que Vince était le plus fort de tous. Anne cessa de réfléchir. Elle défit sa robe de chambre et déboutonna sa veste de pyjama qu'elle laissa tomber derrière elle, puis ôta sa culotte qui tomba à ses pieds. Elle était assise, sans bouger, fixant du regard ses cuisses nues.

Vince lui prit à nouveau le menton et l'obligea à le regarder tandis qu'il l'observait. Il rejeta en arrière ses cheveux noirs emmêlés et fit délicatement courir un doigt sur son front, son visage, la ligne de son cou, les pointes de ses minuscules seins tout durs, puis son ventre plat.

– Une si petite fille, dit-il avec son doux sourire. Mon incroyable petite fille. Il ouvrit les jambes d'Anne et contempla l'endroit rouge et enflé. Pauvre petite, je suis trop gros pour toi. Mais on va arranger ça; tu seras si fière de toi quand tu verras comme tu es ouverte pour moi. Bon Dieu, on va passer de sacrés moments.

Il l'attira contre lui, l'écrasant presque, puis la tint à bout de bras.

– J'ai trop de vêtements.

Anne le dévisagea, sans expression.

– Déshabille-moi, nom de Dieu!

Les mains d'Anne s'acharnèrent sur les boutons de la chemise blanche.

– Allez, ordonna-t-il.

Elle s'empressa de déboutonner sa chemise et, voyant qu'il n'esquissait pas un geste pour l'aider, tira une manche, puis l'autre. Elle remarqua au passage qu'il avait la poitrine aussi lisse que la sienne et qu'il n'avait pas de poils sur les bras ni sur les mains. Elle se dit, presque inconsciemment, que c'était bizarre : son père et son grand-père avaient les bras couverts de poils noirs. Mais cette pensée fugitive s'évanouit bientôt.

– Anne, dit Vince.

Anne s'aperçut que ses mains étaient immobiles. Elle défit sa ceinture et posa ses doigts sur la fermeture Eclair. Son cœur battait la chamade.

– Allez, ordonna-t-il.

Les yeux fermés, elle défit la fermeture Eclair. Il se souleva légèrement, elle tira son pantalon et son caleçon. Brusquement libéré, le sexe dur claqua contre sa petite main. Anne bondit comme si elle s'était brûlée avec un tisonnier. Mais Vince lui prit la main, l'obligeant à entourer son sexe.

– Tiens-le.

C'était si doux qu'Anne fut surprise. En dessous, c'était rigide, mais la peau était douce et battait sous sa paume. Ça n'avait pas l'air menaçant. Mais elle l'entrevit accidentellement et vit que c'était énorme. Elle ne voyait que cette énorme tige. La terreur l'envahit; elle avait envie de vomir. Mais c'était impossible; il ne lui pardonnerait jamais. Maîtrisant sa panique, elle arrêta de penser.

– Bouge ta main, dit-il. Comme ça. Pas si fort, petite; ne l'étrangle pas, aime-le. Comme ça.

Elle commença à se détendre. Remuer sa main en rythme le long de cette peau douce n'était pas si terrible; la dureté était réconfortante; Vince aimait ça et elle voulait lui faire plaisir. Si c'était tout ce qu'il voulait en échange de sourires et d'amour, ça irait. Elle faisait exactement comme il voulait et commençait à se sentir mieux quand Vince posa soudain ses mains sur ses épaules et l'agenouilla par terre devant lui.

– Ouvre la bouche, et je ne veux pas sentir tes dents.

Elle ne sut pas combien de temps cela dura. Vince finit par la relever jusqu'au lit et lui dit quoi faire. C'était atroce; elle le détestait, elle se détestait. Mais Vince appelait ça l'amour.

– Ma gentille fille, gémit-il plus tard alors qu'ils étaient allongés sur le lit en désordre. Ma gentille petite Anne, ma merveilleuse petite Anne. Tu apprends si vite. Mais tu n'aurais pu trouver meilleur professeur, n'est-ce pas? Tu ne connais pas ta chance.

Il se leva et se rhabilla.

– Tu m'excites plus que toutes les femmes que j'ai connues. A demain soir, petit cœur, fit-il en prenant son veston qu'il tint d'un doigt négligent sur son épaule. Une chose encore. Ne rate plus les repas de famille ; je veux te regarder et penser à toi quand tout le monde est là. Et désormais, je veux t'entendre quand nous ferons l'amour. Je veux savoir que tu aimes ça. J'ai horreur du silence morbide. Et ce n'est pas tout. Je compte sur toi pour ne pas oublier ce que je t'ai dit : cela doit rester secret. Que je n'aie pas à te le répéter. Tu es intelligente, tu apprends vite ; ne t'avise pas d'en parler à quiconque, fût-ce à ton amie imaginaire. C'est notre secret. Vu ?

Anne était allongée et le regardait à travers ses paupières lourdes.

– Anne, dit-il avec une extrême douceur. Je t'ai posé une question.

Elle essaya de hocher la tête mais elle ne voulait pas bouger.

– Anne. Cette fois-ci c'était un grognement rauque, méconnaissable. Cela reste entre nous. Personne ne doit savoir. Compris ? De toute façon, si tu parlais, personne ne te croirait – on te croirait folle ; on t'enfermerait – mais les choses n'en arriveront pas là. Tu ne diras rien. Je ne le permettrai pas. Je ne voudrais pas te faire de mal, petite, ou pire encore, mais si tu me désobéis, je t'en ferai ; je te tuerais sans hésiter si je pensais que tu en as parlé... Maintenant, nous avons l'amour, et nous nous amusons. Nous nous rendons heureux. Et ça peut durer tant que tu es gentille. Et tu le seras, n'est-ce pas ? Réponds.

Anne émit un son.

– Voilà qui est mieux. Je ne m'inquiétais pas, tu es maligne. Mais je t'en ferai souvenir de temps à autre, au cas où. Cela dit, je compte sur toi, Anne. Ne t'avise pas de me décevoir. Bonne nuit, petite fille. Fais de beaux rêves.

Anne regarda la porte se fermer. Elle n'arrivait pas à bouger. Ses lèvres étaient abîmées et enflées et sa bouche gardait un goût douceâtre et fadasse. Elle avait mal aux genoux, sa nuque était raide et ses doigts semblaient bloqués dans la position que lui avait enseignée Vince. Elle respira longuement, profondément, et fixa les yeux sur la branche d'arbre finement ciselée qui caressait la fenêtre. *Peut-être que je vais mourir. Ils me retrouveront morte demain matin et ils sauront que c'est à cause de ce que Vince a fait. Et ils le puniront. Peut-être qu'ils le tueront. Je voudrais qu'ils le tuent.*

Puis ce fut le matin et elle sut que, miraculeusement, elle avait dormi. Elle glissa de son lit, sentant la brise du matin sur sa peau encore chaude. Elle prit une douche et s'examina avec précaution. Elle n'était plus enflée, et presque plus rouge. Elle se brossa les dents ; sa bouche allait beaucoup mieux. Debout devant la grande glace de sa chambre, elle contempla son corps nu. Rien ne se voyait. Une petite fille de treize ans tout ce qu'il y a de normal, se dit-elle, et elle vit sa bouche se durcir. C'est ce que dirait Marian, qui aimait les choses normales et maîtrisées. Comme toute la famille. Alors Vince viendrait la nuit, elle ferait ce qu'il voudrait et personne ne devinerait jamais ce qui se passait parce que rien ne se verrait.

Sauf si je leur dis, songea-t-elle. Marian n'aime pas les problèmes ni me voir malheureuse. Et Nina m'écoute quand je lui parle de l'école. Et mon père m'écouterait ; il ne fait guère attention à moi, mais il ne supporterait pas qu'on me fasse du mal.

*Je ne voudrais pas te faire de mal, petite, ou pire encore, mais si tu me désobéis, je t'en ferai ; je te tuerais sans hésiter si je pensais que tu en as parlé.*

Comment avait-il pu dire ça tout en parlant d'amour et comme elle était merveilleuse ? Elle revoyait sa poitrine contre laquelle elle se sentait à l'abri, bien au chaud, la force de ses bras quand il l'enlaçait, la douceur de son sourire. Il ne pensait pas ce qu'il disait. On ne tuait pas sa famille, on ne lui faisait pas de mal. C'était seulement dans les livres.

Mais il l'avait dit.

– Je ne suis pas assez bête pour le mettre à l'épreuve, dit-elle à haute voix, ce qui la fit sursauter. Il a probablement dit ça pour voir comment j'allais réagir. Il ne me ferait pas de mal ; il m'aime. Et c'est ce qu'il y a de mieux, être aimé.

Elle arracha les draps du lit. La bonne en mettrait des propres. Je lui dirai que j'ai mes règles, pensa Anne. Ou plutôt je ne dirai rien. A quoi bon ? Ils n'attendent aucune explication ; ils se moquent de ce que je fabrique. Elle mit ses draps au sale, enfila un jean et une chemise et alla prendre son petit déjeuner.

Elle devait aller avec Marian acheter de quoi s'habiller pour la rentrée ; ça prendrait la journée. Et demain elle pourrait demander au jardinier de lui montrer comment on s'occupait des orchidées ; il lui avait promis, quand elle le voudrait. Ça ne la passionnait pas vraiment, mais elle aimait les jolies choses et les orchidées étaient très belles, même celles qui avaient l'air méchantes et voraces. Anne se dit que c'était suffisamment intéressant pour remplir sa journée du lendemain, ou presque. Et quand elle ferait des courses avec Marian, elle s'achèterait des livres ; la lecture faisait passer le temps efficacement et elle aimait se perdre dans les histoires des autres. Elle avait des tas de choses à faire ; elle serait si occupée qu'elle ne trouverait pas le temps d'aller à la clairière. Amy ne s'en apercevrait pas, elle était partie. J'imagine que je suis devenue trop vieille pour Amy, pensa Anne.

Jamais plus elle ne retourna dans les bois.

Marian était ravie, persuadée qu'Anne apprenait enfin à se tenir correctement. Cette semaine et la semaine suivante, elles se rendirent dans les meilleures boutiques où elles achetèrent des twin-sets en cachemire avec des jupes de laine assorties, des robes de lainage écossais avec de petits cols de velours, des pantalons de tweed avec des pulls jacquard assortis ; et comme Anne ne discutait pas et que Marian commençait à s'inquiéter et voulait la voir sourire, elles ajoutèrent des nouveaux jeans, des sweat-shirts trop grands et une veste de velours doublée de molleton.

– Merci, dit Anne avec gravité une fois les achats terminés. C'est superbe.

Marian la scruta du regard.

– Tu vas bien, Anne, c'est sûr ?Tu es si calme. As-tu besoin d'autre chose ? Avons-nous pensé à tout ?

Anne hocha la tête.

– Tu devrais être heureuse, tu sais. Treize ans, bientôt quatorze : quel merveilleux moment ! Tu as toute la vie devant toi, et ne dois penser qu'à t'amuser, à ta famille, tes amis, l'amour... Evidemment, tu t'es aperçue qu'entre Fred et moi ça n'était pas très romantique, soupira Marian. Tu es si intelligente ; pas grand-chose ne t'échappe, n'est-ce pas ? Remarque, nous ne nous disputons pas ; j'aimerais autant, parfois. Mais c'est comme si on n'avait rien à se dire. Parler, c'est ce qu'il y a de plus important : bien plus que le sexe, Dieu sait. Oh, mon Dieu, je ne devrais pas te parler de ces choses, dit-elle dans un petit rire. Il ne faut pas qu'on te tracasse avec ça maintenant ; c'est pour toi le moment d'être jeune et innocente. L'innocence. Tu ne connais pas ta chance.

On lui avait déjà dit ça.

*Ma gentille petite Anne, ma merveilleuse petite Anne. Tu apprends si vite. Mais tu n'aurais pu trouver meilleur professeur, n'est-ce pas ? Tu ne connais pas ta chance.*

– Ma chance ? s'exclama Anne avec hargne. Comme de la chance aux cartes ? Comme la chance qu'on m'ait ramassée ? Ou comme la chance de tous les diables ? C'est ça que j'ai, une chance de tous les diables ?

– Ne sois pas désagréable, ma chérie, dit Marian avec douceur. Nous savons tous à quel point tu es intelligente.

Ils disaient tous ça. Chaque fois qu'ils l'attrapaient parce qu'elle rentrait trop tard, se vautrait dans les fauteuils, s'habillait n'importe comment, oubliait de se coiffer, jurait, parlait argot, oubliait de se laver la figure et les mains.

« Tu es si intelligente, Anne, disait oncle William. Tu es vive comme l'éclair et tu pourrais être la plus jolie fille de la région si tu ne jouais pas les sauvageonnes. »

William était le deuxième des cinq enfants d'Ethan, juste après Charles. Il ne s'était jamais marié et semblait croire que c'était une grave erreur, qu'en restant célibataire et sans enfant il avait abandonné sa famille et devait se rattraper en se montrant un oncle modèle. Cela consistait essentiellement à rapporter des cadeaux de ses voyages à l'étranger, ce qui ne l'empêchait pas de se montrer prodigue en conseils.

– Tu dois te surveiller, pour Gail. Tu as une petite sœur de sept ans, tu dois agir correctement afin qu'elle suive ton exemple. Nous devons toujours avoir quelqu'un à admirer.

– Admires-tu mon père ? demanda Anne.

– J'ai beaucoup appris de ton père.

– Et il admire Ethan ?

– Tu dois l'appeler grand-père, Anne ; c'est plus respectueux. Bon, voyons, Charles admire-t-il Ethan ? Je n'en suis pas sûr. Parfois Ethan semble admirer Vince plus que tout autre. Curieux, tu sais, si l'on songe que Vince est le plus jeune ; ça ne colle pas avec ma théorie, n'est-ce pas ?

Anne répétait ces conversations à Vince le soir, dans sa chambre. Il avait maintenant un planning. Les premières semaines, il semblait tout le temps là et elle avait l'impression d'étouffer. L'école avait repris et elle devait faire ses devoirs en vitesse parce qu'il apparaissait juste après le dîner. Puis ça avait changé. Avec la fin de l'été, les voyages d'affaires avaient repris et il lui arrivait de s'absenter une semaine entière. Le week-end, Rita aimait sortir. Vince avait donc pris l'habitude de venir dans la chambre d'Anne deux fois par semaine et il lui disait toujours à l'avance quand serait la prochaine fois afin qu'elle soit prête pour lui.

Anne se disait que ça devait ressembler au mariage. Elle détestait ça, mais pensait que dans l'ensemble les gens détestaient être mariés parce que c'était comme un travail, avec des obligations dont il fallait se débarrasser. Les femmes détestaient le sexe et les hommes détestaient avoir des comptes à rendre, comme Vince vis-à-vis de Rita. Evidemment, il n'avait pas de comptes à rendre à Anne – elle ne pouvait rien lui demander – mais quand ils étaient dans sa chambre la nuit et qu'elle lui racontait des choses entre les moments où il la voulait sur le lit, ou par terre ou sur un fauteuil, aux yeux d'Anne ils avaient l'air mariés. Le monde était sa chambre fleurie; ils s'y asseyaient, s'y allongeaient, y bavardaient, y mangeaient les jours qu'il apportait des cookies, des beignets ou des éclairs. C'était comme la maison d'un couple, seulement plus petite.

Mais, pour l'amour, elle s'interrogeait. Elle était certaine que les gens mariés s'aimaient; tous les livres le disaient. Mais Vince et elle n'avaient pas d'amour. Elle savait maintenant qu'il ne l'aimait pas et ne l'avait jamais aimée. Il avait beau dire, l'amour – mot dont il abusait – n'avait rien à voir avec ce qui se passait dans sa chambre deux fois par semaine.

L'amour était une plaisanterie, elle le savait, un mot que les gens utilisaient pour dissimuler leurs désirs. Elle n'aimerait jamais personne. Elle ne se marierait jamais.

Pour ses quatorze ans, Marian et Nina firent une fête. Elle souffla les bougies du gâteau et tout le monde chanta « Joyeux anniversaire », même Rose, l'enfant de Marian, qui n'avait que dix-huit mois. Nina l'embrassa sur les deux joues.

– Tout le monde t'aime, ma chérie, dit-elle, le souffle court, comme toujours.

Elle était plus grande que Marian et ses cheveux étaient châtain foncé tandis que ceux de Marian étaient presque blonds; mais les deux sœurs avaient le même teint pâle, les mêmes petites rides au coin de leurs yeux bleu-gris, le même front apaisé et les mêmes mains parfaitement manucurées.

– Je crois bien que nous te faisons beaucoup de reproches, et je tiens quant à moi à m'en excuser; c'est seulement que nous te voulons parfaite. Marian et moi sommes tombées d'accord là-dessus quand tu es venue chez nous après la mort de ta pauvre mère. Nous l'aimions tant que nous avions le sentiment que nous lui devions de t'élever pour que tu sois tout ce qu'elle avait désiré. Et je suis persuadée que c'est ce qui se passe, ma chérie. Tu seras aussi belle qu'elle, et tu es déjà beaucoup plus intelligente. Evidemment, elle n'aurait jamais dit de gros mots et elle était toujours impeccable... la plus élégante, la plus raffinée... mais, qui sait, quand elle avait ton âge... on n'est jamais sûr... bon, je ne voudrais pas avoir l'air de critiquer ; surtout le jour de ton anniversaire. Tu es attachante, Anne, pure, gentille, et tu ne nous causes aucun souci. Que demander de plus. Et je veux te souhaiter un très heureux anniversaire, et beaucoup d'autres à venir.

Anne regardait fixement ses mains. Elle avait horreur d'être le centre d'attention. Elle aurait voulu être seule dans sa chambre. Mais elle n'y serait pas seule. Vince serait là pour son anniversaire. Elle était prévenue.

– Eh bien, Anne, dit son père en levant son verre. Quatorze ans, et si mûre. Ta mère aurait été fière de toi.

Il s'adressait à tous, regardant un visage après l'autre, mais Anne n'avait d'yeux que pour lui. Il avait onze ans de plus que Vince, n'était pas extraordinairement beau, mais elle admirait son allure et son côté sérieux. Ses cheveux blonds, qui n'avaient jamais été aussi étincelants que ceux de Vince, étaient devenus blancs sept ans plus tôt, quand la mère d'Anne était morte ; ses yeux, bleu-gris comme ceux de ses sœurs, étaient plus sombres ; mais ses sourcils et sa fine moustache étaient encore blonds et lui donnaient un air jeune, presque insouciant. Anne aimait ce côté digne, fort et encore jeune ; on aurait dit un héros capable de retenir des hordes ennemies rien qu'en leur parlant avec fermeté.

Il fut veuf à trente-cinq ans et tout le monde pensait qu'il allait se remarier. Mais non. Il était demeuré dans la grande maison qui avait autrefois abrité sa famille, à cent cinquante mètres de chez Fred et Marian où vivaient désormais Anne et Gail, et à cent mètres dans l'autre sens de la maison que Vince et Rita avaient achetée à la naissance de Dora. Anne savait par Marian qu'il sortait souvent, partageant ses soirées entre deux femmes avec une précision mathématique telle qu'aucune ne pouvait se penser favorisée. Et elle savait que William et son père jouaient au squash à leur club le lundi, au tennis le mardi et nageaient le samedi. Il l'avait une fois emmenée à son bureau et lui avait montré la Chatham Development Corporation ; il l'avait autorisée à lire son agenda avec ses plannings nettement séparés. Charles Chatham menait une vie paisible, contrôlait tout ce qui était en son pouvoir et parfois, quand il regardait Anne avec étonnement, elle comprenait avec tristesse qu'il se demandait comment quelqu'un d'aussi désordonné pouvait être sa fille. C'est peut-être pour cette raison qu'il passait peu de temps avec elle ; il semblait toujours à court de mots, nerveux, comme s'il n'avait qu'une envie : être ailleurs, où il saurait exactement comment se comporter.

– Ta mère et moi parlions du genre d'enfant que nous aimerions avoir, dit Charles dans son discours en posant ses yeux sur Anne. Bien sûr, nous voulions avant tout que tu sois en bonne santé, mais, comme tous les parents, nous espérions en plus l'intelligence, le talent et le charme. Tu as tout ça. Tu es très différente de ta mère, mais tu as son courage et son énergie et tu sembles capable de te sortir toi-même de situations difficiles, sans te plaindre, sans faire appel aux autres. C'est là un comportement d'adulte dont je suis fier. Bon anniversaire, ma chérie.

– Bien dit, je n'aurais trouvé mieux, fit William. Tu es une bonne petite, Anne, et nous sommes tous fiers de toi. Une chose seulement : ne grandis pas trop vite; profite de ton enfance, tu l'auras quittée avant de le savoir et, dès lors, tu seras confrontée à la dure réalité de l'argent, du sexe, et j'en passe.

– William, intervint faiblement Nina. Je trouve ce toast peu opportun; Anne n'a que quatorze ans.

– Il est toujours opportun de dire à un enfant de le rester.

Anne regarda William sous sa frange noire emmêlée. Il avait toujours l'air le plus fou quand il était le plus gentil.

– A mon tour, dit Ethan qui se pencha en avant et sourit sous sa grosse moustache. Tu n'es qu'au début de ta longue route, ma chère Anne, mais je sais que tu accompliras ton voyage avec force, droiture et intelligence. J'espère aussi que ce sera avec amour. Et j'espère aussi que, tant que je serai là, tu me laisseras partager cet amour avec toi.

Anne plissa des yeux pour refouler ses larmes. Il disait ce qu'elle aimait entendre, mais cela ne signifiait rien. Elle voulait l'entendre dire qu'il passerait davantage de temps avec elle, ferait plus de promenades avec elle, même qu'il l'emmènerait parfois en voyage d'affaires – rien qu'elle, personne d'autre – pour qu'elle puisse lui parler de tout ce qu'elle ne pouvait dire à la maison. Elle voulait qu'il s'occupe d'elle, qu'il la protège de Vince. Mais c'était impossible; il ne savait même pas ce qu'elle voulait. De toute façon, il était vieux. Qu'est-ce qu'un homme de soixante-six ans connaissait des filles de son âge ? Il était merveilleux avec elle et l'emmenait de temps à autre à Chicago déjeuner puis voir l'Art Institute, le Field Museum ou le musée des Sciences et de l'Industrie. Il répétait qu'il voulait faire ça plus souvent mais il voyageait à nouveau, voyait ses amis, et Anne savait que finalement elle n'avait pas tant d'importance à ses yeux.

Elle ne comptait pour personne, songeait-elle. Tous prétendaient l'aimer, mais étaient très occupés et, de toute façon, les Chatham ne s'occupaient que d'eux-mêmes. C'est une race d'étrangers aux petits bras, songea-t-elle avec colère; ils venaient d'une planète où l'on n'apprenait pas à faire des câlins, alors leurs bras s'étaient atrophiés et leurs moignons ne pouvaient enlacer personne.

– Bon anniversaire, ma chérie, dit Vince exactement comme l'avait fait son père, avec en plus un petit salut moqueur et son plus beau sourire. Si j'en crois ce que je vois, tu grandis admirablement, et je pense que c'est ce qui peut t'arriver de mieux, n'en déplaise à William.

– Ne dis pas de bêtises, intervint William. Anne grandit magnifiquement, bien sûr.

– Et elle a sans doute assez de l'entendre, dit Marian. C'est l'heure des cadeaux, non ?

Anne ouvrit ses paquets somptueusement emballés et remercia en montrant les pulls de cachemire, les disques de rock et folk, les livres et le collier offert par Charles. Puis elle les empila soigneusement et repoussa sa chaise. Elle avait hâte de partir. J'ai probablement l'air d'un voleur filant avec son butin, se dit-elle. Mais elle s'en moquait, n'ayant qu'une envie : filer d'ici.

– Je vais tout ranger, dit-elle debout près de sa chaise. Merci encore, vous m'avez beaucoup gâtée.

– Tu ne veux plus de ton gâteau ? s'enquit Charles.

– J'ai trop mangé.

– Mais tu n'as pas fait de discours, protesta William. Nous avons tous parlé notre soûl et la reine de la fête n'a pas eu une occasion de s'exprimer.

– Je n'y tiens pas. Je ne suis pas douée pour les discours.

– Tu nous as remerciés avec beaucoup de gentillesse et c'est parfait ainsi. Nous n'avons pas besoin de discours. Mais tu aimerais peut-être rester avec nous au lieu de filer comme toujours.

Anne secoua la tête, coincée.

– Je veux juste...

– Mais tu sais, j'ai dit aux enfants que nous allions peut-être rallumer les bougies, coupa Nina. Ça les amuse quand tu les souffles.

– Je l'ai déjà fait, bon sang ! Ça suffit !

Elle était déjà à la porte.

– Anne, soupira Marian, je t'ai déjà demandé...

– Désolée, murmura Anne avant de se glisser au-dehors.

Tous la dévisageaient. C'est mon anniversaire, songea-t-elle avec rage. Je devrais pouvoir faire tout ce que je veux ce jour-là. Elle grimpa les escaliers en courant. Avec un peu de chance, elle aurait du temps à elle avant l'arrivée de Vince.

Vingt minutes après, il était là.

– Je t'ai apporté ton cadeau, mais on verra ça plus tard.

Anne avait déjà ôté la robe de soie que Marian lui avait demandé de porter pour le dîner. Elle déshabilla Vince avec rapidité et sûreté tandis qu'il ouvrait sa robe de chambre et faisait courir ses mains le long de son corps. Sa poitrine se développait et il la tenait, pinçant les tétons.

– Quatorze ans, murmura-t-il avec un grand sourire. Mon âge préféré. Si adorable. Si mûr.

Il s'allongea sur le lit et Anne se pencha sur lui, sachant exactement ce qu'il voulait. Il n'avait plus rien à lui expliquer. A sa façon de s'asseoir, de se tenir debout ou de la soulever, elle savait quoi faire et comment le faire pour qu'il soit pleinement satisfait. Il l'avait si bien dressée qu'elle n'avait même plus besoin d'y penser. La plupart du temps, son esprit était ailleurs. Parfois elle pensait à l'école. Elle n'aimait pas qu'on lui donne des ordres mais elle adorait lire et réussissait à tout oublier quand elle s'absorbait dans *Don Quichotte, Moby Dick, Les Hauts de Hurlevent, Feuilles d'herbe* ou n'importe quel Shakespeare. Elle pouvait se réciter des passages entiers de Walt Whitman tout en obéissant à Vince ; ainsi elle se sentait une autre, pas Anne Chatham qui faisait ce qu'elle détestait.

Elle pensait aux films qu'elle avait vus à la télévision, au nouveau livre avec le nom des oiseaux qui volaient au bord du lac. Elle les identifiait lorsqu'elle était dans sa nouvelle cachette, parmi les grosses pierres du rivage près de la maison d'Ethan ; elle pouvait se blottir, lire, écrire toute la journée, personne ne la trouvait, comme avant, dans la clairière. Elle aimait particulièrement y penser quand son corps, sa bouche et ses mains s'affairaient avec Vince ; elle pensait à son endroit à elle et quand elle y retournerait, fraîche, propre, seule.

Vince la hissa sur lui et elle le chevaucha, se penchant pour qu'il puisse jouer avec ses seins. Il roula ses tétons entre ses doigts, attendant qu'ils pointent et se durcissent. Comme ils restaient doux et plats, il lança un regard perçant.

– Sens quelque chose, exige-t-il.

Elle le regardait, impassible. Il pétrissait ses seins.

– Nom de Dieu, sens quelque chose quand je joue avec toi !

Elle ne sentait jamais rien.

– Dis-moi ce que ça te fait, dit-il avec hargne.

– Du bien, répondit-elle automatiquement. Ça me fait du bien.

– Dis-moi comme tu m'aimes.

Anne se pencha, ses lèvres contre son cou, et murmura des sons étouffés.

– Je n'ai pas entendu. Je veux savoir comment tu m'aimes.

– Plus que tout, dit Anne en répétant les mots qu'il lui avait appris voici longtemps.

Si Vince perçut le désespoir dans sa voix, il ne le montra pas.

– Plus que quiconque. Tu es si excitant...

Elle remua les hanches tout en parlant ; elle pouvait maintenant faire trois ou quatre choses à la fois sans y penser, sans rien oublier.

– Et tu m'as tout de suite voulu, dit Vince. Et tu m'as obligé à te désirer. Allez !

– Et je t'ai tout de suite voulu. Je t'ai obligé à me désirer, je t'ai attiré, séduit, envoûté.

C'est peut-être vrai ; pourquoi serait-il là autrement ? Je ne sais pas trop car je ne sais pas ce qui séduit un homme, mais Vince le sait. Je voulais peut-être tellement qu'on m'aime que je l'ai attiré dans mon lit. Alors rien ne serait de sa faute.

– Bien, dit Vince, et il la repoussa pour la voir bouger sur lui.

Il ferma les yeux, sa respiration se fit plus rapide, plus forte, ses hanches remuèrent sous elle. Anne le regarda comme s'il était très loin, étranger qui n'avait rien à faire avec elle, puis ses yeux s'arrêtèrent sur une toile accrochée au mur, une jolie maman et sa petite fille sur une terrasse pleine de fleurs et rayonnante de soleil et d'amour.

Bientôt, Vince ne bougea plus et Anne sut que c'était fini pour cette nuit. Elle s'assit en tailleur sur le lit près de lui, fixant des yeux le rectangle noir de sa fenêtre et la branche qui s'y appuyait, à peine éclairée par sa lampe de chevet. Elle avait de petites feuilles vertes, toutes neuves, toutes brillantes sous la brise d'avril. La première fois que Vince était entré dans sa chambre, des mois plus tôt, les feuilles étaient grandes et vert foncé. Elle les avait vues virer au rouge, puis roussir, puis tomber. Elles avaient tenu le coup, effrayées, jusqu'à ce qu'un grand vent et une pluie violente les arrachent et les fassent tournoyer, laissant aux jardiniers le soin de les ratisser. La branche demeura nue et noire pendant des mois ; seule la neige ornait chaque brindille d'une fine couche blanche qui scintillait au soleil, beauté éphémère qui s'évanouissait bientôt, laissant la branche nue à nouveau, dans l'attente du printemps.

Anne connaissait en détail le fil des saisons tant elle passait d'heures à regarder dehors en attendant le départ de Vince.

Allongé sur le lit, les yeux fermés, Vince indiqua d'un geste son veston sur la chaise.

– Ton cadeau, petite fille. Je n'en t'ai pas fait à table, tu as remarqué ?

– Je me suis dit que tu pensais peut-être m'en avoir fait suffisamment.

Il ouvrit les yeux brusquement, la scrutant pour savoir si c'était du sarcasme. Mais Anne lui offrit un grand regard clair. C'est là qu'il avait confiance. Il sourit.

– Une femme n'en a jamais assez, mon cœur. Tu l'apprendras bien assez tôt. Allez, ouvre ton cadeau.

Anne trouva la petite boîte et s'assit sur la chaise en ouvrant le couvercle. Elle y découvrit une broche d'or et d'émail de Raggedy Ann. Elle la contempla longuement.

– Ça fait longtemps qu'on ne m'a pas offert une poupée Raggedy Ann, dit-elle enfin. Tu as dû chercher un sacré bout de temps.

– Elle m'a fait penser à toi. Ces grands yeux à qui rien n'échappe. Qu'as-tu fait aujourd'hui ? demanda Vince en se calant avec un autre oreiller.

Anne posa le bijou sur sa table de nuit et revint s'asseoir sur le lit. C'était l'heure de le distraire avec des histoires.

– Nous avons eu un contrôle d'histoire dont une partie consistait à définir l'Histoire. J'ai dit que c'était comme la cuisine. On prend tout un tas de choses qui sont là depuis longtemps et avec lesquelles il ne se passe rien et soudain elles se trouvent arrangées autrement et ça donne une guerre. Ou la ruée vers l'or. Ou une révolution ou une nouvelle constitution et un pays métamorphosé. Si jamais je voyais assez tôt un tel amas de choses, j'aimerais attiser un peu le feu et voir ce qui arrive.

– Qu'arriverait-il, à ton avis ? demanda Vince, amusé.

– Quelque chose de vraiment terrible qui détruirait tout. Ça pourrait exploser comme une cocotte minute et tout s'écraserait au plafond. Ou alors ça ferait comme avec un gâteau. Si on met le four trop chaud, il retombe.

Il sourit, les yeux fermés.

– Quoi d'autre ?

– On a joué au *softball.* C'était la nouvelle qui lançait. Elle a commencé par éliminer tout le monde.

– Toi aussi ?

– La première fois, oui. Elle est très grande, très musclée, et elle se coiffe comme un garçon, alors je me suis dit que son père n'avait pas voulu de fille et l'élevait comme un garçon. Je me suis dit que, bon, elle pensait sûrement comme un garçon et que, puisqu'elle nous avait toutes éliminées, elle se sentirait supérieure et qu'il nous suffisait d'être timorées et féminines pour qu'elle relâche son attention. Ça a marché. Je l'ai eue avec un *home run.*

Vince la regardait, maintenant.

– C'est un vrai bonheur de voir ton petit cerveau fonctionner, dit-il avec douceur. Et ces grands yeux qui voient tout. Ton équipe a-t-elle gagné ?

– Un zéro. Après mon home run, elle s'est concentrée davantage. Elle est vraiment excellente. C'est tout ce qui s'est passé à l'école, ajouta Anne après un silence ; le reste fut d'un ennui mortel, comme toujours. Elles sont si lentes qu'on aurait le temps de faire la sieste, se passer le visage sous l'eau, changer de vêtements et manger quelque chose qu'elles seraient toujours sur la même équation ou le même paragraphe. Puis il y a eu mon anniversaire et voilà, tu sais tout.

– Tout le monde t'a encensée.

– Du moment que je leur fiche la paix, dit Anne d'une voix neutre. C'est ce qu'ils préfèrent chez moi.

Vince haussa les épaules.

– Et alors ? Tu es une grande fille. Ils t'assurent le gîte et le couvert ainsi qu'une bonne éducation. Qu'est-ce que tu veux de plus ?

– Rien, je suppose, dit Anne d'une voix grave.

Il fit courir un doigt le long de son bras.

– Tu n'as pas besoin d'eux, petite fille ; tu m'as, moi.

Il serra le bras d'Anne, puis se leva.

– Mardi prochain, dit-il en s'habillant. Porte ta broche dimanche au dîner.

Il ouvrit la porte et regarda dans le corridor faiblement éclairé par des appliques réparties entre les portes des cinq autres chambres de l'étage. Il partait toujours après minuit quand il était sûr que la maison dormait, mais guettait toujours avant de s'éloigner. Sans se retourner, il referma la porte sans bruit.

Les jambes croisées, Anne laissa le silence la laver. Elle avait de plus en plus de mal à fermer son esprit à ce qu'elle faisait. Quelques mois auparavant, vers Noël, quand toutes les maisons scintillaient de décorations et respiraient l'odeur de gâteaux, elle s'était aperçue qu'elle éprouvait presque de l'affection pour Vince, comme des ondes qui la traversaient sans prévenir. Il n'avait rien fait de spécial, c'était seulement dans l'air. Quand elle écoutait la radio ou regardait la télévision, elle entendait la douceur des chants de Noël; les arbres, les rues, les vitrines semblaient sortir d'un conte de fées avec leurs rangées de petites lampes blanches; on aurait dit que les gens étaient plus souriants et plus gentils entre eux. L'amour s'était installé. Anne en voulait sa part, être heureuse, comme tout le monde.

Si bien qu'il lui arrivait soudain, au beau milieu de ses occupations, de penser à Vince, à une parole gentille, à son doux sourire, à son comportement parfois amical. Elle détestait ce qu'elle devait lui faire, mais du moins faisait-il attention à elle. Il continuait de parler d'amour, et elle trouvait cela ridicule, mais elle savait qu'en parler lui faisait du bien, Dieu sait pourquoi; mais il lui parlait aussi d'elle, il voulait savoir comment ça se passait pour elle et il était à peu près le seul. Il y avait bien Marian, mais elle n'écoutait pas aussi bien que Vince et pensait toujours à autre chose. Quant à Charles, il lui posait des questions sur l'école et le sport et voulait même savoir si à quatorze ans on avait des petits amis, mais, dès qu'Anne évoquait les problèmes qu'elle rencontrait à ce sujet, il était mal à l'aise et inventait n'importe quoi pour s'en aller. Il ne savait pas s'occuper des peurs d'autrui.

Vince, lui, écoutait; Vince voulait la voir deux fois par semaine; Vince lui disait qu'elle avait une tête bien faite et un corps bien fait; il lui disait qu'elle était belle. Et souvent, surtout à Noël, cela estompait les autres choses qu'ils faisaient ensemble, comme l'horizon du lac qui se fondait dans le ciel les jours de brume.

Mais, six mois après ses quatorze ans, tout changea. L'automne était d'une chaleur exceptionnelle et tout le monde se sentait bizarre, comme si on vivait une inversion des saisons. Fin octobre, les arbres flamboyaient de rouge, d'or et de bronze; les massifs d'asters, de sauges, de chrysanthèmes et de dahlias qui teintaient le pied des maisons de Lake Forest de blanc, de jaune et de bordeaux rappelaient à Anne le vin du dimanche soir; le soleil brillait chaque jour dans un ciel strié de fins nuages qui donnaient au lac des ombres de jade et de violette. Anne souffrait de tant de beauté; elle en voulait sa part. Elle voulait de bons amis, un travail passionnant avec lequel elle se sentirait utile et triomphante. Elle voulait être quelqu'un de bien. Elle voulait se libérer de Vince.

Elle était en première et n'avait plus rien à dire à ses camarades de classe. Toutes semblaient ne parler que de rendez-vous, de boums, de flirts; elles riaient bêtement de leurs petites culottes mouillées d'excitation; elles se plaignaient de la balourdise des garçons quand ils commençaient à souffler comme des chiots en essayant de leur grimper dessus; elles se disaient toutes vierges et, le lundi, elles cherchaient à savoir qui avait perdu sa virginité au cours du week-end. Anne restait à l'écart. Comme une prostituée, se disait-elle. Fatiguée, lasse, en sachant trop. Et vieille.

Son corps se transformait, pourtant elle n'en tirait aucun plaisir. Ses seins étaient pleins et fermes, ses genoux et ses coudes avaient perdu leur aspect noueux, et elle semblait plus grande, avec sa taille fine et ses hanches étroites. Vince disait que ses petits os saillants lui manquaient, mais il aimait toujours la regarder nue ; il disait que c'était grâce à lui ; il en avait fait une femme. Elle le haïssait alors.

Sa haine dura presque tout l'automne et atteignit son paroxysme pour Halloween. Rita avait emmené les petits et la maison était calme sauf quand on sonnait à la porte. Anne entendait régulièrement des enfants arriver, elle les imaginait attendant en pouffant dans leurs déguisements que la bonne leur donne, pour échapper aux gages, des paquets de bonbons préparés dans un panier d'osier. Si seulement j'étais encore jeune, se dit Anne. Je pourrais faire comme eux.

– Moi aussi j'ai droit à des petites gâteries, dit Vince. Et on en profite tous les deux. Il s'assit au bord du lit et agenouilla Anne devant lui. Où ailleurs trouverais-je en même temps des tours et des gâteries ?

Anne voulait hurler, écraser son visage, son sourire, le mordre jusqu'à ce qu'il crie grâce. Mais il la tuerait. Elle serra les poings puis se pencha, le prit dans sa bouche et lui caressa les cuisses. Depuis quelque temps, elle avait encore plus peur de lui tant il semblait invulnérable.

Il était toujours content de lui, mais récemment il faisait le paon à cause de ses succès. On lui avait confié la charge de construire un ensemble de trois tours de bureaux près de l'aéroport O'Hare, et de l'avis général, Ethan compris, il s'en était tiré avec brio. Peu après que les trois tours eurent été totalement louées, Ethan annonça que Vince était désormais responsable de Tamarack, la petite ville qu'il développait depuis vingt ans sans plan défini. Il passait le flambeau à Vince. Une fois l'annonce faite, on saurait que toute la famille, même ceux qui lui battaient plutôt froid, l'admirait et s'en remettait à lui comme s'il était soudain devenu le prince héritier, remarqua Anne. Elle le trouva encore plus terrifiant car elle se sentait faible et insignifiante. Il était le prince quand elle était du commun. Comme son père ; en tout cas, c'était un plus petit prince puisque son grand-père lui préférait Vince. Personne dans son camp n'avait de pouvoir. Qui la croirait maintenant si Vince leur disait de ne pas la croire ?

– Tamarack, dit Vince le soir de Halloween. Tu sais ce qu'on va en faire ?

– Tu en parles comme si c'était un sucre d'orge que tu engloutis peu à peu.

Vince plissa les yeux et lui tira les cheveux ; elle tressaillit, sachant qu'elle était allée trop loin.

– Je t'ai demandé si tu avais une idée de l'énormité de nos plans, dit-il lentement. Et regarde-moi quand je te parle.

Elle détourna les yeux de la fenêtre et croisa son regard.

– Je sais seulement ce que grand-père raconte le dimanche soir et il n'a pas dit grand-chose ces derniers temps. Je croyais qu'il avait achevé de construire là-haut. Quand nous y sommes allés l'été dernier, tout avait changé ; je ne savais pas qu'il voulait entreprendre autre chose.

– Il veut agrandir. Que ce soit encore mieux et plus sélect que Zermatt et Gstaad. Il veut en faire la station de ski la plus célèbre au monde. Qu'en dis-tu ? demanda-t-il à Anne devant son silence.

Elle hésita. Ces temps derniers, il lui avait souvent demandé son avis, essentiellement sur les plans qu'il faisait pour lui-même et pour la société. Elle n'avait plus besoin de lui raconter d'histoires ; il voulait parler de lui. Il évoquait même ses disputes avec Rita. Il demandait à Anne ce qu'elle en pensait, mais elle ne donnait jamais d'avis, sachant qu'il voulait seulement une oreille approbatrice.

– J'imagine... si c'est vraiment ce qu'il veut. Je ne voulais pas qu'il change tout. J'aimais bien, avant ; c'était une si jolie petite ville. Toutes ces maisons de mineurs abandonnées, ces bâtiments en ruine, ces chemins de terre... c'était une ville fantôme où les gens se déplaçaient sans y toucher. J'aimais me dire qu'elle était tellement à l'abri dans la montagne qu'elle serait éternellement la même.

– C'était il y a longtemps, dit Vince en balayant cette idée. Ça fait dix ans que ça a changé. Et ça n'est qu'un début ; encore un an ou deux et elle sera méconnaissable. C'est pour ça que je t'interroge ; tu n'as pas répondu.

Anne hésita encore. Elle n'aimait pas parler d'Ethan à Vince, ça sentait la trahison.

– Je ne connais rien aux stations chics. Grand-père a fait ce qu'il voulait, je ne savais pas qu'il voulait continuer, je te dis. En fait, ça m'étonnerait. Il se fiche de Zermatt et du reste. Il aime Tamarack, c'est tout. Quel intérêt pour lui que ce soit plus petit ou plus grand que les autres ?

– Il m'en a confié la charge, répondit Vince d'une voix neutre.

– Bon, mais... pour la gérer, non ? Il ne t'a pas dit de tout bouleverser.

Vince fronça les sourcils.

– Tu ne sais pas de quoi tu parles.

– Alors pourquoi me demandes-tu ?

– Je veux savoir ce que tu penses d'Ethan. Parfois tu vois des choses que les autres ne voient pas. Que veut-il à Tamarack ?

– Je crois, dit Anne après un moment, qu'il veut en faire un paradis où tout le monde sera parfait et heureux, où personne ne sera plus jamais triste ou déçu.

Vince trouva ça drôle.

– Ça n'est pas un rêveur, ma chérie ; c'est l'homme d'affaires le plus sagace que la terre ait jamais porté. Il n'y a pas de place pour le paradis dans les affaires, et il le sait.

– C'est pour ça qu'il prévoit sa sortie.

Vince secoua la tête.

– Ce n'est pas lui qui va à Tamarack, c'est moi. Il montera de temps en temps, comme il l'a toujours fait, mais il passera le plus clair de son temps ici.

– Pour l'instant, dit Anne avec obstination. Je suis persuadée qu'il a construit Tamarack pour s'y retirer un jour.

– Cette ville est à moi, dit Vince en se levant soudain pour s'habiller. J'ai des plans. Et il le sait parfaitement, ce n'est pas un secret. Il ne veut pas un paradis mais une ville rentable. Ce qu'il attend de moi, c'est que je rentabilise son investissement.

Anne demeura silencieuse.

– Tu crois qu'il aurait des plans qu'il n'aurait dévoilés à personne ? Tu crois qu'il aime tant cette ville qu'il pourrait refuser de m'appuyer, qu'il serrerait les cordons de la bourse et me tiendrait en laisse ?

Anne ne répondit pas. Elle n'avait pas réfléchi aussi loin, mais elle se dit que Vince avait sans doute raison.

– La prochaine fois que tu le vois, demande-lui ce qu'il a derrière la tête. Pas le baratin qu'il nous sert à table, mais ce qu'il garde pour lui. Et s'il a son planning personnel. J'ai le droit de savoir.

– Demande-lui toi-même. Je ne suis pas ton espion industriel attitré.

Vince arrêta de boucler sa ceinture.

– Je n'ai pas entendu, dit-il dans un sourire.

– Je préférerais que tu lui demandes toi-même, c'est tout.

– Et moi pas. Je te vois mercredi. Tu me raconteras ce qu'il t'a dit.

– Mercredi ? Mais tu m'avais dit mardi, à cause de ton voyage.

– C'est changé. Quelle différence ?

– Euh... je fais quelque chose mercredi.

Vince avait ouvert le verrou et tenait la poignée dans la main.

– Tu fais quelque chose ?

– J'ai décidé de travailler pour le journal de l'école, dit-elle d'une voix précipitée. On a une réunion éditoriale mercredi à 5 heures ; il y aura des sandwiches au cas où ça se prolongerait.

Il lâcha la poignée de la porte.

– Tu ne m'en as jamais parlé.

– Je n'en ai parlé à personne.

– Et pourquoi ?

*Parce que j'ai besoin d'avoir des secrets, comme tout le monde.*

– Je ne pensais pas que ça t'intéresserait.

– Tout ce que tu fais m'intéresse, petite fille. C'est toi la pigiste ?

Piquée, elle lança :

– J'écris. Des articles. Je fais des enquêtes journalistiques.

– Et sur quoi enquêtes-tu ?

– Sur tout ce qu'on me demande. J'aime interviewer les gens. Je suis bonne, d'ailleurs. J'aime deviner pourquoi ils font des choses illégales.

Il la regarda intensément, mais elle lui rendit vite son regard avec netteté.

– Je veux voir le prochain numéro. Tous, en fait. Peu m'importe ce que tu fais, mais tu ne dois rien me cacher. Et je compte te voir mercredi.

– Je t'en prie Vince, supplia-t-elle, impuissante, assise nue devant lui qui se tenait devant elle en costume, mais sachant qu'il serait furieux si elle tirait le drap. Je ne peux pas manquer cette réunion.

– C'est mon seul soir de libre la semaine prochaine. Est-ce si terrible de passer la soirée avec moi ? demanda-t-il en voyant qu'elle avait les larmes aux yeux.

Anne enfonça ses ongles dans la paume de ses mains.

– Non, mais...

– Bien sûr que non. Tu m'aimes. Dis-moi que tu m'aimes, ma petite.

– Je t'aime mais ne puis-je aller à cette réunion ?

– Non. Ne discute pas avec moi, mon cœur ; je ne suis pas près de changer mes plans pour t'arranger. Dis-leur de déplacer la réunion, ils n'ont que ça à faire. Mercredi, ajouta-t-il en franchissant le seuil.

Le cri qu'Anne avait si longtemps retenu s'échappa, profond, guttural. Elle s'empara à l'aveuglette d'une statuette en céramique représentant une jolie dame en longue robe grise, un Lladro inestimable offert par Marian, et la lança à travers sa chambre. Mais, au milieu de tant de colère et de désespoir, elle savait qu'elle ne devait pas faire trop de bruit et visa les tentures à fleurs. Un bras se brisa sur le tapis. Anne se mit à sangloter.

Elle pleura jusqu'à l'épuisement. Puis, lentement, elle entreprit les gestes qu'elle accomplissait chaque fois que Vince partait. Elle changea ses draps et se mit des disques : du folk bien rythmé, léger, gai. Puis elle prit un bain bien chaud, allongée, paupières closes dans de la mousse parfumée au jasmin. Une fois recouverte de talc parfumé, elle enfila un pyjama propre pour enfin se glisser dans un lit frais et lire jusqu'à 1 ou 2 heures du matin. Une fois redevenue elle-même, elle s'endormait profondément d'un sommeil sans rêves. Le réveil sonnait à 7 heures.

Le mercredi, elle se rendit au comité de rédaction à 5 heures mais partit avant la fin. Quand Marian l'arrêta dans l'escalier pour lui parler de dîner, elle dit qu'elle n'avait pas faim.

– En période de croissance, c'est lorsqu'on prétend n'avoir pas faim qu'on est le plus affamé, dit Marian dans toute sa sagesse. Anne, ma chérie, y a-t-il quelque chose dont tu souhaites parler ? As-tu besoin d'un coup de main dans ton travail ? As-tu... je sais que tu es encore une enfant, mais tout va si vite avec la jeunesse d'aujourd'hui... as-tu un petit ami ? Tu pourrais l'inviter après la classe si tu veux. Ou tes amies ; elles sont les bienvenues, tu sais. Viens dans la cuisine ; on va te trouver quelque chose à manger et toi et moi pourrons bavarder.

Anne refusa d'un signe de tête.

– Je n'ai pas le temps.

– Tu as toute la soirée, ma chérie. Tu n'as sûrement pas tant de devoirs que ça.

– J'en ai plein. Tante Marian, ça t'ennuierait de me faire monter à dîner ? Tu as raison, je meurs de faim mais il faut que je file dans ma chambre ; j'ai tant de choses à faire que ça me tracasse.

Marian sourit et l'embrassa.

– Ça prendra une minute, dit-elle en se rendant à la cuisine.

Incroyable, se dit Anne, il suffit de dire aux gens qu'ils ont raison et on en fait ce qu'on veut. Sauf avec Vince ; rien ne marchait avec lui. Elle lui disait toujours qu'il avait raison, prononçait toujours les mots qu'il voulait entendre, mais elle ne s'en tirait pas à si bon compte. Les semaines, les mois passaient, la haine et le désespoir ne la quittaient plus. C'est comme une tumeur, se dit Anne, ça enfle comme un ballon. C'est sûrement comme ça que les gens meurent, quand la tumeur est si grosse qu'elle détruit tout : il ne reste ni os, ni sang, ni poumons, ni cœur. Je vais mourir. Je vais mourir si je ne fais rien. C'est alors qu'arrivèrent avril et ses quinze ans.

Pour la fête invariablement donnée en son honneur par Nina et Marian, cette dernière lui avait acheté tout aussi invariablement une robe neuve. Tout le monde était là, aux mêmes places que l'an dernier. Elle souffla les bougies et on chanta « Joyeux anniversaire ». Nina l'embrassa sur les deux joues.

– Tout le monde t'aime, ma chérie, dit-elle. J'espère que nous ne t'avons pas trop fait de reproches cette année ; si c'est le cas, je tiens quant à moi à m'en excuser. Elle eut un petit rire contrit. Je dis ça tous les ans pour ton anniversaire, n'est-ce pas ? Bon, tu sais ce que nous souhaitons : que tu sois aussi parfaite que possible. Nous le devons à ta pauvre mère. Tu es une chic fille, Anne, pure, bonne, et qui ne nous cause pas de soucis. Je te souhaite un heureux anniversaire et beaucoup d'autres à venir.

Anne regardait ses mains, n'ayant qu'une chose en tête : se retrouver seule dans sa chambre. Mais il y aurait Vince, pour fêter son anniversaire.

– Eh bien, Anne, dit son père en levant son verre. Quinze ans, si grande déjà. Ta mère aurait été si fière. Je ne saurais te dire à quel point elle me manque et comme j'aimerais qu'elle te voie grandir. Elle aimerait ton courage, ta vivacité d'esprit, même si je décèle parfois une tendance à te montrer un peu trop futée. Tu dois surveiller ça ; cela peut nuire à ta popularité. Elle admirerait ton intelligence aussi, et ton charme. Tu lui ressembles en bien des points. Et j'admire ta force et ton courage ; tu n'es ni geignarde ni crampon. Tu fais preuve de maturité et je suis fier de toi. Bon anniversaire, Anne.

– Bien parlé, intervint William. Nous sommes tous fiers de toi. Tu es une vraie petite femme. Assure-toi quand même de profiter de ces années d'enfance avant qu'elles ne s'envolent. Tu as tout le temps de t'inquiéter sur la façon dont tu gagneras ta vie et de prendre en main les problèmes graves, l'argent, le sexe, et j'en passe.

– William, dit Marian avec douceur, ce n'est guère opportun le jour de ses quinze ans.

– Il est toujours opportun de dire à un enfant de le rester. A quinze ans, on est encore une enfant, que je sache.

– A mon tour, dit Ethan. Anne, ma douce, je ne sais ce qui se passe dans ta tête en ces années où tu grandis. Je chéris particulièrement nos moments ensemble – j'ai toujours espéré en avoir plus – mais, même lorsque nous sommes ensemble, j'avoue avoir l'impression de ne pas te connaître comme je le voudrais, loin s'en faut. Peut-être est-ce trop demander ; je dois dire que ton âge me paraît si étrange – et j'imagine que la réciproque est vraie. Je te promets que je te consacrerai davantage d'après-midi cette année ; nous découvrirons de nouveaux musées, de nouvelles boutiques, tu choisiras nos sujets de conversation. Enfin, si tu le veux, bien sûr. Je sais à quel point les jeunes aiment rester entre eux. Enfin, tu me diras. En attendant, laisse-moi te dire que je t'admire et que je t'aime, et que je te souhaite pour l'avenir la force intérieure, l'intégrité, l'intelligence et l'amour.

– Bon anniversaire, ma chérie, dit Vince. Il lui offrit son petit salut moqueur et son plus beau sourire. Je suis d'accord avec William : tu es une sacrée petite femme.

Anne regarda sa famille, les monceaux de cadeaux qui l'attendaient, et eut soudain la sensation que toute sa vie se déroulerait ainsi : ces gens, ces discours, ces cadeaux. Rien ne changerait ; elle ne s'échapperait jamais. Même si elle partait, elle serait toujours prisonnière. Vince la retrouverait n'importe où, il ouvrirait la porte de sa chambre et l'appellerait *petite fille* et lui ferait faire des choses qu'elle détestait. Deux fois par semaine, pour toujours, elle devrait se dépêcher de rentrer pour ne pas que Vince soit en colère de l'avoir attendue. Deux fois par semaine, pour toujours, elle prendrait un bain bien chaud et essaierait de laver tout ce...

– Grand-père, dit Anne d'une voix forte avec l'énergie du désespoir. Vince vient dans ma chambre la nuit et... m'oblige à... faire... des choses.

Il y eut un silence terrible.

– Oh non, non, gémit Marian.

– Vince ? s'exclama William, incrédule.

– C'est impossible, murmura Nina. Impossible.

Charles était debout.

– Vince, espèce de petit salaud, qu'as-tu...

– C'est un mensonge, dit Vince bien haut. Une veine battait sur son cou. La petite garce. Mais qu'est-ce qui lui prend ? On fête son...

– Vince ? répéta William plus fort.

– Mon Dieu, dit Fred Jax, quelle stup...

– Silence ! gronda Ethan.

Il présidait la table et se pencha, fixant du regard Anne assise deux places plus loin, les épaules voûtées, ne quittant pas son assiette des yeux.

– Est-ce la vérité ?

Elle ne releva pas les yeux mais fit signe que oui. Elle était terrifiée. Puis elle se mit à pleurer.

– C'est un satané mensonge, répéta Vince. Il éleva la voix en se tournant vers Ethan. Elle ment ! Elle a toujours été menteuse.

– Je t'interdis de dire ça ! hurla Charles.

– Vous ne pouvez pas lui faire confiance, poursuivit Vince, vous le savez bien. C'est un chat sauvage, une délinquante...

Gail, qui était assise à côté de sa sœur, sanglota comme un bébé.

– Oh non, dit Nina. Regarde ce que tu as fait. Là, là, fit-elle en prenant Gail sur ses genoux. Tout va bien, ne t'inquiète pas. Tout va bien.

– Tais-toi ! gronda à nouveau Ethan à l'adresse de Vince. Si tu n'en es pas capable, tu peux partir.

– Partir ! Nom de Dieu, elle m'accuse de viol !

– Il faut qu'il reste, papa, intervint William. Il doit pouvoir se défendre. Tu ne peux pas l'obliger à se taire.

– Anne, parle-nous ! s'écria Charles.

– Se défendre ? chevrota Marian. Comment ? Que pourrait-il dire ? A moins que... Elle regarda Anne avec intensité. Tu es tout à fait sûre, Anne ? C'est une accusation si terrible, surtout ton oncle, qui t'ai... Elle ravala le mot. Peut-être as-tu... crois-tu avoir pu rêver ? Nos rêves sont parfois si réels...

Sans relever les yeux, pleurant toujours, Anne secoua la tête avec violence.

– Vince n'est tout de même pas si bête, dit Fred Jax d'un ton méditatif. Du moins je ne pense pas. Si c'est vrai..., ajouta-t-il en sondant Vince du regard comme s'il recalculait leurs positions respectives dans la famille et dans la société

– Je ne me défends pas contre des mensonges, dit Vince d'une voix sèche. Cette enfant essaie d'attirer l'attention ; ce n'est qu'une gosse ; elle ne se coiffe jamais, elle est toujours sale, elle erre dans les bois comme un animal, elle se terre dans sa chambre au lieu d'être en famille comme nous tous, elle jure comme un charretier, elle répond... Sa voix couvrit bientôt celle des autres. C'est une putain de menteuse ! Nous le savons tous ! Comment pouvez-vous l'écouter ? Elle est incontrôlable, c'est une... une...

– Elle l'a imaginé, intervint Rita quand Vince se troubla.

Chacun se tut et la regarda, ahuri. Rita n'ouvrait presque jamais la bouche aux dîners de famille.

– Ce n'est pas difficile à comprendre. C'est une enfant, elle n'est guère aimée. J'imagine que c'est parce qu'elle ne va jamais chez les autres et qu'elle n'invite jamais personne ici, non ? Je veux dire, je n'ai jamais entendu dire qu'elle le faisait. Et Marian s'étonne toujours qu'elle ne ramène jamais de camarades à la sortie de l'école. Et je suppose qu'elle n'a pas non plus de petit ami, n'est-ce pas ? Elle me semble être très solitaire et elle rêve sûrement que quelqu'un l'emmène au septième ciel ; et elle met le grappin sur Vince qui est si beau que c'est un vrai rêve de jeune fille. Vous savez qu'elle ne le regarde jamais directement ? Elle se sauve s'il s'approche trop près et elle refuse de le regarder ; c'est comme si elle avait peur de trop parler ou que son visage ne la trahisse. J'imagine qu'elle a finalement essayé de l'amener à lui parler gentiment et qu'il l'a probablement repoussée – il n'a jamais de temps pour les gosses, vous savez, même pas la sienne, bien souvent – et on dirait que ça l'a rendue furieuse, ou déçue ou Dieu sait quoi et qu'elle a voulu se venger.

Vince mit un bras autour de Rita. Sans le regarder, elle l'envoya promener d'un haussement d'épaules.

Charles était venu se mettre derrière Anne.

– Ce que Rita a à dire ne m'intéresse pas. Je veux entendre Vince.

– Nom de Dieu, lança-t-il. Il n'y a pas une putain de chose à dire!

– Vince! s'écria Marian en regardant Gail qui avait enfoui son visage dans l'épaule de Nina, et les autres enfants qui ouvraient des yeux écarquillés sur les adultes.

– Nina, emmène les petits dans la salle de jeu, dit Ethan. Pourquoi personne n'y a-t-il pensé?

Nina hésita, peu encline à partir. Mais Ethan indiqua la porte d'un hochement sec et elle quitta la pièce, Rose dans ses bras et poussant Gail, Dora et Keith devant elle.

– Je n'arrive pas à y croire, ne cessait de murmurer William en secouant la tête. Je n'arrive pas à y croire. Il martelait la table de son poing. Dans notre maison... nous ne sommes pas cette sorte de gens... Je n'arrive pas à y croire... non...

– Il ne s'est rien passé! explosa Vince.

Il regarda Charles, debout en face derrière Anne. Ses yeux ne s'abaissèrent pas sur elle; c'était comme si Charles et lui étaient seuls.

– Charles, dit-il avec douceur. Charles, tu me connais; personne ne me connaît aussi bien que toi. Tu sais que je suis incapable d'une chose pareille. Comment aurais-je pu la toucher. Ça ne m'a même jamais effleuré! Pour l'amour du ciel, Charles, c'est ta fille! Et tu es ce que j'ai de plus cher au monde. Que serais-je sans toi? Tu m'as aidé à grandir, tu as toujours été là quand j'en avais besoin, tu es mon meilleur ami. Tu crois vraiment que j'aurais touché à un cheveu de ta fille? Mais, Charles, elle m'est aussi sacrée que toi!

Charles baissa les yeux sur la tête penchée de sa fille.

– Anne, tu as entendu?

Elle demeurait immobile.

– Charles, dit Marian, croisant et décroisant les mains, la bouche tremblante. Je crois que nous devrions attendre. Tout cela est trop pénible. Si nous attendions...

– Quoi? demanda Charles avec vigueur. Il s'agenouilla près de la chaise d'Anne. Regarde-moi, Anne. Réfléchis bien. Ce n'est pas un jeu. Tu as proféré d'horribles accusations qui peuvent causer grand tort à ton oncle. As-tu tout inventé? Ou rêvé? Fais bien attention à ce que tu vas dire, Anne, l'avenir de ton oncle est en jeu.

Anne sentit qu'elle se recroquevillait. Le visage de son père tremblait entre ses larmes. Il ne lui souriait pas. Il avait l'air sévère. Elle se tourna vers Ethan.

– Je t'en prie, murmura-t-elle.

Anne la regarda intensément.

– Dis-nous ce qui s'est passé, ma chérie.

Il y eut un autre silence.

– Je ne peux pas, murmura-t-elle.

Elle se tourna alors vers Marian, debout, très agitée, à une extrémité de la table.

– Raconte, ma chérie, dit Marian. Nous t'écoutons. Dis-nous tout ce que tu veux.

Anne la fixait du regard. Elle étouffait de honte. Aucun son ne sortait. Elle secoua la tête.

– Alors, dit Vince qui fit le tour de la table. Anne courba l'échine quand il s'approcha. Je suis désolé que tu aies eu à subir tout cela, Charles. Si je peux t'aider en quoi que ce soit... encore que je croie prudent de rester à l'écart d'Anne. Qui sait, je pourrais la toucher dans un geste d'affection et alors tout le monde penserait... Oh, mon Dieu, Charles – ses yeux s'emplirent de larmes –, comment cela nous est-il arrivé ?

Anne regarda son père alors qu'il regardait Vince en pleurs, et elle vit ce qu'elle avait toujours vu : de l'admiration, une sorte d'envie irrépressible, de l'amour pour son frère préféré, celui qu'il aimait le plus au monde.

– Il ne nous est rien arrivé, dit Charles à Vince en entourant Anne de ses bras. Anne est une gentille fille et il ne lui est rien arrivé. Elle a quinze ans et sera bientôt une femme aussi bonne et belle que sa mère l'était. Et rien ne lui est arrivé. N'est-ce pas, Anne ?

– Pourquoi ne peux-tu rien dire ? demanda Ethan à Anne d'une voix plus ferme, moins douce que de coutume quand il s'adressait à elle. Quand je pose une question, je tiens à ce qu'on me réponde, Anne. Dans cette famille, on ne porte pas d'accusations sans s'expliquer. Je ne puis punir ou réparer les torts si je ne dispose pas de faits. J'attends que tu précises ce que tu voulais dire, après quoi nous saurons quoi faire.

Anne ferma les yeux très fort pour ne pas voir tous ces hommes qui la dévisageaient : Ethan, Fred, Vince, Charles, William. Marian était plantée, bras ballants, à l'autre bout de la table ; Rita avait retrouvé son silence coutumier. *Tout est de ma faute. Je l'ai séduit, puis je l'ai attiré dans ma chambre et j'ai fait tout ce qu'il voulait et encore et encore depuis tout ce temps. Je ne peux pas dire ça. Je ne peux rien leur dire. Rien.*

Ethan la regardait, inquiet, furieux, désarmé. Marian avait les mains jointes sous le menton.

– Que peut-on faire ? Anne, je sais que c'est difficile pour toi, mais il faut que tu nous parles pour que nous sachions quoi faire.

*Vous ne me croiriez pas.*

– Rita a peut-être raison, vous savez, dit Fred Jax, qui semblait parler tout seul. C'est vrai, les filles ont une imagination débordante, et Vince a une sacrée image. Joli sourire. Enfin, vous voyez.

– J'ai la conviction qu'Anne croit ce qu'elle dit, intervint William. Elle n'est pas méchante; elle ne nous ferait pas de mal volontairement. Quelque chose l'a poussée à parler ainsi, aussi choquant que ce soit; j'aimerais seulement qu'elle nous dise ce qui la tourmente. C'est très dur pour nous, Anne; nous sommes prêts à t'aider mais tu refuses de parler. N'as-tu pas confiance en nous ? Nous voulons faire notre possible pour toi.

Anne s'affaissa sur sa chaise et garda le silence.

William soupira.

– Bon, que fait-on maintenant ? Il regarda autour de lui. Anne va-t-elle en parler à tout le monde ? L'a-t-elle déjà fait ? Anne ? As-tu accusé Vince devant des professeurs ou tes camarades de classe ?

– Anne, as-tu parlé à quelqu'un ? demanda Charles, voyant qu'elle ne répondait pas.

Il mit sa main dans ses cheveux. Elle se demandait si ce geste trahissait l'affection ou l'avertissement. Elle fit un nouveau signe de dénégation.

– Evidemment, c'est ainsi que ça doit rester, dit Fred Jax avec fermeté. Personne ne souhaite un scandale qui nous affecterait tous, la famille, et l'affaire. Nous allons rester calmes et débrouiller ça. Anne ? Nous voulons t'entendre dire que tu le comprends.

– Ne la bouscule pas, dit Marian sèchement. Il faut lui laisser du temps. Elle nous parlera plus tard. Je crois que – elle évita de regarder Vince – je crois qu'elle pourrait bien dire la vérité.

– Oh, mon Dieu, Marian, non, murmura Vince, les yeux pleins de larmes. Tu ne peux penser ce que tu dis; tu sais que je ne... nom d'un chien pour qui me prends-tu ?

– Je ne sais pas, dit Marian. Je ne sais pas grand-chose, sauf que nous devons donner à Anne une chance de nous dire elle-même ce qui s'est passé. Elle a peur et vous, les hommes, ne cessez de la harceler.

– Il ne s'est rien passé! hurla Vince. Elle va vous inventer Dieu sait quel putain de conte de fées!

– Ferme-la, Vince, pour l'amour du ciel, murmura Fred.

– Mais que faire sans certitude ? demanda William.

Nina entra.

– J'ai demandé aux bonnes de ne pas débarrasser. Anne a-t-elle raconté ce qui s'était passé ? Elle a bien dû dire quelque chose! ajouta-t-elle en jetant un regard autour de la table.

– Oh, Anne, soupira Marian. Parle; il le faut. Peut-être ne pouvons-nous effectivement attendre. Je t'en supplie, ne nous rends pas les choses plus difficiles! Si seulement tu t'expliquais! Nous ne pouvons nous contenter de faire comme si rien ne s'était passé ou promettre de n'en parler à personne, parce que, si c'est la vérité, il faut le dire à... Sa voix faiblit et elle respira profondément. Il faut le dire à la police.

– Que Vince a violé sa nièce! protesta Fred. C'est ce que tu...

– Espèce de salaud, fusa Vince. Je t'ai déjà dit...

– Je te crois. Je demandais seulement à ma femme si c'est ça qu'elle voulait dire à la police.

Marian le dévisagea un long moment.

– Je leur dirai la vérité.

– Soit, mais nous ne nous sommes pas mis d'accord là-dessus, n'est-ce pas ? Ce que je veux dire, c'est que, tant que nous ne sommes pas d'accord, je suis William. J'aimerais ne pas transformer notre famille en un cirque qui serait la proie des journalistes.

– C'est pour le bien d'Anne, dit Charles. Si l'affaire transpirait, ça lui ferait beaucoup de mal.

– Je dis comme Charles, approuva Fred. Il faut penser à Anne.

– C'est à nous que nous pensons, fit William, sarcastique.

Ethan les regardait, le visage pensif.

– Anne, dit soudain Marian. Veux-tu me parler seule à seule ?

*C'est trop tard.*

– Anne, ma chérie, aide-nous, je t'en supplie, dit Marian.

*Tu ne m'as pas aidée.*

– Anne, dis-nous ce que tu veux qu'on fasse, pria soudain Ethan d'une voix pressante. C'est une journée terrible pour notre famille. Nous voulons faire ce qui est bien pour chacun. Si tu refuses de nous raconter ce qui s'est passé, dis-nous au moins ce que tu veux qu'on fasse.

– Je veux que vous m'aimiez !

Elle sanglotait, son nez coulait et sa voix semblait appartenir à une autre. Elle repoussa sa chaise.

– Nous n'en avons pas terminé.

– Moi, si !

Elle se rua sur la porte. Sa voix s'attardait comme une plainte.

– Moi si, moi si.

Elle s'assit en tailleur au milieu de sa chambre plongée dans l'obscurité. Marian était derrière la porte et appelait. Puis vinrent Ethan, Nina et William. Puis Gail. Anne l'écouta frapper et finit par la laisser entrer. Elle alluma la petite lampe de son bureau pour qu'elles puissent se voir.

Gail jeta ses bras autour d'Anne.

– Je ne comprends rien.

– Tu n'aurais pas dû être là. Tu n'aurais rien dû entendre ; tu n'as que neuf ans. Va te coucher.

– Dis-moi. Dis-moi. Je t'aime !

– Je ne peux pas. Ecoute. Veux-tu bien m'écouter comme il faut ? Reste près de Marian. Vraiment tout près. S'il arrive quelque chose qui ne te plaît pas, parles-en à Marian. Elle est OK, Gail ; elle t'aidera, il faut juste la secouer un peu, sans ça elle dérive dans son monde à elle.

Gail pouffa de rire.

– Sérieusement, Gail, tu m'écoutes ? Reste proche d'elle. Ne laisse personne te faire quelque chose qui ne te plaît pas.

– Quoi, par exemple ?

– Tout ce que tu n'aimes pas, c'est simple. Dis à Marian si quelqu'un essaie. D'accord ?

– D'accord.
– Gail, c'est sérieux. Je pense ce que je dis.
Gail ouvrait de grands yeux.
– D'accord. Je m'en souviendrai.
– Alors file te coucher, dit Anne en la serrant contre elle. Je n'ai pas fait très attention à toi. Pardonne-moi. Tu es vraiment adorable. Allez, va, maintenant. Va te coucher.
– Je pourrais rester avec toi.
– Non. File, Gail, je ne veux pas de toi.
Gail resta bouche bée.
– Bon... à demain.
Une fois seule, Anne éteignit la lumière et se rassit dans le noir au milieu de sa chambre. Quand sa fenêtre vira au gris, puis s'éclaira légèrement, elle distingua les roses qui l'entouraient, sur le papier peint, les rideaux, le dessus-de-lit. Elles semblaient tristes, vieilles, à moitié mortes. Laides, se dit Anne. Elles sont si laides.
Juste devant sa fenêtre, un oiseau chanta. Anne se leva. Je viens d'avoir quinze ans, songea-t-elle. Et Vince va me tuer.
Elle ne pouvait rester là à l'attendre. Elle devait se sauver. Ça ne donnerait rien de raconter qu'elle avait peur de lui, personne ne la croyait. Elle pensa un instant que son grand-père la croyait, et peut-être Marian, mais ils n'avaient pas essayé de l'aider; ils ne s'étaient même pas fâchés après Vince; ils avaient juste eu l'air malheureux et incertains. Du coup, elle s'était sentie plus seule que jamais.
Debout devant sa fenêtre, Anne ferma la yeux.
– Maman, murmura-t-elle.
Des larmes roulèrent sur ses joues tandis que ce mot emplissait doucement le silence.
– Maman, aide-moi, je t'en prie.
Mais il n'y avait que le silence et le trille de l'oiseau derrière la vitre.
Elle rouvrit les yeux et les sécha avec le revers de sa manche. Elle se redressa, la tête bien droite. Je n'ai pas besoin d'eux. Je n'ai besoin de personne. Je peux me débrouiller toute seule; je ne suis plus un bébé. Je ne demanderai plus rien à personne, jamais. Je n'ai pas besoin d'eux. Il me suffit d'être forte et de ne laisser personne me faire de mal. Jamais. Et quand je serai grande, je serai meilleure qu'eux. Et je serai très heureuse.
Elle sortit son sac marin de son placard et le bourra de vêtements, de tout ce qu'elle attrapait dans son placard et son bureau, sans même regarder. Elle ôta sa robe et choisit un jean. Non, se dit-elle en commençant soudain à réfléchir. Personne ne fait attention à une adolescente en jean. Elle enfila un pantalon de tweed et un chemisier de soie blanche orné d'un nœud autour du cou. Elle prit l'argent que contenaient les enveloppes offertes par William et Fred et le mit dans son portefeuille qu'elle rangea soigneusement dans son sac. Puis elle quitta sa chambre.
Elle contourna la pile de cadeaux que Marian avait placée près de la

porte, emprunta l'escalier latéral et la porte que Vince avait utilisée deux ans plus tôt, et marcha jusqu'à la rue. Le ciel s'éclaircissait et le chant des oiseaux l'accompagna dans sa marche jusqu'en ville, environ quinze cents mètres. Sur le quai, elle attendit le train pour Chicago. Ses yeux étaient secs. Elle se sentait sèche à l'intérieur, toute rabougrie, trop sous contrôle pour craindre ce qui l'attendait. Elle se tenait bien droite dans la beauté odorante de ce matin d'avril et, quand le train arriva, elle s'avança, son sac marin à l'épaule, sans se retourner.

# 4.

– Retrouvez-la, dit Ethan, impérieux, en s'adressant au détective assis à côté de Charles. Ne perdez pas de temps à m'expliquer qu'il est extrêmement difficile de retrouver les fugueurs. Retrouvez-la, un point c'est tout!

– Monsieur Chatham, j'ai seulement dit qu'il y en avait des milliers, qu'ils vont à New York, San Francisco, ou dans d'autres villes gigantesques où ils arrivent à se fondre dans la population; et, s'ils ne veulent pas qu'on les retrouve, en général on ne les retrouve pas.

Ethan fit un geste impatient de la main.

– Tu ne lui as pas donné grand-chose pour l'aider, dit-il à Charles. Ses amis, ceux en qui elle avait confiance, donne-lui des noms!

– Je n'en connais aucun, répondit-il, impuissant. Anne ne parlait pas beaucoup d'elle-même.

– T'y intéressais-tu beaucoup?

– Elle n'aimait pas qu'on lui pose des questions, répondit Charles, sur la défensive. Tu sais comment elle était. Comment elle est. Toujours à partir de son côté, à répondre... Je l'aime, mais elle ne me facilitait pas la tâche; elle était si différente d'Alice. Je cherchais Alice en elle, je pensais qu'une fille devait ressembler à sa mère et je voulais l'aimer autant que j'aimais Alice, mais elle n'était pas – elle n'est pas – du tout comme elle. Elle pourrait, remarque, elle est plutôt jolie, mais chaque fois que Marian ou moi essayions de l'améliorer, c'était pis encore. C'est à Marian qu'il faut demander, poursuivit Charles à l'adresse du détective. C'est elle qui la connaît le mieux.

– Exact. Elle sait ce que cette gosse aimait lire; elle achetait des livres comme une dingue et les empilait dans sa chambre. Elle aimait se cacher dans les bois; soit elle avait des amis que personne ne connaissait, soit elle se les inventait, personne n'est vraiment sûr; elle n'adorait pas l'école mais avait de très bonnes notes; et brusquement, il y a deux ans, elle s'est mise à aimer acheter des fringues. C'est à peu près tout. Mais personne ne parlait donc jamais à cette petite ?

– Nous dînions tous ensemble le dimanche, répondit Charles, toujours sur la défensive.

– Parler. Je parle de parler avec elle, s'impatienta le détective tout en ramassant sa serviette avant de se lever. Personne ne sait rien ; voilà où j'en suis pour l'instant. J'ai interrogé ses camarades de classe ; elles l'aimaient bien, elle semblait s'entendre avec tout le monde, mais n'avait pas d'amis. Ils la trouvaient solitaire, un peu bizarre, pas à l'aise avec les gens, ce genre de choses. Rien sur quoi mettre le doigt pour affirmer que c'était le genre de fille à fuguer. Et rien qui puisse m'aider. Si elle avait des amis proches, personne n'est au courant. Si elle avait des profs préférés, personne n'est au courant. Si elle allait voir des voisins, personne n'est au courant. Si elle traînait dans les bars de Chicago, personne n'est au courant. Si c'était une de ces gosses de riches qui claquent leur argent de poche en marijuana ou en LSD, personne n'est au courant. Si elle voulait s'envoler pour une autre ville, personne n'est au courant. Personne n'est au courant de rien. Il jeta un coup d'œil à son carnet. Anne Chatham, quinze ans, un mètre soixante, cinquante kilos à sa dernière visite médicale qui date d'un an, yeux bleus, cheveux noirs, aucun signe particulier. Jolie petite, commenta-t-il en parcourant les photographies remises par Marian. Bon, je garde le contact. Mais autant vous prévenir : on en a beaucoup des comme ça, et si on ne les retrouve pas, c'est qu'elles le veulent bien.

Ethan fit tournoyer son fauteuil et regarda le lac au-delà de la grande pelouse en pente. Des vagues brunes et grises s'agitaient sous une pluie persistante pour se dissoudre à l'horizon. J'espère qu'Anne a emporté un parapluie, songea-t-il. Mais elle aimait tellement la pluie. Une fois je l'ai vue danser dans l'herbe, pieds nus, sous une pluie comme aujourd'hui. C'était il y a longtemps. Je m'aperçois qu'il y a bien longtemps que je ne l'ai vue danser.

– Dis à Vince que je veux lui parler, fit-il à Charles sans se retourner.

– Il est au bureau.

– Appelle-le.

– J'ai essayé de croire Anne, dit Charles. Mais c'est terrible de penser que quelqu'un de sa famille... C'est trop horrible à croire. Anne ne voulait pas nous parler.

– *Aide-nous*, murmura Ethan, les yeux toujours fixés sur le lac. C'est ce que lui a dit Marian. Nous lui avons demandé à elle de nous aider nous ! hurla-t-il en se tournant pour plonger ses yeux dans ceux de Charles. Mais qui a aidé Anne ? Mon Dieu, qu'avons-nous fait à cette enfant ? Nous avons failli, nous l'avons trahie... Comment avons-nous pu ?

Il baissa la tête et pleura.

*Qu'est-ce qui ne va pas dans cette famille ? Qu'est-ce qui nous pousse à ne jamais dévier de notre route pour nous porter secours ?*

Ils l'avaient tous laissée tomber, mais le pire c'était lui, le grand-père, le chef de famille. Il aurait dû être fou de rage. L'histoire d'Anne l'exigeait. Et s'il s'était rangé à son côté, furieux, décidé à résoudre l'affaire, il aurait pu convaincre tout le monde d'exiger une confrontation d'où serait sortie la vérité.

La vérité, je la connaissais, se dit-il. Pourquoi l'ai-je refusée ? Dès que la pauvre petite, agressée de toutes parts, a refusé de coopérer, je l'ai abandonnée. Comme tout le monde. Voilà le comportement de la famille quand il y a des problèmes. Nous aimons que tout soit confortable, net, précis, sous contrôle. Et quand ça n'est pas le cas, nous faisons demi-tour et filons comme des cafards que la lumière effraie. Nous ne valons pas mieux.

Deux heures plus tard, il était toujours assis quand ses fils entrèrent.

– Pas toi, Charles. Referme la porte derrière toi. Ethan attendit que Charles soit partit. Ça dure depuis combien de temps ? demanda-t-il à Vince.

– Bon Dieu, papa, ça ne va pas recommencer ! protesta Vince.

Il s'assit dans un fauteuil en cuir au coin de la bibliothèque. Il y avait des étagères jusqu'au plafond et des globes terrestres lumineux posés sur des trépieds d'acajou éclairaient la pièce. Il croisa les chevilles sur le repose-pieds.

– On en a parlé une douzaine de fois hier soir. Je te l'ai dit, je ne sais pas ce qui lui a pris. Pourquoi moi ? Elle a plein de problèmes, tu sais. Rita a raison de dire qu'elle était impopulaire et qu'elle n'aimait pas l'école...

– Comment le sais-tu ?

– Je ne le sais pas, comment pourrais-je en être certain ? Mais quand on lui parlait de l'école à table, ça n'avait pas l'air de la passionner, ni même de l'intéresser. Tu n'as pas trouvé ?

– Je ne sais pas, répondit Ethan, troublé parce qu'il n'avait pas remarqué.

– A mon avis, elle se droguait. Je ne le dirai pas à Charles, mais c'est ce que je pense. Dieu sait avec qui elle frayait à l'école – enfin, si Dieu ne le sait pas, peut-être que Marian... Il sourit à son père puis son visage s'assombrit. Ça fait un moment que je m'inquiète pour elle. Les jeunes d'aujourd'hui me tracassent. Ils ont l'air paumés. Trop de drogue, d'alcool, de rébellion. Mais je m'inquiète aussi pour toi, papa. Tu ne peux pas te croire responsable de la folie d'Anne. Elle est assez grande pour savoir qu'elle a des responsabilités vis-à-vis de sa famille et, si elle nous quitte, personne ne peut dire que c'est notre faute ; il faut la laisser partir. Je ne dis pas qu'on ne doit pas tout faire pour la retrouver, et je ferai tout ce qui est en mon pouvoir, mais, si elle est vraiment partie, je crois que nous devons accepter sa décision et ne pas trop nous soucier. J'ai la conviction qu'elle s'en sortira. Sous son air faraud, elle est très forte.

Un long silence envahit la bibliothèque. Ethan écoutait l'écho de la voix satisfaite de son fils. Il revoyait Anne, enfant, avec ses jambes et ses bras trop longs, ses lourds cheveux noirs qui lui tombaient sur les yeux, seule la plupart du temps, essayant d'attirer l'attention avec rudesse et sauvagerie. Une petite fille seule, vulnérable, qui ne s'était jamais sentie chez elle dans la demeure de Marian.

Pour la première fois, Ethan souffrit de la solitude d'Anne. Il revit son visage désespéré lorsqu'elle prononça ces mots terribles, puis sa petite silhouette recroquevillée, écrasée, vaincue par les hésitations de sa famille.

– Tu te sens bien ? demanda Vince. Veux-tu que j'aille te chercher quelque chose ? Du thé ? C'est à peu près l'heure. Je vais sonner.

– Elle ne mentait pas, dit Ethan.

Vince était à moitié debout. Il se leva d'un bond.

– Tu ne penses pas ce que tu dis, fit-il en se balançant sur un pied, mains dans les poches. Elle mentait, papa ; je t'assure. Je t'ai déjà dit que ce n'était pas vrai.

– J'ai entendu. Je crois Anne.

– Comment peux-tu ? Elle mentait, papa ! Les enfants sont des menteurs, tout le monde le sait. Entre nous deux, ce n'est quand même pas elle que tu choisirais ! Tu es mon père, nom d'un chien !

Penché en avant, les mains à plat sur son bureau, Ethan dévisagea Vince en silence.

Vince souffla bruyamment. Son corps se détendit. Sortant une main de sa poche, il fit tournoyer le globe terrestre à côté de lui, l'air pensif. De l'autre main, il fit un petit geste d'impuissance.

– Que faire pour te convaincre ? Il faut me croire, papa. C'est une enfant ! Et j'ai une femme et une fille ; comment leur ferais-je une chose pareille ? Mais comment le prouver si même mon père ne me croit pas ?

Ethan ne broncha pas.

– En fait, j'ai tout fait pour qu'on soit amis, elle et moi, reprit Vince en continuant de jouer avec le globe terrestre. A plusieurs reprises j'ai tenté de lui parler, de la sortir de son mutisme, mais je me suis heurté à une fin de non-recevoir. Ça m'a vexé, tu sais. Non qu'elle fût aimable et expansive avec les autres – nous savons bien que non ; en réalité, elle était bougrement insolente la plupart du temps – mais j'ai fait un effort tout spécial pour me montrer amical, pour qu'elle sache qu'elle avait un oncle qui se préoccupait d'elle. Je l'admirais beaucoup, tu sais ; elle avait tant de merveilleuses qualités, vraiment merveilleuses. Admirables. Mais elle ne voulait rien avoir à faire avec moi. Même à l'époque, elle devait avoir quelque chose contre moi – c'était il y a deux ans, environ – et ça a dû mijoter tout ce temps ; sinon pourquoi aurait-elle monté pareil bateau ? Seigneur, pourquoi m'accuserait-elle, moi qui plus que tous les autres ai essayé d'être son ami ? Je suppose qu'elle voulait qu'on lui prête davantage attention – pauvre gosse, elle a vraiment dû être malheureuse, personne ne l'aimait, personne n'avait besoin d'elle, et elle savait sûrement que tout était de sa faute tant elle était désagréable – mais pourquoi jeter son dévolu sur moi ? Pendant toutes ces années, nous n'avons guère échangé plus d'une douzaine de mots. Que lui ai-je fait ? Que t'ai-je fait, papa, pour que tu ne me croies pas ? Voilà une gosse que je connais à peine, qui n'était pratiquement jamais là – elle fichait le camp dans cette clairière ou dans sa chambre – et tout d'un coup elle invente cette histoire ahurissante et, quand personne ne la croit, elle fait une fugue et toi tu refuses de me croire ! C'est un cauchemar, dit-il en s'asseyant au bord d'un fauteuil près du bureau d'Ethan, les mains serrées.

– Quelle clairière ?

– Quoi ? Oh, un endroit à elle ; Marian lui répétait de ne pas y aller, mais en vain. Elle n'en faisait qu'à sa tête, de toute façon. Tu ne la connais peut-être pas si bien que ça, papa. Je sais que c'est une fille remarquable, parfaitement capable de s'en sortir seule, mais elle ne pliera devant personne. Personne ne la forçait, tu sais ; personne ne pouvait l'obliger à faire quelque chose si elle n'en avait pas envie.

Ethan le regarda de travers. Connaissait-il bien sa petite-fille ? Elle avait quinze ans, lui soixante-sept. Elle était écolière et commençait sa vie ; il approchait de la fin de la sienne, faisant déjà des plans pour quitter la tête de la société et passer la fin de ses jours dans son paradis montagnard. Comment pouvait-il la connaître ? Il admirait son courage et sa force, il se régalait de son esprit de repartie, mais à part ça ?

Vince poursuivit, avec plus de conviction :

– Je ne voulais pas te le dire – on hésite toujours à dire ça d'une adolescente, surtout de sa famille – mais quand on la connaît, pourquoi décider qu'elle est innocente ? Que savons-nous de ses activités, de ses rencontres, quand elle se sauve après le dîner et le week-end ? Je ne dis pas que c'est une mauvaise fille – je m'en voudrais de la critiquer ; c'est ma nièce, elle est adorable et je l'aime beaucoup – mais de nos jours beaucoup de gosses se mettent à traîner quand on a le dos tourné, elle a peut-être été trop loin. Je parierais qu'elle s'est retrouvée enceinte, qu'elle a paniqué et qu'elle a cherché un bouc émissaire... et c'est moi qui ai pris, va savoir pourquoi. Je ne dis pas que c'est exactement ce qui s'est passé – comment le savoir puisqu'elle a refusé de parler malgré nos supplications ? – mais quand on voit les gosses d'aujourd'hui, cette hypothèse en vaut bien une autre. Je suis seulement désolé – à vrai dire, papa, je suis fou de rage – qu'elle m'ait choisi pour cible. J'ai tout fait pour l'aider à s'en sortir, je lui ai donné des conseils, un peu d'affection et voilà ma récompense. Sacré nom, je ne méritais pas ça ! Je suppose qu'elle pensait que je la laisserais dire ; elle s'est peut-être même imaginé que j'étais une poire parce que j'avais un faible pour elle et qu'elle s'était amusée à jouer avec les sentiments des autres...

– Ça suffit !

Ethan était debout, le visage assombri, le souffle court, éprouvant enfin la rage qu'il aurait dû éprouver la veille.

– J'ai vu son visage ! Ce n'était pas facile pour elle, loin de là, et elle ne mentait pas ! Tu as beau étaler tes saletés, je la connais mieux que tu ne le crois. Tu t'es servi d'elle parce qu'elle était jeune et faible. Tu aimes les faibles; c'est pourquoi tu t'accroches à Charles, entre tous. Tu t'es toujours servi des gens, Vince. Me crois-tu aveugle ? Tu te sers de la famille, des gens qui travaillent dans la société. Tu es malin et âpre et tu vas au bout des choses; et j'avoue honteusement t'avoir laissé faire toutes tes sales petites affaires parce que ça nous rapportait. Par avidité, je suppose; je t'ai laissé faire de l'argent pour nous. Mais te servir d'Anne! Etre assez perverti, insensé – assez diabolique – pour séduire cette pauvre enfant sans défense et l'obliger à... à te recevoir... depuis... Combien de temps? Combien de temps as-tu... Parfait! hurla-t-il en voyant Vince se lever et se diriger vers la porte. Fiche le camp! Hors de ma vue, hors de chez moi, hors de ma société!

Vince s'arrêta brusquement et se retourna, abasourdi.

– Quoi ?

– Hors de ma société! Que je ne t'y voie plus. C'est une affaire de famille. Tu nous a déshonorés; que je ne voie plus jamais ta gueule d'hypocrite!

Ethan sentit les larmes lui brûler les yeux tant ce qu'il faisait le blessait.

– Un père devrait regarder ses fils avec reconnaissance et bonheur, en se disant qu'ils sont ses amis, ses associés. Je ne te reconnais plus. Tu me rends malade, ajouta-t-il d'une voix presque éteinte.

Vince vit que les épaules de son père s'affaissaient.

– Papa, dit-il d'une voix sèche mais prudente. Ce n'est pas possible. Tu ne sais pas qu'elle disait la vérité; c'est une impression que tu as. C'est parfaitement ton droit, mais c'est le mien aussi, n'est-ce pas ? Et je sais que je n'ai rien fait de mal. Mais jamais plus je n'en discuterai avec toi; en fait, je crois que nous ferions mieux de ne plus rien discuter du tout. Les enjeux sont trop élevés. Et Tamarack, papa ? Je croyais que c'était ton rêve autant que le mien; tu ne peux pas tout risquer pour une gamine. Il y a encore beaucoup à faire, là-bas; n'est-ce pas plus important qu'une seule personne ? Il attendit, mais Ethan demeurait silencieux. Papa, oublions toute cette histoire sordide. Oublions tout ce que nous avons dit aujourd'hui. Nous retrouverons Anne, nous la ramènerons, et elle ira très bien; tout le monde l'aidera et nous oublierons ce qui s'est passé.

Ethan lui lança un regard lourd.

– Je t'ai dit de ficher le camp.

– Mais tu ne le pensais pas, je le sais, dit Vince avec un sourire doucereux. Cette situation nous rend extrêmement tendus, papa, je comprends ça très bien, je comprends ce que tu traverses. Mais ça va passer. Nous risquons trop gros...

– Je veux que tu aies quitté ton bureau dès demain; j'ai d'autres projets. Et dès la fin de la semaine tu auras quitté ton bureau de Tamarack.

Le sourire disparut du visage de Vince. Il fixa des yeux son père qui se tenait à l'autre bout de la pièce, écroulé.

– Tu le regretteras, dit-il enfin. Je possède des actions de la société.

– Et que comptes-tu en faire, demanda Ethan avec dédain. Mettre ton poste aux voix ? Qui voterait pour toi contre moi ?

Vince hocha la tête lentement.

– Tu gagnerais, mais ce serait une réunion fort désagréable pour toi. Je la provoquerais, tu sais, si c'était nécessaire.

Ethan attendit ; il savait qu'il n'avait pas tout entendu.

– Il va me falloir de l'argent ; le plus simple serait de céder mes actions.

– Je les achèterai, répondit Ethan sur-le-champ. Appelle notre avocat ; dis-lui d'être là demain.

Vince ouvrit la porte. Ethan ne put réprimer de l'orgueil à voir son fils accepter instantanément l'inévitable. Il l'avait déjà vu ainsi, prenant des décisions rapidement, sans regret apparent. Nous avons cela en commun, pensa Ethan ; c'est tellement mon fils, par certains côtés.

– Tu pourrais me souhaiter bonne chance, dit Vince dans l'encadrement de la porte.

L'orgueil d'Ethan s'évanouit, laissant place aux larmes. Il revoyait Vince bébé : c'était le plus beau de tous ses enfants, il avait marché et parlé plus vite, son sourire était le plus beau. Le plus intelligent, le plus charmant, le plus avide.

– Reste à l'écart des petites filles, dit-il.

Vince sortit.

La fureur s'empara de lui. Il traversa le salon, la salle à manger, chaque pièce de la maison comme un fou. Il n'habitait plus ici depuis ses dix-huit ans, mais pour lui c'était toujours sa maison, et il la quittait pour toujours. Pas de regrets, se dit-il. Sauf pour Tamarack.

C'était à lui ; son père le lui avait donné. Cela faisait vingt ans qu'Ethan jouait avec, le développant à son rythme. C'était maintenant le tour de Vince. Il avait ses projets, ses budgets, ses plans. Ethan n'imaginait pas l'étendue des idées de Vince : sous sa direction, cette petite station de ski deviendrait une ville avec ses grands axes routiers, ses immenses hôtels, et ses boutiques chics, attirant, tel un aimant scintillant, les têtes couronnées et les oisifs richissimes du monde entier, une ville qui offrirait tout à ceux qui en avaient les moyens. Et ce serait de surcroît la corne d'abondance de la Chatham Development Corporation et d'abord de Vince Chatham.

Tel était le plan de Vince. La famille en avait fait d'autres, pour une réorganisation future de la société, avec Charles hissé au rang de président de la Chatham Development à Chicago quand Ethan se retirerait, et Vince comme vice-président ainsi que président de la Tamarack Company. C'était réglé : tout le monde était d'accord ; et le moindre mouvement de Vince au cours des deux dernières années avait préparé son déménagement. Tamarack serait le projet le plus spectaculaire de la décennie et servirait de tremplin à ses débuts politiques, mais personne ne le savait encore.

Trente secondes, quelques phrases plaintives de son père, et Tamarack ne lui appartenait plus.

Il quitta la maison d'Ethan et roula comme un automate jusqu'à la maison de Marian, à huit cents mètres de là. Comme toujours depuis deux ans, il se gara à cinquante mètres, prit l'entrée latérale d'un pas long et énervé. Sa colère était si forte qu'elle fusait en toutes directions. La garce, songeait-il en grimpant quatre à quatre jusqu'au deuxième étage. La saloperie de garce. Mais, dès qu'il eut centré sa colère sur Anne, ses pensées se tournèrent vers son père. *Le salaud, congédié comme un vulgaire serviteur.* Une fois dans le couloir, il se heurta à une petite table et une lampe se brisa par terre. Il ne s'en préoccupa pas. *Viré! Son propre fils!* Mais il s'en prenait déjà à Charles. *Froussard de fils de pute; rien ne serait arrivé si tu m'avais défendu, tu n'avais qu'à leur dire qu'elle mentait.* Puis vint le tour de Marian. *Une garce, celle-là aussi. Toujours de son côté. Deux belles garces : ma salope de sœur et l'autre, là.*

Il arriva à la chambre d'Anne, ouvrit la porte brusquement et s'y engouffra. Il y régnait un calme étrange. Le lit était fait, les livres bien rangés sur les rayonnages, la fenêtre fermée, pas de roses dans le vase. Vince était debout au milieu de la chambre, entre la cheminée et le lit, où elle ouvrait les jambes pour lui quand il voulait. Pour la première fois, il sut qu'elle était vraiment partie. On lui avait volé Tamarack et Anne.

La fureur s'empara de lui à nouveau, immense, incohérente, vague déferlante et aveugle. Il s'empara des coussins devant la fenêtre, là où elle aimait tant se pelotonner, et saisit les animaux en peluche qu'il jeta violemment à l'autre bout de la pièce. Il déchira les rideaux puis les piétina en jurant car il s'était emmêlé les pieds. *J'aurais dû la frapper à mort. J'aurais dû la tuer.* Il l'en avait menacée, plus d'une fois, et elle s'était tenue tranquille pendant deux ans. Puis elle avait tout détruit. *Salope de garce, j'étais trop bon avec elle. Je l'aimais trop.*

Il se rua sur le lit, arracha la couette fleurie, la couverture rose pâle, les draps qu'il avait souillés, encore et encore, cette garce, cette salope qui l'avait séduit pour le ruiner avant de disparaître, hors d'atteinte, loin de son sexe...

– Vince! hurla Marian. Vince, arrête! Oh, mon Dieu!

Il se figea sur place. Dans ses mains, les draps douillets, la couverture rose. Entre ses dents, un coin de l'oreiller. Il lâcha tout lentement. Il desserra les dents et la couverture tomba sur le lit. Il obligea son cœur à ralentir, puis il se redressa et se tourna vers elle.

– Pas la peine de crier comme ça, Marian, dit-il sur le ton de la plaisanterie. J'ai perdu les pédales, ajouta-t-il d'un air contrit. Désolé. Je ne sais pas ce qui m'a pris. Semaine affreuse, sans doute, puis cette dispute que je viens d'avoir avec papa. Alors j'ai tout plaqué. Je ne me voyais pas travailler plus longtemps pour lui, il est impossible, tellement coincé avec l'âge. J'ai pris mes cliques et mes claques et me voilà sans boulot. Je suppose que j'ai tout mis sur le compte d'Anne – pauvre petite Anne, si triste.

Après tout, ce n'est pas sa faute si elle abîme tout ce qu'elle touche. Je vais envoyer quelqu'un pour réparer les dégâts; ne t'inquiète pas. Je me demande ce qui m'a pris, ajouta-t-il, l'air de ne pas en revenir.

Marian semblait perplexe.

– Tu peux être si gentil, Vince, pourquoi tout ça?

– Tout ça quoi? demanda Vince avec douceur.

– Tout. Faire... l'amour... avec Anne... Oh, Vince, comment as-tu pu?

– Mais, ma belle, je te l'ai dit, je n'ai rien fait. Je ne l'ai pas touchée. Cette gosse est malheureuse; elle ne sait pas où elle en est et fait de gros mensonges pour attirer l'attention. Je m'étonne que tu ne t'en sois jamais aperçue, Marian; ça fait des années que vous vivez sous le même toit.

Il s'approcha, remarquant l'éclair de panique qui traversa ses yeux. Il lui effleura l'épaule et lui posa un petit baiser sur la joue avant de franchir le seuil de la chambre.

– Il n'y a pas pire au monde que de ne pouvoir compter sur sa famille.

– Nous étions heureux, dit Marian tristement. Si heureux. Et maintenant, Anne est partie, père est effondré, Nina pleure tout le temps, William ne veut parler à personne, Fred n'est d'aucun secours et je ne sais que faire! Tout est si compliqué et c'est de ta faute, Vince; je ne sais pas ce que tu as fait à Anne, mais tu l'as effrayée et tu as tourmenté toute la famille. Je t'en veux.

Il ouvrit la porte donnant sur l'escalier latéral.

– Je le sais, dit-il avec froideur, sans se retourner. Peut-être pourrai-je un jour te pardonner.

D'un pas désinvolte il quitta la maison et atteignit sa voiture. Ça l'ébranlerait; Marian ne supportait pas qu'on lui parle froidement ni qu'on l'abandonne sans un sourire ni un au revoir.

Il roula en sifflottant jusque chez lui. Il avait beaucoup à faire, des plans, des choix, des coups de fil. Il devrait en discuter avec Rita. Il aurait préféré la laisser en dehors de tout ça, mais, depuis ce foutu repas, elle était de méchante humeur – en fait, elle ne lui avait pas adressé la parole depuis – et il ne la ramènerait jamais à la normale s'il ne lui parlait de rien.

– Bonjour, ma chérie, dit-il à Dora en la soulevant jusqu'à son épaule. Comment s'est passée ta journée? Je n'ai pas droit à un baiser?

Dora rit.

– Je ne peux pas. Je suis trop haut!

– Tu as raison.

Vince la redescendit jusqu'à sa poitrine; leurs visages se touchaient presque. Il eut la vision fugitive d'Anne, mêmes yeux, même bouche. Mais c'était impossible. Dora n'avait que cinq ans; Anne était une femme. Dora lui fit un gros baiser mouillé puis il la reposa par terre.

– Où est ta mère?

– En haut. Elle range les tiroirs. Depuis ce matin.

– Nettoyage de printemps, dit Vince, amusé.

C'est une bonne épouse, songea Vince. Pour quelque obscure raison elle ne parle pas à son mari, mais elle tient à ce que la maison soit en ordre.

– Reste en bas, Dora ; je veux lui parler. Amuse-toi ou regarde la télévision.

– Il n'y a rien.

– Débrouille-toi, mais ne nous dérange pas.

Rita était dans le dressing. Tiroirs en miroir d'un côté, placards identiques de l'autre, tout était ouvert. Il y avait des habits empilés par terre et sur des chaises de velours devant le mur en miroir du fond. La beauté pulpeuse et blonde de Rita se reflétait des dizaines de fois – succession infinie de Rita – tandis qu'elle triait, inspectait, pliait et empilait avec soin leurs vêtements. Non, remarqua Vince. Ses vêtements.

Il fit semblant de rien.

– Il faut que je te parle. Dans le bureau.

– Je suis occupée.

Elle examinait un bouton.

– Tu peux faire ça plus tard. Bon sang, tu ne vas pas refuser de me parler éternellement. Il se passe des choses ; il faut qu'on prenne certaines décisions.

– C'est déjà fait. Elle s'empara d'un chemisier qu'elle plia dans du papier de soie. Je m'en vais ce soir. Et je prends Dora.

Vince chavira.

– T'en aller ? Mais qu'est-ce que ça signifie, au juste ?

– Que je te quitte.

Elle lança un bref regard dans sa direction, ses yeux verts s'attardant sur le visage de son mari, ses lèvres charnues et brillantes en une moue qu'il trouvait encore sensuelle. Sa magnifique chevelure bouclée d'un blond pâle lui arrivait presque à la taille et sa silhouette était harmonieuse, avec ces courbes au creux desquelles un homme pourrait se nicher, s'exciter et se rassurer tout à la fois. Vince, qui avait toujours ricané de ce qu'il appelait sa « petite tête », qui pendant deux ans avait été obsédé par Anne, ne pouvait se passer des recoins doux et accueillants de sa femme.

– Je pars, dit-elle. Tu trouves que ça n'est pas assez clair ?

– As-tu perdu l'esprit ? Tu as une maison et un enfant, tu as un mari et tu restes ici, à ta place. Il sourit et prit sa main. Tu étais contrariée hier soir, ma chérie ; nous l'étions tous. Mais tu as été magnifique ; tu m'as défendu et dit ce qu'il fallait. Je t'ai acheté un petit truc ; je vais le chercher ? Je voulais te le donner pendant le dîner. Je pensais t'emmener au Perroquet.

Elle libéra sa main.

– Je ne veux pas de cadeau et pas de restaurant à la mode. Prends soin de ton argent, Vince, ça vaudra mieux ; Dora et moi allons te coûter un joli paquet. Il y a l'appartement, et nous devons acheter...

– Quel appartement ?

– J'en ai loué un à Chicago. C'est sur Lake Shore Drive, superbe. Mais il faut le remeubler. Et il y a le camp de vacances de Dora, les frais de scolarité...

– Tu es complètement folle. Tu restes ici et plutôt crever que de te laisser emmener Dora. Elle est à moi et personne ne me la prendra.

Rita retourna à ses piles de vêtements.

– Mon avocat dit que tu peux évoquer la question avec lui.

Vince la dévisagea.

– Quand as-tu vu un avocat ?

– Ce matin.

– Pour quoi faire ?

– Pour divorcer ! Tu es d'un lent, aujourd'hui ! Tu m'accuses toujours d'être simplette, mais là, tu as le pompon. Pourrais-tu me passer cette valise ? Celle qui est sur l'étagère du haut.

Vince hurla de rire.

– Il faut peut-être que je fasse tes valises ?

– Non, je peux m'en occuper... oh, excuse-moi, tu voulais être drôle.

Elle haussa les épaules et tira une chaise jusqu'au placard après avoir posé les habits par terre.

– Je vais le faire moi-même.

Vince en profita pour contempler le galbe de son mollet. Il lui caressa la jambe, plein de désir.

– Viens dans l'autre chambre ; nous réglerons tout ça.

– Non ! Bon sang, Vince, lâche-moi immédiatement.

Il fourra sa main entre les cuisses de Rita et lui saisit le sexe.

– Descends de cette chaise.

– Je vais crier et Dora appellera la police. Elle est prévenue. Si elle m'entend, elle téléphone et dit qu'on est en train de me violer.

Vince ôta vivement sa main.

– Pourquoi lui as-tu dit ça ?

– Parce que tu as violé Anne.

Elle posa la valise par terre ainsi que deux autres, plus petites. Elle le regarda du haut de sa chaise, la bouche serrée.

– Et ça a continué, n'est-ce pas ? Sans arrêt. Je veux dire, elle ne parlait pas d'un petit coup vite fait et bonsoir. Elle a dit que tu lui faisais faire des choses. Faire des choses ! Nous savons ce qu'elle voulait dire, hein, Vince ? Tes petits jeux préférés, ceux que tu m'as appris. Pas une petite baise d'un soir que tu avais trop bu, oh non, bien davantage. Elle parlait de beaucoup de nuits, et de ta gâterie préférée, hein ? Espèce de salaud, Vince, espèce de petit salaud de première. Et tu t'imagines que je vais rester après ça ? Tu t'imagines que je vais laisser ma fille dans la même maison que toi après ça ? On fiche le camp ; c'est dangereux de vivre avec toi. J'ai raconté des mensonges à ta famille sur cette pauvre gosse pour que tu subviennes à mes besoins ; mais ça va te coûter cher. Tu vas payer mes mensonges pour le restant de tes jours. Tu m'as toujours prise pour une idiote ; qui est l'idiot, maintenant ? Qui va payer sa vie entière parce qu'il n'a pas pu rentrer sa bite devant une petite fille morte de peur, et qui a eu besoin que sa femme prenne sa défense devant sa famille ? C'est ahurissant ce que tu peux être bête. Il y a longtemps, je te croyais malin. Mais tu es le salaud le plus con que j'aie jamais connu. Ote-toi de mon chemin.

Il recula comme elle descendait de la chaise.

– Alors je décampe ce soir. Mon avocat te téléphonera et nous trouverons une solution pour que tu puisses voir Dora, parce que pas question que tu sois seul avec elle. C'est une condition *sine qua non*. Il dit que tu ne feras sans doute pas d'obstacle, que tu ne veux pas de publicité. Tu crois qu'il se trompe ? Elle lui lança un regard en coin. C'est bien ce qu'il me semblait. Il a raison.

Elle ouvrit la grosse valise et commença à y empiler d'impeccables piles de linge.

– Va-t'en. Je ne veux pas te parler. Je ne t'aime plus, Vince. Tu es de la merde. Elle s'affairait en silence. Fous le camp ! hurla-t-elle en claquant la porte de la paume de sa main. Dégage !

Il n'avait fait que ça de toute la journée, se dit-il. Il descendit l'escalier et sortit devant la maison. Il avait laissé sa voiture dans l'allée. Il ouvrit la portière, s'installa sur le siège du conducteur et regarda sans être vu. Il fallait réfléchir, faire des plans, prendre des décisions. Mais il ne pensait qu'aux femmes.

Il était entouré de harpies lancées à sa destruction. Anne. Marian. Rita. Et Dora, qui aurait appelé la police si sa mère avait crié.

– Papa ? appela-t-elle du perron. Où vas-tu ? Je peux venir avec toi ?

Derrière elle, Rita se pencha et la ramena dans la maison.

Vince fit démarrer la voiture. Rita obtiendrait ce qu'exigeait la loi, pas un sou de plus. Et il verrait Dora où et quand il voudrait, et il trouverait le moyen de l'arracher à sa folle de mère. Et il arracherait Tamarack à son père. Peut-être le ferait-il lui-même ; peut-être trouverait-il quelqu'un d'autre pour le faire ; ça prendrait le temps que ça prendrait, mais il y arriverait. Ils se repentiraient de ce qu'ils lui avaient fait.

Il essaya de siffloter la même marche que tout à l'heure, mais aucun son ne sortit. Il avait la gorge sèche. Furieux, il alluma la radio et tritura le bouton jusqu'à ce qu'il trouve de la musique militaire, puis mit le volume à fond. Il fit demi-tour dans l'allée.

Il eut une pensée fugitive pour Anne en passant devant chez elle, et revit son corps maladroit et ses yeux immenses, la première fois, dans les bois. Puis il chassa cette image. Il n'y penserait plus ; il l'avait déjà oubliée. Elle était sans importance. Elle fréquenterait une bande de fugueurs dans son genre et finirait sur le trottoir. Dans deux ans, elle serait morte. Même si elle ne mourait pas, elle ne reviendrait jamais dans la famille ; elle n'oserait pas ; personne ne la croirait. Ils ne la reverraient jamais.

Il laissa la maison d'Anne derrière lui et continua de rouler. Elle était sans importance. Il l'avait déjà oubliée.

# 5.

Ils étaient onze à partager une maison dans Page Street, à San Francisco, quartier de Haight-Ashbury. Ils dormaient sur des lits de camp, des canapés défoncés et des matelas à même le sol. Comme des dizaines d'autres dans le quartier, la maison avait été élégante, avec ses trois étages ornés de bardeaux festonnés et son bois peint sculpté couvrant chaque centimètre des tours, avant-toits et autres cadres de fenêtres. Elle avait abrité, au tournant du siècle, un riche banquier et sa famille, résonnant de rires d'enfants et des bruits de sabots de chevaux de race, et de bals qui duraient jusqu'au petit matin. Mais, quand Anne arriva, c'était déjà une pension depuis trente ans; le stuc s'effritait, les rampes majestueuses se lézardaient de cicatrices et d'échardes, les lustres pendaient lamentablement.

– Triste déclin, commenta Don Santelli en contemplant la maison depuis le trottoir. Mais les toilettes fonctionnent, l'électricité aussi, et le fantôme local est plutôt sympathique.

– Le fantôme? s'enquit Anne.

– Adolphus Swain. Le banquier qui a fait construire cet endroit. Nous supposons qu'il est furieux de voir des hippies dans sa résidence, alors il fait tomber des morceaux de plafond de temps en temps, ou bien il fait remonter l'eau dans l'évier ou encore il s'arrange pour que le plancher s'écroule sous vos pieds quand vous pensez à autre chose. Règle numéro un : marcher avec précaution et d'un pas léger. Règle numéro deux : ne pas avoir l'air effrayé. On dirait que celle-ci te pose un problème.

– Pourquoi? lança Anne avec un regard noir.

– Tu le sais parfaitement. De quoi as-tu peur? Qu'on te retrouve ou qu'on ne te retrouve pas?

– Ça me regarde.

– Je voulais seulement être gentil, dit-il en passant un bras autour d'elle. Chacun passe exactement par la même chose en arrivant ici.

Anne s'écarta avec violence.

– Excuse-moi, dit-il en faisant un grand pas en arrière. Autant commencer par les présentations. Don Santelli. Je ne crois pas te l'avoir dit quand nous nous sommes rencontrés. D'ordinaire, nous ne faisons pas attention aux noms de famille. Je n'ai pas bien compris le tien.

– Anne Garnett.

C'était le nom de jeune fille de sa mère. Quelque part entre Chicago et San Francisco, Anne Chatham avait disparu. Désormais, elle était Anne Garnett, pour le restant de ses jours.

– Ben voilà, maintenant on se connaît, fit Don. Tu as faim ?

Elle hocha la tête.

– Voyons ce qu'on peut dégotter.

Grand et mince, il avait de longs cheveux noirs attachés en queue de cheval et des oreilles décollées; des taches de rousseur parsemaient son grand front et il souriait facilement. Cela faisait deux ans qu'il vivait à Haight-Ashbury, allant d'une maison à l'autre, d'un groupe à l'autre.

– A la recherche d'un endroit où je me sente bien, dit-il en prenant des boîtes de plastique dans le réfrigérateur et en remplissant une assiette de légumes. Je pourrais bien avoir trouvé; ils sont sympa, ici. Du pain, murmura-t-il en coupant une épaisse tranche de pain complet. Tiens, prends un jus de fruits. Mange et détends-toi. Tu n'as qu'une chose à faire, être heureuse.

– Il faut que je trouve du travail. C'est la première chose.

– Réfléchis avant de parler, Anne. C'est un gros mot, dans le coin. On est justement là pour oublier tout ça. Le travail, c'est pour les andouilles.

– Mais...

– Ecoute-moi bien. Il te suffit d'aller prendre des bons de nourriture tous les mois. Si tu y tiens, tu peux te trouver des petits boulots de temps en temps, juste pour subvenir à tes besoins. Le loyer est de vingt-cinq dollars par mois par personne. Pour la nourriture, c'est variable, disons cinquante par mois. Et tu as des habits, non ? Alors qu'est-ce que tu veux de plus ?

Anne ne le quittait pas des yeux.

– Mais tout le monde travaille.

– Pas ici. Tu parles de l'endroit atroce d'où tu t'es sauvée. Ici, on fait sa vie. On essaie de se connaître soi-même et on cherche ce qui est important dans la vie. Tu n'aimes pas ?

– Eh bien, si tu avais de la viande ou...

– Je ne mange pas ce genre de cochonneries, dit-il avec douceur. Je suis végétarien à cent pour cent. Mais ici on est plutôt tolérant; tu peux faire ce qui te plaît du moment que tu n'essaies pas de convertir les autres et que tu te débrouilles. Mais on va faire une exception pour aujourd'hui. Barbie a du thon; elle n'aura pas d'objection à ce que je t'en donne un peu, pour t'aider à te sentir chez toi. Simplement, tu lui remplaces un de ces jours, d'accord ?

Il ouvrit une boîte et en secoua le contenu dans l'assiette d'Anne.

– Ça va ?

– Merci. Si tu ne travailles pas, tu suis des cours ?

– Non. Aucun intérêt. Je suis nul, de toute façon. J'ai horreur qu'on me dise qu'il n'y a qu'une bonne façon de faire les choses et je perds tous mes moyens aux contrôles. Mon père me donnait cent dollars chaque fois que je rapportais un A ; je lui ai dit que c'était franchement mesquin.

– Pourquoi ?

– Parce que ça valait bien huit ou neuf mille. Je travaillais, non ? Et cent dollars pour un A était nettement en dessous du salaire minimum quand on pense au temps passé en classe et à la maison. Je suis tombé de haut en voyant que mon père agissait en capitaliste typique et ne me filait même pas un salaire décent. Et puis ma mère et lui ne supportaient pas mes cheveux, mes fringues, mes amis, mes joints, tout ce qui me concernait, j'imagine. Moi, je ne supportais pas leur façon d'être si prudents à tout propos, de ne jamais rien faire sans l'avoir prévu. Je voulais du romanesque, du mystère, de la passion, de l'inattendu. Alors c'étaient des scènes, des cris, des pleurs ; j'ai fini par ficher le camp pour me retrouver ici. Je joue de la guitare dans les rues, je parle à des inconnus et je les aide à se sentir mieux dans leur peau. Tu sais, la vie est une sacrée corvée pour presque tout le monde, mais pas pour moi ; je vis au soleil, je prends chaque jour comme il vient, et je ne sais jamais de quoi demain sera fait. C'est ça, la vraie vie. Bon, il faut qu'on te trouve un endroit pour dormir. C'est sans doute mieux au troisième ; il y a moins de monde. Pas de salle de bains, remarque, mais il y en a deux au deuxième et une au premier, et chacun partage volontiers.

Il porta la valise d'Anne qui le suivit jusqu'à l'échelle de meunier conduisant au troisième étage.

– On va t'installer, dit-il en posant la valise sur un matelas nu avant de s'emparer d'un carton vide. Je crois que tu pourras caser toutes tes affaires là-dedans, si c'est tout ce que tu possèdes.

Il entreprit d'ouvrir la valise.

– Laisse ça ! lança-t-elle sèchement.

Il recula.

– Excuse-moi. Je pensais que tu avais besoin d'un coup de main.

– Je n'aime pas qu'on touche à mes affaires.

– Bon, bon, fit-il tranquillement. Tout le monde partage, ici. Tu ferais bien d'y réfléchir. Prends ton temps pour t'installer, ajouta-t-il en faisant demi-tour. Il n'y a pas le feu. Il n'y a pas de pendule non plus, d'ailleurs. A plus tard.

Une fois seule, Anne s'assit sur le matelas. Il était placé au coin d'une grande pièce au plafond à corniches et au plancher défoncé. Autrefois, c'était la salle de bal ; on y comptait maintenant cinq matelas, quelques caisses et des cartons remplis de vêtements. Au-dessus du matelas d'Anne, une fenêtre ronde aux vitres carrées à travers lesquelles elle vit des maisons identiques ; au-delà, la cime des arbres de la Panhandle, cette partie longue et étroite du Golden Gate Park où elle était restée deux jours à se dire que le parc ressemblait tant à chez elle qu'elle s'y habituerait vite.

Elle s'était dit que personne ne lui manquerait, mais c'était le contraire. Sauf pour Vince, lui, jamais. Mais les autres, tous ceux qui avaient empli ses jours depuis sa naissance et qui semblaient plus brillants, nimbés d'une sorte de lumière mystique au fur et à mesure qu'elle s'en était éloignée. C'est au lycée qu'elle avait eu vent de Haight-Ashbury ; ses amies en parlaient comme un havre de liberté et d'amour libre. Elles s'étaient juré d'y aller dès que ça tournerait mal chez elles, mais aucune ne l'avait fait. Sauf Anne. Et au cours de ces deux premiers jours à errer dans San Francisco, elle ne s'était pas sentie libre du tout, n'éprouvant qu'une effroyable solitude et le sentiment d'avoir fait une bêtise. C'est alors qu'elle avait rencontré Don Santelli qui jouait de la guitare dans la Panhandle ; il lui avait assuré qu'elle était la bienvenue, qu'elle pourrait rester tant qu'elle voudrait ; alors elle l'avait suivi et il ne lui avait posé aucune question. De toute façon, elle n'avait pas eu le choix.

Et voilà qu'elle s'était montrée désagréable alors qu'il essayait d'être gentil. *Tout le monde partage, ici. Tu ferais bien d'y réfléchir.* Mais elle ne voulait pas partager. Elle ne voulait se sentir proche de personne. Pour la première fois en deux ans, son corps lui appartenait ; elle se sentait propre, pure, inviolée. Et ça resterait ainsi. Jamais plus on ne la dégraderait. Elle ne se laisserait plus faire comme avec Vince.

Elle ne supportait pas qu'on la touche. Mais elle avait aussi du mal à parler. Elle voulait qu'on la laisse tranquille tout en fuyant la solitude. S'ils restent là sans trop s'approcher, ça ira, se dit-elle. S'ils s'approchent trop, je m'en irai. Elle s'assit en tailleur sur le matelas à regarder par la fenêtre ronde. Je fais ce que je veux. Personne ne peut m'obliger.

Apparemment, elle n'avait même pas besoin de travailler. Des petits boulots, avait dit Don. Des bons de nourriture. Grand-père serait affreusement déçu, songea-t-elle. *Ne ferais-tu pas mieux de chercher un vrai travail ? Tu peux toujours demander de l'aide si tu ne t'en sors pas seule, mais ne vaudrait-il pas mieux essayer de te servir de ton intelligence.* Puis il m'embrasserait et me dirait que j'ai une cervelle bien faite.

Elle cligna des yeux pour refouler ses larmes.

– Je n'y habite plus, dit-elle à voix haute. Ma vie est ici, maintenant. Et je dois une boîte de thon à une Barbie que je ne connais même pas.

Abandonnant sa valise sur le matelas, elle descendit. La cuisine était vide quand elle la traversa pour sortir. Toute la maison était vide. Elle pouvait aller où bon lui semblait. Tout le monde s'en moquait. Marian lui aurait demandé des comptes. Elle voulait toujours me protéger, se dit Anne. Mais, quand ça a compté vraiment, elle ne l'a pas fait.

Non loin de là, des jeunes filles aux foulards transparents dansaient en rond en se tenant la main ; plus loin, des hommes en queue de cheval et boucles d'oreilles, des femmes dont les longs cheveux étaient retenus par des bandeaux étaient assis en tailleur sous des porches à fumer et à bavarder. En face, des groupes revenaient du parc ou s'y rendaient et, quand Anne s'approcha, elle vit des centaines de gens assis ou allongés sur l'herbe, appuyés contre des arbres, à lire ou à chanter au son plaintif des guitares.

C'était le printemps à Haight-Ashbury. De tout le pays, de nouveaux visages arrivaient chaque jour, attirés par des histoires romantiques évoquant la liberté, la paix, l'harmonie, la joie et l'amour. Dans cette enclave de quelques centaines de mètres carrés bordés sur deux côtés par le Golden Gate Park, ils créaient un petit monde aux couleurs de saris, de velours, de vieilles dentelles sauvées de quelque malle oubliée, de T-shirts peints à la main, de sandales et de longs colliers de perles. C'était un monde au parfum d'encens et de marijuana, aux meubles de brocante, aux bougies dans des bouteilles ou aux ampoules nues pendant de hauts plafonds. C'était le monde de Jefferson Air Plane, Ken Kesey, Jack Kerouac et Hippie Hill.

– Il y a de la place, dit quelqu'un à Anne tandis qu'elle observait la foule sur la colline. Tu peux t'asseoir là, ajouta-t-il en essayant de l'attirer à côté de lui.

Anne recula vivement.

– Je regarde seulement.

– Il y a de la place, répéta-t-il.

Mais, quand elle s'éloigna en courant, elle se rendit compte qu'il l'avait déjà oubliée.

Chaque jour, Anne marchait dans Haight-Ashbury. Elle regardait, elle écoutait. Au bout d'un mois, elle avait repéré de nombreux visages et beaucoup la reconnaissaient qui la saluaient d'un sourire ou d'un signe de la main.

– Voilà deux semaines entières que j'attends de te saluer, dit un jeune homme à barbe blonde et aux longs cheveux blonds. Alors salut.

– Salut, dit Anne brièvement sans s'arrêter.

– Je m'appelle Sandy, dit-il en lui emboîtant le pas. J'ai écrit une chanson pour toi et je ne sais même pas ton nom.

Il s'était approché et leurs épaules se frôlaient. Anne s'écarta.

– Trouve quelqu'un d'autre.

– Non. C'est toi, pas une autre. Tu es très belle. Ne pourrais-tu ralentir ? Tu marches trop vite pour moi. Où vas-tu ?

Anne s'arrêta, le regard froid.

– Va où tu veux mais fiche-moi la paix. J'étais bien tranquille et tu me gâches tout.

– Allez. On est censés être ensemble ; c'est le secret. Je veux dire, écoute... Il l'attira à lui et l'entoura de ses longs bras. Tout ça, c'est l'amour. Non ? Elle se débattit et il serra plus fort. On pourrait s'amuser ; on pourrait passer un bon moment ensemble...

Devant le passé resurgi, Anne cria, ébranlant le calme de la rue. Le monde sembla s'éveiller et accourir.

– Mais qu'est-ce qui te prend ? explosa-t-il. Je n'allais tout de même pas te violer. Je voulais juste t'aimer.

– Allez, on court.

Une jeune fille avait saisi Anne par le bras et, avant qu'elle ait eu le temps de réagir, elle courait de l'autre côté de la rue, sur le trottoir, en direction du parc. On lui tenait fermement la main. Les gens s'écartaient pour les laisser passer et elles couraient, couraient en longues foulées, le cœur haletant, les sandales claquant sur le macadam, le chemisier humide sous le soleil chaud de cet après-midi de mai.

– Génial, souffla la jeune fille quand elles arrivèrent au parc.

Elle se jeta sur l'herbe à l'ombre d'un arbre et attira Anne près d'elle.

– Ça fait du bien, non ? J'adore courir. Ça va ?

– Oui, répondit Anne, le visage rouge et luisant de surprise. Merveilleusement bien.

– Ça fait toujours ça quand on court. Peu importe si c'est pour fuir ou le contraire. Je m'appelle Eleanor Van Nuys. Ravie de te connaître.

– Anne Garnett. Merci de m'avoir tirée de là.

– Sandy t'aurait laissée partir ; il ne croit pas à la violence. Dis donc, c'est agréable de courir avec toi. On devrait le faire tous les jours, qu'on en ait besoin ou non. Tu es là depuis longtemps ?

– Un mois. Et toi ?

– Oh, une éternité. Un an. Je suis arrivée juste après le lycée. Mes parents avaient établi un véritable plan de campagne pour ma vie : je quittais la fac diplôme en poche, j'épousais dare-dare un homme riche plus âgé que moi qui m'équilibrerait, j'aurais trois enfants – une fille, un garçon et, pour le troisième, je ne sais pas ce qu'ils avaient prévu – et j'aurais une belle maison dans les beaux quartiers, sans oublier la résidence d'été tout ce qu'il y a de rustique dans le Maine. Alors pas d'autre solution que de m'envoler. Je ne supportais pas qu'ils me poussent éternellement à faire ceci ou cela pour préparer mon avenir. Et ils me bouclaient chaque fois que je sortais avec des garçons pas assez bien pour mon image. Va savoir ce qu'ils entendaient par là. Du coup, j'ai fini par tout détester. Surtout les disputes.

– A quel propos ? s'enquit Anne. Que voulais-tu ?

Eleanor haussa les épaules.

– Qui sait ? Mon petit avenir fouillis au lieu de leur grand avenir nickel, je suppose.

Elle était grande avec de longs cheveux roux emmêlés, une petite bouche en mouvement perpétuel : elle parlait, chantait ou sifflait.

– Tu n'imagines pas à quel point mes parents devenaient dingues quand je sifflais ; ça frisait l'hystérie.

Ses yeux verts se rétrécissaient en signe de désapprobation et son tempérament farouche pouvait exploser à tout moment, laissant tout le monde pantois, y compris elle-même.

– J'ai vraiment un problème : mon caractère. Mais ça devrait se calmer quand j'aurai vingt-cinq ans. La plupart des gens s'adoucissent avec l'âge, tu ne crois pas ? Quel âge as-tu ?

– Dix-neuf ans aussi, répondit Anne.

Eleanor pencha la tête, observa le visage d'Anne, tendit la main et repoussa ses cheveux noirs.

– Je dirais plutôt dix-sept, mais tu peux avoir l'âge qui te plaît, ça n'est pas moi que ça gêne. D'où es-tu ?

– Côte est.

– C'est vrai ? Moi aussi. Où, exactement ?

Il y eut un silence.

– En fait, je ne viens pas de la côte est, dit Anne avec lenteur. Je préfère ne pas en parler.

– Pas de problème. De quoi veux-tu parler, alors ?

– De toi.

– Quand tu veux, j'adore parler de moi. Voyons, quoi d'autre ? J'aime lire, surtout les biographies, parce que j'aime savoir que les gens célèbres ont eu autant de démêlés avec leurs parents que moi. J'essaie de regarder les films d'horreur jusqu'au bout, mais je n'y arrive pas...

– Est-ce indispensable ?

– Bof, un type m'a dit que ça forme le caractère d'affronter ses cauchemars et de sortir en sachant qu'ils ne vous ont pas transformée en imbécile pleurnicharde. Il a peut-être raison, mais je ne supporte pas cette tension. Sans compter que je pourrais finir par pleurnicher.

– Tu devrais peut-être le faire de temps en temps, dit Anne, surprise elle-même.

Depuis qu'elle vivait à Haight, elle n'avait jamais émis la moindre opinion ou eu une véritable conversation.

– Si on ne pleure pas quand c'est paniquant, c'est sans doute qu'on est indifférent aux gens et aux choses, et, dans ce cas, on n'est pas vraiment humain.

– Tu ne parles pas des films, n'est-ce pas ? Tu parles de la vie tout court. Tu penses vraiment ce que tu dis ? J'ai souvent peur de pleurer. C'est comme si... enfin, si j'étais pleinement adulte, j'assumerais mes émotions et je les intégrerais à mon ego de façon constructive.

Anne sourit pour la première fois depuis un mois.

– Tu l'as lu quelque part.

Eleanor eut un petit rire.

– J'ai un super livre de psycho. Je peux te le prêter, si tu veux. Il y a un tas de mots savants, mais on y trouve d'excellentes choses. Comme ce que je viens de dire ; cela signifie qu'on est censé maîtriser ses émotions au lieu de s'y noyer. On est censé s'en servir pour résoudre ses problèmes avec les outils dont on dispose au lieu de s'effondrer à cause de ce qui arrive.

– On ne peut pas toujours les résoudre, dit Anne d'une voix sombre.

– Bon, alors il faut les fuir, fit Eleanor gaiement. Comme chacun ici. Il y eut un silence. Quoi qu'il en soit, je suis persuadée que, si on n'a pas le droit de s'écrouler pendant les films d'horreur, c'est parce qu'on est censé savoir que c'est du bidon. Mon problème, c'est que j'oublie. Je confonds le réel et l'imaginaire. Parfois, je pense à des histoires, et je ne sais plus si elles concernent des gens que je connais ou si je les ai inventées.

– Tu devrais les écrire, commenta Anne. Tu es peut-être un grand écrivain qui s'ignore.

Eleanor releva la tête.

– Possible. Ce n'est pas une mauvaise idée. Mais n'en parle à personne ; ils pourraient penser que ça ressemble un peu trop à du travail. En tout cas, j'ai laissé tombé les films d'horreur parce que je ne les crois pas efficaces pour me former le caractère. Un autre type m'a dit que je devrais faire de la varappe. Je crois que ça pourrait me plaire, mais l'occasion ne s'est jamais présentée. Tu aimes ça ? Les films d'horreur ?

– Non. Et les livres non plus. Je déteste avoir peur. Qui sont tous ces types qui te donnent tant de conseils ?

– Juste des types. Tous ceux que je rencontre me donnent des conseils. Ai-je tant l'air d'en avoir besoin ?

Anne fit signe que non.

– Tu as l'air assez grande pour te débrouiller toute seule.

– Enfin, parfois. Pourtant, j'aime les garçons. Il est possible que j'envoie sans le savoir des signaux de détresse. Avouons-le, je ne sais pas toujours où j'en suis. Un peu comme si je piquais un sprint et que je me demande ce que je fais là et où je vais atterrir. Et toi ? Tu as des types qui te disent comment te comporter, qui veulent t'apprendre à faire les choses à leur idée ?

Anne sauta sur ses pieds.

– Il faut que j'y aille.

– Où ça ? demanda Eleanor en levant les yeux, mais sans bouger. Si tu refuses d'aborder un sujet, changes-en, je n'en ferai pas une maladie. Il faut vraiment que tu y ailles ? Autrement, on peut encore discuter. Je me régale. Je me disais que peut-être toi aussi. On pourrait peut-être devenir amies.

Anne tressaillit de gratitude. Pour la première fois depuis qu'elle était partie de chez elle, tout ce qui en elle était devenu froid et dur commença de s'adoucir. Elle se rassit, lentement puis, plus lentement encore, elle sourit, d'un grand sourire, cette fois.

– Bonne idée.

Dès lors, Anne et Eleanor se virent tous les jours. Elles se baladaient dans les rues de Haight-Ashbury et dans le parc, elles se joignaient aux groupes qui bavardaient paresseusement ou chantaient en chœur ; on leur faisait place. Anne avait l'impression que tous étaient remplis d'amour et de gentillesse et ne songeaient qu'à tendre la main à qui passait. Ils acceptaient leurs différences et adoptèrent Anne avec son côté cassant qu'elle ne contrôlait pas toujours et sa façon de refuser tout contact physique. Tout comme ils acceptèrent facilement qu'elle commence à se détendre avec l'habitude et qu'elle devienne proche d'Eleanor. Tout l'été, Anne répondit sans en avoir conscience à la chaleur sans exigence de gens qu'elle connaissait à peine : il régnait une atmosphère d'affection toute simple qui agissait comme un baume sur ses blessures.

Vint l'automne. Le soleil baissait, éclairant les maisons alentour d'une chaleur cuivrée. L'ombre des arbres s'allongeait, longues plumes en travers des rues en fête. Anne était là depuis six mois. Elle semblait la seule à n'avoir jamais le moindre contact physique dans un climat d'amour et de sensualité. Mais tout allait bien quand même et, si jamais elle ne chantait ni ne dansait avec les autres, elle aimait écouter et regarder leurs gestes empreints de sensualité.

Elle se joignait à eux quand ils allaient offrir des fleurs aux passagers des tramways. Elle faisait la queue avec eux pour remplir des formulaires d'indemnité chômage et toucher des bons de nourriture; elle achetait ses provisions et prenait ses repas avec eux; elle échangeait avec eux ses livres préférés. Elle dormait souvent au troisième étage de la maison où l'avait conduite Don Santelli, mais elle restait souvent chez Eleanor, ou encore toutes deux dormaient dans une autre maison, sur d'autres lits, se réveillant pour prendre le petit déjeuner avec un autre groupe puis sortant passer la journée avec d'autres. C'est ainsi qu'elle vivait la vie mouvante de Haight sans en faire totalement partie. Ça lui suffisait. Elle n'avait pas besoin de contact, et certainement pas d'amour.

En septembre, Anne s'aperçut qu'elle pouvait saluer par leur nom plus de cent personnes du voisinage; elle en rencontrait de nouveaux chaque jour et savait tout sur eux. Ils ne posaient jamais de questions, affirmant qu'ils respectaient l'intimité de chacun mais racontant leur vie de A à Z et leur vision du monde à qui voulait l'entendre. De plus, Anne se rappelait tout ce qu'on lui disait et pouvait, huit jours après, appeler les gens par leur nom et leur demander des nouvelles de ce qui les tracassait. Elle n'avait pas conscience de l'importance que cela revêtait ni à quel point elle était douée pour ça, mais elle eut vite fait de comprendre que ça la rendait populaire. On l'aimait, on aimait parler avec elle; bientôt, on la recherchait tant elle savait écouter.

– Tu devrais te faire payer, remarqua Eleanor un jour qu'Anne et elle se rendaient chez l'épicier, en cette fin de septembre, et qu'on les arrêtait sans cesse. Tu pourrais te rebaptiser psychiatre. Personne ne te demanderait ton diplôme; ils seraient tellement contents qu'on les écoute et qu'on s'intéresse à eux. Et ils paieraient. Ils devraient, d'ailleurs.

Anne sourit.

– Ils trouveraient vite une autre oreille si la mienne se mettait soudain à coûter de l'argent.

– Non, c'est toi qu'ils voudraient, insista Eleanor. Je pourrais tout organiser, prendre tes rendez-vous, envoyer tes honoraires, encaisser l'argent, Dieu sait quoi encore.

Anne prit l'air moqueur.

– Comment! Un travail respectable! Tes parents n'en reviendraient pas. Eleanor retrouve ses esprits et se met à travailler. Presque comme si elle n'était jamais partie de chez nous.

– Chez nous, c'est pas comme ici, répliqua Eleanor avec emphase. Même si je travaillais.

Elle marcha en silence, l'air songeur. Anne savait qu'elle pensait à sa maison. Ça leur arrivait à tous : parfois, ils s'échappaient en quelque coin retiré pour se souvenir, parce qu'un mot, une image, une pensée vagabonde les avait ramenés chez eux. Puis ils se rappelaient les problèmes, comment ils n'avaient pas réussi à devenir adultes, et bientôt ils rejoignaient la conversation et reprenaient leur place dans le groupe.

– De toute façon, ce ne serait pas un vrai boulot si je le faisais pour toi, remarqua Eleanor. Je ne me ferais pas payer ; ce serait uniquement pour t'aider. L'amitié : voilà ce qui rend la vie agréable. L'argent gâche tout.

Sur quoi elle sortit de quoi payer ses emplettes et toutes deux éclatèrent de rire.

– Soit, c'est pas mal d'en avoir quand on a faim, reprit Eleanor en vérifiant sa monnaie. N'oublie pas que tu dînes chez moi ce soir.

– Impossible. J'ai promis à Don de l'aider pour son repas d'anniversaire.

Eleanor soupira.

– Je t'ai dit que je voulais te faire rencontrer quelqu'un.

– Et moi je t'ai dit que je ne voulais rencontrer personne.

Elles quittèrent l'épicerie avec des filets bourrés de provisions. Elles portaient des robes bain de soleil longues et fluides, des sandales, et marchaient d'un pas nonchalant dans la lumière pommelée sous les platanes que la brise faisait onduler doucement.

– On en revient toujours à la même chose ; je peux tout de même bien être heureuse seule dans mon lit !

– Ça n'est pas normal. J'ai autant de mecs que je veux et tu n'en as pas un. Je sais que tu refuses d'en parler, mais ça fait six mois que tu es là et il est temps que ça change. Il y a des milliers de mecs sympa dans le coin ; largement de quoi s'occuper. Pourquoi ne pas essayer ? C'est un élément essentiel du processus de maturation. Viens au cinéma avec nous, mange une pizza, assieds-toi et fume...

– Je ne fume pas.

– Je sais, je t'aime bien quand même. Mais il y a autre chose. Je ne sais pas quel âge tu as vraiment, mais tu connais la vie et tu as dû batifoler de temps en temps ; de nos jours, c'est obligé quand on a plus de douze ans. Elle fixa Anne du regard. Bon, bon, sujet tabou. Allez, oublie ça. Mais veux-tu me faire plaisir ? Si ça te tente, viens d'abord me trouver. Je te recommanderai quelqu'un ; je veux être sûre que tout ira bien pour toi. D'accord ? Tu acceptes, au moins ?

– Oui, répondit Anne gravement. Merci.

Eleanor ne la quittait pas des yeux.

– Possible.

– Je pourrais. Mais ça sortirait si jamais je te demandais de l'aide.

Eleanor soupira.

– Absolument impossible de te faire parler contre ton gré. Tu devrais être chercheur dans un secteur top secret.

– Pas psychiatre ?
– L'un ou l'autre.
– Ni l'un ni l'autre si je ne fais pas d'études.
Le silence s'installa.
– J'aimais l'école, dit enfin Eleanor. Mais j'aurais préféré mourir plutôt que de l'avouer à mes parents.
Elles arrivèrent chez Eleanor et s'assirent sur les marches du perron. Anne ouvrit un paquet de chips qu'elle posa au milieu.
– J'aimais certaines choses. J'aimais trouver comment fonctionnent les choses et pourquoi les gens font tant de folies.
– J'aimais les maths, dit Eleanor. J'aimais faire obéir les chiffres. Je me sentais terriblement puissante.
– J'aimais tout savoir sur les grèves, les émeutes, les guerres et comment elles finissaient. A l'école, nous organisions des procès pour de rire et j'aimais trouver qui avait eu tort puis m'assurer qu'il était puni.
– J'aimais les rédactions. Je pouvais inventer des histoires ; personne n'appelait ça des mensonges.
Le regard perdu, elles saluaient des amis. Anne sourit et reprit une poignée de chips.
– Je me demande ce que je vais faire.
Le plus facile était de ne rien faire. A Haight-Ashbury, pas d'emploi du temps, pas de planning ; les jours se fondaient les uns dans les autres comme la houle, sans laisser de trace. Manger, dormir, danser, chanter, faire la queue pour les bons de nourriture, on faisait les choses quand on en avait envie. Rien n'était urgent. Tout flottait librement. Et les saisons s'écoulaient comme les jours, sans laisser de trace. Le printemps revint : Anne était arrivée un an plus tôt.
– Tristounet, dans le coin, dit Eleanor un matin d'avril après une longue pluie de printemps qui avait laissé les arbres lourds sous un ciel maintenant sans nuage. Si on allait faire un tour en voiture ?
– On n'en a pas.
– J'ai emprunté celle de l'ami avec qui j'étais hier soir. J'ai sillonné tout San Francisco en tramway et en bus et j'ai ma dose. Quant à toi, tu n'en as rien vu ; tu restes toujours dans ton coin. Allez, viens. Je peux même t'apprendre à conduire, si ça te chante.
C'était une vieille Studebaker décapotable qui faisait des bruits inquiétants, mais Eleanor semblait sans inquiétude. Elle conduisait vite, avec attention, penchée sur le volant, lisant les panneaux tout haut, virant brusquement quand elle se décidait soudain à s'aventurer dans une rue qui lui paraissait intéressante.
– Je crois qu'il faut de l'argent pour traverser ce truc, dit-elle en désignant le pont d'Oakland Bay. Tu as de la monnaie ?
Anne lui tendit une poignée de pièces. Elle se délectait de la vitesse. Le vent jouait dans ses cheveux, elle avait l'impression de voler. Pendant une heure, la ville avait défilé en un tourbillon : maisons pastel, jardins

colorés, laque étincelante du téléphérique en bois, kaléidoscope des rues, femmes en robe à fleurs, hommes et femmes en discrète tenue de travail, policiers en uniforme, nounous en robe blanche, serveurs en pantalon noir et long tablier blanc à la terrasse des cafés, enfants en jean et sweat-shirt. La vie avait une autre dimension qu'à Haight-Ashbury. Anne comprit soudain qu'il faisait bon appartenir au monde entier.

A Berkeley, Eleanor conduisit plus lentement, devant de petites boutiques et des restaurants, avant de tourner dans les collines qui s'élèvent au-dessus de la ville.

– Allons là-bas, dit Anne. On peut peut-être grimper en haut de cette tour.

Elle indiquait un campanile blanc qui se dressait au-dessus des arbres. Une fois tout près, elles regardèrent les passants.

– Où sommes-nous ? Ça ressemble à Haight.

– Berkeley, répondit Eleanor. L'université. Si tu avais vu, l'an dernier ; quel spectacle ! Des discours, des manifs, des sit-ins... les vibrations, génial ! Je n'ai jamais vraiment su ce qui se passait ; et je n'étais sûrement pas la seule. Ils parlaient beaucoup de liberté d'expression, mais pour moi, ils en parlaient plus qu'ils ne l'avaient. Je ne sais pas ; j'étais en dehors, mais ça me semblait bizarre. Tous ces gamins qui n'ont quitté leur maison que quand papa et maman ont payé pour, qui sont là parce que papa et maman continuent de payer pour, et qui gueulent tout d'un coup pour réclamer la liberté d'expression. Je me suis dit que je l'avais déjà à Haight-Ashbury, alors je suis rentrée. Je les ai trouvés débiles.

– Etais-tu jalouse ?

Eleanor lui lança un regard en coin.

– Possible. Sans doute, ajouta-t-elle plus bas. Ils ne sont pas débiles. Ils sont beaucoup plus malins que moi. Ils s'entendent bien avec leurs parents et on leur paie la fac.

Elles roulèrent jusqu'en haut de la colline, dépassèrent les bâtiments scolaires et le campanile.

– Veux-tu voir si on peut y aller ? demanda Eleanor.

– J'aimerais faire quelques pas. C'est possible ?

– Bien sûr.

Elles marchèrent en silence, et Anne regarda les étudiants qui marchaient, roulaient à bicyclette ou étaient allongés sous les arbres. Ça ne ressemblait pas à Haight, se dit-elle. Ils avaient tous quelque chose à faire. Ils portaient des sacs à dos ou des livres ; ils lisaient, assis sur des bancs ; ils occupaient les marches des bâtiments, des piles de bouquins à côté d'eux. Elle eut soudain l'envie irrépressible de savoir ce qu'il y avait dans ces livres.

– Allons-y, dit-elle en se dirigeant vers un des bâtiments.

– On ne peut pas ; on n'est pas d'ici.

Anne entra et demeura dans le long couloir. Elle respira profondément.

– Je me rappelle cette odeur. Ça sent l'école.

Elle ouvrit la porte d'une salle de cours, s'avança et lut l'inscription au tableau.

– « Les pères et les filles dans les romans de Jane Austen ».

Elle relut, en silence, et rêva qu'elle suivait ce cours.

Dehors, elle observa les étudiants. Elle avait lu Jane Austen, mais seule, sans guide. Ici, tout le monde en savait plus qu'elle sur cet auteur, sur tout. Ils feraient ce qu'ils voulaient dans la vie, songea-t-elle. Et moi, je ferai des couronnes de fleurs à Haight.

Le campanile tintait.

– Pourquoi se bousculent-ils ? demanda Eleanor en voyant les étudiants foncer vers les cours.

Anne s'effaça sur le côté.

– Ils ont des choses à faire.

Elle se sentait abandonnée.

– On a tous des choses à faire, dit Eleanor.

– Pas nous.

– Bien sûr que si. Nous mangeons, nous dormons, nous nous asseyons dans le parc, nous chantons et nous donnons des fleurs aux gens pour qu'ils se sentent bien...

– Ça ne me suffit pas! fusa Anne.

Elle donna un coup de pied dans une pierre. Elles étaient presque seules sur la vaste étendue d'herbe et d'arbres, et elle se figurait les étudiants s'installant dans la salle de cours, ouvrant leurs livres, apprenant des choses.

– Je ne veux pas dire que tu ne me suffis pas, dit-elle à Eleanor. Tu es la meilleure amie qu'on puisse jamais avoir. Mais on s'étiole, ici. On est comme... comme des spécimens de musée. Personne ne devient adulte à Haight. Tu ne t'en rends pas compte ? Tu n'as pas envie d'autre chose ? Je ne sais pas, moi, apprendre l'écriture, te faire publier ? Ou refaire des maths et te sentir puissante ? Je ne me sens pas puissante, moi. Et toi ?

– Je ne l'ai jamais été, fit Eleanor.

Elle regarda Anne taper dans un autre caillou puis en fit autant. Elles continuèrent de marcher en s'acharnant sur les cailloux.

– Tu sais, j'ai toujours été faible; enfin, j'ai toujours laissé faire. La seule fois où ce ne fut pas le cas, c'est quand je suis venue, et tout ça parce que j'étais avec un garçon. Je ne te l'avais pas dit, mais c'est la vérité.

Anne lui lança un bref regard.

– Ça ne veut rien dire. Tu n'es pas faible du tout. Tu n'as pas trouvé comment croire en toi, c'est tout. Je crois en toi, moi; je suis persuadée que tu peux tout faire. Je suis sûre que beaucoup de gens vivent sans imaginer tout ce dont ils sont capables, puis ils sont vieux, regardent en arrière et se demandent ce qu'ils ont fait de leur vie parce qu'il ne s'est pas passé grand-chose et qu'ils vont bientôt mourir. Si j'étais vieille, je serais folle furieuse de ne pas avoir essayé de remplir ma vie au maximum. Alors, je crois que nous devrions venir ici, ajouta-t-elle après avoir respiré profondément.

Eleanor fronça les sourcils.

– Quoi ?

– On va venir ici, et on va tout apprendre, puis on fera quelque chose d'important, de grandiose, et tout le monde parlera de nous et nous enviera. Ça n'arrivera jamais si on reste éternellement à Haight. Ecoute, Ellie, ajouta-t-elle en posant la main sur son bras. On peut le faire. On vivra à Haight, au moins pour un temps, parce que ce n'est pas cher, mais on viendra tous les jours. Et on étudiera ensemble.

Eleanor secoua la tête et pressa le pas.

– Je ne suis pas assez intelligente, je te l'ai déjà dit.

Anne la rattrapa.

– Ce n'est pas le problème. Le problème est que tu penses que tes parents veulent que tu sois intelligente, alors tu dis que tu ne veux pas. C'est tout le contraire, en fait. Ils voulaient que tu sois idiote.

Eleanor la regarda, ahurie.

– Ils voulaient que je fasse des études.

– Ils voulaient que tu fasses ce qu'on te dit. Obéis, ne discute pas. C'est bien ça, non ? Est-ce se montrer intelligent ? Quelqu'un d'intelligent veut connaître toutes les possibilités, tout essayer et choisir ce qui lui convient le mieux. Que fait une idiote ? Elle reste à la maison, suit le chemin de tout le monde sans broncher. Que voulaient tes parents ?

– Que je sois intelligente.

– Ils le pensaient sans doute, mais qu'en savent-ils ?

Elles éclatèrent de dire.

– Tu es sacrément bonne, dit Eleanor. Rudement convaincante. Et si tu étais avocate ? lança-t-elle tandis qu'elles arrivaient à la voiture.

– Au lieu de psychiatre ou chercheur ?

– Peu importe, finalement. Tu peux sans doute faire ce que tu auras décidé.

– J'ai décidé de reprendre mes études, dit Anne tandis qu'elles s'éloignaient.

– Tes études ! s'exclama Don Santelli le lendemain au dîner. Pourquoi irais-tu à l'école quand tu as tout ça ?

– Parce que.

C'étaient les seize ans d'Anne et elle chipotait son gâteau d'anniversaire avec Don et Eleanor après le départ des autres. Il y avait dix-huit bougies sur le gâteau.

– Je me plais ici, tout le monde est gentil, mais ça ne mène nulle part.

– C'est précisément pour ça que nous sommes là, fit Don. Si nous voulions aller quelque part, nous serions restés où nous étions.

Ils sourirent.

– C'est comme le parc, reprit Anne. J'en vois le début, puis un bout, mais pas assez loin pour savoir quelle sorte d'endroit c'est ou ce que je pourrais faire une fois dedans. Je n'ai pas la moindre idée de ce que seront le milieu et la fin de ma vie. A un moment, j'ai pensé que ce serait horrible

– sa voix se brisa, puis elle se calma – et que ça durerait ainsi pour toujours et que je ne pouvais rien y faire. Mais j'ai fait quelque chose et j'ai trouvé tout ça et c'est merveilleux, mais je ne veux pas non plus que ça dure toujours.

– Toujours, c'est le rêve, dit Don sur la défensive. Il n'y a pas mieux qu'ici. On y trouve des gens grâce à qui on se sent bien et un endroit où on se sent chez soi. Qu'est-ce que tu veux de plus ?

*Quand je serai grande, je serai meilleure qu'eux. Et je serai très heureuse.*

Cette pensée s'en alla aussi vite qu'elle était venue, mais, pour un bref instant, Anne revit la chambre à fleurs, son sac molletonné, et le petit matin qui l'avait vue prendre le chemin de la gare. Je serai meilleure, se dit-elle. Et je serai heureuse.

– Je veux savoir des choses, répondit-elle à Don. Je n'arrête pas de me poser des questions. Ça tourne à l'obsession. Pourquoi est-ce arrivé ? J'ai besoin de comprendre les choses, sinon, ça ne va pas. Je ne me sens pas totalement moi-même.

– Toi-même ? répéta Don, interloqué. Je saisis mal.

– Je ne supporte pas les fils qui pendent.

Croisant le regard ahuri de Don, elle chercha un point commun.

– Et puis, si j'apprends beaucoup, je pourrai faire quelque chose pour ceux qui ont besoin d'aide.

– C'est ça ton problème ? Tu veux faire le bien autour de toi, sainte Anne ? Tu ne rendras pas les gens heureux, tu ne résoudras pas les problèmes du monde en y travaillant. Reste avec nous, petite Anne ; c'est nous, l'exemple ; c'est nous qui changerons le monde. Les gens voient bien que nous menons une vie saine mue par l'amour, ils voudront vivre comme nous et le malheur ne sera qu'un vain mot. Tout le monde sera heureux.

– Et endormi, ajouta Anne dans un sourire.

Il ne lui rendit pas son sourire.

– Ils seront bien réveillés, et bien vivants. Tu ne t'es pas moquée de nous quand on t'a hébergée ; tu nous aimais beaucoup et tu n'étais pas pressée de partir.

– Je vous aime toujours beaucoup. Et je ne suis pas pressée de partir. Mais je veux aussi aller à la fac.

– Tu m'as dit que tu n'avais pas fini le lycée.

– C'est vrai. Mais il existe un examen qui sert d'équivalence. Si je le réussis, je peux passer deux autres examens et, si je réussis encore, on me prend en première année.

– Eh bien, dis-moi, tu t'es renseignée à fond. Et c'est pour où ?

– Berkeley, dit Eleanor. Je crois que je vais essayer aussi.

Don se cala sur son dossier.

– Ecoute, on est heureux, ici. Pourquoi tout gâcher ? Merde, avec tous les problèmes qu'il y a dehors... on n'a même pas besoin d'y penser tant qu'on reste là où on est en sécurité. Je croyais que tu pensais pareil.

– Oui, pendant un certain temps.

Anne bouillait d'impatience ; il ne comprenait donc rien ? Il a peur, se dit-elle ; il en est au même point que moi l'an dernier. Mais plus jamais ça. Elle croisa à nouveau le regard de Don.

– J'aimais bien me dire que tu t'occuperais toujours de moi, mais c'est fini, je ne peux plus y croire. C'est à moi de me prendre en charge. Mais comment ? Je ne sais rien. J'ai besoin de savoir des millions de choses, d'engranger des connaissances. Quand un ouragan s'annonce, on sait qu'on se débrouillera parfaitement si les placards sont pleins de réserves. C'est ce que je veux, être parée pour les mauvais coups. Voilà pourquoi je reprends mes études. Je serai toujours là, Don. Nous resterons amis, mais n'essaie pas de me faire changer d'avis.

Don cessa de discuter. Plus jamais il n'aborda la question, même quand Anne eut réussi tous ses examens et entra à Berkeley cet automne-là. Il se sentait trahi et diminué, comme tous ceux de Haight-Ashbury, parce qu'elle avait choisi de vivre comme leurs parents le souhaitaient. Elle avait même trouvé du travail, comme pour leur montrer à quel point elle était différente ; elle faisait le service matin et midi dans un restaurant proche du campus. Pour Don, elle était devenue quelqu'un d'autre, mais c'était sans importance parce qu'elle habitait au troisième étage et ne voyait personne hormis Eleanor.

Elle continuait à dormir sur son matelas, ses vêtements étaient toujours impeccablement rangés dans des cartons, mais elle avait maintenant un bureau. Elle l'avait dégotté au sous-sol et l'avait nettoyé et ciré ; des amis l'avaient monté ainsi qu'un vieux tabouret de piano. Elle avait acheté chez Woolworth une lampe, des cahiers et des crayons qu'elle avait alignés sur son bureau. C'était un spectacle rassurant. Et c'était là qu'elle travaillait tous les soirs, longtemps après minuit, penchée sur ses livres, sous le petit rond de lumière, tandis que les autres occupants de l'étage entraient l'un après l'autre, bavardaient, écoutaient de la musique avant de s'endormir enfin. Anne les entendait à peine. Sa petite musique à elle, c'étaient les mots de ses livres.

– C'est trop de travail, dit Eleanor, vers Noël, en lâchant sur le bureau d'Anne les livres qu'elle avait rapportés pour les vacances. Est-ce indispensable, à moi comme aux autres ? Toi, tu adores ça.

– Dans l'ensemble, oui, répondit Anne, s'excusant presque. Je trouve excitant de tout rassembler pour arriver à quelque chose de cohérent. C'est ce qui me plaît le plus.

Eleanor secoua la tête.

– Ça n'est vraiment pas mon truc, fit-elle en feuilletant un des livres. Je me donne un mal de chien pour être incollable sur les algorithmes et les guerres révolutionnaires, mais tout le monde s'en tape.

Anne l'observa, l'air sombre.

– Tu vas laisser tomber ?

– Anne, vraiment, tu me fiches la trouille à voir à travers les gens comme ça. A vrai dire... euh, j'y songe.

– Ne pourrais-tu attendre? Patiente jusqu'en mai. Autant finir l'année.

– En quel honneur?

Anne posa les yeux sur ses livres et ses notes à l'écriture si soignée.

– La réponse diffère pour chacun, je suppose, répondit-elle en souriant. Peut-être ai-je seulement peur de me retrouver seule à la fac.

– Tu as plein d'amis.

– Des copains.

– Bon, tu te feras plein d'amis. Et un jour, au restaurant, tu serviras un bel homme d'affaires riche à millions qui t'emportera dans sa belle voiture et prendra soin de toi pour toujours et... Eleanor s'interrompit. Elles se regardèrent. Je crois entendre ma mère.

– Tu es mûre pour retourner au bercail. Tu vas me manquer.

– Eh, je ne vais pas disparaître comme ça. Je n'ai même pas encore tout à fait décidé.

Anne scruta son visage.

– Tu vas passer Noël chez toi.

– Je ne t'ai jamais dit ça.

– Non, mais ça crève les yeux.

– Je déteste être transparente. De toute façon, j'y vais juste un peu. Je voulais leur faire une surprise. Tu sais, Noël, ils en font toute une affaire. Moi, je m'en fiche complètement. Mais c'est leur truc, et ça fait deux ans que je le manque – je ne leur ai même pas envoyé mes vœux – et ils seraient si heureux...

Anne hocha gravement la tête.

– C'est très gentil de faire ça pour eux.

– Je me suis dit exactement la même chose. Et puis il faut que je réfléchisse à un tas de choses. Ce sera peut-être plus facile là-bas. Tu vois, je ne sais pas ce que je veux. Tout paraissait si simple quand je suis arrivée, et maintenant ça s'embrouille. Je t'aime énormément, Anne, tu le sais. Mais tu as changé. On dirait que tu n'as plus autant besoin de moi. Et je me sens seule à Berkeley, comme si je n'étais pas à ma place. En fait, je ne sais pas où est ma place, ni quel est mon but.

– Alors tu devrais rentrer chez toi où on peut t'aider à décider.

– Tu crois vraiment? Juré? Je ne veux pas me sauver de Haight, tu sais; je me suis sauvée de chez moi pour venir ici et ça semble atrocement enfantin de refaire le chemin dans l'autre sens.

– Tu ne te sauves pas. Tu rentres chez toi afin d'élaborer une stratégie pour le reste de ta vie.

Eleanor sourit.

– Comme tu t'exprimes! Tu es géniale, Anne. J'avais peur de te l'annoncer, et grâce à toi, ça va mieux.

– Que craignais-tu?

– Que tu sois triste.

– Je le suis. Mais je suis heureuse pour toi.

– Je t'écrirai. Et je t'appellerai. Tout le temps.
– Où seras-tu ?
– A la maison, voyons.
– Oui, mais où ? Tu ne me l'as jamais dit.
– Ah bon ? Mais toi non plus.
– Lake Forest, au nord de Chicago.
– Saddle River. New Jersey.
– Le New Jersey. C'est si loin.

L'idée de la séparation et de la solitude lui faisait mal.

– Ça se terminera probablement ici, de toute façon, dit Eleanor. Je m'y plais. Arrange-toi pour que je sache où te trouver, si tu déménages. Je prends mes livres. On ne sait jamais.

– Quand pars-tu ?

– Demain. Euh, ils m'ont envoyé mon billet. Je me suis dit que je n'avais pas les moyens, alors, après tout, si ça peut leur faire plaisir.

Anne hocha la tête.

– Ce sera merveilleux, tu verras.

Elles se serrèrent l'une contre l'autre, puis Eleanor retourna chez elle. Anne était debout près de son bureau et regardait par la fenêtre ronde, comme au premier jour. Cela faisait deux ans. Mais Eleanor avait raison : elle changeait.

Et plus radicalement encore, Haight-Ashbury changeait. Au début, Anne l'avait à peine remarqué ; elle y passait peu de temps et était toujours à son bureau. Mais bientôt elle ne put se voiler la face tant c'était manifeste.

Ce fut d'abord une simple évolution marquée par l'arrivée de quelques reporters de télévision et de journaux. Puis on eut la brusque sensation que les rues et le parc étaient envahis de caméras et de carnets de notes ; on interviewait les *flower children*. *Time* et *Newsweek* publiaient des photos de jeunes filles aux cheveux longs retenus par des bandeaux et de garçons arborant tatouages et boucles d'oreilles ; des psychologues consacraient de longs articles à expliquer pourquoi les jeunes devenaient hippies ; les équipes de cameramen revenaient pour essayer d'organiser d'autres événements spectaculaires pour le journal du soir ou les émissions spéciales sur la drogue ou ceux qui avaient abandonné leurs études. Des cars de touristes commencèrent à affluer à Haight, se frayant tant bien que mal un chemin entre la foule des badauds et des hippies qui tendaient des miroirs aux chauffeurs et aux passagers. On trouvait bien encore quelques hippies pour parler d'amour et de joie, mais personne pour écouter ; c'en était fini de la vie simple.

Don Santelli et ses amis demeuraient cloîtrés, refusant d'être filmés ou interviewés. Mais comment résister aux feux de la rampe, au mirage des caméras, aux visiteurs bouche bée à l'idée d'être le point de mire de l'Amérique entière ? Fleurirent bientôt de nouvelles formes de théâtre conçues pour choquer et attirer l'attention. Les gens tranquilles quittèrent Haight.

Les commerçants partirent quand l'héroïne chassa la marijuana et que les dealers s'installèrent au coin des rues. Sur les trottoirs où l'on avait chanté et dansé, on vit désormais tourbillonner les ordures.

Je n'ai plus rien à faire ici, se dit Anne en s'éloignant de la fenêtre ronde. Depuis un bon moment, d'ailleurs ; je n'avais pas fait attention, voilà tout. Elle ne voyait presque plus Don ; il l'évitait. La colère l'habitait, contre Anne qui faisait des études, contre les journalistes et les touristes, contre les dealers qui avaient fait peur aux petits marchands. Ses amis partirent avec la première vague qui s'exila pour créer des communautés près de Big Sur, Eureka ou d'autres lieux en pleine campagne. Eleanor partait le lendemain.

Moi aussi, décida Anne. Si je dois tout recommencer, autant partir de rien, comme la première fois. Sans attache.

Des amies de son cours lui avaient dit qu'il y avait une chambre à louer dans la maison qu'elles occupaient près du campus. Ce n'était pas Haight, avec son côté magique d'amour et d'ouverture aux autres, mais ce n'était pas la solitude. Elle aurait un boulot, un logement, des gens à qui parler, et ses livres.

Et l'avenir, se dit-elle. La dernière fois, elle s'était enfuie, terrorisée par sa vie et angoissée par sa solitude au sein de sa famille. Elle progressait puisqu'elle avait un endroit où aller et une vie à accomplir. *Et plus personne ne me fera peur et je ne serai plus désarmée.*

Elle tourna le dos à la fenêtre et prit son sac sur une étagère dans le placard. Il était temps de partir.

# 6.

Vince avait oublié à quoi elle ressemblait. Les premiers temps où il avait quitté Lake Forest pour s'installer à Denver, il la voyait partout et sa rage était concentrée sur elle. Mais Denver était loin de Lake Forest, et au fil des ans il devint le plus grand promoteur de la ville. C'est à peine s'il pensait encore à elle ou bien, quand c'était le cas, c'était avec une sorte de colère systématique, de celle qu'il éprouvait aussi envers Rita, une autre garce qui ne manquait jamais l'occasion de lui compliquer l'existence. Une image surgissait à l'occasion quand il était au lit avec une femme ; il voyait des petits morceaux d'Anne Chatham : un bras tout menu repoussant une lourde mèche de cheveux noirs, de grands yeux qui le regardaient sans émotion, sa haine implacable qu'il aimait écraser.

A l'époque, il ne savait pas ce que c'était. Ce n'est que le soir où elle avait entrepris de le détruire qu'il avait compris que c'était de la haine. Il ne pouvait repenser à ce dîner sans être fou de colère ; une fois calmé, il se jurait qu'un jour son père paierait pour avoir étouffé tous ses rêves dans l'œuf. Il détruirait Chatham Development, il s'assurerait qu'Ethan perde Tamarack ; il s'arrangerait pour que sa famille perde tout.

Mais la colère, le visage d'Anne, tout finissait par s'évanouir. Vince refusait de se laisser affaiblir par les souvenirs, les émotions ou les remords.

Il était en ce moment trop occupé pour s'attarder sur le passé. Il bâtissait sa réputation. Et il s'appropriait Denver.

Il avait atterri là à grâce à Ray Beloit, entrepreneur de haut vol à la parole facile qui voyait en Denver une excellente donne de poker.

– Amène-toi, espèce de vautour, avait-il dit au téléphone quand Vince l'avait appelé tout en vidant son bureau à Chatham Development. L'Ouest est toujours une mine d'or, même si les gens appellent ça vivre au soleil et dans les grands espaces. Ça pousse à vitesse grand V, ici, et à nous deux on va faire un malheur. Tu peux me croire sur parole. Et ma parole a autant de poids que mon porte-monnaie.

Vince s'était souvent arrêté à Denver en allant à Tamarack ; il en connaissait les possibilités. La ville attirait les nouveaux venus, comme elle l'avait toujours fait, parce que c'était la dernière oasis au milieu des plaines poussiéreuses avant le rempart de montagnes vers l'ouest. Depuis des années, la croissance s'opérait lentement, mais il restait des milliers de mètres carrés inoccupés entre ses frontières et le pied des collines.

Le centre de Denver était un nœud de gratte-ciel, sentinelles au milieu d'un paysage monotone; c'étaient les plus hautes constructions entre Omaha et Los Angeles. Ils se tenaient, épaule contre épaule, jaillissant de la vaste mosaïque des alentours; et non loin, le capitole d'Etat au dôme doré dominait de sa sérénité la longue ligne brisée des Rocheuses dans le lointain, se découpant souvent avec netteté mais parfois brouillé sous l'effet d'une brume jaunâtre dont les experts disaient qu'elle préfigurait ce que réservait la croissance rapide de Denver. Flottant sur la vaste plaine, Denver avait l'air inachevée comparée à un Chicago de granit et d'acier, et Vince voyait déjà au cours de ses promenades dans les rues les changements qu'il opérerait. Il y avait des milliers de mètres carrés d'armoise et d'herbe sauvage; des zones urbaines non loties; des immeubles trapus qui ne demandaient qu'à être remplacés par des gratte-ciel. Denver était une ville à conquérir.

Vince avait tiré vingt-cinq millions de dollars de la vente de ses actions de Chatham Development – assez pour devenir le promoteur numéro un et mener grand train. Il loua un duplex dans une résidence de luxe, fit appel à un décorateur new-yorkais pour l'aménager, et utilisa ses relations pour s'intégrer à la bonne société de Denver. Moins d'un mois après son arrivée, il avait ouvert un bureau avec Ray Beloit et mettait en route sa première acquisition de terrain. C'est alors que Charles appela.

– J'ai dû demander ton numéro aux renseignements, dit-il. Je croyais que nous devions garder le contact.

– Pas eu le temps. Il y a du neuf?

– Si tu veux parler d'Anne, non. Nous avons changé de détective; on en a même deux, d'agences différentes, mais ça ne donne rien de mieux; ils s'évertuent à nous répéter de ne pas nous faire trop d'illusions. Je me demande combien de temps ils nous consacrent vraiment; personne ne s'intéresse aux fugueurs, apparemment. Ici, c'est un vrai tombeau. Tu as de la chance d'être ailleurs, Vince. Que deviens-tu ? Avec tout ce que tu as récupéré, tu n'as pas besoin de travailler, au fond... Je voulais te suivre, tu sais.

Vince ne soufflait mot.

– Je pensais qu'on pouvait créer une affaire tous les deux, loin de la pression qui règne ici. Nous aurions pu régler... ce qu'Anne a dit... je ne sais pas au juste ce qu'elle voulait dire...

– Tu le sais parfaitement. Elle m'a accusé de l'avoir violée. Et tu es resté là à la laisser dire; tu n'as pas bougé le petit doigt pour me défendre, merde!

– Ecoute, on en a déjà parlé avant que tu partes; tu ne peux donc pas laisser tomber? Je suis pris entre deux feux, Vince. J'essaie de vous comprendre l'un et l'autre. Comment diable aurais-je pu t'aider ce soir-là? Tu voulais que je traite ma fille de menteuse; c'était impossible.

– Et pourquoi? C'est le cas, pourtant.

– Je t'interdis! Pauvre gosse. Je ne sais pas ce qui s'est passé, elle a rêvé ou inventé ça pour quelque obscure raison, mais, quoi qu'il en soit, un père doit se montrer compréhensif. Tu aurais fait la même chose pour Dora.

– Dora ne sera jamais ce genre de fille.

– Quel genre de fille? Oh, arrête, je t'en prie, j'ai assez d'ennuis comme ça; n'empire pas les choses. Je ne supporte pas qu'Anne se soit enfuie de chez nous; je veux que tout s'arrange. J'étais un bon père, tu sais; j'assistais toujours aux spectacles de l'école et aux concours d'orthographe – elle les gagnait tous et j'étais rudement fier – et je lui offrais tout ce qu'elle voulait. Je suppose que nous n'étions pas aussi proches qu'il aurait fallu; j'y ai réfléchi, je crois que nous ne nous parlions guère. Et maintenant je ne peux même pas en discuter avec elle! Si tu n'es pas capable de comprendre à quel point elle me manque, alors va au diable. N'en parlons plus. Je ne t'appellerai plus, c'est inutile.

– Il y a d'autres sujets de conversation, dit Vince précipitamment quand il s'aperçut qu'il risquait de perdre le seul lien avec sa famille. Quelles autres nouvelles?

– Aucune. Calme plat, hélas. Chacun vit de son côté. Depuis qu'elle est partie, il n'y a plus de dîner du dimanche. C'est difficile à croire. C'était une petite fille si calme, la moitié du temps on ne remarquait même pas sa présence, mais on ne peut plus faire un pas dans la maison sans penser à elle. Et tu es parti aussi, Vince – tous les deux la même semaine –, c'est comme si tout s'était écroulé. C'est ce que dit papa : tout s'est écroulé. Il est parti aussi, pour Tamarack, il y a huit jours; et il n'a pas dit quand il reviendrait.

– Qu'est-ce qu'il compte faire là-bas?

– Aucune idée; j'imagine qu'il a décidé de reprendre la promotion immobilière. Je pensais qu'il voulait que Tamarack reste tout petit, mais il ne se confie pas à moi; il ne l'a jamais fait. Qu'est-ce que tu fabriques à Denver?

– J'ai créé ma propre affaire. Il a emmené quelqu'un?

– Tu veux dire des entrepreneurs ou des architectes? Pas à ma connaissance. S'il veut vraiment faire de la promotion, il prendra des gens du coin. Ou peut-être de Denver. Tu en entendras sûrement parler. Tu as créé ta boîte tout seul?

– J'ai un associé bourré de relations.

– Seigneur, j'aimerais bien être avec toi. Redémarrer ailleurs, personne pour me surveiller... Peut-être l'an prochain.

– Réfléchis, fit Vince avec indifférence. Et préviens-moi.

– On en reparlera. Il faut garder le contact, Vince.

– D'accord.

– Sérieusement, Vince. Tu me manques. Tu sais que j'ai toujours compté sur toi, surtout quand on démarrait un nouveau projet; tu as une vision globale des choses, avant même qu'on ait commencé. Moi pas; je suis incapable d'imagination. Ça me travaille, tu sais; je ne m'y fais pas. En ce moment, je m'inquiète pour le centre commercial de Long Grove; on est censés démarrer dans un mois et je n'ai aucune vision d'ensemble. J'ai besoin de quelqu'un qui m'aide à y voir clair.

– Demande à William.

– Ce n'est pas pareil.

– Alors appelle-moi quand tu as besoin de parler. Tu t'en sortiras.

Vince en avait assez. Il voulait garder un pied là-bas, mais pas jouer les nounous.

– J'ai une réunion; je t'appelle dans huit ou quinze jours.

– Tu veux que je dise bonjour à quelqu'un de ta part?

– A qui tu veux. Dis-leur qu'ils me manquent.

Pas compromettant. Ça laissait les portes ouvertes même après la pire crise familiale.

– Petit malin, commenta Ray Beloit quand Vince entra dans son bureau en lui expliquant son retard. Il ne faut jamais couper les ponts; les liens de famille, il n'y a pas plus costaud.

De dix ans plus âgé que Vince, Beloit le pressait de le rejoindre à Denver depuis qu'ils s'étaient rencontrés à Tamarack. Il voulait un associé, un promoteur capable de jeter un coup d'œil à une vieille bâtisse ou à un terrain vague et d'y voir un centre commercial, un complexe de bureaux ou une zone industrielle, foncer et passer à la réalisation. Il voulait un homme prêt à investir en temps et en argent pour transformer une capitale endormie en cité bouillonnante et faire ainsi fortune.

– J'aime les hommes pressés et ambitieux, dit-il. J'en suis un moi-même. Je suis fonceur de première, et j'obtiens toujours ce que je veux.

Trop impatient pour attendre que les autres l'admirent, Ray Beloit était aussi son propre promoteur. Tout ce que le Colorado comptait d'hommes d'affaires et de politiciens savait que Beloit leur rebattrait les oreilles avec ses réalisations et qu'il leur suffirait d'émettre un murmure d'approbation pour le satisfaire.

– Nous formons une sacrée paire parce que nous sommes l'un et l'autre dévorés d'ambition, dit-il en donnant à Vince une tape dans le dos.

Vince avait horreur de ça, mais se força à ne pas réagir. Il avait besoin de Beloit.

Il baptisa sa société Lake Forest Development alors que les bureaux tournaient le dos à Chicago et à Lake Forest, comme Vince l'avait fait, pour toujours.

– Drôle de nom, remarqua Beloit, mais si ça peut te faire plaisir. J'en ai rien à secouer. Peu importe le nom, on en fera quelque chose de colossal. Tu viens au ciné avec Lorraine et moi ce soir?

– J'ai un rendez-vous.

– Parfait. Parfait. J'aime qu'on soit occupé. Comme moi. Pas de danger que l'herbe pousse sous mes pieds. On met la gomme et on les regarde dans le blanc des yeux. Ton rancart, c'est du spécial ?

– Non.

– Bon, prends ton temps. Réfléchis. Tu sors d'un divorce pénible en pataugeant lamentablement, va pas te noyer dans de l'eau bouillante.

Il redonna une claque dans le dos de Vince. Ses mains étaient grandes et potelées, comme des pattes d'ours – en fait il ressemblait à un ours avec son visage lourd et son petit nez, sa grosse moustache, ses lèvres humides, ses épaules puissantes et ses grands bras. Il marchait penché en avant comme s'il s'apprêtait à ramasser tout ce qui traînait devant lui ; ceux qui ne le connaissaient pas filaient dès qu'ils croyaient l'avoir offensé. Vince aimait cette impression menaçante que dégageait Beloit ; il appréciait encore plus ses relations. Beloit connaissait tout le monde ; les secrets, les appétits, les alliances, les petites guerres personnelles. C'était exactement ce qu'il fallait à Vince dans sa course effrénée vers la réussite.

Dans les premières années, il prenait l'avion une fois par mois pour passer le week-end à Chicago avec Dora. Il aimait poser au père exemplaire, sachant qu'il modelait un esprit malléable. Si on fait des enfants, pensait-il, c'est pour exercer son pouvoir sur un autre, façonner ce que sera cet être humain sans interférence aucune. Mais autant il aimait son rôle de père, autant il prenait plaisir à empêcher Rita d'en faire à son idée. Dès qu'il obtint du juge un droit de visite deux jours par mois, Vince s'embarqua pour Chicago et ne manqua ce rendez-vous qu'en de rares occasions où Beloit et lui avaient de gros problèmes.

– J'aimerais qu'elle vienne me voir la prochaine fois, dit-il un jour à Rita.

Dora avait alors six ans. Il habitait Denver depuis moins d'un an, mais Beloit et lui avaient déjà acheté des terrains et projetaient la construction d'une tour de bureaux à Denver et d'un centre commercial à Colorado Springs. Assis dans le salon pêche et argent de Rita en ce froid dimanche soir de février, il respirait la gentillesse et la réussite.

– Je l'emmènerai à la montagne pour lui apprendre à skier. Elle adorerait ça.

– Elle reste à Chicago, dit Rita.

Vince secoua la tête, l'air affligé.

– Combien de temps encore me feras-tu payer ? Je viens tous les mois depuis mai dernier ; j'ai donné à Dora toute mon attention et je lui ai acheté tout ce qu'elle voulait... ne suis-je pas un bon père ?

Elle haussa les épaules.

– Rita, réponds-moi. Je veux être un bon père, mais tout cela est si nouveau pour moi, je ne sais pas exactement ce que je dois faire. Nous ne sommes plus une famille, nous n'avons plus de chez nous, je fais tout ce que je peux. Rita, c'est pour Dora, pas pour moi! Dis-moi ce qui ne va pas!

– Rien, répondit Rita à contrecœur.

Elle regarda son visage angélique et vit ses yeux de velours briller de larmes.

– Elle n'est pas aussi jolie que sa mère, reprit-il comme à regret, mais n'est-elle pas ravissante ? C'est un vrai vif-argent, et sportive, en plus. T'a-t-elle raconté qu'elle m'avait battu à la marelle ?

Rita sourit, sensible à son charme, comme tant de fois auparavant. Puis elle bondit sur ses pieds et alla à l'autre bout de la pièce. Elle se mordit la lèvre.

– Elle n'ira pas dans le Colorado. Je veux qu'elle reste ici. Pas question qu'elle soit seule avec toi dans un appartement.

Vince la fixa du regard.

– Tu penses toujours... Dieu du ciel, Rita, tu ne peux tout de même pas croire une chose pareille! Je ne sais pas ce que tu as pu croire d'autre – et cette petite garce a menti – mais tu ne penses quand même pas que je toucherais un cheveu de ma propre fille!

Rita évita son regard implorant.

– Elle n'ira pas dans le Colorado.

Vince émit un long soupir.

– Peut-être te laisseras-tu fléchir un jour. Je pensais que Dora serait contente de voir où j'habite, où sont mes bureaux, ce que je construis. Il est vrai qu'on ne va pas entamer les fondations avant un an encore; peut-être qu'alors Dora pourra...

Il laissa sa phrase inachevée. Rita regardait par la fenêtre les lumières de Lake Shore Drive.

– Penses-y, tu veux ? fit Vince humblement. Je t'en serai reconnaissant. Je pensais l'emmener à la pizzeria, ajouta-t-il en se levant pour prendre son manteau. J'ai réservé sur un vol de nuit. Tu es d'accord ?

– Oui.

– Je te la rends dans deux heures. Je ne monterai pas; je filerai directement à l'aéroport.

Elle hocha la tête.

– Alors, au mois prochain.

Elle hocha à nouveau la tête.

Vince la regarda de profil, un petit sourire aux lèvres. Elle finirait par baisser les bras. Les femmes en passaient toujours par où il voulait. Il y avait eu un moment, elle s'était inclinée vers lui... Il savait qu'elle recommencerait. Il prit le couloir en direction de la chambre de Dora.

– Et si on allait à la pizzeria ?

– Oh oui!

Elle sauta de la maison de poupée qu'il lui avait achetée l'après-midi. Son cadeau était installé dans un coin de la pièce au milieu d'un monceau de peluches, poupées, jeux éducatifs, cubes, Legos, bref, tout ce dont il l'avait inondée depuis le divorce. Elle courut à lui.

– J'adore la pizza. Où ça ? Uno ou Due ?

– Choisis. C'est la même pizza, de toute façon.

– Uno, alors. C'est tout noir et il y a plein de fumée, c'est pour les grandes personnes.

Vince pouffa de rire.

– Toi aussi tu es grande.

– Je sais, répondit-elle avec sérieux. Je ne trouve pas que l'enfance soit si géniale que ça. On y va ?

– De ce pas.

Il la suivit jusqu'à la penderie de l'entrée et, quand elle lui tendit son manteau, il le tint pour elle. Il l'observa nouer son écharpe de cachemire et boutonner soigneusement son vêtement. Il aimait la regarder parce qu'elle lui ressemblait beaucoup. Elle avait les mêmes boucles blondes et courtes, les mêmes grands yeux bruns tour à tour froidement calculateurs ou pleins de chaleur, le même doux sourire. Son menton était lui aussi un peu trop pointu mais n'ôtait rien à sa beauté angélique.

Plus encore que son apparence, Vince adorait sa précocité. Il n'avait jamais aimé les bébés ni les enfants, et si Dora avait su attirer son attention, c'est parce qu'elle avait fait l'impasse sur une grande partie de son enfance.

– Il fait très froid dehors, dit-elle en prenant son béret assorti à l'écharpe. J'espère que tu es assez couvert.

– Nous prenons un taxi, répondit Vince. Dis donc au revoir à ta mère. Tu sais qu'elle n'aime pas que tu oublies.

– Non, pas du tout. Nous en avons parlé.

– Oh, fit-il, déconcerté. Alors parfait. Auparavant, ça la préoccupait sans arrêt.

– Vraiment, laissa tomber Dora froidement.

Elle attendit l'ascenseur sans un mot et, quand il arriva, passa devant Vince et fit un signe de tête au liftier. Elle leva les yeux sur son père et lui sourit gentiment, le déboussolant avec ses changements d'attitude qui ressemblaient tant aux siens.

– Je meurs de faim, papa. Quelle merveilleuse idée de m'emmener manger une pizza chez Uno !

Dora lui sortait de l'esprit dès qu'il était dans l'avion. Le vrai défi était à Denver, c'est pourquoi il devait être sûr de contrôler tout ce qui se passait, d'en tirer avantage, d'accumuler suffisamment d'argent et de pouvoir pour faire tout ce qu'il voulait. Et surtout, faire de la politique.

Il arrivait à Denver au meilleur moment car c'était le début du plus grand boom de l'histoire. Pour un promoteur comme Vince, qui avait tout appris dans les champs de mines politiques de Chicago et de Cook County, et pour un entrepreneur comme Ray Beloit, qui était lié à la haute société mais aussi à ceux qui tiraient les ficelles, le boom de Denver était une vraie manne.

– Le bon endroit, le bon moment, la bonne personne, se dit Beloit de sa voix enflée de satisfaction.

Il se tenait debout au fond d'un bureau et regardait Vince donner une conférence de presse sur l'ouverture de Chatham Place, le premier projet de Lake Forest Development, et sur la première galerie marchande de Denver. Vince était bon ; c'était le meilleur. Il saisissait les questions au vol avec son sourire irrésistible. Vince irait loin, très loin.

– Comment se fait-il que vous n'ayez pas fait appel à un architecte local ? demanda, pour le *Denver Post*, un spécialiste en architecture.

– C'était mon intention, répondit Vince, parfaitement à l'aise, perché avec désinvolture sur une table près d'un chevalet avec des croquis et des photographies du projet à différentes étapes. Et je le ferai, aussi souvent que possible. Mais cette fois ça n'a pas marché.

– Pourquoi ?

– Je voulais l'architecte le plus audacieux, le plus controversé du monde. Or il se trouve au Japon.

– Pourquoi controversé ?

– Pour attirer votre attention, dit Vince avec son sourire candide. Je veux hisser Denver au rang de New York, Rome et Chicago. Je veux que le Colorado soit célèbre pour autre chose que les loisirs. Pourquoi faudrait-il que seules les montagnes soient grandioses ? On peut faire mieux. Donnez-moi quelques années et laissez-moi réaliser tous les projets encore à l'état d'esquisse, et vous verrez que le Colorado montrera au monde comment on fait pour changer le paysage. Chatham Place n'est qu'un début.

– Combien cela a-t-il coûté ?

– Quatre-vingt-cinq millions de dollars.

– Et le rendement ?

– Honnête. Soixante-dix-huit pour cent des boutiques et tous les restaurants sont loués et ouverts, le club d'athlétisme est ouvert, nous avons un programme de compétitions de patinage pour les six mois à venir. Nous sommes persuadés que tout sera occupé avant la fin de l'année.

– Qu'est-il advenu de vos différends avec Greenbriar Village ? s'enquit un autre journaliste. Ils se sont battus bec et ongles pour empêcher votre installation. Comment les avez-vous fait taire ?

– Ça n'a pas été nécessaire, dit Vince avec douceur. Ils savent que nous nous intéressons autant qu'eux à cette communauté. Vous devriez le leur demander. Je vous donnerai les noms des responsables ; je crois que vous verrez que nous sommes devenus bons voisins.

– En faisant brûler une de leurs maisons ? demanda un reporter.

Le silence se fit lourd. Vince regarda longuement le journaliste.

– Vous voulez sans doute parler de la maison d'Oscar et Emmy Delaney ?

– Exactement. Il fut un temps où les Delaney et leurs voisins étaient partout : journaux, télévisions, réunions de conseil municipal, marches dans les rues, pour combattre votre galerie commerciale. Jusqu'à ce que leur maison prenne feu.

Vince hocha la tête.

– Très triste. Nous leur avons construit une nouvelle maison, plus grande, nous l'avons totalement aménagée et meublée et nous avons fait une aire de jeu pour leurs enfants. La perte de leur maison fut une tragédie, mais nous avons pu les aider et ils ont désormais part entière aux plaisirs de Chatham Place et de tout ce que ça implique pour l'avenir du Colorado, la productivité des Etats-Unis et l'art de vivre. Oscar et Emmy sont à la tête du comité responsable des relations entre la galerie et le voisinage, et pour nous, ce sont de bons amis de Chatham Place. C'est aussi leur avis. Je vais maintenant passer la parole à Ray Beloit, poursuivit-il en se levant. Il connaît tous les chiffres sur le bout du doigt. Après quoi un buffet vous attend. Merci à tous d'être venus; j'espère vous voir ici souvent. En tout cas moi, j'y serai. Et si vous croyez que je suis sur la corde raide, attendez de me voir faire du rappel.

Des rires saluèrent son audace. L'enquête officielle sur l'incendie des Delaney n'aboutit pas, mais les rumeurs d'un incendie volontaire persistèrent.

– Sacré mec, commenta un journaliste lorsque Vince quitta la pièce. Rappelle-moi de ne jamais me trouver en travers de son chemin.

Des connards, pensa Vince avec mépris en quittant l'immeuble; ils ne lèveront pas le petit doigt contre nous. Il sut alors qu'il avait deviné juste : les journalistes, comme tous les hommes d'affaires de Denver, voulaient développer la ville grâce aux touristes, aux congrès, aux commerçants venus de tous les Etats des Rocheuses; ils détourneraient pudiquement les yeux si la prospérité était en jeu. Nous sommes tous de confortables associés, pensa-t-il en roulant vers son bureau ce matin-là. Il éprouva pour la presse un profond mépris qui ne le quitterait jamais.

Sa secrétaire l'appela dès qu'il arriva.

– M. Charles Chatham au téléphone, pour vous; il dit que c'est important.

Vince grommela d'énervement et prit l'appareil.

– Oui.

– Désolé de t'interrompre, mais j'ai pensé à ta proposition.

– Quelle proposition ?

– Pour l'amour du ciel, Vince, vice-présidence de la société! Quand on s'est vus la semaine dernière, tu as dit...

– Je m'en souviens. Alors? Quand arrives-tu ?

– Je ne peux pas, en tout cas pas tout de suite. Papa a besoin de moi. Il n'y a personne pour diriger l'affaire tant qu'il est à Tamarack, et ce matin il m'a dit qu'il voulait vivre tout le temps là-bas. Il quitte Chicago...

– Pourquoi? demanda Vince précipitamment.

– Il dit qu'il préfère. Il a soixante-dix ans, tu sais; il doit être fatigué et songe à se retirer. Il m'a dit qu'il est satisfait que je puisse faire tourner l'affaire.

Vince ne dit rien.

– Il a raison. Je ne fais pas des affaires comme lui, ou comme toi, Vince, mais il me fait confiance et je ne peux pas le laisser tomber.

Vince ne soufflait toujours mot.

– Ça ira, reprit Charles d'une voix forte. On mettra la pédale douce, forcément. Je sais que papa et toi ne me trouvez pas assez agressif, mais je suis comme ça, et si des choses m'échappent parce que je n'ai pas réagi assez vite, ça ira quand même; tout ira bien. Je suis comme ça. Pas un fonceur.

Ni un gagneur ni un manipulateur, songea Vince. Mais il a des ennuis. Vince l'avait deviné parce que Charles ne parlait jamais de lui quand il venait à Denver. Il le suivait comme un toutou aux dîners, aux cocktails, aux galas de bienfaisance, et une chose semblait l'intéresser : entendre parler de Vince.

Mais il a des ennuis, se répéta Vince. *Et si des choses m'échappent...* Il se demandait quelles avaient été les occasions manquées par Chatham Development parce que Charles n'était pas un violent et ne le serait jamais.

Il savait depuis longtemps que Charles était incapable de mener l'affaire comme il convenait; cela exigeait de l'imagination et des tripes, ce qu'il n'avait pas. Ethan, Vince, oui. Charles était garçon de course dans l'âme, l'homme de paille idéal. Quand je pense à ce que j'en aurais fait, moi, se dit Vince, soudain plein d'amertume et de rage malgré ses brillants débuts à Denver. Tout cela aurait dû lui appartenir. L'affaire familiale. Tamarack. Sa femme. Sa fille. Anne. Tout ce sur quoi il avait compté. Et ç'aurait été comme sur des roulettes si Anne n'avait pas parlé, si Ethan ne l'avait pas défendue, si Charles s'était rangé du côté de Vince, si William avait nettement pris position pour lui, si Marian n'avait pas radoté. Ils auraient dû le soutenir parce que c'était lui le plus fort. Mais ils s'étaient écroulés et Vince avait été viré.

– Et puis William et Fred travaillent avec moi, poursuivit Charles. Nous formons une belle équipe. Nous n'avons pas autant de fers au feu que de ton temps, mais on se maintient, c'est déjà bien. De toute façon, les choses évoluent toujours. Anne a eu dix-huit ans il y a deux mois, en avril, et je ne sais même pas à quoi elle ressemble. Si elle était restée, elle serait à la fac. Comment peut-on disparaître de la sorte ? explosa-t-il. Si elle travaille, elle a un numéro de Sécurité sociale; elle doit payer des impôts; si elle a repris ses études, elle est inscrite; si elle a un compte en banque, elle est dans les dossiers. Quoi qu'on fasse, on laisse des traces... comment peut-elle s'être évanouie purement et simplement ? Je me suis mis à lire les petites annonces, tu sais, les messages personnels. Tu ne croirais jamais le nombre de gens qui cherchent d'autres gens. Je me dis parfois qu'en réalité c'est le monde entier qui est perdu et que nous ne sommes que quelques-uns à savoir où est notre place. Dieu, qu'elle me manque, Vince ! C'est terrible de perdre sa fille. En fait, j'en ai perdu deux. Gail et moi n'avons rien à nous dire, ou si peu; elle m'accuse de la disparition de sa sœur. Je suppose qu'elle a raison.

– Elle préférerait que tu me traites de violeur et de menteur, dit Vince sèchement.

– Elle n'a que douze ans; comment veux-tu qu'elle comprenne ? Anne lui manque, c'est tout. Sais-tu que nous voyons Dora ? ajouta Charles après un silence. Elle me fait penser à toi. Tu pourrais l'amener dîner un jour que tu viens la voir.

– Quand papa m'invitera à dîner, je viendrai. Fait-il toujours comme si je n'existais pas ?

– Il ne parle jamais de toi, si c'est ce que tu veux dire. Il est intraitable là-dessus. Il ne prononce jamais ton nom et, si quelqu'un le fait, il quitte la pièce.

– Ça arrive ?

– Pas souvent.

– Il faut que j'y aille, dit Vince brusquement. Je suis débordé; on vient d'ouvrir un nouveau centre commercial...

– J'ai lu ça quelque part. Chatham Place. Ça m'a fait penser à papa qui baptise les rues d'après la famille. Ça a l'air somptueux. Un de ces jours je laisserai tout tomber pour aller dans l'Ouest. Qui sait ? Après papa, ce sera mon tour.

Ça ne risque pas, connard, pensa Vince. Tu ne couperas jamais les ponts, petit mec; il te faudrait des tripes pour faire un pas tout seul; tu n'es même pas capable de venir ici pour te reposer sur moi.

– Quand tu veux, dit-il à Charles. Ton bureau t'attend.

Après qu'ils eurent raccroché, Vince demeura un moment songeur. La famille est à court de munitions, songea-t-il. Papa est trop vieux et le voilà parti. Je pourrais enfoncer Chatham Development et leur faire perdre Tamarack; ils ne pourraient m'en empêcher. C'est là qu'ils s'apercevraient qu'ils ont viré celui qu'il ne fallait pas. Vince regretta un instant que la bataille fût si simple.

Mais on verrait ça plus tard. Quand il aurait le temps.

Ce qui ne l'empêcha pas d'envoyer à Charles, la semaine suivante, un article du supplément du dimanche au *Denver Post* consacré à Vince, « la nouvelle superstar de Denver ». Il n'y avait pas un mot sur Beloit qui restait volontairement en coulisses; Vince Chatham, président fondateur de Lake Forest Development, tout charme et belle allure, était le sujet de l'article. « Pose ça sur le bureau de papa », avait ajouté Vince sur un petit mot. Et au cours de l'année suivante, quand on inaugura la tour Chatham, immeuble de bureaux d'acier et de verre abritant la première galerie marchande de Denver, quand on entama les fondations du Centre Chatham, un complexe d'immeubles de bureaux, Vince continua d'envoyer les extraits de presse à Charles pour qu'il les transmette à son père. C'était toujours le même discours : Vince Chatham était au sommet des affaires et de la vie sociale; il devenait un héros.

Dès lors, Beloit et lui n'eurent aucun mal à trouver le financement de leurs projets à de meilleures conditions que les autres promoteurs. En quelques années, leur affaire comptait cinquante salariés et ils construisaient dans le Colorado, l'Utah et l'Arizona des immeubles de bureaux, des zones industrielles, des immeubles résidentiels, des magasins et des cinémas. Quant à Vince, qui s'était toujours moqué de ça, il était désormais au conseil d'administration de la société de charité, du club de jeunes, et donnait de l'argent pour les œuvres sociales chaque fois qu'on le sollicitait.

Il allait de triomphe en triomphe. Les années s'écoulaient et il se trouvait toujours au sommet de la vague. Il ne pouvait poser son regard quelque part sans vouloir changer l'horizon du Colorado et des Etats limitrophes; les constructions jaillissaient sous ses doigts, s'élevant ou s'étendant pour occuper la terre. Il s'était hissé au rang de citoyen vedette de Denver, célibataire le plus couru et roi du bâtiment, ce qui fut officiellement concrétisé lors d'un banquet en son honneur au cours duquel il fut nommé l'Homme de l'année de Denver.

– Vince Chatham, dit le maître de cérémonie, est un exemple idéal pour les jeunes Américains.

– Aux petits prodiges, dit Beloit en levant son verre pour fêter le quinzième anniversaire de leur association.

Ils étaient dans le bureau de Vince et contemplaient la montagne au-delà des hectares de constructions qui n'existaient pas à leur arrivée. Véritable Metropolis, Denver s'étendait comme une pieuvre, gagnant chaque année sur de nouvelles terres et teintant de brume jaunâtre de nouveaux bâtiments.

– Quinze grandes années, commenta Beloit. Et nos projets sont comme de bonnes gagneuses. Bordel, c'est jouissif! Il vida son verre d'un trait et le remplit à nouveau. Si on sortait tous les trois, avec Lorraine, pour arroser ça?

– J'ai des projets pour ce soir.

– Ah, c'est vrai, comme d'habitude. Toutes ces filles; où diable les dégottes-tu? Je ne savais pas que Denver en comptait autant. As-tu songé à te remarier? demanda-t-il après une hésitation.

– Pourquoi? fit Vince en haussant les sourcils.

– Je ne sais pas, moi. Tu serais plus heureux. Tu poserais ton sac. Plus besoin de te demander avec qui tu vas passer la nuit.

– Ce n'est pas ce qui m'inquiète.

– Pour l'instant, oui, mais plus tard.

– Qu'est-ce que tu mijotes, Ray? demanda Vince au bout d'un moment.

Beloit haussa les épaules.

– Avec Lorraine, on se posait la question, c'est tout. Enfin, je sais que ça ne me regarde pas, mais j'ai réfléchi; pierre qui roule n'amasse pas de mouches et faut naviguer en douceur. Nous avons des réserves; et nous avons mis le cap sur un endroit qui me plaît; mais une mer calme est la clef de la réussite, non? – et la mer calme, c'est un partenaire satisfait. J'ai ma famille, ma Lorraine, mon petit nid, tandis que toi tu cavales encore comme un playboy. Pas la peine de me regarder comme ça, Vince, je te parle comme un père.

Il vit une ombre sur le visage de Vince.

– Bon, alors disons que je te parle comme un associé. Je veux seulement que tu saches une chose : j'aimerais que tu te ranges. Sans compter que je m'inquiète. Je me rappelle parfaitement à quel point on s'embrouille avec toutes ces petites copines – le nom, le rang social, la conversation, on en change toutes les semaines – et, un beau soir, on peut susurrer des petits secrets de business à une oreille joliment ourlée...

Vince se leva d'un bond, furieux.

– Espèce de salaud, si tu crois que c'est mon genre de bavasser, surtout avec une femme...

– Ça n'est pas impossible, dit Beloit, imperturbable. Une femme est un tendre piège, Vince, et tu es un sacré beau mec; tu pourrais très bien t'oublier avec un joli petit lot. Allez, assieds-toi; on parle, c'est tout. Parfois, dans les affaires, des problèmes surviennent, et tu les ressasses et tu as envie d'en parler à 2 heures du matin. Tu as une femme, ça va. C'est pas génial, mais ça va. Je ne dis rien à Lorraine, mais, si ça m'arrivait, je sais qu'elle ne dévoilerait pas son jeu et ne baisserait pas sa garde; tant mieux pour sa jolie poitrine, d'ailleurs. Je veux seulement dire qu'il te faut un nid avec une petite oiselle qui te rende heureux; une compagne qui te caresse dans le sens du poil. C'est prudent et c'est confortable. Voilà, pas si dur à avaler, non? ajouta-t-il en vidant son verre.

Vince le dévisagea, pensif.

– Tu sais que tu n'es pas si bête que ça, Ray?

– Et toi tu n'es pas si salaud, dit Beloit gaiement. Au fait, Ludlow va faire une offre pour Cherry Creek Point.

– C'est sûr?

– Je le tiens de ses commanditaires. Il s'est démené comme un beau diable et son équipe est plus importante que la nôtre. Pour moi, il est persuadé de pouvoir casser sa tirelire pour acheter le terrain, jusqu'à trente millions de dollars, et de faire une fortune avec ce qu'il construira dessus. Tu crois qu'il montera jusque-là?

– On doit pouvoir le savoir. Cal Zorick a travaillé pour lui.

– J'avais oublié. C'est ton nouvel assistant. Il a sûrement encore des copains chez Ludlow. Il m'a l'air un tantinet gourmand.

– Sans doute.

– Tu veux que je l'appelle?

– Ce ne serait pas une mauvaise idée.

– Je le fais tout de suite. Et pense à ce que je t'ai dit au sujet des nids et des petites oiselles, d'accord?

– J'y penserai.

Vince savait depuis longtemps qu'il ne pouvait rester éternellement célibataire sans voir s'émousser sa crédibilité et son influence. Denver était une ville conservatrice, attachée à la stabilité, aux liens familiaux et sociaux étroits; il y avait des limites à ne pas franchir; et on n'en était pas loin.

Je me donne un an pour me marier, devenir un époux et un citoyen modèle. Alors je pourrai continuer. Il en avait assez d'être le premier promoteur de Denver ; il était presque temps d'entamer une nouvelle carrière.

La semaine suivante, il entra dans le bureau de Beloit.

– As-tu parlé à Cal ?

– Oui. Je lui ai dit tout ce qu'il sait déjà. Que Cherry Creek Point pourrait être le plus grand événement à Denver depuis l'arrivée des colons à condition que les conseillers vendent le terrain au bon promoteur. Je lui ai dit que Ludlow comptait faire une offre et demandé s'il avait toujours des amis chez eux. Que, dans le bâtiment, on payait grassement la poule qui pond l'information en or. C'est un petit malin, tu sais : il m'a apporté l'offre de Ludlow ce matin. Vingt-sept millions cinq cent mille dollars pour trente-cinq hectares.

– Pas mal. Que dit Cal ?

– Il veut monter à vingt-huit millions et prendre l'affaire en main. Il y tient.

– J'aimerais peaufiner la question. Convoque tout le monde pour cet après-midi. On va travailler la question. Au fait, qu'as-tu donné à Cal ?

– Dix mille. Il a fait du bon boulot.

Vince approuva.

– Tout le monde ici à 15 heures.

Il adorait ce genre de réunion où il possédait toutes les informations ; les hommes clefs attendaient sa décision et l'adversaire n'avait pas l'avantage. Leur offre finale, scellée et remise à la ville la semaine suivante, fut de vingt-sept millions neuf cent dix mille dollars. Quinze jours après, Cherry Creek leur appartenait.

Comme ils avaient décidé de foncer et de commencer à construire avant même l'achèvement des plans, ils donnèrent le premier coup de pelleteuse à l'automne, cinq mois après l'acquisition du terrain.

– Record battu, commenta Cal Zorick en regardant les dessins sur le bureau de Vince. C'est un projet colossal, Vince, visionnaire. Tout est à une telle échelle ! L'argent aussi. J'ai du mal à imaginer cette partie de l'affaire.

Vince le scruta du regard.

– Qu'est-ce qui vous tracasse ?

– Oh, je pensais aux enjeux. Pas ce que vous avez payé pour le terrain ; ça, c'est plutôt clair. Mais quand tout sera construit. Seigneur, Vince, n'entendez-vous pas l'argent tomber dans l'escarcelle ? Le parc d'attractions, le practice de golf, les courts de tennis, la maison sur l'eau, les locations, le pourcentage sur la vente des boutiques et des restaurants, tout ça ? C'est à peine imaginable. Je veux dire, c'est vrai, nous, on travaille sur une partie du projet et on se fait un petit salaire ; tandis que vous, vous avez une vue d'ensemble, vous avez la... la mainmise sur tout. Ça fait envie.

Vince se cala dans son fauteuil.

– Dix mille dollars satisferaient n'importe qui.

– Je ne suis pas n'importe qui, Vince. Ou Ray ne m'aurait pas demandé de l'aide. Il a dit que j'avais fait du bon boulot. Ce qui est parfaitement exact, car personne chez Ludlow n'est au courant. J'ai été très malin.

– Manifestement, mais vous ne l'êtes plus.

– Je me demande. Vous voyez, si je voulais quitter la ville et me lancer comme vous dans la promotion, il me faudrait deux cent mille dollars. Je commencerais petit, pas comme vous, et loin d'ici ; le Sud-Ouest, par exemple. Vous investiriez sur moi, en quelque sorte.

– En quel honneur ?

– Echange de bons procédés. Je vous ai aidé quand vous aviez besoin de quelque chose de... euh... discret. Après tout, c'était illégal, non ? J'ai des remords de conscience. Loin de moi l'idée de vous créer des ennuis, à vous et à Ray, mais, si je ne peux démarrer ma propre affaire ailleurs, je suis persuadé que ma conscience me jouera des tours et que je finirai pas tout avouer.

Vince planta son regard dans les yeux de Cal jusqu'à ce qu'il cède.

– Quand pensez-vous partir pour le Sud-Ouest ?

– Immédiatement, répondit Cal avec empressement. Dans un jour ou deux. Je suis un rapide.

– Moi aussi. Nous devrions pouvoir régler tout ça demain après-midi. Refermez la porte en sortant.

– Mais... une minute... vous voulez dire que vous...

– Demain après-midi. Refermez la porte derrière vous.

Quand il eut disparu, Vince se rendit dans le bureau de Beloit.

– Cal veut deux cent mille dollars pour se taire. Tu t'en occupes, Ray ? Tu fais ça mieux que moi.

– Que lui as-tu dit ?

– Qu'on réglerait ça demain après-midi.

– Ça nous donne ce soir. Merde, j'ai un dîner. Si tu y allais à ma place ?

– Parfait, répondit Vince sans hésiter.

Ce soir-là, il remplaça Beloit à une table ronde dans la majestueuse salle de bal du Brown Palace au milieu de deux cents invités, à manger du poulet en croûte et du riz sauvage, au profit des œuvres de Denver. Beloit et lui assistaient régulièrement à de telles manifestations ; il était important qu'on les vît apporter leur soutien à la communauté ; et non moins crucial d'avoir avec les financiers et les hommes politiques des conversations tranquilles qui allaient souvent beaucoup plus loin que dans les réunions d'affaires.

Il parcourut la salle du regard, notant ceux qu'il n'avait pas approchés pendant l'apéritif. Ses yeux se posèrent à deux tables de là sur ceux d'une rousse au large sourire qui le dévisageait. Elle se leva et vint à lui.

– Maisie Farrell, dit-elle en lui tendant la main.

Vince se leva et lui serra la main. Elle était vêtue de noir, ce qui faisait ressortir la blancheur de ses épaules et de ses cheveux flamboyants.

– Je me rappelle, dit-il en fouillant dans sa mémoire infaillible. Faites-vous toujours du bénévolat pour l'orchestre symphonique ?

– Non. Je suis entrée au musée.

– Vous sortiez de l'université quand nous avons fait connaissance...

– Fait l'amour.

– Je n'ai pas oublié.

Vince souriait avec chaleur, encore que son seul souvenir véritable – voyons, il y a cinq, six ans ? – c'était qu'au lieu d'une étudiante malléable et reconnaissante il s'était frotté à une experte pleine d'ironie.

– Vous partiez pour l'Europe la semaine suivante.

– Le mois suivant. Nous aurions eu le temps de nous revoir. Vous ne m'avez pas appelée.

Vince posa tranquillement les yeux sur elle. Elle avait le visage trop long, le nez trop prononcé, le menton trop bas. Mais son sourire était attirant, ainsi que ses yeux verts, froids et éternellement inquisiteurs. Ses remarques mordantes lui rappelaient Anne, même si Maisie était plus âgée, plus sophistiquée, et visait mieux. Tout lui revenait. C'était la fille unique d'un riche propriétaire de puits de pétrole ; championne de natation, de ski et de tennis, elle était célèbre pour son amour des soirées qui duraient toute la nuit. Mais c'était encore son sourire qu'il se rappelait le mieux : ouvert, somptueux, si lumineux que, même s'il n'éclairait pas ses yeux, les gens étaient persuadés qu'elle les trouvait fascinants. Vince avait voulu dompter ce sourire impersonnel, le garder pour lui.

– Tu me déstabilisais, dit Vince. Je ne savais jamais si tu étais sérieuse, mon ego en prenait un sacré coup. Les hommes ont horreur de l'incertitude, tu sais ; s'ils ne sont pas sûrs d'une femme, ils commencent à douter de tout, y compris de leur propre nom.

Maisie rit.

– Alors tu as oublié ton nom, et le mien avec. Très fort, Vince. J'ai bien failli marcher. C'est surtout ça qui m'avait frappée chez toi : tu es très fort.

– Je vais m'arranger pour que ça te frappe toujours. Il avait gardé sa main dans la sienne et la porta à ses lèvres. Jamais plus je n'oublierai ton nom.

– Ni le tien, j'espère.

Elle se libéra négligemment et observa Vince avec calme. Son smoking était de coupe parfaite ; ses boutons de manchette en or ; ses cheveux blonds donnaient l'impression d'être légèrement décoiffés. Il était exactement de sa taille, mais donnait l'impression de regarder tout le monde de haut.

– On ne parle que de toi en ville. J'ai entendu dire que tu métamorphosais Denver.

– C'est vrai.

– Et ça te plaît ? Tu te sens triomphant et immortel avec ces tours Chatham, places Chatham et centres Chatham dominant l'horizon ?

– Evidemment. Tu aimerais une tour Farrell ? Je vais t'en construire une.

– Je n'ai jamais voulu mon nom sur un immeuble. Je trouve ça franchement bizarre. Comme si on avait besoin de convaincre les gens de son importance. Je me suis souvent demandé si les hommes faisaient ça parce qu'ils s'inquiétaient de la taille de leur sexe.

Le visage de Vince s'assombrit. Espèce de petite garce, se dit-il, tu as envie d'une bonne trempe. Il ne se demanda pas pourquoi elle essayait de le mettre en boule; Vince ne portait aucune attention aux motivations, les siennes ou celles des autres. Il fit bonne figure et pouffa de rire.

– C'est la première fois que j'entends ça. Je vais y réfléchir. Et je m'examinerai devant un miroir.

Elle salua d'un regard la rapidité avec laquelle il avait repris contenance.

– Et tes immeubles ? Ce sont autant d'enfants que tu laisses derrière toi ?

– Mieux que ça. Je ne me demande pas comment ils vont tourner.

– Effectivement beaucoup plus gratifiant que de prendre des risques avec des gens. Tu les vois souvent ? Tu leur caresses les pierres en te sentant anobli d'avoir créé tant de beauté et d'utilité ?

– Non.

Il était tout à la fois furieux, excité et remonté. Il voulait effacer le sarcasme de sa voix et l'éclat de supériorité qui émanait de ses yeux verts; il voulait faire plier ce corps fier.

– Toucher la pierre ne m'intéresse pas. Ce qui compte, c'est voir les choses prendre la tournure que je veux.

Il lui offrit un regard enfantin et remarqua la méfiance de Maisie quand il se fit franc comme un gosse.

– Le vrai plaisir consiste à reconstituer un puzzle géant. La pierre, le mortier, l'acier; les équipes de travail; l'argent pour les payer; ceux qui louent l'espace une fois tout achevé... Je rassemble les pièces d'une telle façon que nul ne peut les imaginer autrement. Les autres peuvent caresser le marbre et la pierre en parlant de beauté et de fonctionnel si ça leur chante; le véritable jeu consiste à reconstituer le puzzle le mieux possible. Es-tu mariée ?

– Non.

– Je te raccompagne, ce soir.

– Je ne suis pas seule.

– Demain, alors. Je suis libre à 13 heures.

– Pas moi. Je travaille.

– Oh, le musée. A quelle heure finis-tu ?

– A 5 heures.

– Je serai devant à 5 heures.

– Je ne suis ni une pièce de puzzle des autres ni une carte à jouer.

– Alors inventons un nouveau jeu. Rien que pour toi, dit-il en lui reprenant la main. Merci d'être venue à moi. J'ai hâte d'être à demain. Cinq ans, c'est beaucoup trop.

– Six, remarqua-t-elle avec ce sourire automatique et indéchiffrable. Demain. C'est parfait.

Il se réveilla en pensant à elle. Il y pensa toute la journée.

– Tu ne m'écoutes pas, fit Beloit, assis sur le canapé de son bureau juste avant midi.

– Non, je réfléchissais. Tu disais ?

Beloit le regarda intensément.

– Qui est-ce ?

Il y eut un silence. Vince haussa les épaules.

– Quelqu'un que j'ai rencontré hier soir.

– Elle a un nom ?

– Maisie Farrell.

– Oh, excellent, ça. Elle te plaît ? Vraiment excellent, Vince, tu ne pouvais trouver mieux. C'est une parfaite hôtesse ; la femme qu'il te faut. Excellente belle-famille, ce qui ne gâte rien ; encore plus riches que toi. Un demi-milliard, un milliard, je ne sais pas trop. Des beaux-parents friqués ça n'a pas de prix. Comme les épouses friquées. Elle est de tous les comités, bénévole au musée, à la Ligue des femmes, etc., et si respectable qu'elle pourrait être à la Maison-Blanche. Ce qui m'amène au sujet suivant.

– Quoi ? demanda Vince qui écoutait d'une oreille en parcourant le journal. Quel sujet ?

– La politique. Tu n'as jamais pensé à la politique, Vince ?

– Non.

– Ça veut dire oui.

– Possible. Une minute, laisse-moi lire ça. Il releva bientôt les yeux. La voiture de Cal Zorick a quitté la route dans le canyon de Clear Creek la nuit dernière. On a trouvé son corps peu après 22 heures.

– Sans blague, Cal ? Quelle horreur ! Il était bourré de talent, ce petit, commenta-t-il en hochant doucement la tête. C'est vraiment épouvantable. Il avait travaillé pour nous. Il a dû rouler trop vite et perdre le contrôle. Dommage. Enfin. Qu'est-ce que tu disais : possible que tu aies songé à faire de la politique ? C'est oui ou c'est non ?

Vince replia le journal.

– Où veux-tu en venir, Ray ?

– Il y a des changements dans l'air. Il faut avoir du flair, et moi, j'ai toujours le nez au vent. Ces derniers temps, j'ai passé beaucoup de temps avec les mecs du parti, et ils cherchent une nouvelle tête. La bonne politique, on regarde loin devant, tu sais ; elle ne s'embourbe pas dans le passé, elle offre aux électeurs du neuf en tout. Ils veulent une nouvelle tête pour les prochaines élections.

– Lesquelles ? s'enquit Vince d'une voix plate, marquant presque l'ennui.

– Sénatoriales. Sénateur – des – Etats-Unis.

Vince ne soufflait mot.

– C'est dans quatre ans ; ça ne laisse pas beaucoup de temps avec tout ce qu'il faudrait faire. Mais tu es connu, Vince, tu plais, et tout ce qui compte de fric ici t'aime bien. C'est un bon départ. Car rien ne sert de courir, il faut partir friqué... Enfin, penses-y. Ça ne coûte rien. J'ai une liste de gens que tu devras rencontrer tout de suite, de groupes locaux à visiter, de conférences au Rotary, bref, tout le tintouin. Et une liste des endroits où il faut donner de l'argent. Plus que tu l'as fait; bougrement plus. On n'a encore rien trouvé pour remplacer l'étalage de la richesse en couche épaisse; faut mettre du glaçage sur le gâteau, et faut même le fourrer. J'imagine que tu pèses au moins cent millions de dollars, alors tu peux te montrer généreux. Les politiciens se redressent quand un homme généreux entre dans la pièce, leurs doigts frétillent comme une danseuse du ventre. Ils te connaissaient peut-être déjà, mais ils te connaîtront mieux encore en te voyant signer un chèque avec un tas de zéros.

Beloit contempla ses ongles puis les polit sur sa manche.

– Autre chose. Ton vieux construit un max à Tamarack. Il obtient beaucoup de presse – station dorée, aire de jeu pour stars, jet-set et familles royales... Il s'y connaît pour faire briller le nom de Chatham. T'as quelque chose à voir avec Tamarack?

– Pas encore. Je suis ça de près.

– Bon, c'est du pareil au même : que ce soit toi ou ton père, Chatham sera toujours Chatham. L'un fait de la promotion et attire les affaires à Denver; l'autre transforme un vieux petit village minier du Colorado en station de haut vol pour grosses fortunes. Et à toi le bénéfice; tu fais les discours et tu te présentes aux sénatoriales. Oh, ajouta-t-il en se levant, encore une chose. Maisie Farrell. C'est une dure et elle est classe. Elle serait parfaite pendant la campagne. Parfaite comme épouse de sénateur. Elle est même... Il s'interrompit et se dirigea vers la porte, l'air songeur. Je te l'ai dit, elle est assez respectable pour être à la Maison-Blanche. A plus tard.

Vince resta à son bureau bien après le départ de Beloit. Un désir puissant, enfin débridé, montait en lui. Avait-il songé à la politique? Evidemment. Si on aimait le pouvoir, on s'intéressait à la politique. Ç'avait été si facile de devenir puissant à Denver qu'il s'ennuyait. Il lui fallait un plus gros poisson. Il était prêt pour la politique, prêt pour le Sénat.

*Elle est même assez respectable pour être à la Maison-Blanche.*

Il était prêt à tout.

Depuis quatre mois, il voyait Maisie tous les soirs, la convoitant autant que le siège de sénateur. Il devait l'épouser. Non parce que Beloit lui avait dit de se marier; non parce qu'elle constituait un atout politique supplémentaire. Il devait l'épouser parce qu'il n'arrivait pas à se la sortir de la tête; c'était déjà arrivé une fois, il y a quinze ans avec Anne. Plus elle occupait ses pensées, plus il était jaloux de ce qu'elle faisait sans lui. Il enrageait de ne pas savoir où elle était à chaque heure du jour, quels étaient ses projets, ce qu'elle pensait en son absence.

Il n'avait pas éliminé le sarcasme chez Maisie; il ne parvenait pas à l'approcher d'assez près. Mais elle l'épouserait ; il en était sûr. Et elle l'aiderait à obtenir tout ce qu'il voudrait ; Beloit avait raison. Elle était spirituelle, équilibrée, et aurait suffisamment de bon sens pour contrôler son ironie. Elle avait de l'argent, des relations et des références. Elle savait s'habiller et avait de l'entregent. Elle était très jeune – vingt-huit ans, Vince en avait quarante-sept – mais faisait davantage ; elle était maîtresse d'elle-même comme rarement à son âge. Elle serait précieuse en campagne électorale et ferait une parfaite épouse d'homme politique, n'était cette fichue indépendance.

– Il se pourrait que je t'épouse, Vince, dit-elle un soir de janvier.

Ils étaient attablés devant un dîner aux chandelles dans un restaurant huppé, et les flammes jouaient sur le visage de Maisie, donnant l'impression qu'elle changeait soudainement d'humeur et que ses yeux passaient de la chaleur à l'indifférence. Elle eut un sourire amusé.

– Tu as tout du coureur dans les starting-blocks. Détends-toi, mon cher. Pourquoi être toujours aussi impatient ?

– Pourquoi pas ? Je te l'ai déjà dit, j'ai horreur de l'incertitude.

– Pas en affaires ; ça fait partie du jeu. Non, ce qui t'ennuie le plus est de ne pas savoir si oui ou non ça ira comme tu veux. Parle-moi de Dora.

Il était décontenancé.

– Pourquoi ?

– Parce que lorsque tu y fais allusion, ce qui est rare, c'est avec colère. Que s'est-il produit avec elle qui n'ait pas tourné à ton idée ?

Il fit signe au maître d'hôtel d'apporter une autre bouteille.

– J'aime beaucoup Dora, et c'est réciproque. C'est une jeune fille remarquable.

– J'aimerais la connaître.

– D'accord.

– Mais on se voit depuis quatre mois, tu parles de mariage, et j'attends toujours.

– Elle va venir un de ces jours, pendant les petites vacances, tu la verras à ce moment-là.

– Pourtant, elle n'est pas venue pour Noël. Et tu m'as dit qu'elle ne venait pas quand elle était plus petite.

– Sa mère refusait. Et cette année, elle voulait l'avoir à Chicago pour les fêtes.

– Pourquoi refusait-elle qu'elle vienne te voir ?

Il haussa les épaules.

– Elle a des idées tordues sur les pères et les filles.

– Tous les pères ou seulement toi ?

– Qu'est-ce que ça change, nom d'un chien ? Elle s'est remariée deux ans après notre divorce et elle a dit qu'elle voulait une vraie famille pour Dora, pas une garçonnière. Que pouvais-je répondre à ça ? ajouta-t-il avec un sourire triste. Je ne pouvais pas lui offrir une famille. Je la voyais à Chicago deux fois par mois. Désormais, elle viendra quand elle voudra ; elle est à l'université de Californie et elle passera souvent à Denver.

– Ce sera bien pour toi, dit Maisie, pensive. Comme ça tu n'auras pas besoin de m'épouser pour être assez respectable pour Dora.

– Dora n'a rien à voir là-dedans. C'est toi que je veux.

– Mais tu m'as, dit-elle avec le plus grand sérieux. On dîne en ville, on va au cinéma, on couche ensemble. Qu'aurais-tu de plus si on se mariait ?

Il fit un grand sourire.

– Rien, je suppose. Oublions ça. Raconte-moi ce qui se passe au musée.

– J'aime être avec toi, Vince, dit-elle en riant. Quant au musée, tu sais parfaitement ce qui s'y passe. J'ai découvert aujourd'hui que tu finançais l'exposition Sandor Tizio à la galerie Berno et que tu avais acheté deux Tizio pour les offrir au musée. Tu ne m'en avais jamais parlé.

– Je ne fais pas de publicité.

– Balivernes. Tu fais de la pub pour presque toutes tes bonnes œuvres. La philanthropie, c'est le moteur caché des affaires. Mais depuis quand es-tu le saint patron des jeunes artistes ?

– Il y a quelques années. Quand j'ai commencé à collectionner. Qu'y a-t-il de si drôle ?

Maisie riait.

– Tu me fais rire, saint Vincent. J'aime ta façon d'accepter la sainteté avec tant de naturel. Tu ne fais même pas semblant de protester que tu n'es qu'un être humain comme les autres.

– Qu'aimes-tu d'autre ? demanda-t-il, l'air pincé.

– Un tas de choses. J'aime ton ambition, le fait que tu n'aies pas peur du travail. J'aime les projets que tu forges avec Ray ; certains sont brillants, et j'imagine que tu en auras sans cesse de plus importants, or j'aime être proche de ceux qui laissent leur empreinte sur le monde. J'aime être au lit avec toi quand tu cesses de donner des instructions et que tu te contentes d'aimer ça. J'aime ta façon d'aider les jeunes artistes ; Dieu sait s'ils en ont besoin. J'aime la façon dont tu n'as pas perdu Dora de vue ; bien des pères laissent tomber. Et tu ne m'ennuies jamais. On dirait que ça fait beaucoup, tout ça.

– Et m'aimer d'amour ? demanda Vince, s'en voulant immédiatement d'avoir l'air d'un enfant qui supplie.

– Ça, non, dit Maisie. Mais ça marche dans les deux sens, n'est-ce pas ?

– Erreur, s'empressa-t-il de répondre. Moi, je t'aime.

– Oh, Vince, pourquoi mentir ? C'est triste et nul. Si nous nous marions, tu devras me promettre de ne jamais mentir.

– On va se marier ?

Elle l'observa, songeuse. Et, dans la lumière vacillante, son sourire sembla disparaître et reparaître à l'image de ses sentiments pour lui.

– Je crois que oui, dit-elle enfin. Je crois qu'on va bien s'amuser.

Vince poussa un long soupir. Il suffit d'attendre le temps qu'il faut, se dit-il, et on obtient toujours ce qu'on veut.

Avant la chute des cours du pétrole et le lent déclin de Denver, le nom de Chatham était partout. Maisie n'ironisait plus car c'était pour Vince un passeport instantané quand il sillonnait le Colorado et parlait dans les petites villes où le débat qui soulevait les passions était l'utilisation de la terre. Beloit et lui avaient réuni pour la campagne électorale une équipe qui orientait discours, déclarations, prospectus et brochures sur la terre. Le message était toujours le même. Il faut construire. Utiliser la terre. Elle est là pour ça. Pas pour quelques maniaques du sac à dos et deux troupeaux d'élans; mais pour les habitants du Colorado. La terre leur appartient; à eux d'en faire ce qu'ils veulent.

Les électeurs étaient farouchement pour ou contre les énormes projets de construction qui rayonnaient du nom de Chatham et brisaient l'horizon de huit Etats. Si on admirait leur architecture osée et la beauté du travail, on connaissait la manière brutale avec laquelle les terrains avaient été acquis et les autorisations et permis obtenus en dépit des oppositions locales. Après le passage de Beloit et de Vince, le paysage n'était plus le même et les Etats des Rocheuses et du Colorado en parlaient avec un mélange d'effroi et d'impatience.

– Tu adores ça, dit Maisie tandis qu'ils roulaient jusqu'à Colorado Springs pour un dîner politique.

Elle portait une robe de soie émeraude, un long manteau sable, et ses cheveux roux étaient retenus par deux barrettes d'émeraude.

– Attirer l'attention. Que les gens t'aiment ou te détestent; qu'ils se demandent ce que tu leur réserves, à qui tu vas t'en prendre, quand exactement tu vas détruire leur environnement.

Vince sourit avec douceur.

– Il fut un temps où tu trouvais mes projets brillants.

– J'ai dit que certains l'étaient.

La limousine filait sur la route nationale dans l'obscurité précoce de novembre, les emmenant dans une salle de banquet où attendaient des centaines de gens qui avaient payé cinq cents dollars chacun pour boire et manger à proximité de Vince Chatham, une semaine avant les sénatoriales, et l'écouter tirer à boulets rouges sur quelque nouvelle cible.

– Je t'ai observée hypnotiser Ludlow, hier soir, dit Vince. Tu crois qu'il va donner ?

– Vingt-cinq mille dollars. Tu ne m'as pas raconté lui avoir volé un marché, un jour ?

– Il ne le sait pas; il suppose. Vingt-cinq mille ? Que lui as-tu promis ?

– Il n'est pas fou, Vince, il sait que tu es la meilleure chose qui puisse arriver aux promoteurs de cet Etat; ce sera un grand jour pour eux. Mais je lui ai offert un petit dîner chez nous, à Washington, avec quelques personnes très influentes.

Vince sourit.

– Combien d'invitations as-tu lancées à ce petit dîner ?

– Quelques centaines. Aucune importance ; tu auras six années glorieuses pour venir à bout de tes généreux donateurs.

Il posa sur elle un regard appuyé.

– Tu as dit chez nous à Washington.

– Bien sûr. Je ne pouvais quand même pas dire que je n'y serais pas. Mais je n'ai pas changé d'avis. Je reste jusqu'aux élections ; pas un jour de plus.

– Tu pourrais oublier cette année. Nous recommencerions...

– Tu oublierais ? Mon pauvre Vince, tu es le plus minable des politiciens ; non content de mentir aux autres, tu te mens à toi-même. Voilà quatre ans que tu passes à essayer de me transformer en un gentil petit agneau sans cervelle. Tu ne veux pas d'une femme, Vince. Tu serais plus heureux avec une gamine de treize ans qui obéirait à tes ordres. Et quand tu t'es aperçu que tu ne pouvais pas me changer, tu en as trouvé une autre. Des autres, en fait. Au pluriel. Trois, à ma connaissance. Je ne vois pas pourquoi je le tolérerais. J'ai trente-deux ans ; je suis belle, riche et intelligente ; et je me débrouille très bien toute seule. J'aime les hommes, je crois que j'aime le mariage, mais pas quand les dés sont pipés. Pourquoi devrais-je rester mariée à un salopard obsédé par le pouvoir, qui croit que je suis sa propriété et passe son temps à baiser de jeunes vierges assez stupides pour sursauter quand il claque des doigts ? Tu ne les aimes même pas. Tu fais ça pour me rabaisser.

Vince eut une expression glacée.

– Si j'ai d'autres femmes, c'est parce que la mienne passe son temps à baiser les hommes qu'elle ramasse au musée...

– Pour l'amour du ciel, tu ne peux pas trouver mieux ? Un petit accroc, Vince. Trois mois sur ces quatre années. Je l'ai avoué à l'époque. Je ne crois pas à l'infidélité, mais il avait le sens de l'humour, ce qui te fait gravement défaut, alors je n'ai pu résister. C'était il y a un an, Vince, et je n'ai pas bronché depuis ; mais il faut que tu remettes ça sur le tapis. Se pourrait-il qu'une minuscule molécule de remords ait osé s'insinuer dans ce grand vide qui te tient lieu de système moral et que tu te sentes juste assez mal à l'aise pour m'accuser, moi ? Quel dommage ! ajouta-t-elle, l'air incrédule. J'ai un temps cru que tu avais un énorme potentiel.

– Est-ce pour ça que tu m'as épousé ? Pour mon potentiel ?

– Voyons si je m'en souviens. Je t'ai épousé parce que tu pouvais te montrer un compagnon charmant et merveilleux une soirée entière et que je pensais qu'avec mon aide tu pourrais apprendre à l'être une semaine, un mois, peut-être même un an. Je suppose que je t'ai épousé pour partager ta célébrité ; c'est amusant d'être au centre du pouvoir. Quoi d'autre ? Ah oui ! Tu es très fort, Vince, et j'ai toujours voulu épouser un homme fort. Je me disais qu'en plus tu étais peut-être intelligent, mais j'ai décidé que non. Tu ne tires de leçons de rien. C'est sans doute ton talon d'Achille. Ah, nous y voici. Souris, Vince. Plus qu'une semaine à tenir.

Elle le répéta après le dîner, quand on alluma les spots et que les caméras furent braquées sur le podium encombré de micros. Maisie regarda Vince dans les yeux, d'un regard profond, pour les photographes agglutinés juste sous la table; d'une main amoureuse, elle ajusta son nœud de cravate et dit.

– Souris, Vince. Plus qu'une semaine à tenir.

– Mesdames et messieurs, lança le président du parti. Mon travail consiste ce soir à vous présenter un orateur que tout le monde connaît. J'ai essayé de trouver quelque chose de nouveau à dire à son sujet – qu'il élevait des lamas, ou que c'était le roi du barbecue, ou qu'il offre à sa charmante épouse des perles, des voitures, des avions – mais j'ai décidé de lui laisser ses secrets, s'il en a, parce que tout ce qui nous intéresse chez lui est ceci : il croit au développement du Colorado et à la croissance américaine, et il sait de quoi il parle car, pour ce qui est de la croissance, il a fait entrer le Colorado dans l'Histoire. Voici un homme habité par la volonté et la réussite; son nom est synonyme de « grand, très grand », de « restez pas en travers de mon chemin parce que je suis lancé », et c'est exactement ce qu'il nous faut aujourd'hui parce qu'on raconte que l'Amérique n'est plus ce qu'elle était. Son nom représente succès, et c'est exactement ce que devrait faire l'Amérique. Son nom, mesdames et messieurs, nous le connaissons tous, c'est Vince Chatham, futur sénateur des Etats-Unis pour l'Etat du Colorado.

Quatre cents personnes l'ovationnaient debout. Vince s'avança jusqu'au podium et chassa Maisie de ses pensées.

– Bonsoir, commença-t-il quand la salle eut retrouvé son calme.

Il parlait bas, comme toujours au début, avant que sa voix se gonfle peu à peu et prenne de l'intensité; il finissait toujours en criant. Son discours fut comme à l'accoutumée, bref, avec des phrases courtes et rythmées et des idées superficielles qui passeraient à la télévision à la vitesse d'une émission de variétés.

– Le président m'a donné si brillamment la parole que je ferais mieux de la boucler. Il attendit que les rires se calment et reprit : Mais j'aimerais aborder avec vous certaines de mes idées pour le présent et l'avenir. Nous sommes entourés d'esprits chagrins qui nous répètent que ça ne marchera pas. Qu'est-ce qu'on ne peut pas faire? Qu'est-ce qui n'est pas possible parce que c'est trop cher, trop long, trop risqué, trop aléatoire? Ces gens sont bien intentionnés – encore qu'on ne pourrait le jurer, n'est-ce pas? – mais vont-ils, eux, bâtir l'Amérique? Ont-ils, eux, gagné deux guerres, sauvé l'Europe et conquis l'espace? Vont-ils, eux, nous ramener à la puissance? Il éleva la voix. Je ne sais ce que vous en pensez, mais laissez-moi vous dire une bonne chose : j'en ai assez qu'on me dise ce que je ne peux pas faire!

La salle vibra sous les applaudissements. Quand Vince reprit enfin, il évoqua le Colorado, l'Amérique et la croissance.

– La croissance, c'est la richesse! lança-t-il d'une voix forte car il arrivait à sa conclusion. Une croissance régulière n'empêche nullement de protéger les petites entreprises et les petites exploitations agricoles. Une croissance à grande échelle n'empêche pas de préserver cette terre que nous aimons !

– Comment ? murmura Maisie, mais personne n'entendit.

– Nous remplirons les espaces vides pour que chacun ait sa maison. Nous les remplirons de magnifiques centres commerciaux afin que chacun ait l'abondance à portée de main. Nous les remplirons d'usines, d'écoles et de routes. Nous les remplirons de cinémas, de parcs d'attractions et de zoos pour que chacun puisse se distraire. Nous remplirons les hectares vides de cette vaste terre des bonnes choses de la vie parce que nous savons le faire mieux que personne... et parce que nous l'avons conquise !

Il fut auréolé d'applaudissements. Il leva la main.

– Ecoutez ceci ! Ne l'oubliez jamais ! Et ne laissez personne vous dire le contraire ! Nous avons donné au monde la liberté et la démocratie ! Nous avons donné au monde le goût du travail ! Nous avons donné au monde la plus grande production industrielle et les meilleures équipes de management de toute l'histoire ! Nous avons donné au monde l'exploration de l'espace ! Nous avons donné au monde la morale familiale : une famille forte, durable, aimante, qui protège ses jeunes sans défense des dangers qui les entourent ! Nous avons fait du monde un endroit meilleur pour chacun, et nous avons maintenant mérité de construire pour les Américains le meilleur des mondes ! Nous le méritons ! Et nous l'aurons, dès la semaine prochaine, quand je serai votre sénateur...

Cris et applaudissements firent trembler les lustres.

Le bruit étouffa ses dernières paroles. Aucune importance. Vince souriait de l'humble et doux sourire d'un homme au service des autres, aimé de tous. Il balaya la foule de ses yeux brillants et s'attarda une fragile seconde sur sa femme, dont l'ironie décapante n'était connue que de lui.

Son regard se déplaça sur les yeux excités, les bouches radieuses et les mains agitées, s'arrêtant à chaque caméra pour offrir au monde son sourire franc et son regard décidé. Tout allait bien ; il contrôlait la situation.

Maisie resterait ; les femmes comme elle ne quittaient pas les hommes qui détenaient le pouvoir. Ethan, Charles et les autres seraient là quand il en aurait besoin. Ils l'avaient déjà aidé en lui fournissant une famille visible. Une photo de lui entouré de nombre des siens avait paru dans *Time*, *Newsweek* et *People*. Il était le candidat idéal, avec épouse parfaite, famille parfaite et message parfait.

Une semaine plus tard, avant même la fermeture du scrutin, il était le sénateur Vince Chatham, en route pour Washington, en attendant, disait la rumeur, la Maison-Blanche.

# 7.

Anne était dans son bureau quand elle apprit l'élection de Vince. Il était encore tôt et elle était seule au trentième étage, dans le labyrinthe des bureaux des avocats et des secrétaires. Elle buvait un café en lisant le *Los Angeles Times* quand elle eut soudain en face d'elle le visage de Vince qui souriait, triomphant comme un gamin. Anne réprima un cri et lâcha son journal. Elle éclaboussa son bureau en posant maladroitement sa tasse. Tremblante, elle sentit le froid l'envahir, puis la honte et l'impuissance qu'elle avait oubliées depuis tant d'années. Arrête, se dit-elle en silence, ça suffit. Elle serra ses mains pour obliger son corps à se calmer.

Elle fit tournoyer son fauteuil et regarda sans voir par-delà la grande baie vitrée. Cela faisait dix-neuf ans qu'elle n'avait pas vu ce sourire et il faisait encore se replier son corps tremblant prêt à se défendre. Oublie, se dit-elle comme chaque jour de sa première année à Haight-Ashbury. Oublie.

Elle essaya de se concentrer sur la vue qui d'ordinaire lui offrait tant de plaisir. En contrebas, le soleil du petit matin avait peint l'immensité de la ville en rouge et or, tandis que les montagnes lointaines se détachaient violemment sur le ciel d'un bleu encore pâle. Le paysage était limpide en ces heures où le brouillard et la fumée ne montaient pas encore; les immenses palmiers, les pelouses veloutées, les fleurs tropicales luxuriantes, rien ne laissait penser qu'on était en novembre; ailleurs, l'hiver commençait.

Du trentième étage, la ville semblait riche, ordonnée, sereine. Tout ici lui donnait une sensation de sécurité, son bureau particulièrement. Spacieux, avec une baie vitrée sur tout un panneau, elle s'y sentait à l'abri. A l'instar de tous les bureaux de ce cabinet d'avocats, les meubles étaient en noyer et en cuir, les lampes de cuivre, la moquette vert foncé, et les tableaux représentaient des cathédrales anglaises et des scènes rurales. Anne aimait le caractère solide et permanent de la pièce et n'avait ajouté d'autre touche personnelle que ses diplômes encadrés de Berkeley et de

Harvard. Mais, peu après son installation, Eleanor était arrivée de New York et lui avait dit qu'il manquait quelque chose.

– Un peu d'excentricité, peut-être.

La semaine suivante, on livrait un long miroir ancien dans son cadre anglais. « Accroche-le en face de ton bureau, disait le petit mot qui l'accompagnait, comme ça tu ne pourras pas lever les yeux sans voir le meilleur avocat de Los Angeles. Et ma meilleure amie, qui me manque, bon sang, parce qu'on ne se voit pas assez. »

Anne se détourna de la fenêtre et se regarda dans le miroir. Ses yeux d'un bleu sombre ne trahissaient pas son désarroi. Elle avait mis des années à parfaire ce regard. On l'admirait souvent pour sa beauté mais, pour elle, ce qui comptait, c'était l'image qu'elle offrait d'une véritable professionnelle qui se contrôlait à merveille. Ses cheveux noirs étaient soigneusement attachés sur sa longue nuque, elle avait pour tout maquillage du rouge à lèvres d'un corail estompé, elle arborait de petites perles aux oreilles et portait généralement des tailleurs de laine et soie de coupe parfaite qui la faisaient plus grande et plus imposante encore. Tranquille, réservée, impeccable, avocate habile et redoutable, elle était associée dans ce cabinet ; pourtant, c'était une femme, et elle avait tout juste trente-quatre ans.

Elle s'installa dans son grand fauteuil et contempla l'image que le public connaissait d'elle. Elle l'avait peaufinée peu à peu, depuis les années de solitude et d'angoisse à Berkeley jusqu'aux années de plus en plus rassurantes à Harvard où elle avait découvert qu'elle était faite pour le droit. Elle travaillait toujours à son image quand elle eut son premier poste à New York et ne se relâchait pas même aujourd'hui, alors qu'elle appartenait au cabinet le plus prestigieux de Los Angeles ; spécialiste des divorces, cadres supérieurs, vedettes de cinéma et de télévision se l'arrachaient tant elle était habile et discrète. Elle avait si longtemps vécu avec cette image qu'elle avait fini par croire que c'était vraiment elle.

*Puis je me suis écroulée en voyant une photographie dans le journal.*

Les bureaux s'ébrouaient. Avocats, employés, secrétaires, réceptionnistes se saluaient, bavardaient, plaisantaient, discutaient de la journée à venir. Anne captait des bribes de conversations et des éclats de rire. C'était pour elle le meilleur moment de la journée, celui où elle imaginait ce qui l'attendait : les drames, les surprises, la loi, avec ses détails et ses contraintes. C'était son monde et son soutien. Là seulement elle se sentait vraiment chez elle, et vivante.

*Ce n'était pas une simple photographie. C'était un fantôme. Maintenant tout est à recommencer. Je dois réapprendre à m'en débarrasser.*

Elle s'empara du journal et s'obligea à lire l'article.

Vince Chatham, un riche promoteur qui a apporté au Colorado et aux Etats avoisinants une architecture souvent audacieuse et des projets gigantesques, a mené une campagne remarquablement financée, évitant d'entrer dans les détails et balayant avec succès les accusations de relations occultes et de transactions douteuses à l'origine de son ascension. Il a remporté les élections sénatoriales, son premier mandat politique, avec une marge étroite mais décisive.

*C'est seulement un article sur un homme politique. Ce pourrait être n'importe qui. Ça n'a rien à voir avec moi.*

Le brouhaha s'était estompé ; on s'était mis au travail. Elle était toujours assise en face du miroir, comme si elle attendait quelque chose. Au bout d'un moment, sur une impulsion soudaine, elle s'empara du téléphone et composa le numéro d'Eleanor à New York.

La secrétaire particulière répondit et lui passa Eleanor.

– J'allais sortir. Je suis rudement contente que tu m'aies attrapée au vol. Ça fait des lustres qu'on ne s'est pas parlé. Comment se fait-il que tu appelles ce matin ? Quelque chose ne va pas ?

– Non, j'avais envie de te parler, c'est tout. Où allais-tu ?

– Faire des courses, déjeuner entre femmes, puis prendre les enfants et les emmener dans le New Jersey pour le week-end ; leurs grands-parents seront fous de joie. Tu es sûre que tout va bien ? Ce n'est pas ton genre d'appeler juste comme ça, tu es bien trop occupée.

– Sans doute pensais-je à ma jeunesse, ce qui m'a conduite à toi. Comment va Sam ?

– Encore plus débordé que toi, si c'est possible. Je ne le vois guère plus que toi, mais ça fait peut-être les bons mariages. En tout cas, les mariages qui durent. Moi aussi je pense à ma jeunesse. Ça me manque ; on s'amusait bien. Et toi, ça te manque ?

– Non. Je suis ravie d'en être débarrassée. J'avais l'impression de ne rien contrôler. La seule chose qui me manque parfois, c'est de marcher nu-pieds.

– Tu es tellement célèbre que tu pourrais marcher nu-pieds sans qu'on trouve à y redire. Tu lancerais même la mode. On verrait bientôt *Time* photographier les célébrités déambuler nu-pieds dans Madison Avenue ; les fabricants de chaussures écriraient des lettres de protestation à la rédaction.

Anne rit.

– Si je me décide, je te tiens au courant. Qui sera à ce déjeuner ?

– Des dames de la haute en Valentino pour déjeuner et en Ungaro pour dîner. Ou l'inverse. On organise une soirée au profit de la bibliothèque. Ce sera très chic ; pourquoi ne viendrais-tu pas passer le week-end avec Sam et moi ?

– Une autre fois. J'ai trop de travail.

– Je ne t'ai pas dit quel week-end.

– Je travaille tous les week-ends.

– Ecoute, c'est toi qui m'as appelée. Je flaire d'ici le besoin d'une oreille amicale. Ça ne me ferait pas de mal non plus, d'ailleurs. Voilà des années qu'on n'a pas bavardé une nuit entière. Il faut que je te paie pour que tu viennes me voir ?

– Que dois-je comprendre ? Encore Sam et toi ?

– Encore. Toujours. Ça ne s'arrête jamais. Ça bouillonne sans arrêt et ça explose de temps en temps.

– Mais il y a longtemps que tu ne parles plus de divorce.

– J'y pense. Mais c'est une telle histoire – tu en sais quelque chose. Nos maisons, nos voitures, les deux bateaux, les meubles anciens, les tableaux... nous avons tant de choses. Et je ne veux pas obliger les enfants à faire des allées et venues incessantes, seulement il faudrait bien qu'il les voie, il est tellement sympa avec eux quand il est là, ce qui est rare, mais il parle de la qualité du temps et comment puis-je savoir que c'est insuffisant. Les enfants l'adorent.

– Toi aussi, me semble-t-il.

– Dans l'ensemble. Parfois, je l'aime carrément. Je le déteste aussi. C'est peut-être inévitable. Comment peut-on aimer quelqu'un tout le temps ? Il est heureux, et je me demande ce que j'y gagnerais – je veux dire, je tomberais sans doute sur le même genre d'homme, je déménagerais à quelques centaines de mètres dans un appartement identique à celui-ci, mes enfants seraient dans la même école privée et je déjeunerais avec les mêmes bonnes femmes pour les mêmes bonnes causes, et la seule chose qui changerait serait le mec dans mon lit et ils sont interchangeables, tu sais, au bout d'un mois ou deux – si bien que, non, je ne vais sans doute pas divorcer.

– Je suis désolée, dit Anne au bout d'un moment. La dernière fois, tu semblais plus heureuse.

– C'était probablement le cas. Je le suis souvent. Mais hier soir je me suis mise à penser à Haight – tu imagines, après tant d'années – et j'ai souhaité avoir, un jour, une heure, un peu de l'espoir que nous avions. Tu te rappelles. Nous pensions vraiment que le monde pouvait être tel que nous le voulions – plein de beauté et d'amour, où tout le monde partagerait, serait libre et s'intéresserait aux autres. Alors j'étais d'humeur mélancolique et tu as appelé et je me suis déversée sur toi. Excuse-moi. Bref, je suis heureuse. Je suis plus dans mon élément ici qu'à Haight ; ça tient à mon éducation. Il y a un tas de choses agréables dans ma vie, je le sais ; c'est juste que... oh, Anne, il me manque tant de choses. Je sais que c'est très loin, mais ça me manque encore... Pas toi ? demanda Eleanor après un long silence. Même pas un tout petit peu ? Je sais, je sais ; tu m'as expliqué que tu ne pensais jamais au passé. Mais ne remonte-t-il pas à la surface de temps à autre ?

– Si. Certains moments me manquent. Par exemple quand nous courions toutes les deux dans le parc et que personne ne pouvait nous rattraper. Quand on s'asseyait en groupe sur les marches pour chanter et se sentir bien, comme en famille.

– J'y suis retournée le mois dernier, juste après t'avoir acheté le miroir. Don Santelli est toujours là ; incroyable, non ? Pauvre vieux, il est plutôt paumé ; on dirait un hippie vieillissant. Il m'a dit qu'il se détestait parce qu'il était aussi nul que ses parents, enfermé dans son petit train-train. Eux, c'était la respectabilité, lui c'est la drogue et l'oisiveté, mais peu importe, c'est le train-train. Il voulait rester libre et spontané, mais il ne l'est plus. Et il a perdu l'espoir. Il sait que l'avenir n'est pas brillant. Dieu que c'était déprimant ! Ça m'apprendra à vouloir revenir en arrière. Tu avais raison, Anne, il fallait partir. Je refusais de l'admettre, mais c'est la vérité. N'empêche, j'y pense toujours. Et toi ? Raconte-moi.

– Mon client arrive...

– Raconte.

– Scénariste, une femme, trois enfants et un voilier de course ; il vient de fêter ses cinquante ans et l'idée de vieillir le terrifie. Il s'est dégotté un mannequin de vingt-deux ans qui lui donne l'impression qu'il peut mener le monde – elle lui demande son avis sur tout, y compris sa garde-robe, son coiffeur, ses cocktails –, il l'a emmenée à Aspen, à Tamarack, en Europe, et maintenant il veut l'épouser.

– Pourquoi ?

– Je lui ai posé la question. Il dit qu'il a besoin de stabilité et de courage. Je lui ai répondu qu'il en aurait besoin pour divorcer ; sa femme veut le mettre sur la paille.

– Normal, il l'a laissée tomber...

– Eh bien, apparemment, elle aurait quelqu'un : un jeune loup de vingt-huit ans – des plus torrides, à ce qu'on dit. Elle non plus ne veut pas vieillir. On dirait que rester jeune tourne à l'obsession dans le coin, et le mariage n'a pas grand-chose à voir avec ça.

– Tu l'as en horreur, n'est-ce pas ? demanda Eleanor.

– Le mariage ? Pas du tout. Je crois que c'est bien pour qui le souhaite et est prêt à se donner du mal. Il faut que j'y aille, Ellie, mon scénariste va entrer d'un instant à l'autre. Quand reviens-tu à Los Angeles ?

Elles bavardèrent encore une minute puis Anne raccrocha, en meilleure forme. Elles étaient aussi différentes que possible, mais avaient gardé le contact depuis dix-huit ans et s'appelaient encore quand ça allait mal. Anne savait qu'Eleanor avait beaucoup d'amies ; quant à elle, elle n'avait personne d'autre. Après avoir quitté Haight-Ashbury, jamais plus elle n'avait baissé sa garde pour se réchauffer au contact de quelqu'un d'autre. Quand elle parlait à Eleanor, elle se disait qu'elle l'aimait beaucoup et qu'elle serait peut-être capable d'aimer à nouveau, un jour. Elle voulait y croire. Parler à Eleanor l'aidait toujours. Une fois de plus, elle contrôlait ses sentiments.

Mais qui avait parlé le plus ? se demanda Anne avec amusement. Qui en fait avait eu besoin de réconfort ? Elle sourit. Ça se passait souvent ainsi : l'ami ou le client parlait ; Anne écoutait. Personne ne savait rien sur Anne – à part Eleanor, qui en savait fort peu – car elle ne parlait jamais d'elle. Elle avait essayé, autrefois, mais sa réticence était désormais si ancrée qu'elle ne songeait plus à se confier ; et d'ailleurs personne ne le lui demandait. Ce matin, elle avait eu Eleanor au bout du fil. C'était suffisant.

– Anne, dit sa secrétaire en entrouvrant la porte, on vous attend dans la salle de réunion.

– J'arrive, dit Anne en rassemblant ses papiers.

La journée commençait.

Chaque matin avant le petit déjeuner, Ethan se promenait dans les rues de Tamarack ; il sentait le soleil chauffer ses os et soulager la raideur de ses articulations. Il était presque seul à pareille heure ; les boutiques n'avaient pas encore ouvert, les joggers étaient à l'autre bout de la ville, sur la piste qui longeait la rivière, et presque tous les autres, habitants et touristes, dormaient encore. Seuls les balayeurs astiquaient le mail et les rues résidentielles et commerciales qui l'entouraient ; pour un temps, la ville était luisante et humide sous le ciel sans nuage.

C'était l'heure favorite d'Ethan. Il marchait, oublieux des bâtiments modernes et des énormes maisons neuves, s'imaginant dans le Tamarack qu'il avait connu voici quarante ans, quand les chèvres trottaient sur les chemins de terre et que la grand-rue était bordée de petites maisons de mineurs fin de siècle et de quelques échoppes à façade de bois. C'était juste après la Seconde Guerre mondiale. Il traversait le Colorado et avait eu la brusque envie de franchir un magnifique col pour voir ce que cachait l'autre versant.

Il avait trouvé une petite bourgade en ruine au creux d'une vallée étroite : ombre silencieuse du passé. Soixante ans plus tôt, la vallée avait résonné des voix et des rires de huit mille âmes pour qui s'animaient saloons, églises, bordels et forges, une école, une rangée de magasins, un opéra et un hôtel dont le hall s'ornait de velours à franges et de brocarts. Les mineurs creusaient des galeries sous la montagne en un vaste dédale de vingt niveaux au cœur de la terre, s'entrelaçant sur cinq kilomètres de long. Les hauts-fourneaux tournaient à plein, un train apportait les marchandises et remportait le minerai, les enfants travaillaient à la mine dès l'adolescence.

Puis, à la fin du siècle, le Congrès vota une loi qui faisait de l'or la monnaie officielle.

Dès lors, l'argent ne valut plus rien, ou presque. Les propriétaires interrompirent l'exploitation ; les mineurs s'en allèrent. Les bordels et l'école fermèrent. Les églises furent bouclées. Tamarack s'endormit.

Quand Ethan franchit le col de Wolf Creek pour arriver en ville, on y comptait à peine cent habitants qui occupaient les maisons délabrées de la grand-rue. Il y avait une station-service, un bazar avec un bureau de poste dans le fond, et le Lodestar, un restaurant avec un comptoir, cinq tables et un sol en linoléum craquelé. Quelques chambres dans le vieil hôtel – celles dont le plancher et les fenêtres étaient intacts – restaient ouvertes. L'opéra avait brûlé et les gens de passage l'avaient pillé au fil des ans ; il n'en restait que la carcasse avec ses éclats de feuilles d'or au milieu des ruines noircies, pareils à ces pépites qui avaient attiré les premiers mineurs. Sous la montagne, les galeries étaient noyées ou s'étaient écroulées. La poussière tourbillonnait dans les rues, attendant l'hiver avec ses cinquante centimètres de neige.

Mais Ethan avait surtout remarqué les environs : les riches forêts, les alpages, les champs de fleurs aux couleurs vives, les jeux d'ombres au soleil couchant qui teintaient les collines de gris, de bleu, de violet et de pourpre sous un ciel de feu, les monts San Juan qui se détachaient sur un ciel saturé de bleu ou s'abîmaient dans la brume les jours de pluie. Il remarqua comme la petite ville se nichait au creux de la vallée entre les deux longues crêtes des monts Tamarack et des monts Star, comme les rivières dévalaient les longues crevasses des autres vallées pour se rejoindre dans la ville. Il huma l'air sec et parfumé, s'enivra d'altitude; il écouta le silence et les oiseaux; il sut que jamais il n'avait vu d'endroit aussi beau, aussi paisible.

Ce jour-là, son premier à Tamarack, il acheta une des rares maisons victoriennes à trois étages laissées par les exploitants des mines et les banquiers repartis pour New York et Chicago. Puis, au fur et à mesure qu'il y retournait, il acquit la conviction que c'était là qu'il voulait vivre; il acheta l'hôtel, l'opéra, des dizaines de maisons de mineurs, des terrains en ville, puis les terrains autour et des fermes dans la vallée, et enfin les concessions abandonnées sur les pentes de la face nord des monts Tamarack, car des amis étaient revenus d'un séjour de ski en Europe en lui disant que ce sport pourrait prendre aux Etats-Unis.

Il créa la Tamarack Company, filiale de la Chatham Development Corporation dont il fut président. Puis il commença à ramener Tamarack à la vie. Il construisit un aérodrome et des pistes skiables; il arrangea sa maison; restaura l'hôtel, construisit une série de magasins dans la grand-rue, convertit le plus grand bordel en boulangerie et en restaurant et ouvrit un cinéma.

Puis, avec l'aide d'amis de Chicago, New York et Los Angeles, il organisa une immense réception qui dura tout l'été, avec un orchestre symphonique en tournée qui jouait dans les prés, un festival de folk-music, une série de conférences sur des livres, des films et sur la politique par les grands noms qui acceptaient de venir à Tamarack un jour, une semaine ou un mois. Ce fut l'événement du siècle; nul ne voulait le manquer. Tamarack était lancée.

Dès lors, Ethan tenta de la retenir. En vain.

En moins de dix ans, la ville eut un nouveau conseil; des pistes de toutes les catégories; des festivals de musique, de films et de jazz s'y tenaient dans des centres artistiques au bord de la ville; on y organisait des séminaires ouverts au public avec des têtes d'affiche pour y débattre des grands sujets d'actualité; il y eut bientôt une cité des artistes où vivaient peintres, sculpteurs, joailliers, écrivains; des pistes cyclables, des chemins de randonnée et des allées cavalières; et cinq cents habitants toute l'année.

Un jour, Ethan dit : « Ça suffit. » C'était le paradis dont il avait rêvé : un refuge pour ceux qui, comme lui, devaient passer le plus clair de leur temps dans le bruit et la fureur des grandes cités. Il s'asseyait sur le mail et se régalait des montagnes sauvages visibles de partout; il se promenait à bicyclette dans la vallée, longeant les barrières qui délimitaient les champs, regardant les chevaux qui paissaient, les granges rouges, les fermes douillettes entourées de potagers et de jardins fleuris. Il se glissa vite dans cette vie tranquille, avec son rythme paisible, ses vêtements confortables, ses rassemblements spontanés dans les bars, ses barbecues improvisés où plombiers, charpentiers, serveurs, banquiers, musiciens, hommes politiques, héritiers, cadres supérieurs se retrouvaient en jean et chemise ouverte.

– Ça suffit, dit Ethan. Pas une maison de plus, pas un magasin, pas un concert ou une compétition de plus. C'est parfait ainsi.

Il savait que c'était impossible; la vie était mouvement. Pourtant, afin de maintenir son rêve aux limites de la perfection, il s'arrangea pour que le maire eût toujours son approbation et usa de son influence sur le conseil municipal et les représentants du comté pour contrôler le développement de la ville. Ethan avait des idées arrêtées en matière d'architecture : la hauteur et la profondeur des bâtiments, les matériaux des toits; l'environnement, la couleur de la peinture, tout faisait l'objet d'un permis. Ainsi la ville serait harmonieuse, se dit-il, et resterait petite.

Mais Tamarack grandissait. Le développement s'opéra lentement jusqu'à ce qu'Ethan eût presque soixante-dix ans, époque où il passa la présidence de Chatham Development à Charles et s'installa dans son paradis. Mais il n'avait pas pris sa retraite – il ne s'imaginait pas en retraité – et, comme c'était un promoteur, il observa Tamarack et la trouva prête à la croissance.

– Une croissance contrôlée, expliqua-t-il au conseil municipal. Voici ce que nous allons faire. Agrandir l'aéroport pour qu'atterrissent des avions plus gros. Tripler le domaine skiable et les remontées mécaniques; un expert suisse planche là-dessus. Davantage de pistes de ski de fond et de pistes cyclables; elles sont dessinées par un gars de New York. Des bâtiments permanents pour la musique, le film, la danse et le théâtre; une arène en plein air pour les concerts pop et les festivals de jazz; un petit campus pour les séminaires sur les questions mondiales. Il faudra davantage de chalets, de boutiques et de parkings. Tout cela est en route. Vous allez voir ça : Tamarack sera encore plus belle. Mais en même temps rien ne changera; ça restera petit, confortable, sans ostentation, un endroit caché où tout le monde s'aime, travaille et s'amuse. Nous allons grandir, mais comme il faut.

En cinq ans, le vieux Tamarack avait disparu, envahi par le succès. Car une chose étrange et tout à fait inattendue s'était produite. Tandis qu'Ethan se lançait à pleine vitesse dans le développement de Tamarack, la petite ville dans la vallée étroite, difficile d'accès, à l'écart des grandes routes et des lignes aériennes, fut découverte par la jet-set internationale : les nomades modernes, riches, impatients, habités par l'ennui, qui dépensaient leur fric et leur temps dans la quête éternelle de la nouveauté.

Alors les riches sont arrivés, puis les têtes couronnées, ou ex-couronnées, et avec eux les stars internationales en tout genre, et avec eux les touristes. Alors la moindre parcelle de Tamarack changea. Et grandit.

Dans les rues vides de Tamarack, au petit jour, Ethan pensait à ces quarante années. C'est lui qui avait tout commencé. Et voilà qu'il pleurait la perte de cette petite ville poussiéreuse où rien ni personne n'arrivait, où les fermiers et les élans partageaient une terre encore intacte.

Cependant, regarde autour de toi, se dit Ethan, indécis. La montagne n'a pas perdu sa beauté ni sa magie, et la ville est plus belle que jamais. Tout le monde est prospère. Tout le monde est heureux. Je devrais l'être aussi. J'ai quatre-vingt-dix ans et on me croit sûrement comblé. Je devrais être heureux.

Il fit demi-tour. Dans la grand-rue, la boulangerie venait d'ouvrir et un groupe de cyclistes s'était arrêté pour petit déjeuner. Il s'assit près d'eux sur la terrasse, écoutant leurs projets pour la journée, enviant leur voix jeune et assurée, la force de leurs mâchoires, le naturel avec lequel ils jouissaient de leur santé, de leurs muscles, de la route qui filait sous leurs roues. Ethan se souvint de l'époque où il était ainsi, avait épousé Alice, élevé cinq enfants, bâti des zones industrielles pour le gouvernement pendant la Seconde Guerre mondiale, puis, la paix revenue, construit des centres commerciaux et des villes entières, faisant de sa société une des plus importantes et des plus riches du pays.

Tout ce qu'il avait réalisé à l'époque avait nourri son ambition, son appétit sexuel, son amour du travail. Les années avaient défilé dans le tourbillon grisant du succès et de la prospérité et, plus tard, il avait oublié la date exacte de la construction de telle ou telle usine, ou quel âge avaient ses enfants quand ils avaient fait quelque chose de remarquable, ou même le jour qu'Alice était tombée pour la première fois, sans raison, avaient-ils pensé.

En ces années de gloire, il était devenu plusieurs fois millionnaire et s'était régalé à y parvenir. Il s'était senti comme un dieu chevauchant le monde, décidant de la vie des gens en leur créant des maisons où vivre, des bâtiments où travailler, des parcs et des aires de jeu où se détendre.

Mais tant de pouvoir n'avait pas empêché la tumeur de grandir dans le cerveau de sa femme et de la tuer; il avait été incapable de faire de son fils Charles quelqu'un de pugnace et de moins timoré; il n'avait pu changer Vince, le plus beau et le plus brillant de ses enfants, en quelqu'un de bien. Et il n'avait pas empêché Anne, sa petite-fille adorée entre tous, de s'enfuir; et, vingt ans après, il était incapable de la ramener.

Il regarda sans appétit le café et le croissant que la serveuse avait posés devant lui. En d'autres temps, il les aurait dévorés à n'importe quelle heure du jour. Aujourd'hui, il se demandait où étaient passés tous ces appétits qui faisaient sa fierté.

– Ça ne mord pas, vous savez, dit Leo Calder, souriant, en s'asseyant en face d'Ethan. C'est la première fois que je vois quelqu'un regarder un croissant avec autant de méfiance.

– J'attendais qu'il me fasse envie, répondit Ethan, heureux d'avoir de la compagnie, surtout celle de Leo. C'est l'heure de manger, mais ça ne me dit rien.

– Alors laissez tomber. Vous avez l'âge de faire comme bon vous semble, me semble-t-il.

– Quatre-vingt-dix ans, fit Ethan, pensif. Je me suis toujours demandé l'effet que ça faisait d'être vieux à ce point. Et je ne sais toujours pas, si ce n'est que mon corps tourne au ralenti. Mange, ajouta-t-il en poussant l'assiette vers Leo. Alors, raconte. Quelles sont les dernières nouvelles intéressantes ?

– Rien d'extraordinaire. Pas de problèmes à rapporter.

– Alors tu te laisses aller. Tu paresses et vas droit à la catastrophe.

Leo éclata de rire.

– Vous me répétez ça depuis que j'ai épousé Gail. Neuf années des prédictions les plus sombres si je ne me remuais pas. Mais je me remue. Vous ai-je jamais laissé tomber ? Avez-vous jamais regretté de m'avoir engagé pour diriger la Tamarack Company ?

– Non. Mais uniquement parce que je ne te lâche pas d'une semelle.

Ils rirent ensemble et restèrent un moment assis au soleil. Les cyclistes étaient partis, remplacés par d'autres clients; les serveuses allaient et venaient sur la terrasse bondée. Au-delà d'un muret de pierre, des vacanciers baguenaudaient sur le trottoir : de jeunes couples avec des poussettes, des familles étudiant la carte des environs, des hommes et des femmes en short kaki et T-shirt, portant des sacs à dos et arborant des gourdes à leurs ceinturons. Des deux côtés de la vallée, les montagnes se dressaient et le soleil longeait les pentes pour s'installer sur la ville comme un bienfait.

Ethan soupirait devant tant de beauté et de sérénité. Malgré les changements, il pouvait encore s'installer à la terrasse d'un café un matin ensoleillé de juin, isolé du tourbillon du reste du monde, heureux d'être en vie, avec un ami tel que Leo Calder.

Il observa Leo se commander un autre petit déjeuner. Il l'aimait beaucoup. Pas très grand, plutôt carré, il avait des cheveux bruns et raides, de grands sourcils foncés, un mentor volontaire et une force que démentait sa taille. Ancien champion universitaire de lutte, il jouait maintenant au tennis avec un coup droit redoutable et skiait en force sinon en finesse. Il avait un regard magnétique difficile à soutenir. Leo était connu pour un homme en qui on pouvait avoir confiance, et Ethan se sentait toujours mieux quand il était près de lui. Il savait que la Tamarack Company, avec ses holdings, n'avait jamais été si bien gérée que depuis qu'il avait nommé Leo à la présidence. Cela lui était d'autant plus précieux que Leo était le mari de Gail, et qu'ils étaient sa famille à Tamarack.

Charles avait raconté à Ethan que Vince était furieux de cette nomination. Ethan trouvait ahurissant qu'après tant d'années Vince réagisse aussi violemment à l'arrivée d'un outsider.

– On a eu des nouvelles de Vince hier soir, dit Leo.

Brusquement, Ethan fut pris de vertiges. La voix de Leo, ses pensées, tout se mélangeait dans sa tête. Il s'accrocha à sa chaise.

– Ethan! s'écria Leo qui s'était précipité à son côté. Ça ne va pas?

– Je ne sais pas, dit-il en clignant des yeux. La tête m'a tourné. Sans doute le soleil. Il cogne, n'est-ce pas?

– Je vous raccompagne chez vous.

– Non, non. J'aime être ici avec toi, Leo. Tu n'es pas obligé d'aller tout de suite au bureau, si?

– Ça peut encore attendre.

– De quoi parlais-tu?

– De Vince. Il a appelé hier soir. Ça lui arrive de temps en temps, mais il n'a pas grand-chose à raconter. Il pose toujours mille questions sur la société, mais, une fois que je lui ai dit que tout va bien, on manque de sujets de conversation. Ah si, il voulait savoir si la famille serait là pour le 4 Juillet. J'ai répondu qu'ils venaient rarement à Tamarack et que ce serait sans doute pareil cette année; je lui ai demandé s'il monterait.

– Pourquoi ça? gronda Ethan.

– Je pensais que vous aimeriez voir la famille à nouveau réunie.

– Parce que je vais bientôt mourir?

– Je n'ai jamais dit ça. Seulement, c'est parfois bon de faire la paix avec les siens.

– Vince ne fait plus partie des miens depuis plus de vingt ans. Ne crois pas que je n'y aie jamais songé. Mais ce que Vince a fait a tranché le cœur de notre famille. Il a violé tout ce qu'une famille représente. Nous sommes censés prendre soin des enfants, leur offrir un refuge où ils apprennent à lutter; nous sommes surtout là pour ça. Le reste – quelqu'un avec qui dormir, manger, parler à la fin de la journée – est accessoire. L'essentiel est de construire une forteresse pour protéger nos enfants du mal et leur donner une chance de devenir des adultes fiers et confiants. C'est sacré. Vince a détruit cela. Je ne puis ni l'oublier ni lui pardonner. Je ne sais à quel point il s'intéresse à nous maintenant que c'est un homme très occupé, un sénateur important, mais je m'en soucie comme d'une guigne. Il a toujours fait ses quatre volontés, tu sais, sauf le jour où je l'ai fichu dehors. Ce fut une époque terrible. Je crois que personne chez nous n'a réussi à...

Ethan s'interrompit. Il radotait beaucoup, ces temps-ci, et ne pouvait s'en empêcher. Les mots s'échappaient comme s'il avait besoin de parler parce qu'il était vivant et qu'il lui semblait impossible de mourir au milieu d'une phrase.

– Je suis persuadé qu'il ne viendra pas, fit Leo. Il doit être à Denver ce week-end-là pour faire plaisir à ses électeurs, puis il part dans le Maine. Charles sera avec lui... Il dit que Charles va toujours le trouver quand il a des ennuis.

Ethan haussa les épaules.

– Je ne veux pas le savoir. Si c'est vraiment sérieux, ça me reviendra forcément aux oreilles.

– Charles ne devait pas venir pour le 4 Juillet ?

– Il en a parlé. Ce serait bien ; on pourrait faire un pique-nique si tout le monde était là. Dans le temps, on en faisait sur la plage puis on regardait le feu d'artifice sur le lac. Ce n'est pas aussi spectaculaire qu'à Tamarack, mais ce n'était pas mal ; les fusées se reflétaient sur l'eau, et tous les bateaux, avec les gens qui regardaient en l'air...

– D'accord pour le pique-nique. On sera nous quatre, plus vous et Keith. Dora est en ville.

– Avec son... appelle ça comme tu veux.

– Son compagnon.

Ethan fit une grimace.

– Voilà qui ne me plaît guère. C'est du mariage en échantillon, tu sais, comme ces femmes en tablier dans les supermarchés qui vous tendent des petits morceaux qu'on grignote avant de décider si on achète. S'ils s'aiment, pourquoi ne se font-ils pas assez confiance pour se marier ? Pourtant je l'aime bien, l'ami de Dora ; je l'apprécie de plus en plus. Mais il a quelque chose qui cloche. S'il était correct, il l'épouserait. Ça fait longtemps qu'ils sont ensemble. Un an ? Deux ? Plus que ça. Je le trouverais encore plus sympathique s'il épousait Dora.

– Elle n'en a peut-être pas envie.

– Balivernes. Les femmes rêvent toutes de se marier. C'est dans leurs gènes. Il a quelque chose qui cloche, point final.

– Ça vous ennuie s'il pique-nique avec nous ?

– Pas du tout. Puisque Dora et lui sont... ensemble. Je l'aime bien, je viens de te le dire. J'aime parler avec lui. Et avec toi. Et Gail. Keith, je n'en dirais pas autant ; il me rappelle trop son père. Peu importe que Fred ne vienne pas ; il ne me manquera pas. Mais j'aurais aimé voir Marian, et Nina. Quoi qu'il en soit, nous aurons notre pique-nique familial.

Il s'appuya sur le dossier de sa chaise avec un long soupir. Une famille, un pique-nique, un feu d'artifice. Il était satisfait. Pour l'instant, il ne se souciait plus de son manque d'appétit. On verrait cela plus tard. Ces derniers temps, les choses envahissaient sa pensée pour disparaître aussi facilement, laissant dans son âme un vague tremblement, signe de quelque tracas oublié. Il était fasciné de voir que seul le passé lointain était gravé avec précision dans son esprit : le nom des gens, l'intrigue des livres, le parfum des femmes, la caresse de la mort quand il avait donné à Alice son dernier baiser.

Mais il n'allait pas pleurer ; ce n'était pas son style. Sans compter qu'il avait la santé, Leo, Gail et leurs deux enfants, dont il se sentait si proche, et Tamarack. Mais il n'était pas pleinement satisfait : il pensait toujours à Anne, il s'inquiétait pour Charles qui dirigeait tant bien que mal Chatham Development. Dans l'ensemble, Ethan s'en était quand même bien tiré et avait mille bons souvenirs. A cette exception près : le souvenir d'Anne, parce qu'elle s'était tournée vers lui, avait compté sur lui, et il l'avait abandonnée.

Jamais il n'avait compris pourquoi il avait agi ainsi le soir de son anniversaire. Cela le rongeait. Après toutes ces années, il ne pouvait penser à elle sans peine ni remords.

– Petite Anne, murmura-t-il.

Comme il avait les yeux fermés, il ne remarqua pas la surprise de Leo.

– Petite Anne... je suis tellement désolé. Je t'aimais et jai failli à mon devoir. Si seulement je pouvais te demander pardon, te serrer très fort, te protéger. Bien sûr tu es une femme, maintenant, et tu n'as sans doute plus besoin de moi, mais j'aimerais tant bâtir pour toi un endroit où tu serais aimée et en sécurité. Si seulement tu venais ici, Anne, je pourrais te dire à quel point je t'aime et suis désolé. Si seulement je pouvais te le dire avant de mourir.

Le soleil teintait ses veines de rouge à travers ses paupières closes; il se sentait fondre.

– Anne, dit-il dans un souffle.

Et il s'endormit.

Vince aimait être sénateur. Il aimait arriver en début de journée dans la salle de réception où son équipe l'accueillait avec déférence; il aimait s'arrêter en fin de journée pour regarder à travers les imposantes fenêtres les immenses pelouses et les immeubles du gouvernement, centre du pouvoir, centre du monde. Les vieux sénateurs avaient tendance à diminuer leur rôle, prétendant avoir un travail comme les autres, au service des habitants de leur Etat, mais Vince n'y avait jamais cru une seconde. Il savait que l'influence du Sénat s'étendait au monde entier, des villageois incultes aux présidents en passant par les chanteurs de rock; et que les cent sénateurs étaient les hommes les plus enviés au monde.

Charles l'enviait.

– Tu te rends compte! Sentir que tu fais partie de tout ça, dit-il la première fois qu'il se rendit à Washington après l'élection de Vince. Tu es assis au centre du monde!

Il aidait Vince à accrocher ses tableaux dans son nouvel appartement et s'arrêta près de la fenêtre, une toile dans les mains. L'appartement était situé dans une nouvelle résidence luxueuse sur le Potomac, ses baies arrondies dominaient l'esplanade le long des berges, les appartements du Watergate et le Kennedy Centre. Une autre orientation donnant sur Key Bridge, on voyait le fleuve jusqu'à Alexandria. Charles regarda la Theodore Roosevelt Island et les eaux calmes du Potomac qui viraient au bronze sous les derniers feux du soleil. Le centre du monde, songeait-il, plein de mélancolie. J'ai soixante-deux ans et tout ce que j'en connaîtrai est en marge de la vie de Vince. Mais à qui la faute? Ai-je jamais pris le moindre risque?

– Tu es dans ton élément, ici, remarqua-t-il en lui tendant la toile. Ça me plairait, mais jamais je n'obtiendrais l'investiture, alors être élu, tu penses! C'est mieux ainsi, je suppose; il faut bien des gens chez eux pour voter.

– Et réunir des fonds, dit Vince en lui prenant le tableau. William et toi avez fait du bon boulot.

Le compliment de Vince lui fit chaud au cœur.

– Je me suis surpris moi-même. Mais je ne le ferais pour personne d'autre. On risque trop à demander de l'argent aux autres ; ça revient à leur demander de faire l'amour en public.

Vince hurla de rire.

– Pas de danger que je te le demande, Charles. L'argent, c'est ça qui compte. La prochaine campagne est dans cinq ans ; ça te laisse tout le temps pour apprendre la différence entre le sexe et l'argent.

Furieux et gêné, Charles retourna à la pile de tableaux.

– Je ne comprends pas que tu aies choisi de telles commissions.

– Parce qu'elles sont de second plan. Mets le Jasper Johns au-dessus du lit ; l'endroit rêvé, toute cette énergie qu'il dégage ! C'est pourtant simple. Je ne voulais pas de commissions importantes dont les présidents soient de fortes personnalités ; je voulais des commissions que je pouvais contrôler. Tout le monde se fiche de l'agro-alimentaire et des eaux et forêts ; on ne bâtit pas une campagne sur l'environnement et les travaux publics.

– Et pour cause, dit Charles, les électeurs s'en fichent.

– Pour l'instant. Du coup, les présidents vont jouer au golf ou faire la chasse à la présidence, trop contents de me laisser leur boulot. C'est moi qui ferai le planning des auditions, contrôlerai l'interrogation des témoins et préparerai le rapport final. Et j'aiderai à la rédaction de la législation qui en découlera. Voilà à quoi servent les services et la réputation.

– Quand même, l'agro-alimentaire...

– Ce pourrait être égouts et phacochères, pour ce que j'en ai à faire. Mais ne sous-estime pas l'agriculture ; il y a des munitions, là, tu peux m'en croire. Dans quelques années, on supprimera leurs subventions, et qui seront les héros ? Les sénateurs qui essaieront de les aider mais se feront doubler par les sénateurs de l'Est. C'est un scoop, ajouta-t-il en souriant.

– Et les travaux publics ?

– Oublie ça. C'est l'environnement qui est sexy. Pour l'instant, personne ne sait s'en servir sans se payer un retour de flamme, mais on trouvera le joint, un jour ; c'est un tel merdier que c'est une véritable bombe à retardement ; et le mec qui saura s'en servir en campagne électorale ira où il veut. Il se fera élire comme il veut.

– Dans ta campagne, tu n'as pas dit que c'était un merdier.

– Et je m'en garderai bien, jusqu'à ce que je comprenne comment l'utiliser. La commission est un début. Une des merveilles de la vie du Congrès est que les auditions remplacent la réflexion et l'action. Pas besoin de profession de foi. Tu convoques les témoins, tu leur poses des questions pointues, et tout le monde croit que tu es concerné et que tu travailles la question comme un fou. Fais ça suffisamment longtemps, tu auras à l'occasion trente secondes aux infos de 20 heures et quelques paragraphes dans le journal; et les témoignages te serviront pour ta campagne. Ton adversaire, lui, n'a pas tenu d'audiences, il est bien obligé d'avoir des idées et, comme la plupart des candidats n'en ont pas, tu as une belle longueur d'avance. Si tu n'es pas trop mauvais, tu la conserves.

Charles se taisait, effrayé, fasciné, envieux. Comme toujours avec Vince, au fond. Plus jeune, plus petit, Vince avait toujours dominé Charles et toute la famille. Evidemment, Ethan l'avait fichu dehors, mais au bout du compte, quel était le résultat? Chatham Development dégringolait, Vince était bien plus riche qu'avant et sénateur des Etats-Unis, et Ethan les avait tous abandonnés pour ses fichues montagnes. Charles perdait de plus en plus : une de ses filles avait disparu, l'autre lui battait froid et vivait à Tamarack, son père était parti, son affaire déclinait à cause de lui, ses autres frères et sœurs allaient chacun de son côté. Tout ce qui restait à Charles était un frère qui possédait tout.

Alors il venait aussi souvent que possible à Washington, qui exerçait sur lui une double fascination : Vince et le Sénat, où Charles respirait l'atmosphère des hommes importants et se sentait aussi près des grands événements qu'il pouvait l'espérer. Vivre à Chicago était de plus en plus pénible; il voulait être avec Vince, qui se mouvait avec aisance et assurance dans les dédales du pouvoir, attirant l'attention partout où il passait. Et il emmenait Charles aux réceptions où les responsables étrangers évoquaient des événements que le monde ne connaissait que par les titres des journaux, aux déjeuners intimes où des sénateurs parlaient du gouvernement en des termes scatologiques qui provoqueraient un véritable scandale si ça se savait, à des dîners avec des chefs de parti qui parlaient des futures élections, de stratégie, de sondages et surtout d'argent. Charles suivait, se sentant plus jeune que Vince, moins expérimenté, novice en tout domaine, même celui des femmes.

Vince avait toujours eu des femmes. Il en avait eu assez de Maisie, avait-il dit à un Charles abasourdi; il se demandait s'il se remarierait un jour. Mais, en attendant, Washington était pleine de célibataires qui tombaient immanquablement sur Vince.

A Chicago, Charles se sentait seul, assis à la place de son père à essayer de faire de l'argent pour la société de son père, cherchant le moyen de se prouver qu'il était le digne successeur de son père. Ethan avait beau être parti, sa présence demeurait; tout lui appartenait encore. Et Charles n'avait plus personne pour lui dire ce qu'il désespérait d'entendre : qu'il était meilleur et plus dynamique qu'Ethan, plus encore que lui un maître pour Chatham Development. Charles n'avait personne pour lui dire quoi que ce fût. Avec les années, il avait songé à se remarier, mais là encore l'image de son père, resté veuf, l'en avait empêché. Il voyait peu William, Nina et Marian, essentiellement pendant les vacances. Il avait la perpétuelle sensation qu'ils comparaient son attitude à celle de son père, inquiets à l'idée qu'il pût détruire l'affaire qui les avait tous enrichis.

Alors il allait à Washington. Il habitait chez Vince et s'accrochait à lui, et, bien souvent, Vince lui trouvait une femme et ils sortaient à quatre au restaurant ou au théâtre. Chaque fois, avant de rentrer à Chicago, Charles rêvait de vendre l'affaire et de prendre sa retraite.

Evidemment, c'était impossible; Ethan lui avait confié l'entreprise et, même, il participait encore à certains projets et exigeait régulièrement bilans et rapports financiers. Et Charles était en plein dans la plus grosse affaire qu'il eût jamais traitée.

Cela s'appelait Deerstream Village et il en avait commencé la conception cinq ans auparavant, après qu'un critique eut dit qu'on ne pouvait plus prendre Chatham Development au sérieux; elle était passée de la direction d'Ethan, éclatante et novatrice, à de petits projets sans risque à la conception timide. Piqué au vif, Charles avait cherché un projet suffisamment massif et audacieux pour attirer l'éloge de tous. Il choisit un site de deux cent cinquante hectares de champs de blé au nord-ouest de Chicago entourant un petit village, Deerstream. Le prix avait triplé depuis que le gouvernement fédéral avait annoncé la construction d'une route nationale reliant Deerstream à Chicago; les autres promoteurs se montraient hésitants, mais Charles avait foncé.

Fred Jax travaillait avec lui sur ce dossier. Charles s'entendait bien avec Fred, même s'il savait que les autres ne l'aimaient guère depuis que Marian l'avait ramené à la maison et qu'Ethan avait désapprouvé cette union à cause de ce qu'il appelait sa « propension à la cruauté ». Charles en avait conscience, lui aussi, mais sans l'admirer il s'en accommodait; c'était utile à l'occasion.

Fred partageait avec Charles l'idée de faire de Deerstream le plus grand des quartiers résidentiels, avec le plus grand centre commercial du monde le long de la nouvelle route. Cela exigerait toutes les ressources financières et humaines de Chatham Development, mais ce serait le plus grand projet jamais réalisé à Chicago. Charles serait alors encore plus connu que son père. Puis il passerait la présidence à Fred Jax et quitterait la société avec dignité.

Chaque fois qu'ils se voyaient, Vince demandait à Charles des nouvelles de Deerstream. Il y témoignait plus d'intérêt qu'à tout ce que Charles avait fait jusqu'alors : le terrain, les plans, le premier coup de pelleteuse, les épures, les soumissions pour les maisons individuelles.

– Et la nationale? demanda-t-il à Charles par une chaude nuit de septembre.

Ils rentraient à pied du Sequoia, cravate desserrée, veste sur les épaules. Ils avaient un air de famille, même si l'un faisait dix centimètres de moins, était blond, remarquablement beau, avec une démarche presque suffisante, tandis que l'autre, avec ses cheveux blancs et son dos rond, était d'une beauté amoindrie par une bouche indécise et des yeux inquiets.

– Où en est la nationale? réitéra Vince. Ça t'inquiétait en juillet, quand nous étions dans le Maine.

– Toujours pareil. Voilà trois ans qu'ils se demandent où la faire passer. Les salauds! Evidemment, ils ne sont pas pressés, eux.

– Pourquoi t'inquiéter ? Les fonds sont attribués.

– Tu le sais parfaitement. Elle ne se construit pas. La dernière fois qu'on en a parlé, tu as dit que tu t'en occuperais.

– Je n'ai pas eu le temps. Je regarde ça cette semaine.

– Tu pourrais les remuer, Vince. Tu sais que c'est vital. La nationale est notre seul argument de vente. Qui voudrait vivre dans un bled paumé ?

– Tes holdings pourraient absorber la perte; tu n'as pas tout mis là-dedans ? fit Vince, le regard en coin.

– Si, à un iota près. Ce n'est plus comme avant. Tu sais ce qu'a fait papa, et ce petit salopard de Leo, qui a obligé Chatham Development à emprunter les fonds – soixante-quinze millions de dollars, nom de Dieu – rien que pour Tamarack, pas un *cent* pour nous. S'il y a un os avec Deerstream, on n'a nulle part où se tourner. Impossible d'emprunter sur les holdings de Tamarack; elles ont assuré le nantissement de l'emprunt. Il faudrait qu'on vende d'autres biens.

Vince se taisait : il n'apprenait rien; tout savoir sur Chatham Development était vital. Mais c'était la première fois que Charles avouait se trouver devant un précipice. Il longeait d'un pas rapide le C & O Canal et entendait Charles trotter derrière lui. Il voulut ralentir, mais c'était plus fort que lui, l'excitation le poussait.

Plus de vingt ans auparavant, Vince s'était juré que sa famille paierait. L'heure était venue. Charles lui facilitait les choses en mettant toutes ses billes dans Deerstream, pariant toute la société sur une route nationale qui n'en était même pas à son premier coup de pioche. Il avait affaibli l'affaire, fait courir de gros risques à la famille. Vince n'avait plus qu'à souffler sur eux comme sur un pissenlit, ils s'effondreraient. Cela tuerait Ethan; cela détruirait Charles, car il ne saurait vivre après avoir détruit en cinq ans ce que son père avait mis toute une vie à bâtir.

Vince souriait dans l'obscurité. Il suffit d'attendre le temps nécessaire et on obtient tout ce qu'on veut.

– Monsieur, fit une voix jeune, donnez-moi cinq dollars; on a un bébé malade à la maison.

Charles s'arrêta.

– Quoi ?

Il essayait de rattraper Vince et mit une minute à comprendre ce que disait le garçon. Il était petit et très jeune – une dizaine d'années, évalua Charles – et semblait se fondre dans les arbres qui longeaient le canal. Charles vit bouger derrière lui et imagina d'autres gosses prêts à foncer. Il s'aperçut alors que le chemin était désert.

– Un bébé malade, répéta le garçon d'une voix plus forte. Elle a besoin de médicament. Dix dollars.

– Tu viens de dire cinq.

– Ça empire.

Charles vit bouger dans l'ombre et posa la main sur sa poche revolver. Ne jamais résister aux agresseurs. Sa vie valait plus de dix dollars.

Mais, avant qu'il sortît son portefeuille, Vince s'approcha et envoya son poing dans le visage du gosse qui tomba la tête sur le sol, les yeux clos.

– Vince, au nom du ciel ! s'écria Charles en tombant à genoux près de l'enfant tandis que Vince se tournait vers les ombres derrière lui.

Un autre gosse se tenait là.

– Non, supplia-t-il en pleurnichant.

Il dansait d'un pied sur l'autre, voulant tout à la fois aider son ami et se sauver.

– On voulait juste – on faisait de mal à personne !

Charles se redressa vivement et saisit le bras de Vince qui allait s'en prendre à l'autre.

– Laisse-le, pour l'amour du ciel, ce n'est qu'un gosse.

– Justement. Ils ont tous besoin d'une bonne leçon.

– Vous avez plein de dix dollars ! hurla le gosse. Ça ne vous aurait pas manqué !

– Petit salopard de putain de...

Vince se dégagea pour se jeter sur le gosse.

– Laisse-le ! hurla Charles, qui poussa Vince pour se placer entre lui et l'enfant. On a déjà assez d'ennuis comme ça ; je crois que tu as tué l'autre.

Vince regarda le garçon sur le chemin. Il le titilla du pied et le gosse émit un grognement.

– Il faut davantage pour tuer cette racaille, dit-il. Allons-y ; son ami n'a qu'à s'en occuper. Les petits cons. Ils étaient prêts à te sauter dessus, tu sais. Nom d'un chien, pourquoi cherchais-tu ton portefeuille ?

– Ça ne valait pas le coup de se faire tuer. Même pour tout ce qu'il y avait dedans.

– Pourquoi étais-tu si sûr de te faire tuer ?

Vince marchait vite. Comme s'il ne s'était rien passé. Ils étaient à nouveau dans K Street, à moins de cinquante mètres de chez lui.

Charles le rejoignit. Il tremblait. Mais à cause de Vince, pas des deux gosses. *Pourquoi étais-tu si sûr de te faire tuer ?* Il y avait tant de mépris dans sa question et Charles ne supportait pas que Vince le méprise. C'est vrai qu'il n'avait pas eu l'idée d'attaquer. Ce môme était minuscule et sans doute terrifié. Pourquoi Charles Chatham, honnête citoyen, citadin informé, voyageant dans le monde entier, n'avait-il pas frappé le gosse pour l'envoyer *ad patres* comme son petit frère l'avait fait ?

Vince se montrait toujours homme d'action tandis qu'il suivait timidement. Jamais il n'avait pu s'arracher à l'emprise de Vince. La preuve la plus terrible avait été ce jour qu'il avait hésité entre Vince et sa fille, vingt-quatre ans plus tôt. En se taisant, il avait choisi Vince.

Et il se demandait encore s'il avait eu raison. Il refusait toujours de croire que Vince avait pu toucher Anne. Cela aurait signifié que le mal habitait son frère, un mal que Charles ne pouvait imaginer et qu'il n'avait jamais rencontré. Autrement, il aurait accouru à la défense de sa fille quand elle avait affirmé que leur maison abritait le mal. Je l'aurais fait, se dit-il. Bien sûr que je l'aurais fait.

Vince fit le tour de la fontaine du hall d'entrée et attendit Charles.

– Je serai dans mon bureau, j'ai des coups de fil à passer, dit-il dans l'ascenseur qui les menait au douzième étage. Audition demain à 10 heures, si ça te tente.

– Je te le dirai, répondit Charles en faisant un signe au maître d'hôtel qui leur ouvrit la porte. Je vais peut-être rentrer. Il faut sans doute que je reste au bureau en ce moment.

– Comme tu veux. Tu es chez toi, tu le sais. Sers-toi un verre. On se voit pour le petit déjeuner, à moins que tu ne prennes le premier vol.

– Bonne nuit, dit Charles.

Il se versa un grand whisky qu'il emmena dans la suite des invités à l'autre bout du couloir. Il sortit sa valise. Pour la première fois, il avait hâte de partir. Non qu'il voulût tant échapper à Vince qu'à sa propre dépendance. J'ai soixante-sept ans, se dit Charles – il semblait penser davantage à son âge en présence de Vince –, que m'arrive-t-il ? Il offrait une image ridicule : celle d'un homme d'affaires vieillissant et distingué qui ne pouvait s'arracher au magnétisme de son petit frère.

Je ne suis même pas capable de prendre du recul par rapport à mon père, ajouta-t-il en silence.

Il s'assit au bord du lit. Il lui faudrait aller à Tamarack et dire à Ethan ce qui se passait. L'enjeu était trop important. Il avait pensé lui en toucher un mot le 4 juillet. Mais finalement il était allé dans le Maine avec Vince. Je vais le lui dire. Il doit savoir. Peut-être qu'ensemble nous nous en sortirons. Il ne verra pas d'objection à ce que je lui demande encore de m'aider.

On frappa à la porte. Vince entra.

– Leo vient d'appeler. Ethan a eu une attaque ; il te réclame. Tu ferais mieux de téléphoner tout de suite à l'aéroport.

– C'est grave ? demanda Charles en s'emparant du combiné.

– Je ne sais pas. Gail et lui ont pris l'avion pour Denver. Tu pourrais m'appeler dès que tu sais quelque chose.

– Tu ne viens pas ?

– Je ne peux pas manquer la séance. Je te rejoindrai si tu crois qu'il le faut.

Ils se regardèrent.

– Il a quatre-vingt-dix ans, dit Charles. On a toujours su qu'il mourrait un jour.

– Je finissais par croire que ça n'arriverait jamais, fit Vince d'une voix neutre.

Puis il quitta la chambre de Charles, qui réserva une place dans le premier vol pour Denver.

Ethan les entendit entrer mais ne prit pas la peine d'ouvrir les yeux. Ils étaient venus le voir mourir. Parfait; c'était dans l'ordre des choses. Et tant mieux parce qu'il ne tenait pas à être seul, car il craignait un peu ce qui l'attendait. Il se disait que ce serait un peu comme sombrer dans un profond sommeil, ce qui ne l'ennuyait pas tant il était fatigué depuis son attaque, qui remontait à Dieu sait quand. Cela paraissait très loin. C'était en automne, ça, il s'en souvenait. Charles était arrivé en avion de Washington où il était allé voir Vince. Tous s'étaient attendus à ce qu'il mourût, mais il s'en était bien tiré. Enfin, pas si bien que ça. Il savait exactement ce qu'il voulait mais n'arrivait pas à se faire comprendre; il ne pouvait aller nulle part, ne pouvait plus se promener au soleil dans Tamarack ni prendre à la terrasse d'un café un petit déjeuner qui ne le tentait pas. Ces derniers temps, il se disait qu'il ferait mieux d'abandonner et de s'endormir. Puis il se rappelait qu'alors il ne se réveillerait plus jamais et pensait : non, pas encore, je ne suis pas prêt.

Il voulait voir grandir les enfants de Gail; ils étaient si intelligents, ils voyaient le monde avec un regard si neuf, et ils l'aimaient. Il voulait aider Charles; Charles aurait toujours besoin d'aide. Il voulait attendre Anne; il savait qu'elle reviendrait un jour, peut-être demain, ou même ce soir, à temps pour dîner et il devait être là pour l'accueillir. Il voulait veiller sur Tamarack, limiter sa croissance et en supprimer les excès. Il voulait marcher dans la montagne, respirer l'odeur des pins après la pluie, le parfum des églantines, si fragiles qu'elles ne vivaient qu'un jour, et l'odeur de terre mouillée quand les champignons poussaient au pied des épicéas et des sapins argentés.

Mais c'était impossible. Il était trop las, trop vieux. L'heure était venue d'abandonner, de lâcher prise sur cette vie qu'il avait agrippée si longtemps avec appétit.

– ... vendre. On n'a pas le choix, je te dis.

C'était la voix de Charles, sourde et pressante. Ethan ne saisissait que les mots. Vendre quoi ? se demanda-t-il. Peut-être sa maison de Lake Forest; Dieu sait pourquoi il l'avait gardée. Sa femme morte, Gail ici, Anne partie; pas de nouvelle épouse pour adoucir la morosité des immenses pièces si solennelles. Idiot d'avoir gardé ça. Il allait vendre, alors. Probablement à un bon prix; le marché était porteur dans la région de Chicago.

– Pas question.

C'était la voix de Leo. Qu'est-ce que ça pouvait lui faire ?

– Ça tuerait Ethan.

– Il n'en saura rien.

– Bien sûr que si. De toute façon, c'est hypothéqué jusqu'à la garde; tu en tirerais si peu que ça ne vaudrait pas le coup de perdre Tamarack.

*Tamarack ?* Ethan ouvrit les yeux.

– Rack, dit-il avec un filet de voix. Rack, en ruine. Coincés, lâcha-t-il avec effort.

– Regardez ce que vous avez fait, s'écria Gail.

Ethan bougea les yeux pour la voir. C'était une bonne petite : jolie, attentive, gentille. Il lui manquerait ; ils s'entendaient bien tous les deux.

– Il sait tout, reprit Gail, et ça l'inquiète. Laissez-le et laissez Tamarack. Il n'y aurait pas pis au monde que de vendre Tamarack. Ne fais pas ça, supplia-t-elle, les yeux sur Charles.

– Je ferai ce que je dois faire, répondit Charles d'une voix sans timbre. William et moi avons la majorité...

– Pas prêt à vendre, grogna William.

Charles explosa.

– Toi aussi, tu es dans de sales draps, merde !

– Je vous en prie, intervint Nina, ne hurlez pas. Il va peut-être se rendormir, ajouta-t-elle après avoir regardé Ethan, qui avait refermé les yeux.

– Aucune importance, dit Charles. S'il nous a entendus, il a compris ; il connaît les affaires mieux que nous tous réunis. Il serait d'accord avec moi pour qu'on vende Tamarack.

– Foutaises, coupa Leo. Il s'accrocherait à Tamarack jusqu'à son dernier jour. Qu'est-ce que c'est que cette histoire à propos de William qui serait dans de sales draps ?

– Nous le sommes tous, fit Charles en arpentant la chambre. La société, Tamarack, nous tous. Bon sang, vous savez bien ce qui se passe ; si on ne s'en sort pas rapidement, on n'aura plus rien à vendre !

Leo secoua la tête.

– Tamarack se porte à merveille. Si tu parles de l'EPA, c'est sans problème. Ça fait bientôt cent ans que ces dépôts miniers sont là ; si du plomb en filtre encore, nous nous en occuperons. Pas besoin de l'Association pour la protection de l'environnement pour ça. En tout cas, la situation est loin d'être aussi noire qu'on veut bien le dire à Washington. Le seul mystère est pourquoi l'EPA nous a choisis alors qu'il y a des vieilles mines dans tout le Colorado. Mais ça ira, je ne suis pas inquiet.

– Moi, si, fit Charles, agacé. Combien de fois faudra-t-il le répéter ? La famille a des ennuis ; si je vends tout, je peux couvrir le déficit sur Deerstream...

– Ce projet était voué à l'échec, remarqua William.

Charles se tourna violemment vers lui.

– Tu m'as aidé à le mettre au point.

– Je t'ai dit d'attendre la nationale.

– Les crédits étaient votés ! L'affaire était assurée !

– Alors où est-elle, ta route ? demanda Marian. Moi je vois du maïs à revendre, mais pas une once de bitume.

– De toute façon, c'est sans importance maintenant, fit Charles. Vince dit que les fonds ont finalement été attribués ailleurs avant qu'il ait eu le temps d'intervenir. Je suppose que ça arrive souvent.

– Je vais écrire au *Time*, dit William. On ne peut faire confiance à un gouvernement qui change d'avis comme de chemise.

– Ça nous manquait, tiens, fit Charles, sarcastique. Ecoutez, j'ai besoin de l'argent de Tamarack! Vous n'écoutez donc rien! On va vendre, c'est la seule solution.

– Mais, mon cher Charles, intervint Nina, es-tu sûr d'avoir assez de voix ?

– On s'en fout des voix, nom de Dieu! On n'est pas au Sénat, ici, on est en famille.

– Mais c'est toi qui as fait allusion aux actions de William.

Ethan cessa d'écouter. Il était affreusement triste de les entendre se quereller alors qu'il se mourait, mais ne voyait pas comment les en empêcher; les mots ne voulaient pas sortir. Il n'y avait plus rien à faire. Ils se débrouilleraient; ils trouveraient une solution. Ils ne vendraient pas la Tamarack Company; Leo et Gail ne le permettraient jamais. Tout s'arrangerait. Les immeubles, les usines, les villes, tout continuerait de vivre. La solide charpente de Chatham Development aussi. Et Tamarack, qu'il avait ramené à la vie. Ça aussi durerait.

Quand il était petit, il avait construit une maison en carton avec tant d'étages qu'elle atteignait le plafond. Une fois adulte, il n'y eut plus de plafond pour l'arrêter : ses tours de bureaux, ses immeubles résidentiels, ses hôtels atteignaient le ciel et ses villes atteignaient l'horizon. Il avait rêvé d'immenses rêves.

Mais il n'avait pas atteint Anne. Il l'avait trahie. Oh, pourquoi fallait-il penser à ça ? C'était comme une blessure aiguë et profonde qui ne le laissait jamais en paix. Il en avait assez. C'était trop dur, trop atroce, de toujours penser à Vince et à Anne.

Les mots étaient comme des serpents. Il essayait de les oublier. Trop fatigué, répétait-il, trop fatigué. Mais les serpents grandissaient, grossissaient, il ne pouvait les écraser. Il les affrontait. Vince et Anne. Au lit, leurs corps nus l'un contre l'autre, leurs visages rapprochés, leurs peaux qui se touchaient. Lui en elle. Vince et Anne. Non! hurla Ethan en silence.

Oh, mon Dieu, j'étais jaloux. C'est pour ça que je l'ai obligée à s'enfuir.

Je ne la désirais pas, non, pas comme ça. Je n'ai jamais pensé à ça. Mais je la voulais jeune et innocente pour toujours. Je voulais qu'elle se tourne vers moi quand elle avait envie de rire, de s'amuser, d'aimer. Elle n'aurait voulu d'autre homme que moi, en tout cas pendant de longues années; elle était si jeune, je pouvais lui donner tout ce dont elle avait besoin. C'était ça que je voulais : qu'elle me regarde comme si j'étais son dieu.

Voilà qu'il pensait encore à lui comme à un dieu. Et sa pénitence avait été de perdre Anne.

Mais c'est Anne qui avait souffert le plus. Je me demande si elle m'a jamais pardonné. J'espère qu'elle a compris que j'ai agi par faiblesse; que ça n'avait rien à voir avec elle. Elle a toujours été adorable, bonne et droite. Pardonne-moi, Anne, je t'en supplie. Je ne comprenais pas ce qui se passait. Je te le jure. Pardonne-moi. C'est la dernière fois que je peux te le demander. Trouve la paix, petite Anne. Et la joie. Et l'amour.

Autour de lui, les voix s'éloignaient. Non, c'est moi qui m'éloigne. Soudain, ce fut le silence absolu. Ce n'est pas si mal, songea Ethan. Pas de douleur, pas de lutte. Tout s'estompe, doucement ; je m'endors au soleil, j'ai chaud, tout va bien, je me fonds dans la terre. J'ai voulu grimper si haut, mais c'est mieux ainsi, je m'enfonce.

Oui. Si profond. Je suis si bien.

Le lendemain matin, à son bureau, Anne ouvrit le journal et vit la photographie d'Ethan qui la regardait. « Ethan Chatham, l'un des plus grands constructeurs de notre siècle, s'est éteint hier dans sa maison de Tamarack, Colorado, à l'âge de quatre-vingt-onze ans. »

Anne parcourut l'article. « Un service religieux sera célébré en la chapelle de Lake Forest, Illinois, mercredi. »

Sa main tremblait. Mais elle décrocha le téléphone et demanda d'une voix ferme à sa secrétaire de lui réserver une place dans le vol pour Chicago du mardi soir.

# 8.

Dans un petit cri, Gail se jeta dans les bras d'Anne.

– Oh, je suis si heureuse, dit-elle d'une voix étouffée. Si tu savais...

Anne regardait la chapelle bondée par-dessus l'épaule de sa sœur. On aurait dit un tableau : des rangées de visages étonnés tournés en un instant sur deux femmes qui s'étreignaient. Tout s'était figé, il n'y avait pas un souffle d'air.

– Mes amis, nous sommes ici pour Ethan, dit le pasteur d'un léger ton de reproche obligeant l'assistance à se tourner de nouveau vers lui. Maintenant que ceux qui l'aimaient ont pris la parole, j'aimerais évoquer mon amitié avec Ethan, qui remonte à trente ans. Puis nous irons le conduire en ce lieu où il reposera pour l'éternité auprès d'Alice, sa bien-aimée.

Charles n'avait pas suivi le mouvement général. Son regard croisa longuement celui d'Anne. Comme avec Vince, elle fut la première à détourner les yeux. Elle tremblait de tous ses membres. *Pas encore, pas tout de suite. Ça viendra : nous bavarderons, assis l'un près de l'autre, et nous trouverons ce qui nous lie encore. Mais pas tout de suite. Ce serait trop dur.*

– Tu trembles, dit Gail en se reculant.

– C'est beaucoup pour moi, répondit Anne avec un petit sourire. Trop d'émotions à contrôler. Il faut que je sorte, Gail, tu m'accompagnes ?

– Tu ne viens pas au cimetière ?

– C'est inutile. J'ai dit au revoir. Je voulais être là, c'est tout. Mais je t'attends, si tu veux rejoindre les autres.

– Non, je préfère rester avec toi. Juste le temps de prévenir Leo.

– Je t'attends dehors.

Anne remonta calmement le bas-côté et se glissa dehors, presque invisible, comme elle était arrivée.

– Ouf ! soupira-t-elle en ôtant son chapeau noir alors que Gail s'approchait. C'était étouffant là-dedans.

– Sans doute tous ces gens, commenta Gail.

– Et tous ces souvenirs, ajouta Anne en regardant le lac, d'un gris d'acier sous les nuages noirs qui filaient et les éclairs de lumière. Un par un, je m'en sortirais peut-être. Mais ça fait trop d'un coup. Où pouvons-nous bavarder tranquillement ?

– Nous sommes descendues chez Marian, répondit Gail lentement. On y serait au calme.

– Je ne veux pas...

Le chapeau d'Anne dansait dans sa main gantée tandis qu'elle marchait dans le chemin qui conduisait à la rue. Elle l'avait emprunté si souvent qu'elle s'écarta automatiquement à l'endroit où les branches fouettaient les passants distraits. Mais les buissons avaient été remplacés par une haie impeccablement taillée, sans danger. Sans danger, se dit-elle. Elle avait fait tout ce chemin. Pourquoi ne pas aller jusqu'à la maison où elle avait grandi ?

– D'accord. Allons-y. A pied, si tu veux bien. J'aimerais marcher un peu.

Elles passèrent sous les chênes et les ormes qui entrelaçaient leurs longues branches. De fins rais de lumière transperçaient les feuilles ; Anne et Gail étaient semblables à deux fantômes traversant des murs éclairés par le soleil. De chaque côté, de grands arbustes et des grilles trouant des murs de brique permettaient de jeter un coup d'œil aux demeures de pierre grise. Aucun signe de vie, à part une voiture de temps en temps ; personne dans les rues désertes. Anne se souvint qu'il en était déjà ainsi dans son enfance.

– Où es-tu allée ? demanda Gail.

– San Francisco. Il y avait un endroit pour les fugueurs.

– Haight-Ashbury, dit Gail. Oui, j'en ai entendu parler. Je t'imagine mal là-bas ; c'était si bizarre.

– Non. C'était un endroit merveilleux, chaleureux. Après, ça a changé, je suis allée à l'université de Berkeley. Puis à Harvard pour faire du droit.

– Du droit ? Tu es avocate ?

– Oui. A Los Angeles.

– Quel genre ?

– Divorces, essentiellement.

– Tu es mariée ?

– Non.

– Divorcée ?

– Non. Mais, toi, tu es mariée ; avec Leo. Et ces adorables enfants qui étaient assis à côté de toi, ce sont les tiens ?

– Oui. Robin vient d'avoir huit ans et Ned aura dix ans en septembre. Tu les aimeras. Ils sont merveilleux. Leo aussi. Il était très proche de grand-père. Il est président de la Tamarack Company. Grand-père lui faisait confiance – à moi aussi, je crois – pour protéger ses rêves.

– Parle-moi de Leo.

– Il est sérieux, ambitieux et protecteur. Nous y sommes, dit Gail en s'arrêtant. Mais tu le sais, bien sûr. N'est-ce pas extraordinaire ? Nous sommes toutes les deux à la maison.

– Oui.

Les années avaient passé et elle traversait la rue comme si elle rentrait de l'école. Elles empruntèrent l'allée et, sans réfléchir, Anne se dirigea vers la porte latérale, puis revint sur ses pas en voyant Gail entrer par la grande porte avec sa clef. Une fois à l'intérieur, Anne s'obligea à monter d'un pas régulier jusqu'au deuxième étage. Au fond du couloir, elle ouvrit la porte et embrassa la chambre du regard. Sa chambre. Dans le ciel, les nuages tournoyaient, et sa chambre était grise et sombre comme le matin où elle avait fait son sac. Rien n'avait changé depuis. Seules manquaient les roses fraîchement coupées sur la table...

Elle sortit brusquement et ferma la porte derrière elle avec un bruit qui explosa dans la maison vide. Vince, lui, faisait toujours attention d'éviter le moindre bruit. Elle réprima un sanglot.

– Viens, dit Gail, qui se tenait en haut de l'escalier. On va faire du thé. Ce soir-là, fit-elle au bout d'un moment, quand tu leur as dit, je n'ai pas compris... Il est vrai que j'avais neuf ans ; je ne savais rien. Sauf que c'était affreux, à cause de l'air que tu avais, et parce que tout le monde hurlait. Marian ne voulait rien m'expliquer. Je ne cessais de lui demander où tu étais, pourquoi tu étais partie, pourquoi personne ne parlait de toi...

– Ils n'en parlaient jamais ?

– Personne ne parlait de rien, en réalité. Papa disait qu'on se serait cru dans un tombeau. Il avait raison, tu sais. C'était horrible. Je restais à l'étude pour rentrer le plus tard possible et Marian m'a trouvé un centre de travaux manuels pour le samedi ; l'été, je partais en camp dans le Wisconsin. Toutes les vacances. Quand tu es partie, tout s'est écroulé. C'était horrible. Je ne comprenais rien, on ne voulait rien me dire, et surtout, tu me manquais tellement. J'ai souvent pensé à toi, tu sais. C'était un peu comme si j'avais perdu ma maison et ma famille.

– Alors, on est deux.

Comme si elle l'avait fait la veille, Anne remplit la bouilloire qu'elle mit sur la cuisinière, alluma le gaz, trouva des tasses et une théière sur l'étagère et les posa sur le comptoir. Le moindre geste était parfait.

– Comme c'est étrange, dit-elle. J'ai l'impression de voyager dans le temps.

– Comment est-ce arrivé ? demanda Gail. T'a-t-il menacée ?

Anne se recroquevilla. Elle s'assit à la table près des portes-fenêtres qui donnaient derrière la maison. Il s'était mis à pleuvoir et des éclairs scintillaient au-dessus du lac. Elle se rappelait ces mois de juillet avec leurs lourdes pluies qui duraient à peine un quart d'heure et le tonnerre qui grondait avant de rouler peu à peu dans le lointain, laissant une sensation d'étouffement.

– Même maintenant ? Au bout de vingt-quatre ans ? Ne peux-tu rien me dire ?

Anne secoua la tête.

Gail soupira.

– C'est juste que je ne sais rien de toi et que j'aimerais te connaître. Tu comprends, j'avais une sœur sans l'avoir; tu me manquais tellement. Avant, j'étais trop jeune, mais je ne cessais de penser que, si jamais tu revenais, nous pourrions êtres amies et que, si tu étais là, je pourrais te le dire. Un peu comme si nous étions déjà proches sans nous être jamais vues. Ça te paraît idiot ? Je ne voudrais pas te forcer ni ajouter à ta peine, mais, si tu voulais un jour me parler, je serais si heureuse. Je me sens si éloignée de toi, dans un sens. Tout le monde disait que je ne comprendrais pas ce que tu avais dit ce soir-là, alors j'ai fini par demander à quelqu'un à l'école; j'ai eu ma réponse, avec beaucoup plus de détails que je n'en demandais, mais je ne sais toujours rien en ce qui te concerne. Dis-moi au moins... ça a duré longtemps ?

– Deux ans, répondit Anne en se tordant les mains.

– Deux ans ? Oh, mon Dieu, mais alors tu avais treize ans quand... ? Et tu n'as rien dit ? Même pas à Marian ?

Anne ferma les yeux, troublée, rageuse. S'était-elle imaginé que Gail ne lui poserait aucune question ?

– Marian n'a jamais aimé les problèmes, fit-elle d'une voix sourde. Tu le sais bien. Et... et il menaçait de me tuer.

– Oh non ! Et c'est notre oncle, en plus ! Incroyable !

La bouilloire siffla et Gail versa l'eau dans la théière. Ses gestes étaient aussi contrôlés que ceux d'Anne. Elle posa la crème et le sucre à mi-chemin entre les deux tasses, puis prit des scones dans le réfrigérateur qu'elle réchauffa au micro-ondes avant de les servir avec du beurre. Tout était parfait.

– Je fais exactement comme toi, commenta Anne. N'es-tu jamais désordonnée ?

– Jamais. Ça m'empêcherait de dormir. Et toi ?

Anne secoua la tête en souriant. Voilà qui était mieux. Elles faisaient connaissance. C'était ce qu'elle avait souhaité en l'embrassant dans la chapelle, tout commencer aujourd'hui, oublier le passé. Il n'existait presque aucun souvenir attaché à Gail.

Pourtant, elles étaient sœurs. Ce mot résonnait curieusement à son oreille. Sœur, père, grand-père, tante, oncle, cousin, autant de sons qui lui étaient étrangers. Mais voilà que sa sœur beurrait un scone. Que seraient-elles l'une pour l'autre ? Peut-être comme Eleanor et elle, mais beaucoup plus proches. De bien des façons, c'était déjà le cas. Elle est comme moi, songeait Anne. Trop parfaite, essayant de tout contrôler. Détestant la négligence qui signifierait que les choses lui échappent, comme avant. Et elle me ressemble. C'est bien.

– Combien d'étés as-tu passés en colonie ?

– Tous. N'importe quoi plutôt que de passer les vacances à la maison, et de toute façon ça me plaisait. J'ai commencé à être monitrice à quinze ans et j'ai continué jusqu'à la fac. Est-ce qu'on te manquait ?

– Oui. Où as-tu fait tes études ?

– Northwester. Je ne me suis jamais éloignée de chez nous. Dieu sait pourquoi. J'avais sans doute peur d'être livrée à moi-même. Je n'ai jamais connu ça, tu sais. Je passais de la maison au dortoir et j'ai rencontré Leo à dix-huit ans quand il est venu travailler avec grand-père. Nous nous sommes mariés dès que j'ai eu mon diplôme. Si on te manquait vraiment, pourquoi n'appelais-tu pas ?

– Je pensais ne jamais revenir. Anne buvait le thé au jasmin de Marian, dont elle avait gardé le parfum comme un souvenir lancinant. Je me rappelle un jour que William écrivait une de ses fameuses lettres – il le fait toujours ?

– Sans arrêt. Il reste persuadé qu'il peut changer ce qu'il désapprouve en écrivant aux sénateurs, parlementaires, journaux, présidents d'associations, la Maison-Blanche et j'en passe... Il ne perd jamais espoir.

Anne sourit.

– Bref. William tapait sur la machine de Marian, buvait son thé et me donnait des conseils, tout ça à la fois. J'avais dix ou onze ans et je n'étais guère attentive ; mais, bizarrement, je devais écouter quand même parce que je me souviens du moment où il a levé les yeux brusquement et m'a dit : « Jeune enfant, quand tu seras grande, fais tout ton possible pour que ta vie soit parfaite, et en tout ; ne fais rien en amateur et ne te réfugie pas dans la sécurité ; fonce, regarde devant toi, ne te retourne jamais parce qu'il n'y a rien à voir : seul l'avenir existe. » Je n'ai jamais oublié, ajouta Anne après un long silence. C'était si brutal. J'y pensais souvent à Haight. Tu me manquais – vous me manquiez presque tous –, mais je ne pouvais revenir. Je me sentais trop seule avec eux. Alors, j'ai bâti ma propre vie en suivant les préceptes de William.

Le silence se fit lourd.

– Oh, je suis désolée, dit Gail. Je n'arrive même pas à imaginer comment on ressent ça. Il ne m'est jamais rien arrivé de grave. Tu te rends compte ? J'ai trente-deux ans et tout a été si tranquille. Je n'ai aucun souvenir de maman ; quant au reste... il y a eu des choses désagréables et j'ai été malheureuse, mais c'est fini et ça n'a laissé aucune cicatrice. Je me demande si c'est le cas en général.

– Je crois que tout laisse une cicatrice, répondit Anne. Chaque fois qu'il nous arrive quelque chose, nous changeons, un peu ou beaucoup. Parfois nous en avons à peine conscience, parfois nous savons que rien ne sera plus jamais comme avant.

Gail dévisagea longuement sa sœur.

– Il t'est arrivé d'autres choses épouvantables après ton départ ?

– Non, j'y ai pris garde. Mais je ne vois que ça au bureau. Mes clients sont souvent très malheureux – certains sont ravis à l'idée de dépouiller leur conjoint avant de changer de partenaire, mais la plupart sont rudement secoués – et tous pensent être les seuls à connaître pareil traumatisme. Au fond, ils n'ont pas tort : chacun est unique dans sa souffrance. Et on ne sort jamais indemne d'un divorce, même si sur le moment on est agressif, ou sur la défensive, ou soulagé, ou trop au bout du rouleau pour s'en rendre compte.

– Qu'entends-tu par « j'y ai pris garde » ?

– Oh, euh, je ne vois personne. Je me suis fait une amie à Haight – je l'ai toujours –, mais après j'étais trop occupée. Encore un peu de thé ?

– Volontiers. Tu n'as pas d'amis du tout ? Et les hommes ?

– J'ai Eleanor, celle de Haight-Ashbury. Et mes collègues sont plutôt sympathiques.

Anne versa le thé. La vapeur serpentait sur la fenêtre mouillée de pluie. La cuisine était chaude et claire. Il faisait bon être là.

– Tu sais, nous n'avons que peu de besoins, finalement, reprit Anne. Si le travail remplace l'amour, si on s'intéresse à beaucoup de choses et si on apprend sans cesse, c'est largement suffisant. On n'a pas besoin d'une foule de gens. On n'a besoin de personne, à vrai dire.

Gail passait un doigt sur le rebord de sa tasse.

– Tu n'en penses pas un mot.

– J'ai toujours vécu ainsi.

– Pas quand tu étais là.

– Si, la plupart du temps. Je me sentais étrangère. Et, quand j'ai eu vraiment besoin d'eux, ils m'ont traitée en étrangère.

– Mais tu es revenue.

– Je voulais dire au revoir à Ethan. Je n'ai jamais compris pourquoi il ne m'avait pas aidée ce jour-là, mais je l'aimais. C'est lui qui m'a manqué le plus. J'aurais voulu qu'on puisse se parler avant qu'il meure ; je lui aurais demandé pourquoi il ne m'avait pas aidée. Je lui aurais dit que j'ai continué de l'aimer.

– Leo m'a dit qu'il parlait de toi.

– C'est vrai ? Que disait-il ?

– Tu devrais demander à Leo.

Il y eut un silence.

– Non, je n'aime autant pas. Ça me ferait plaisir de le rencontrer, mais je refuse de voir les autres. Je vais partir avant leur retour.

– Je ne veux pas que tu t'en ailles ; tu viens d'arriver, supplia Gail. Oh, tu pourrais... Ecoute, Anne. Viens avec nous à Tamarack ! On rentre ce soir. Viens avec nous. Tu feras connaissance avec Leo et les enfants, et nous aurons tout le temps de parler. Nous avons plein de chambres. Anne, dis oui, je t'en prie. Ce serait merveilleux.

– Je ne sais pas.

Mais déjà l'idée avait pris forme. Elle n'était pas allée à Tamarack depuis vingt-quatre ans et c'était son endroit préféré.

– Qui vit là-bas, au juste ? s'enquit-elle.

– Seulement Keith, le fils de Fred et de Marian, tu te rappelles ? Il devait avoir cinq ans quand tu es partie. Il nous en a fait voir de toutes les couleurs, l'alcool, la drogue, puis un beau jour il s'est pointé pour demander du travail à Leo. Cela fait trois ans à peu près; il est responsable adjoint du domaine skiable; j'ai l'impression qu'il s'est calmé. On le voit rarement; il a son cercle d'amis.

– C'est tout? Personne d'autre?

– Dora et Josh, le type avec qui elle vit, ont une maison en ville; ils vont et viennent. Il est fabuleux; nous sommes devenus bons amis. On ne se voit pas assez; ils habitent Los Angeles. Si c'est à Vince que tu penses, il ne met jamais les pieds à Tamarack. Papa non plus; ni William. Marian, Fred et Nina viennent une ou deux fois par an. Voilà. Tout le monde se fiche de Tamarack. Ils ont piqué une crise quand grand-père a obligé Chatham Development à emprunter pour développer Tamarack; ils en avaient toujours après lui parce qu'ils pensaient qu'il préférait Tamarack à la société ou quoi que ce soit d'autre à Chicago. On pourrait disparaître demain, ils n'auraient qu'un souci, évaluer le montant des pertes.

Anne posa sa tasse.

– Que se passe-t-il, Gail? Que crains-tu?

– Rien. Ai-je dit que j'avais peur?

– C'est ce que tu n'as pas dit qui m'intéresse. Que se passe-t-il à Tamarack?

– Un tas de choses. Mais je ne voudrais pas t'ennuyer, Anne. Tu n'es pas venue pour ça. Et je me demande comment tu as deviné.

– Je passe ma vie à deviner ce que les gens veulent véritablement dire quand ils sont trop inquiets ou effrayés ou déchaînés pour le dire. Et, si je peux être d'une quelconque utilité, ça me ferait plaisir. Encore que je ne sais ce que je pourrais faire.

– Peut-être avons-nous juste besoin d'une oreille attentive qui serait de la famille sans en faire vraiment partie, si tu vois ce que je veux dire.

– Parfaitement, dit Anne froidement. On n'aurait pu dire mieux.

– Oh non, je ne voulais pas dire... Anne, je suis désolée; j'ai toujours pensé que tu étais, même si tu ne semblais pas... Je dis toujours ce qu'il ne faut pas.

– Ne t'inquiète pas, fit Anne avec calme. La frontière entre ce qu'il faut et ce qu'il ne faut pas n'est pas toujours claire.

– Est-ce que tu pensais à moi? demanda brusquement Gail.

– Souvent. Mais je ne te connaissais pas. Tu étais si jeune quand je suis partie, et tu avais tes amies; nous nous voyions fort peu. Je pensais que tu avais tout juste remarqué mon absence.

– Détrompe-toi. C'était comme si tu étais morte. Et le pire était de ne pas savoir, et de penser que tu ne m'aimais pas assez pour me téléphoner.

– Pardonne-moi. Je n'ai pas songé une seconde que tu pouvais être malheureuse toi aussi. J'ai toujours cru que tu t'entendais bien avec eux; jamais tu ne discutais, jamais tu ne répondais.

– J'en étais incapable. J'avais toujours peur quand ils se disputaient et que leurs yeux brillaient de colère. J'aurais bien voulu me rebeller un peu, pourtant; ç'aurait été rigolo.

Anne sourit faiblement.

– Il n'y a pas grand-chose de rigolo dans la rébellion; plutôt de la douleur. Se rebeller, c'est surtout être perdu, chercher désespérément un point d'ancrage et quelqu'un qui fasse attention à vous. J'aimerais t'aider, ajouta-t-elle après un moment, si c'est possible. Que dois-je savoir ?

– Que te dire ? Je me demande si on peut encore faire quelque chose. Il faut trouver un moyen de conserver Tamarack. Il y a longtemps que papa voulait vendre, mais c'était impossible du vivant de grand-père. Quand il a remis ça sur le tapis hier soir – on n'avait même pas encore enterré grand-père ! –, Leo et moi avons refusé catégoriquement, mais, si ça passe aux voix, on pourrait perdre. Cette famille n'en est pas une. C'est dingue, quand tu y songes, parce qu'on est tous liés à l'affaire familiale depuis des lustres; mais une fois sortis du bureau, il se produit quelque chose et tout se passe comme si on ne s'aimait pas. On se parle si peu. Je ne sais pas comment sont les autres familles, mais nous, on ne se dit rien. Si bien que j'ai du mal à nous imaginer assis autour d'une table pour trouver une solution. Je vais tout te raconter...

– Pas maintenant, coupa Anne.

Elle consulta sa montre, craignant de voir tout le monde soudain autour d'elle. Cependant, elle mourait d'envie de rentrer avec Gail. Elle pourrait passer un peu de temps chez elle, redécouvrir Tamarack et, qui sait, retrouver un peu de ce qu'elle avait perdu.

Mais elle fit machine arrière. Après Gail et les siens, les autres s'engouffreraient dans la brèche. Trop près. Elle était en sécurité avec son appartement, son travail, avec pour seule famille un cabinet d'avocats. C'était un endroit confortable avec des règles à respecter, des schémas de comportement et un souci scrupuleux de ne pas envahir le territoire d'autrui. Rien de comparable avec une famille; aucun groupe n'était plus imprévisible, plus potentiellement chaotique, qu'une famille.

*J'ai bien pris garde. Je ne vois personne.*

Mais si tu vas doucement, ça ira peut-être, se dit-elle. C'est ma famille; peut-être puis-je parler sans crainte.

Elle pensa brusquement qu'elle avait peut-être eu tort de partir si vite. Ça ne l'avait jamais effleurée auparavant. Peut-être qu'en réalité c'était elle qui avait rejeté sa famille. *Je me suis sauvée en les laissant tous intacts. J'ai permis à Vince d'avoir une famille, moi je suis partie sans rien. J'étais trop jeune; je ne savais pas que je pouvais me battre pour conserver ce qui m'appartenait.*

Elle se demandait si elle en était capable. Il était peut-être temps d'essayer. En tout cas de voir si tel était son désir. Je pourrais tenter ma chance, songea-t-elle. A condition d'avoir la situation en main.

– Je veux tout savoir, dit-elle à Gail. Mais pas maintenant. Il faut que je parte. Tu me raconteras tout à Tamarack.

– Alors, tu viens ? Formidable ! Quelle journée incroyable ! Je ne songeais même pas à te voir aux funérailles et te voilà, et c'est presque comme si nous ne nous étions jamais séparées – ça te fait le même effet ? –, et je t'aurai à Tamarack! Je n'arrive pas à y croire. Et toi ?

– Si, dit Anne en enfilant sa veste. Je t'attends à l'aéroport. A quel heure est ton vol ?

– 20 h 15. Mais que vas-tu faire en attendant ? Il n'est que 2 heures de l'après-midi. Je t'accompagne.

– Reste avec les autres ; c'est mieux. On se retrouve dans l'avion. Ne t'inquiète pas ; tout ira bien, la rassura Anne en souriant. Mais merci ; cela fait si longtemps que personne ne s'en fait plus pour moi.

Après un bref regard à la cuisine, elle s'en alla. La voiture qu'elle avait louée le matin les avait suivies et attendait à la grille. La pluie avait cessé et le ciel s'éclaircissait ; au loin, le tonnerre grondait. Anne demanda au chauffeur d'emprunter le chemin d'autrefois et regarda le village défiler. Cette fois, je pars grand style, songea-t-elle en esquissant un sourire. Mais voir cette ville léchée avec son masque de vie aisée, de familles heureuses, d'harmonie et de sérénité lui faisait encore mal. Les villes riches dissimulent leur agonie derrière l'aisance, le travail des architectes et des paysagistes, décorateurs et charpentiers, mais les cités les plus cossues vous attirent avec tant de fausses promesses grossières qu'un adolescent qui y grandit est coincé entre le vœu pieux et la réalité. Son seul salut est dans la fuite.

Ils passèrent devant la gare où elle avait attendu le train pour Chicago. Le chauffeur parut ralentir un moment, puis poursuivit vers l'ouest. Quand ils tournèrent en direction du sud pour prendre la nationale, Anne s'enfonça dans son siège. Jamais plus elle ne reviendrait ; Lake Forest et les maisons des Chatham ne signifiaient rien pour elle. Mais elle avait fait le premier pas pour retrouver sa famille et voulait être seule avant de retrouver Gail, Leo et leurs enfants à l'aéroport ; elle voulait réfléchir au sens de tout ça.

Je veux essayer, c'est tout. Si c'est trop dur, ou si on se montre indiscret, je m'en vais et retour à la case départ, ce qui me convient parfaitement. Mais si je me sens bien avec eux...

*Je verrai. Ça vaut le coup de perdre un jour ou deux.*

La première fois qu'Anne était venue à Tamarack, c'était une toute petite ville aux rues enneigées, aux bruits étouffés, aux maisons alourdies de toits blancs et scintillants. Elle avait cinq ans et accompagnait ses parents et ses grands-parents. Cet hiver-là, elle apprit à skier, et Ethan l'emmena dans un traîneau tiré par quatorze huskies. L'été suivant, ils se promenèrent le long d'un ruisseau jusqu'à une prairie dont les clochettes grimpaient jusqu'aux genoux ; ils n'entendaient que le bourdonnement des insectes, les trilles des oiseaux qui volaient en piqué et le murmure de l'eau courante.

– C'est un endroit magique, murmura Anne. Mon endroit magique à moi toute seule. Un jour, j'aurai une maison exactement là.

– C'est moi qui la construirai, dit Ethan. Mais peut-être n'aimeras-tu pas être si loin des autres. Tu as tout le temps d'y réfléchir.

Malgré ses nombreux séjours à l'étranger, malgré les endroits magnifiques et sauvages qu'elle avait découverts depuis, jamais elle n'avait oublié cet endroit. Pendant dix ans, elle alla à Tamarack régulièrement avec sa famille. Elle devint une excellente skieuse ; l'été, elle marchait des heures durant dans la montagne. Elle skiait et marchait toujours seule. Elle aurait aimé avoir des amies mais ne savait comment car elle venait toujours pour de courts séjours.

Ethan avait construit une nouvelle maison sur trente hectares, qui offrait une vue plongeante sur la vallée et les pistes des monts Tamarack, à l'est sur Wolf Creek Pass et à l'ouest sur les sommets plus découpés des monts San Juan. Quelques années plus tard, Vince acheta quarante hectares plus haut dans les montagnes mais n'en fit jamais rien. Marian et Fred Jax se firent bâtir une maison en ville avec une vue sur les monts Tamarack en façade, et les Star Mountains à l'arrière, mais ils n'y venaient presque jamais. Nina louait un appartement dans une résidence au pied des Tamarack. Charles et William, eux, n'eurent jamais rien à Tamarack. Quant à William, il préférait la mer et la voile, et Charles refusait de mettre un sou en ville. Quand son père commença à investir lourdement, il y vit une rivale à Chatham Development et commença à haïr tout ce qui s'y rattachait, même sa beauté, comme ces gens rongés par la jalousie qui doivent trouver des défauts pour justifier tant de haine.

Mais Anne aimait Tamarack et en connaissait le moindre recoin. Elle savait où trouver des fraises des bois et des framboises ; elle connaissait les chemins qu'empruntaient les cerfs la nuit ; elle passait des heures à bavarder avec les vieux qui étaient là avant Ethan et n'avaient pas renié leur ville malgré le changement. La plupart d'entre eux étaient partis quand elle revint avec Gail. Il ne restait plus grand-chose non plus du vieux Tamarack.

C'était toujours aussi beau mais en beaucoup plus grand. A part quelques grill-rooms, un vieux bazar, une station-service en plein centre et une école primaire, tout avait changé. Maisons et chalets bordaient les rues, s'étendant sur toute la vallée pour remonter sur les pentes boisées. Des résidences et des terrains de golf remplaçaient les pâturages. La plupart des maisons de mineurs avaient disparu au profit de chalets coquets avec des salons à mezzanines et des toits de cuivre. De nouveaux restaurants s'étaient ouverts avec des chefs français et italiens ; des dizaines de nouvelles boutiques offraient de multiples tentations.

– Je peux m'acheter l'argenterie la plus chère du monde, mais j'ai du mal à trouver une petite poubelle pour la salle de bains, expliqua Gail en riant tandis qu'elle se promenait avec Anne sur le mail.

Anne sourit sans répondre. Elle essayait de trouver ses points de repère. Leur avion avait atterri tard la veille au soir et ce n'est que ce matin qu'elle s'était pleinement rendu compte de l'étendue des changements. Elle se rappelait l'époque où les voitures, au printemps, transformaient les rues en patinoire de boue.

– C'est mieux que la boue, dit-elle en voyant les rues pavées. C'est même charmant. Mais ça n'est pas Tamarack.

– Pour moi, si, répondit Gail. Je n'ai connu que ça. Après ton départ, quand je venais avec Marian, Fred et leurs enfants, je ne pensais qu'à skier, la ville ne m'intéressait pas. La première fois que je suis venue en été, c'était avec des amis de la fac pour faire de la marche et du rafting. C'est là que j'ai rencontré Leo. Il était l'assistant de grand-père depuis près d'un an et était pour ainsi dire le patron.

– Cela remonte à combien de temps ?

– Quinze ans ce mois-ci. Quel été merveilleux ! Je passais le jour à me promener et la nuit avec Leo. Quand nous nous sommes mariés, Leo était alors président de la Tamarack Company ; la ville était notre gagne-pain, alors j'ai commencé à y prêter attention.

Une fois au bout du parc, Gail s'arrêta pour contempler les immeubles 1890 restaurés, les nouveaux bâtiments de brique qui se fondaient avec les anciens, le faux victorien plus alambiqué que le vrai.

– Nous possédons encore une grande partie de la ville. Tu n'as pas idée de ce que grand-père a acquis en arrivant. J'imagine que tout le monde s'en fichait – on pensait avoir trouvé le pigeon et on riait derrière son dos –, en tout cas il fut un temps où il possédait tout l'ouest, la moitié de l'est, tout le mail, presque toute la grand-rue, tous les terrains au pied des monts Tamarack et les concessions minières. Sans compter ce qu'il a acheté dans la vallée. Evidemment, il en a revendu à d'autres promoteurs, il n'avait pas le temps de tout faire lui-même. Bref, nous possédons encore quinze pour cent de la ville et les trois plus grosses fermes de la vallée ; nous nous sentons chez nous et nous adorons cet endroit. Je ne puis m'imaginer ne plus l'avoir ; ça aurait tué grand-père de savoir que papa voulait vendre.

– A-t-il des ennuis ? s'enquit Anne. A-t-il besoin de fonds ?

– C'est ce qu'il prétend. Il était censé construire un énorme truc près de Chicago et le gouvernement a annulé la construction de la nationale qui l'aurait relié à la ville, si bien que toutes les raisons de construire ont disparu. Je suppose que papa a investi un maximum là-dedans. Trop, dit William. En fait, je crois qu'il a des ennuis jusqu'au cou, mais pas Tamarack. Ce serait fou de vendre. De toute façon, il n'en est pas question. Nous avons promis à grand-père de nous en occuper. En plus, tout ce que nous avons est ici.

– Mais la famille pourrait-elle perdre Chatham Development ?

– Possible. Je n'en sais rien. Mais pourquoi échanger Tamarack contre une société qui dégringole depuis des années ?

– C'est le cas ?

Anne éprouva soudain de la pitié pour son père. Comme il avait dû être difficile d'assister à cela, de se comparer à Ethan en sachant que la famille en faisait autant.

– Sur le plan financier, Leo t'en dirait davantage, mais c'est l'idée, fit Gail. L'essentiel est d'empêcher papa de vendre – il faut lui parler, discuter, essayer de l'aider à Chicago, quoi qu'il en coûte. Il tient absolument à construire quelque chose de mémorable avant de se retirer ; il ne peut le faire sans argent, et affirme que pour ça il faut vendre Tamarack.

Elles arrivèrent à la voiture. Gail démarra et s'engagea dans la grand-rue.

– Tu aimerais quelque chose de particulier pour le déjeuner ? On peut s'arrêter chez le traiteur.

– Ne complique pas. Nous prendrons ce qu'il y a.

Elles traversèrent un petit pont et empruntèrent une route étroite qui surplombait la vallée jusqu'à un vaste plateau boisé avec des pâturages clos et des prés ouverts pleins de clochettes. Anne reconnut son endroit magique. Cette fois, elle était de retour.

Au bout d'un kilomètre, elles arrivèrent à une maison de bois sombre, pleine de coins et de recoins, qui se fondait dans le paysage.

– Grand-père nous l'a construite pour notre mariage, expliqua Gail. Il en a fait trois autres en même temps. Nous avons chacun vingt hectares. J'aime ma tranquillité.

Anne sortit de la voiture. Autour, des crêtes striées de neige. La maison était nichée dans une clairière entourée de champs de fleurs sauvages ; au loin, les forêts, des prairies d'herbes hautes ondoyant sous la brise. On entendait le chant des oiseaux. Nulle maison n'était visible.

– Qui habite les autres ?

– Des gens de la ville. Quand la famille vient, elle s'installe dans le centre-ville. Et, je te l'ai dit, Vince ne met jamais les pieds ici ; il est trop occupé à diriger le monde. En tout cas, c'est ainsi qu'il en parlait à grand-père au téléphone. Grand-père m'a dit que son opinion sur le Colorado en avait pris un coup depuis qu'ils avaient élu Vince. Il disait qu'il s'inquiétait sérieusement pour un pays que Vince aidait à gouverner...

– Marian ne vient-elle jamais ? s'enquit Anne.

– Excuse-moi, fit Gail. Je ne sais pas ce qui m'a pris ; d'ordinaire, je ne suis pas aussi stupide. Je n'en parlerai plus. Dieu sait pourquoi j'ai commencé. Entrons.

– C'est curieux, dit Anne au bout d'un moment, les Chatham ne sont guère une famille, en tout cas pas comme dans les films, mais on dirait qu'il est impossible de ne pas parler de l'un d'eux sans parler de tous. C'est peut-être ça, au fond, une famille : on est tous imbriqués, qu'on le veuille ou non. De toute façon, il faut que j'aie des nouvelles, mais à petites doses.

– Trois fois par jour. Comme un médicament.

– Deux fois me suffiront largement.

Elles rirent et entrèrent dans la maison. Elle était chaleureuse, basse de plafond, et toute simple. Le soleil entrait par les immenses baies vitrées.

– Tu as toujours été imbriquée à nous, dit Anne. Je l'ai toujours pensé, même quand j'étais fâchée contre toi parce que tu étais partie. Pour l'école ou comme cadeaux de Noël, je faisais souvent des arbres généalogiques et je nous plaçais si près l'une de l'autre que ça faisait presque un seul nom – GailAnne, Gail Chatham Anne Chatham –, et je ne cessais de me demander. Qu'y a-t-il ?

Anne secouait la tête.

– Ce n'est pas mon nom. Je l'ai changé il y a longtemps.

– C'est quoi, alors ? demanda Gail, ahurie.

– Garnett.

– Le nom de jeune fille de maman ? Mais pourquoi ?

– Je ne voulais plus être une Chatham. Et je ne voulais pas qu'on me retrouve. Ont-ils seulement essayé ?

– Grand-père a engagé des détectives privés qui ont tout tenté avant d'abandonner. Anne Garnett. Ça sonne bien. Mais pourquoi n'as-tu rien dit dans l'avion quand je t'ai présenté Leo ?

– Tu as dit : « Voici Anne, ma sœur. » C'était parfait.

– Anne Garnett. Comme c'est étrange, remarqua Gail, songeuse.

– Gail Calder aussi, tu sais.

Gail rit.

– Pas pour moi. Ça fait dix ans, maintenant. Je me demande pourquoi je trouve ton nom étrange ; peut-être parce que ce n'est pas le nom de ton mari. Je suppose qu'on ne s'attend pas à ce qu'une femme change de nom toute seule.

– C'est pourtant la seule bonne raison. On devrait porter le nom qu'on veut, homme ou femme. Pourquoi être contraint d'arborer un nom qu'on n'aime pas ?

– Parce que c'est la loi. Non ? N'est-ce pas illégal de changer de nom sur un caprice ?

– Non, à condition que ce ne soit pas pour frauder.

– Ah ! N'empêche que ça me paraît plutôt risqué. J'aime connaître les règles, comme ça je sais à quoi m'attendre.

– Moi aussi, fit Anne. Mais ce n'est pas toujours aussi simple.

– Ça m'a plu de changer de nom, dit Gail tandis qu'elles entraient dans la cuisine. Et toi ?

– Oui. Ça m'a aidée à me libérer. Magnifique, ajouta-t-elle en embrassant la pièce du regard. Quand on vit en appartement, on rêve d'une cuisine comme ça. Puis-je te donner un coup de main ?

– On va préparer des sandwiches. Leo et les enfants ne vont pas tarder et ils mourront de faim, comme toujours après le match du samedi matin.

Elle mit la salade dans l'évier, tendit à Anne du pain de mie complet et sortit de la dinde froide du réfrigérateur. Elles travaillaient en silence. La cuisine était en pin blond. Des tapis indiens rehaussaient le parquet d'érable, et contre un mur il y avait une table rectangulaire entourée de chaises dépareillées. Près de la porte, un long miroir dans lequel Anne regarda. Gail et elle se ressemblaient encore plus que la veille : toutes deux portaient des jeans de Gail, des chemises à carreaux, et leurs lourds cheveux noirs étaient retenus par un bandana. Elles avaient remarqué que les vêtements de Gail lui allaient presque parfaitement, mais ce matin Anne avait acheté quelques effets pour son séjour à Tamarack.

Elle aimait leur reflet dans le miroir, un peu comme des jumelles; c'était réconfortant, comme de se sentir chez soi.

– Oh, j'étais en train de t'expliquer qui vient ici, dit Gail. Marian et Fred montent en général quinze jours en hiver. Keith, leur fils, habite ici, je te l'ai dit. Leur fille, Rose – qui habite Lake Forest –, est mariée avec Walter Holland, une pauvre petit homme qui vous donne envie de pleurer tant il a peur qu'on le mange tout cru; il travaille pour la société à Chicago et joue le parent pauvre jusqu'à ce que l'envie vous prenne de le secouer et de lui dire de ficher le camp faire sa vie loin de nous, mais il reste là et, si tu veux mon avis, il aime faire partie des Chatham et adore s'apitoyer sur son sort. Où en étais-je?

– Qui vient, dit Anne en riant. Et Nina?

– Depuis que tu es partie, Nina a eu cinq maris, deux fils, et six chiens. Non. Attends. Elle était mariée quand tu es partie, n'est-ce pas? Voyons. Deux maris avant ton départ; trois depuis. Elle vient ici se remettre de ses divorces. Quand elle est mariée, elle et son mari du moment filent en Europe. Tu sais, elle est très gentille, et ça me navre que ses mariages tournent toujours à la catastrophe. Un jour, je lui ai dit que, lorsqu'elle rencontrait un homme à son goût, elle devrait vivre cinq ans avec sans songer au mariage, ou même la vie durant, ce à quoi elle m'a répondu qu'elle avait besoin de stabilité et que le concubinage était immoral.

– Où est la stabilité dans tout ça?

– Dans le nombre de divorces, peut-être, pouffa Gail.

– Elle est mariée en ce moment?

– Non, mais elle cherche. Elle va peut-être rencontrer l'amour de sa vie. Après tout, elle n'a que cinquante-huit ans, et déborde d'énergie.

– Et Fred? Je n'ai jamais fait attention à lui. Comment est-il?

– Toujours bel homme, dans le genre grand maigre; je n'ai jamais pu savoir s'il était vraiment intelligent. Il a toujours l'œil égrillard, surtout pour les secrétaires, ce que je trouve affligeant. Grand-père ne l'aimait pas, mais il s'entend bien avec papa et Vince. Et Marian, je suppose; ça fait longtemps qu'ils sont mariés. Déjeunons sur la terrasse, il fait si doux.

Le téléphone sonna. Gail répondit.

– Oui, Keith. Elle fronça les sourcils et regarda Anne. Non, elle n'est pas là. Je n'en ai aucune idée. Elle est partie après la cérémonie. Oui, fit-elle après avoir écouté un moment, nous avons parlé un peu, puis elle est repartie. Si elle veut nous voir, elle nous le fera savoir, Keith.

– On dirait le grand inquisiteur, dit-elle à Anne après avoir raccroché. Il est à Chicago. Tout le monde se demande où tu es passée.

– Désolée de t'avoir obligée à mentir. Mais pourquoi Keith? Il ne me connaît même pas. Qu'est-ce que ça peut lui faire que je sois ici ou non?

– Je n'en sais rien ; c'est bizarre. Il appelle peut-être pour papa, ou Marian, ou un autre.

– Keith est leur homme à tout faire ?

– Pas pour autant que je sache. Ils doivent se sentir mal à l'aise.

– Tu m'en vois navrée, fit Anne sèchement.

– Salut ! On peut manger ?

La porte claqua.

– Robin, tu pourrais quand même dire bonjour, protesta Ned Calder en poussant sa sœur pour entrer dans la cuisine. Bonjour, tante Anne. As-tu bien dormi ?

– Ouah, génial, grommela Robin. Tu sors le grand jeu. Tu ne parles pas comme ça d'habitude, et c'est toi qui manges comme quatre, pas moi. Elle le poussa du coude. Dis, tante Anne, je peux m'asseoir à côté de toi ?

– Bien sûr, répondit Anne, souriante. Mais je vous veux tous les deux. Si je m'asseyais au milieu ?

– On l'a déjà fait dans l'avion. Il faut être entre quatre yeux pour vraiment se connaître.

– Tu as sans doute raison, dit Anne gravement.

– Qui diable t'a appris ça ? demanda Gail.

– Moi, dit Leo en entrant. Je parlais à Tim Warren de ce satané assainissement que l'EPA veut entreprendre, et je disais que, si on les prenait entre quatre yeux, on obtiendrait peut-être qu'ils nous écoutent. Voilà.

Anne observa Gail et Leo, l'un contre l'autre, avec leurs enfants, dans le confort rassurant de leur maison, et elle eut mal. *Mais ce n'est pas pour moi. Il y a longtemps que j'ai pris ma décision. Je suis heureuse pour eux, mais je veux autre chose. Je me suis donné tant de mal pour ce que j'ai, et c'est exactement ce que je voulais.*

– Alors, où t'installes-tu ? demanda Ned.

– Au milieu, c'est en général la place de l'avocat.

– Je croyais qu'ils étaient du côté de quelqu'un ? Au tribunal, avec les juges et tout ça.

– C'est vrai, mais ils essaient aussi de rapprocher les deux points de vue, expliqua Anne en s'apercevant qu'elle ne savait pas comment parler aux enfants. J'aime m'asseoir entre vous deux, Ned. Et après, tu pourrais me montrer les environs. C'était mon endroit préféré, mais il y a si longtemps que je ne suis pas venue.

– Quoi comme environs ?

– Les endroits spéciaux et magiques où tu aimes aller.

– Tu veux dire ceux dont je ne parle à personne ?

– Par exemple. Tu en as ?

– Oui. Je peux t'emmener.

– Moi aussi, dit Robin. Je veux y aller.

– Ils ne seraient plus secrets.

– De toute façon, si tu emmènes tante Anne, ils ne le seront plus.

– Mais...

Il y eut un bref silence.

– Qu'en penses-tu, Ned? demanda Anne. Si tu partages ton secret avec une personne, est-ce que ça change beaucoup de le partager avec une de plus?

Ned était perplexe.

– C'est pas comme juste une. Si on le dit à tout le monde, on n'a plus rien. Je parie que tu ne dis tes secrets à personne, tante Anne. Je parie que tu préférerais mourir écarquillée que de cracher le morceau.

Anne éclata de rire.

– Ecartelée, veux-tu dire. Tu as raison; j'ai effectivement des secrets que je ne partage pas. Comme tout le monde. A toi de décider, Ned; tu peux partager des secrets avec un petit nombre, ou les garder pour toi seul. Pour moi, les secrets sont très importants; ils font partie de notre personnalité, et en parler à quelqu'un c'est un peu comme le laisser entrer en vous. C'est une grande décision.

– Ouais, fit Ned, incertain. Bon, d'accord. Je veux dire – il haussa les épaules et regarda Robin – tu peux venir. T'es OK. Mais motus et bouche cousue.

– Merci, dit Robin, rayonnante. Mais qu'est-ce que nous allons faire? demanda-t-elle en s'adressant à Anne. Juste nous deux, je veux dire.

Le téléphone sonna et Gail répondit.

– Non, je ne sais pas. Elle ne m'a rien dit. D'accord, si elle appelle... Non, elle n'en a pas parlé; je suis sûre qu'elle le fera si elle souhaite nous voir.

Leo la regarda tandis qu'elle raccrochait.

– Ton père?

Elle eut un petit sourire.

– Tu ne t'y trompes jamais, n'est-ce pas?

– Tu deviens froide, bien élevée et un peu triste.

Gail regarda Anne.

– Tu tiens vraiment à ce que personne ne soit au courant?

– Oui. Merci encore.

– Au courant de quoi? demanda Robin.

– Je ne veux parler à personne d'autre ce week-end. Je veux passer tout mon temps avec vous quatre. Tu me demandais ce qu'on ferait toutes les deux. Je pensais que tu m'emmènerais quelque part, peut-être en ville. Qu'en dis-tu?

– Tu vas rester? s'enquit Robin d'une voix pressante, les mains sur les hanches. Dans cette famille nous sommes les seuls à rester; les autres ne font que passer. On passe son temps à dire au revoir. Et grand-père vient de mourir et je voulais qu'il reste toujours, toujours, et maintenant il est parti. Tu vas rester toujours, toujours?

– Je ne peux pas, dit Anne en s'agenouillant près de Robin. J'ai un métier, des gens qui dépendent de moi, si bien que je ne puis m'attarder. Mais j'aimerais revenir. Et si je reviens souvent, ce sera un peu comme si je restais, non?

– Non, répondit Robin d'une voix neutre. Rester, ça veut dire mettre tes valises au sous-sol et toujours être là pour qu'on puisse te parler.

Anne sourit.

– Nous pourrons toujours parler; tu n'auras qu'à me téléphoner. Moi, je t'appellerai.

– Excellente idée, dit Leo.

Debout près de Gail, il regardait Anne et ses enfants. Ils étaient charmants tous les trois, les enfants aux cheveux noirs, la femme aux cheveux noirs, absorbés dans leur conversation. Robin devait ressembler à Anne quand elle avait huit ans, mince, osseuse, avec son regard vif et passionné et ses cheveux en bataille. Ned, lui, était bâti comme son père, avec les mêmes sourcils broussailleux et des yeux qui plissaient quand il réfléchissait. Mais pour Leo, les différences les plus surprenantes étaient entre Gail et Anne. La veille, dans l'avion, il les avait comparées; mais aujourd'hui qu'elles étaient habillées de la même manière, le contraste était encore plus marqué. Le plus frappant était que, si elles se ressemblaient, Anne avait tout et un peu plus. Ses cheveux et ses sourcils étaient un peu plus foncés que ceux de Gail, sa bouche plus pleine et plus sensuelle, ses pommettes plus saillantes, ses yeux d'un bleu plus sombre. Elle était un peu plus grande et plus mince que Gail, se tenait plus droite. Elle était beaucoup plus belle, plus intense, plus spectaculaire. Mais, Dieu sait pourquoi, elle ne semblait pas réelle. Gail l'était. Leo se sentit débordant d'amour pour sa femme qui lui donnait l'amour, un foyer, des enfants, tout ce qu'il avait toujours désiré.

Il éprouva brusquement de la pitié pour Anne. Elle était d'une grande beauté mais si caparaçonnée, sans la plus petite faille pour que les émotions s'expriment. Leo savait que, lorsqu'elle avait évoqué les secrets avec Ned, c'est d'elle qu'elle parlait. Elle avait peur de laisser entrer quelqu'un. Elle ne savait même pas comment prendre un enfant dans ses bras, songea-t-il en la voyant agenouillée près de Robin, les bras le long du corps. Pas une fois elle n'avait fait de câlin à Robin, ce que Gail aurait fait avec tout enfant qui parle des adultes qui s'en vont et d'un grand-père adoré qui vient de mourir.

– Au téléphone ce n'est pas la même chose, protesta Robin, têtue. J'aime être tout près. Tu sais... qu'on se tienne l'un contre l'autre. Lire des livres ensemble, se promener, ou juste rester assis à bavarder. Si tu restais, on pourrait lire tous mes livres et aller au cinéma et jouer au Scrabble. Ça ne te plairait pas? A moins que... euh... à moins que ça ne t'ennuie...

– Bien sûr que non, dit Anne d'une voix décidée. J'aimerais beaucoup faire toutes ces choses avec toi. Et avec Ned aussi. Mais je ne peux pas pour l'instant. Ecoute, ajouta-t-elle en voyant le visage de Robin s'assombrir, c'est comme l'école. Tu ne pourrais pas venir habiter avec moi à Los Angeles parce que tu as l'école. J'ai un métier; ça revient à peu près au même.

– Je pourrais aller à l'école là-bas. Tu pourrais faire ton métier ici.

– Allons, Robin, ça suffit. Pourquoi ne pas profiter d'Anne pendant qu'elle est là au lieu de t'inquiéter de l'avenir ?

Le téléphone sonna de nouveau et Gail saisit l'appareil.

– Non, dit-elle au bout d'un moment tout en jetant un œil sur les enfants. Je ne sais pas où elle est. Elle ne l'a pas dit. Si elle veut t'appeler, je suppose qu'elle le fera. Je ne sais pas !

Elle raccrocha.

– Qui était-ce ? demanda Ned.

– Quelqu'un à qui je n'avais pas envie de parler, répondit Gail. Alors ce déjeuner ? Ça n'intéresse plus personne ?

– Oh si ! On peut avoir de la limonade ?

Anne se leva.

– Que puis-je prendre ?

Ils emportèrent les plateaux sur la grande terrasse qui dominait la vallée. Des trembles offraient de l'ombre aux tables et chaises en fer forgé ornées de coussins multicolores ; au-dessous, potagers et jardins fleuris dévalaient la colline. D'un côté, une serre et une piscine ; de l'autre, un filet de badminton au bord d'une pelouse.

– Quelle perfection ! dit Anne d'une voix tranquille.

– Ça devait être pour toi, dit Gail. Grand-père a acheté tout le terrain pour nous tous et l'a baptisé Riverwood ; il l'a viabilisé pour que chacun y ait sa maison. Tu sais comme il décidait de tout ; il a longtemps dirigé Tamarack comme si c'était son royaume. Bref, il avait choisi cet emplacement pour toi. Il nous l'a donné à la naissance de Ned, prétextant qu'il ne pouvait te le garder plus longtemps.

Anne s'y revoyait skier hors-piste avec Ethan.

« Tu veux toujours habiter ici ? avait-il demandé.

– Oui, avait répondu Anne sans hésiter. C'est l'endroit le plus beau du monde.

– Plutôt loin de tout, avait répété Ethan.

– C'est ce que je veux. M'échapper. »

Elle avait presque quinze ans. Elle n'avait pas revu Tamarack depuis.

– Je croyais qu'il m'avait oubliée, dit Anne avec lenteur. Je pensais qu'il était furieux et déçu au point de me sortir de son existence.

– Il pensait beaucoup à toi, dit Leo, tout en aidant Gail à remplir les assiettes de sandwiches et de salade de pommes de terre. Je me rappelle un petit déjeuner que nous avons pris ensemble un an avant sa mort. Il a eu sa première attaque peu après, et n'a plus jamais eu l'esprit aussi clair que ce matin-là. Il avait les yeux fermés et disait : « Anne » – non, il disait : « Ma petite Anne » – puis il a dit : « Tellement désolé... je t'aimais et je t'ai trahie ; si seulement je pouvais te demander de me pardonner... » Quelque chose comme ça. Il disait que tu n'avais sans doute pas besoin de lui parce que tu étais adulte maintenant, mais qu'il voudrait faire tout pour que tu te sentes en sécurité et aimée. Ça, je me le rappelle. Et il se disait que, si seulement tu revenais, il te dirait tout ça avant de mourir.

Anne était assise, immobile. Ses yeux brillaient de larmes mais elle pleurait surtout intérieurement. Toutes ces années, se dit-elle. Toutes ces années à penser que personne ne s'intéressait à moi. Mais Ethan s'inquiétait. On m'aimait et je ne le savais pas.

Et Gail s'intéressait à moi. Je ne le savais pas non plus. Et maintenant ses enfants. Et son mari.

Ses larmes avaient séché.

– J'aurais dû revenir, dit-elle.

– Oh oui ! dit Gail avec conviction. Mais tu es heureuse, n'est-ce pas ? Tu sembles avoir un magnifique appartement, et ton bureau, et tu es avocate. Tout ça est beaucoup plus excitant que Tamarack. C'est d'un calme, ici. Tu es la seule de la famille à avoir réussi quelque chose en dehors de l'affaire familiale.

– Oncle Vince aussi, intervint Ned. Il est sénateur à Washington. Il dit des choses au président. Je ne l'aime pas beaucoup, ajouta-t-il à l'adresse d'Anne. Je crois qu'il n'aime pas les enfants. Peut-être qu'il n'aime personne. Il a fait une drôle de chose à l'enterrement de grand-père. Il a dit à Keith de se débarrasser de quelqu'un. Comme « tue-la », tu vois. C'était vraiment bizarre.

– De qui parlait-il ? s'enquit Leo.

Ned haussa les épaules.

– Il a seulement dit : « Tâche de trouver ce qu'elle veut et débarrasse-t'en. » Comme dans *Deux flics à Miami*, sauf qu'on ne devrait pas dire des choses comme ça à un enterrement.

Les yeux d'Anne et de Leo se croisèrent.

– On ne peut être certain, dit Leo.

– Il a appelé, tout à l'heure, dit Gail.

– Qui ? demanda Leo.

– Keith, répondit-elle, troublée.

– On ne peut être certain de quoi ? demanda Ned dont le regard allait de l'un à l'autre.

– De ce dont il parlait, fit Gail. Mais tu as raison, on ne parle pas comme ça à un enterrement. Si tu nous racontais ton match ? On ne sait même pas qui a gagné.

Anne s'adossa à sa chaise. Elle les entendait à peine. *Débarrasse-t'en.* C'était bien dans le style de Vince. La peur s'empara d'elle, puis la colère. Il s'était déjà débarrassé d'elle une fois. Ça ne lui suffisait donc pas ?

C'est moi qui suis partie, songea-t-elle. Lui est resté, bordé bien au chaud dans sa famille. Injuste. Et voilà qu'il voulait que Keith se débarrasse de moi – Dieu sait ce qu'il faut comprendre. Et Keith a téléphoné pour savoir où j'étais. Pourquoi lui ? Et qu'est-ce que ça change pour Vince ? Ça ne peut être sa conscience qui le travaille, il n'en a pas. Ni la peur, ni l'inquiétude ; quel danger est-ce que je représente pour lui ? Je l'ai accusé, une fois, et personne ne m'a crue.

Mais un sénateur, bien sûr, ça s'inquiète ; ça panique. Une accusation d'abus sexuel ferait l'effet d'une bombe. Et l'accusation, si accusation il y avait, ne viendrait pas d'une gamine de quinze ans mais d'une avocate respectée, associée d'un cabinet à la fois réputé et connu pour sa modération.

Elle constituait une véritable menace pour Vince. Bien sûr qu'il voudrait se débarrasser d'elle.

Mais pas deux fois. Elle avait une famille, désormais. Elle n'abandonnerait pas aussi facilement.

*Cette fois, si quelqu'un quitte cette famille, ce sera Vince.*

– ... lundi, tante Anne ? demanda Robin.

Anne fit un bond.

– Excuse-moi, lundi ? Quoi, lundi ?

– Tu pourrais m'accompagner à mon atelier de céramique. D'accord ? Tu pourrais fabriquer quelque chose ; ça te plairait. Et après on irait dans le parc manger un hot-dog. D'accord ?

Anne changea ses plans. Elle téléphonerait à sa secrétaire lundi matin à la première heure pour modifier son emploi du temps.

– Parfait. Où...

– Salut, j'ai entendu parler, alors je suis montée.

– Dora, bienvenue, dit Gail. Ça fait si longtemps. Voici Anne Cha... Garnett. Anne, voici Dora Chatham. As-tu déjeuné, Dora ?

– Non, j'ai fait des courses toute la matinée. Je meurs de faim. Je vous ai vue à l'enterrement, dit-elle à Anne ; tout le monde se demandait qui vous étiez. Vous êtes chez Gail et Leo ?

Anne hocha la tête, incapable de prononcer un mot. Elle croyait voir Vince assis en face d'elle. Dora Chatham, avec sa beauté angélique, était un Vince devenu femme. Gail lança à Anne un regard interrogateur. Sans presque hésiter, Anne hocha la tête. Dora devait savoir qui elle était. Ils ne pouvaient garder le secret.

– Tu ne te rappelles sans doute pas Anne, dit Gail. Elle est partie depuis longtemps mais c'est ma sœur. Elle est par...

– Cette Anne-là ? Pas étonnant que tout le monde soit devenu fou à l'enterrement. Tu as pris la poudre d'escampette quand j'avais cinq ans, c'est ça ? Ma mère disait que tu nous détestais. Et tu n'es pas revenue depuis ? Où étais-tu ?

– En Californie, dit Gail. Anne habite à Los Angeles.

– C'est vrai ? Moi aussi. Où exactement ?

– Century City, répondit Anne, la gorge serrée.

– C'est près de chez toi ? demanda Gail à Dora.

– Non, dit-elle sans plus de commentaires.

Leo leva les sourcils.

– Problèmes, Dora ?

– Je n'habite plus là. Depuis deux mois.

– Oh, désolé, dit Gail. On ne se doutait pas. Vous avez vécu longtemps ensemble.

– Trois ans et deux mois. Et huit jours.

– Et vous avez décidé que ça n'allait plus ?

– Il a décidé. Du jour au lendemain. Je croyais connaître toutes ses humeurs bizarres, mais ça, ça vient de sortir. Il a parlé de ses problèmes, je n'en voyais plus le bout puis d'un seul coup... il m'a priée de dégager.

– Je suis navrée, répéta Gail. Tu as trouvé autre chose à Los Angeles ?

– Pas encore. Je suis partie en Europe. J'avais besoin de changer d'air. Tout était fini, tu comprends ? Je ne savais que faire ni vers qui me tourner. Il m'a dit de ficher le camp, c'est ce que j'ai fait.

– Sans faire tes bagages ? demanda Ned que cette histoire passionnait.

Dora le regarda distraitement.

– Si, j'ai fait mes bagages. J'ai pris mes affaires. Je suis retournée à Los Angeles la semaine dernière, dit-elle à Gail et à Leo. J'ai dû virer mon avocat. Il n'arrêtait pas de me répéter ce que je ne pouvais pas faire, ce que je ne pouvais pas avoir ni même demander. Je crois que Josh lui a parlé. C'est pour ça que je suis venue parler à Leo. Tu connais les avocats et tu connais Josh ; je veux dire, vous faisiez une sacrée paire tous les deux, non ? Je me disais parfois que tu le préférais à moi. Alors tu dois me dire quoi faire. Je dois trouver quelqu'un qui ne se laissera pas impressionner.

– Je ne sais pas ce que tu exiges, remarqua Leo avec douceur.

– Une compensation. Si j'avais été mariée toutes ces années pour être fichue dehors, j'aurais au moins eu de l'argent. Alors pourquoi n'aurais-je droit à rien ? Ce n'est pas parce que nous n'étions pas mariés que je ne lui ai pas donné tout ce qu'il voulait, que je ne lui ai pas fait la cuisine...

– Tu dis toujours que tu détestes faire la cuisine, intervint Robin.

– Robin ! l'admonesta Gail.

– J'ai fait de mon mieux, dit Dora. Tu sais, peu lui importait que je fasse la cuisine ou non ; il était habitué à manger n'importe quoi dans ses satanées fouilles. Et de toute façon qu'est-ce que ça change ? Je faisais tout ce qu'il voulait, tout ce qu'une épouse doit faire, et nous étions ensemble depuis longtemps et il était heureux... je sais qu'il était heureux... il me disait des mots d'amour. Elle tira un mouchoir de son pantalon pour essuyer ses larmes. Moi aussi j'étais heureuse, et il a tout gâché, tous mes espoirs, tout ce qui comptait pour moi...

Leo fronçait les sourcils.

– Il ne t'a rien laissé présager ? Il n'a donné aucune explication ? Ça ne lui ressemble guère.

– Tu le défends, évidemment ! Josh est un baratineur, je te l'ai dit. Tout le monde le trouve merveilleux, mais ils ne sont pas obligés de vivre avec. J'ai besoin de quelqu'un qui m'aide à l'affronter, quelqu'un de coriace qui n'aime pas que les femmes se fassent avoir. Tu en connais forcément un.

– Dora, tu connais la moitié de Los Angeles, répondit Leo. Tu connais sûrement une bonne dizaine d'avocats ou des gens qui t'en recommanderaient.

– Anne a peut-être une idée, suggéra Gail.
Dora jeta un coup d'œil à Anne.
– Pourquoi ? Tu es femme d'avocat ?
– Anne est avocate, expliqua Gail. Spécialiste des divorces.
Le regard de Dora se fixa sur Anne.
– Tu es bonne ?
– Dora ! s'exclama Gail.
– Je veux dire, tu as les cas difficiles et tu les gagnes tous ?
– Evidemment, répliqua Gail.
– Sauf quand elle n'arrive pas à en placer une.
– Je suis débordée en ce moment, fit Anne froidement. Je crains de ne pouvoir me charger d'un dossier supplémentaire. Je peux te recommander quelqu'un.
– Dans quel cabinet es-tu ?
– Engle, Saxon & Joute.
– J'en ai entendu parler. Ce sont les meilleurs. Tu songes à un avocat de chez eux ?
– Si tu préfères. Mais, en fait, je songeais à un avocat d'un autre cabinet.
Dora but un peu de thé glacé.
– Penses-tu que je puisse gagner ?
– Je n'en ai aucune idée. Je n'ai aucun élément sur toi ni sur ton compagnon.
– Quel genre d'élément ?
– Un contrat que vous auriez signé, des promesses orales que vous auriez échangées, des déclarations devant témoins, des biens que vous posséderiez en commun, ou que vous auriez accumulés.
– C'est une liste complète.
– Seulement un début.
– Cet homme que tu me recommanderais, a-t-il déjà traité des dossiers de ce genre ?
– Pas que je sache. Mais il est fort, créatif, et aime que les femmes soient traitées correctement.
– Tu as déjà plaidé des affaires semblables ?
– Oui.
– Et en ce moment ?
– Non.
– A quand remonte la dernière ?
– Deux mois.
Dora plissa les yeux.
– Steve Hawthorne. C'est ça, hein ? Quand je pense que je n'avais pas fait le lien. Anne Garnett. Tu défendais sa petite amie. Je l'ai lu dans les journaux. Et tu as gagné.
– Oui, oui, mais je ne prends rien de nouveau en ce moment.
Dora se cala sur sa chaise.

– Les avocats recherchent toujours les cas intéressants, non ? Ceux qui aident à leur carrière. C'est vrai, après tout, Steve était un morceau de choix, mais aider la fille d'un sénateur, ce n'est pas si mal.

– Désolée, fit Anne.

– Qu'est-ce que ça prendrait ? demanda Dora. Anne, écoute-moi, je t'en supplie. Je suis désespérée. Ma vie s'est brusquement écroulée. Je croyais avoir un foyer, un avenir, quand je me suis brusquement retrouvée à la rue sans savoir de quoi demain serait fait. J'avais peur. J'ai encore peur, d'ailleurs ; il faut du temps pour retrouver confiance en soi. Dora vit le visage d'Anne changer. Tu me comprends, Anne, n'est-ce pas que tu me comprends ? S'il te plaît. C'est toi que je veux. Personne d'autre. J'aime ta façon de parler, ton allure, et ce que tu as fait. Je me sens terriblement seule et j'ai honte... honte d'avoir été fichue à la porte de chez moi... Anne, j'ai besoin de toi.

Anne porta son regard loin devant, sur l'horizon majestueux. Tant d'espace dans le monde, tant de gens, tant de façons de se rencontrer. Et elle était assise à la même table que la fille de Vince qui l'appelait au secours. La fille de Vince ! Impossible, je ne puis m'approcher d'aussi près. Je veux bien une famille, mais sans m'impliquer.

*Mais qu'est une famille sans cela ? Il faut tout prendre. Le bon et le moins bon.*

Si Dora n'avait pas été la fille de Vince, elle s'en serait immédiatement occupée. Dans son cabinet, elle était la seule à traiter de tels dossiers. Pourquoi laisser une fois encore Vince décider pour elle ?

*Il n'existe pas pour moi. J'ai un métier, j'ai ma vie et maintenant j'ai une famille. Je fais ce que je veux. Et le passé n'a rien à y voir.*

– D'accord, dit-elle à Dora.

Elle sut immédiatement qu'elle avait fait le premier pas d'un voyage dont elle ne pouvait imaginer la destination.

– Je rentre à Los Angeles mardi, reprit Anne. On se mettra au travail.

# 9.

– Très joli, approuva Dora en jetant un rapide coup d'œil au bureau d'Anne. Sans compter la vue. Je suppose qu'on distribue les bureaux en angle à l'ancienneté.

– Oui, dit Anne, amusée.

– Je parie qu'ils ont fait une exception pour toi, remarqua Dora. Je n'entends que des louanges à ton propos, c'en est impressionnant, dit-elle en s'installant dans un fauteuil de cuir en face du bureau d'Anne. Je me suis renseignée sur toi auprès de quelques personnes – ça ne te fait rien, n'est-ce pas ? Remarque, j'avais confiance, c'est seulement que tout ça est si nouveau pour moi, je me suis dit que deux opinions, enfin, trois... bref tous m'ont dit que j'avais une sacrée veine. Je ne leur ai pas dit que nous étions cousines; je ne voulais pas qu'ils croient que tu t'occupais de moi à cause de notre lien de parenté mais parce que mon affaire était intéressante et se présentait bien. C'est bien ça, n'est-ce pas ? Je me demande d'ailleurs si le fait que nous soyons cousines n'empire pas les choses. Oh, je ne voulais pas dire ça; je voulais dire, tu pourrais ne pas te battre autant si...

Anne écouta la phrase inachevée.

– Je suis la meilleure avocate possible pour tous mes clients, répondit-elle d'une voix neutre.

– Je sais bien, fit Dora, contrite. Excuse-moi, je te suis si reconnaissante... vraiment. J'ai absolument besoin de toi. Bon, par où commence-t-on ? Que souhaites-tu entendre ?

Anne sourit devant l'égocentrisme de Dora. Elle se demandait si tout ou partie seulement de ce déploiement de douceur et de charme était feint. Son père était un expert en cet art-là. Elle sentit la répulsion l'envahir. Je ne peux pas. Jamais je n'aurais dû accepter.

Mais Dora n'était pour rien dans tout ça; ce n'était pas sa faute si elle ressemblait tant à son père que ça choquait Anne au point de douter d'elle. Dora était de la famille et, surtout, elle avait besoin d'Anne, ce à quoi Anne ne pouvait résister.

C'était ce qui avait attiré Anne vers le droit et avait été le moteur de sa vie durant toutes ces années. Avant, personne n'avait besoin d'elle. Même Eleanor était retournée dans sa famille. Anne, elle, avait ses clients. Souvent elle n'éprouvait pour eux ni sympathie ni admiration, mais peu importait ; ils avaient besoin d'elle. Ils s'asseyaient en face d'elle et tentaient de l'impressionner avec leur honnêteté, leur probité, leur importance, leur gentillesse et la façon épouvantable dont on les avait trompés. Mais sous leur air bravache et fanfaron, ils appelaient au secours. Ils attendaient qu'on leur dise que faire, quand et comment, et lorsqu'ils lui désobéissaient, ils revenaient sans cesse et demandaient d'autres instructions, des encouragements, encore de l'aide. Et ils se montraient presque toujours reconnaissants.

– Tu peux tout me demander, dit Dora. Pas de secrets pour toi et puis je n'aurai pas honte devant toi parce que je sais que tu comprendras et que tu ne te moqueras pas de moi. J'ai vraiment confiance, Anne. Je ne sais ce que je deviendrais sans toi.

Anne hocha la tête. En entendant Dora, elle sentait monter en elle l'excitation du juriste. Elle oubliait la ressemblance avec Vince et voyait maintenant que le sourire trop charmeur de Dora ferait merveille dans le prétoire. Elle prit un crayon.

– Commençons par ta rencontre avec ce Joshua Durant.

– Voilà, dit Dora en s'installant confortablement. C'était à Tamarack. Quelqu'un nous a présentés au cours d'une soirée. Il n'aime pas les grandes réceptions, mais nous avons commencé à parler puis nous sommes partis dîner. Ensuite nous sommes allés chez moi.

– C'était il y a un peu plus de trois ans ?

– Trois ans et deux mois.

– Vous avez vécu ensemble dès votre première rencontre ?

– Euh, non, pas aussi vite. Il voulait mais je... Elle s'interrompit et eut un petit sourire de regret. Ce n'est pas vrai. C'est moi qui voulais. Josh, lui, préférait attendre. Il disait qu'on devrait vivre chacun chez soi, se voir autant qu'on en avait envie puis décider par la suite si ça nous suffisait ou non. Moi, j'avais peur de le perdre. Mais évidemment nous avons fait comme il voulait ; ce sont toujours les hommes qui décident, tu sais.

Anne l'observa intensément.

– Etait-ce une entente tacite qu'il établisse les règles et que tu les suives ?

Dora fronça les sourcils.

– Je ne sais pas. On n'en parlait pas. C'était comme ça, c'est tout.

– Parle-moi de lui, demanda Anne.

Dora parut perplexe, comme beaucoup de gens à qui on demande de décrire quelqu'un qu'ils ont aimé puis méprisé. Ils sont pris entre le désir de voir l'interlocuteur les suivre dans la voie du mépris tout en lui faisant comprendre qu'il était naturel de l'aimer à l'époque.

– Il est égoïste, arrogant et mesquin. Je le déteste, fit Dora, qui éclata en sanglots. Excuse-moi, je n'aurais pas dû dire ça. Déjà, elle se redressait et séchait ses larmes avec ses poings, comme un enfant. Il est très intelligent – on le dit brillant – et quand il veut, il est gentil, aimant et merveilleux. Les femmes sont folles de lui; il est grand et beau, sauf qu'il passe tellement de temps dehors que son visage buriné le fait paraître plus vieux qu'il ne l'est. Il est perpétuellement bronzé, ses yeux sont bleu foncé et ses cheveux châtain clair, encore le soleil. Il dépense un fric fou en fringues; j'aimais sa façon de s'habiller. Mais il n'est pas aussi gentil qu'on le croit, loin de là; il ne pense qu'à lui; une seule chose l'intéresse : ce qu'il veut. Il n'a pas accepté que je mettre mes meubles chez lui, ni ma collection d'animaux en céramique; on m'a consacré des articles dans des magazines tellement c'est une belle collection! – et tout est au garde-meubles. Il ne voulait pas que je donne d'instructions à la cuisinière; il avait ses plats préférés et c'était ça ou rien. Il est arrogant, cruel, et c'est un vrai tyran. Mais comment aurais-je pu le savoir avant de m'installer chez lui? Il me commandait comme à ses ouvriers...

– Quels ouvriers? Que fait-il?

– Il creuse. C'est un archéologue, alors forcément il a des ouvriers qui creusent pour lui, mais il prétend qu'il aime le faire aussi. Il dit qu'il aime la sensation d'ouvrir la terre avec ses mains – je trouvais que c'était une drôle d'idée –, de dévoiler des secrets avec ses mains, pas avec des machines, il se sent partie intégrante de l'Histoire, proche de ceux qui ont placé des choses dans les tombes ou Dieu sait quoi. Ce genre de truc. Il parle souvent comme ça; je ne suivais pas toujours ce qu'il disait, mais c'est l'idée, en gros.

Anne se répétait ce qu'elle venait d'entendre. Ça lui plaisait. Ouvrir la terre. Dévoiler les secrets de ses mains.

– Que fait-il d'autre? demanda-t-elle.

– De tout. De la marche, du ski, de la voile, du tennis, de la natation, même du polo, de temps en temps. C'est un excellent danseur. Et il est professeur d'archéologie à l'université de Los Angeles, conseiller au musée de l'Antiquité. Il achète de l'art et des vieux trucs, surtout quand il voyage.

Anne prit des notes.

– Où trouve-t-il l'argent pour tout ça? Ça paraît beaucoup pour un professeur d'archéologie.

– Il a hérité une immense fortune de ses grands-parents. Ne va pas imaginer que c'est le professeur lambda. Il bosse comme un fou; mais il a un somptueux appartement, une excellente cave, un bateau de course qu'il partage avec un ami, il s'habille chez Gianni Versace – il aime les jolies choses.

– Quand je t'ai vue, la première fois, tu m'as dit qu'il avalait n'importe quoi; qu'il était habitué aux cochonneries qu'on lui servait pendant les fouilles si bien que peu importait que tu cuisines ou non. Ça ne colle pas avec l'amateur de bon vin et de belle vie.

Dora rougit.

– En fait, il est fin gourmet. Il en connaît un rayon, plus que moi, et quand il reçoit, il fait appel aux meilleurs traiteurs. Je n'ai jamais pu me mettre aux fourneaux. Il était prévenu.

– A combien évalues-tu sa fortune ?

– Pas la moindre idée. J'ai essayé de savoir, par allusions, enfin tu vois, mais sans succès. Il s'en fiche; ça, j'en suis sûre.

– Et toi ?

– J'ai largement. Mon grand-père m'a fait une rente et j'en ai une aussi de mon père.

Son grand-père, songea Anne. Ethan. Nous avons le même. Il a dû faire une rente à tous ses petits-enfants. Sauf un.

Allez, au boulot, se tança-t-elle pour se concentrer à nouveau sur Dora.

– Et tu touches à peu près combien avec ça ?

Dora hésita.

– Je n'en parle qu'à mon comptable.

Anne hocha la tête.

– Il le savait ? Parliez-vous de vos revenus respectifs ?

– Non, je viens de te le dire; je ne lui ai jamais véritablement demandé. Il y avait beaucoup de sujets que nous n'abordions pas, tu sais. Au début nous sortions beaucoup, nous parlions des gens que nous voyions, des endroits que nous fréquentions, et puis peu à peu – toute l'année dernière, je dirais – nous sommes rarement sortis. Josh répétait qu'il préférait rester à la maison à lire. C'était mortel. J'ai fini par sortir seule.

– Sortait-il de son côté ?

– Sans arrêt. Pas au début; nous faisions tout ensemble, sauf son travail; ça, je n'en ai jamais su grand-chose. Mais la dernière année il restait à la maison à lire ou à écouter de la musique, ou il sortait avec ses amis, des chercheurs et des écrivains, je n'en aimais aucun. Ils parlaient de choses qui ne m'intéressaient pas et semblaient se ficher de ce que je pouvais leur raconter, alors je me disais que ça ne valait pas le coup de faire un effort. Si bien que Josh les voyait seul, moi j'allais à des soirées ou j'appelais une amie pour aller au cinéma, enfin tu vois, n'importe quoi pour ne pas rester chez nous où je me sentais rejetée.

– Parliez-vous parfois du fait que vous alliez chacun de votre côté ?

– Jamais, je n'y ai même pas songé. C'est vrai, après tout la plupart des gens mariés en font autant.

– Mais vous n'étiez pas mariés.

– Je sais bien, mais j'oubliais. Je veux dire, c'était comme si nous l'étions – en fait tout est là –, c'est pour ça que je veux faire un procès. Parce que c'est exactement comme si nous étions mariés. Quelle importance si nous n'avions pas de bout de papier à exhiber...

– Parliez-vous de mariage ?

– Evidemment ! Sans arrêt.

– De quelle façon ? Que disait-il ?

– Qu'il voulait m'épouser. Qu'il m'aimait et qu'il voulait m'épouser.

Anne posa son crayon et planta ses yeux dans ceux de Dora.

– Ecoute-moi bien. Je ne sais pas ce que tu as raconté aux autres, mais à moi, tu dis la vérité. Pas question que je te représente si je pense avoir droit à des semi-vérités, des inventions ou des mensonges éhontés. Si c'est le cas, je me désintéresse du dossier dans la seconde. Est-ce assez clair ?

– Mais je ne mentais pas ! protesta Dora.

Mais elle eut vite fait de détourner les yeux. Elle fit une moue et ses yeux s'embuèrent de larmes.

– Il ne l'a jamais dit. Dieu sait que j'ai attendu, espéré, j'y faisais même allusion de temps en temps... mais il ne l'a jamais dit. On aurait dit qu'il devenait sourd dès que j'en parlais.

Anne reprit son crayon.

– Que te disait-il ?

– Qu'il aimait bien être avec moi ; qu'avec moi il pouvait se détendre. Qu'il espérait atteindre l'âge de Mathusalem pour vivre avec moi très, très longtemps. Ça encore, c'était une de ses curieuses façons de s'exprimer. Il disait qu'il voulait voyager avec moi et me montrer les recoins secrets et les esprits cachés d'endroits que je croyais connaître. Ça aussi, je trouvais ça étrange et, à vrai dire, nous n'avons guère voyagé ensemble. Il disait qu'il voulait m'offrir des séraphins et des serpents parce que je vivais dans un monde trop étroit ; je n'ai jamais compris ce que tout cela signifiait.

Anne eut comme une douleur aiguë et inconnue. Personne ne lui avait jamais parlé ainsi.

Evidemment, se dit-elle. Pas de place pour le rêve dans sa vie. Mais ce portrait de Josh Durant l'intriguait. Curieux, ce tyran plein d'arrogance, de cruauté et d'égoïsme qui s'exprimait avec une telle tendresse, une telle poésie.

– Ça n'est pas tout, poursuivit Dora. Mais j'ai oublié le reste.

– Tu as oublié ? s'étonna Anne. Vous n'êtes pourtant pas séparés depuis longtemps.

– Oui, mais ça fait des années qu'il ne parle plus comme ça. C'était au début. A l'époque, il disait toujours des choses gentilles. Mais pas ces derniers temps. J'ai emménagé chez lui et il a commencé à changer.

– D'emblée ?

– Non. Mais quand même.

– Ça a pris combien de temps ?

– Je ne m'en souviens plus. Un an, peut-être.

– Tu m'as dit que c'était toi qui avais voulu t'installer chez lui. Il voulait attendre. Qu'est-ce qui l'a fait changer d'avis ?

– Nous étions tout le temps ensemble, ça paraissait naturel.

Anne attendit.

Dora s'affaissa dans son fauteuil.

– Je ne cessais de lui répéter que j'étais malheureuse. C'était vrai, en plus : je détestais rentrer dans mon appartement vide, c'était comme d'être bannie de sa vie. Alors je lui disais que je voulais faire des choses pour lui, que je ne supportais plus qu'il ne tienne pas assez à moi pour vivre avec moi, et comme j'étais triste et seule... je suppose que je lui ai fait la vie dure. Mais nous nous entendions si bien et je le voulais tout le temps à moi. Alors ça a pris un certain temps, mais il a fini par dire oui et tout a bien marché jusqu'à ce qu'il change. Ç'a été bien un an. Au moins un an.

Il y eut un silence. Anne reprit ses notes.

– Tu dis que vous ne parliez jamais de vos revenus. Aviez-vous une quelconque sorte d'accord, financier ou autre, quand vous avez commencé à vivre ensemble ?

– Tu veux dire un contrat ? Non.

– Et un accord verbal ?

– Comme quoi ?

– Avez-vous décidé d'une période d'essai de six mois, un an ou deux, par exemple, avant d'envisager quelque chose de plus permanent ? Avez-vous décidé de partager les dépenses – nourriture, crédits... que sais-je ? Ou comment vous sépareriez vos biens si vous vous quittiez ? Aviez-vous des comptes bancaires distincts ?

Dora faisait un signe de dénégation.

– Nous nous aimions. Nous ne pensions pas à l'argent et ne songions même pas à en parler. C'est vrai, nous allions vivre ensemble, nous n'établissions pas les règles de notre séparation. Jamais ça ne nous a effleurés.

– Et les enfants ?

– Non. Josh les déteste.

– Et toi ?

– J'en voudrais deux ou trois. Je n'y pensais pas quand j'étais avec Josh.

Anne tourna la page de son bloc.

– Parle-moi de vos amis.

– Comment ça ?

– Qui ils étaient, à quel rythme vous les voyiez, ce que vous leur disiez à votre sujet. Leur parliez-vous de vous marier un jour ? A-t-il évoqué la question avec eux ? Entre couples, compariez-vous vos façons de vivre et parliez-vous d'avenir ?

– Pas autant que je m'en souvienne. Je te l'ai dit, ces deux dernières années nous ne voyions pas grand monde, pas ensemble, en tout cas, c'est ce que Josh voulait. D'ailleurs, il voulait tout à son idée : ses amis, ses restaurants, ses destinations de voyage, ses meubles, son appartement.

– Et que disait-il quand tu te rebiffais ?

– Je ne me rebiffais pas.

– Jamais tu n'as parlé de tes préférences ?

– C'est lui qui dictait les règles.

– Et malgré ça tu voulais l'épouser et ne cessais de lui en parler.

– Je l'aimais. Je l'aime encore !

– C'est la première fois que tu le dis. Est-ce vrai ?

– Je l'adore !

– Je ne te crois pas, dit Anne en l'observant longuement. Il va falloir m'avouer ce que tu veux tirer de tout ça. Ce que tu veux, en fait, c'est une sale petite vengeance, et vite.

Dora la regarda de travers.

– *Une sale petite vengeance...* Mais pour qui te prends-tu, bordel de m... Elle s'interrompit brusquement et se pencha en avant. Oh, je suis désolée, excuse-moi, oh, comment ai-je pu te parler ainsi ? Je me demande ce qui m'a pris. Ça ne me ressemble pas du tout. C'est peut-être ce mot, vengeance... Comme si j'étais une garce. Non, ce n'est pas de la vengeance. C'est juste que je veux – les larmes noyèrent à nouveau son regard – qu'il me reste quelque chose. Si je ne peux pas avoir Josh, si je l'ai vraiment perdu pour toujours, je veux au moins qu'il reconnaisse – en public ! – que j'ai été pour lui comme une épouse et que je mérite le respect. Je préférerais l'amour, je préférerais être une épouse, mais, si c'est impossible, alors j'exige le respect. Et l'argent. Il aurait dû verser une pension à sa femme, pour la récompenser de s'être occupée de lui avec amour et tendresse ; il aurait dû s'assurer qu'elle ne manquait de rien avant de se trouver... quelqu'un d'autre...

Elle mit ses mains devant son visage et sanglota. Bravo, se dit Anne. Elle avait eu raison : Dora ferait un témoin de première. Il était même possible qu'elle n'ait pas fait trop de mensonges. Il était probable que Dora ne connaissait pas la frontière entre la réalité et la fiction nourrie de colère et de dépit. Pas plus que Josh Durant, se dit Anne.

*Dieu merci, tout cela m'est épargné.* Cette pensée lui revenait souvent quand elle recevait ses clients. Dieu merci, elle se tenait à l'écart de toute intimité, n'envisageant même pas l'idée de vivre avec quelqu'un ou, pis encore, de l'épouser. Elle était à mille lieues de ces morsures de colère, de déception, de cette fureur qui surgissait des cendres de l'amour, de ce brouillard de mensonge et de vérité qui obscurcissait la raison. Anne ancrait tout son être sur le rocher de la raison.

– Tu es fâchée ? demanda Dora en levant les yeux. Je n'aurais jamais dû te parler comme ça. Je ne me reconnais pas. Je ne le ferai plus. Pardonne-moi, Anne, je t'en prie. Dis-moi que tu ne vas pas me... virer, ou quoi. Tu es toujours mon avocate, hein ? Je ne peux passer ma vie à en trouver une ou un ! Le premier ne me comprenait pas, toi si, et le procès commence dans un mois et tu ne peux pas m'abandonner maintenant !

– Ne t'inquiète pas, fit Anne d'une voix tranquille. Mais plus de mensonges, ne l'oublie pas. Tâche de réfléchir avant de parler et épargne-moi tes élucubrations. Compris ?

Dora souriait.

– Oui, oui, d'accord. Je ne te mentirai jamais.

Anne soupira. Bien sûr que si, se dit-elle. Mais on tâchera de s'en tirer. Elle tourna une nouvelle page de son bloc. Première audience dans un mois. Il y avait du pain sur la planche.

Vince téléphonait à Dora deux fois par mois. Il aimait penser qu'elle préférait lui parler plutôt qu'à sa mère, et il s'arrangeait pour avoir toujours des petits potins de la capitale, de quoi pimenter la conversation. Il s'assurait aussi que tout le monde était au courant de la régularité de ses appels; c'était bon pour son image.

– J'allais appeler ma fille, dit-il quand Ray Beloit arriva chez lui un soir à 10 heures. Ça va durer un moment; nous avons toujours un tas de choses à nous dire.

– Je pensais que tu aimerais m'entendre, fit Beloit avec sa familiarité confiante. Il desserra sa cravate et prit le chemin du bureau. J'étais au QG du parti. Ton nom est venu sur le tapis.

Inquiet, Vince le suivit. Une fois dans le bureau de Vince, Beloit se servit un verre.

– T'en veux un ?

– Je m'en occupe.

– C'est un grand jour, Vince. Tu ne vas quand même pas faire la gueule parce que je me suis servi tout seul. Je passe suffisamment de temps ici pour m'y sentir chez moi; et ça n'est qu'un début. Alors, tu ne veux pas savoir ?

– Mon nom est venu sur le tapis. Et alors ? Il y a des élections l'année prochaine.

– Et il y a un péquenaud débarqué de son bled qui va tout faire pour te battre.

– C'est ce qu'ils disent en ville ?

– Certains. Ils ont la trouille. Toi aussi.

– Un tas de vieux séniles, dit Vince en se versant un grand whisky avec des glaçons. Ça va peut-être passer juste. Mais pas question qu'il me batte.

Beloit sortit une coupure de presse de sa poche.

– Le *Rocky Mountain News* a publié un sondage hier...

– Je l'ai vu. Qu'est-ce qui te prend, Ray ? On est en juillet; les primaires sont en avril prochain. Tout est calme; ce canard essaie de vendre sa camelote. Ils ont pu tripatouiller les chiffres; c'est loin d'être exclu. De toute façon un sondage publié neuf mois avant des élections, c'est tout juste bon à envelopper le poisson; tu savais ça avant moi. Alors qu'est-ce qui te prend ?

Beloit s'affala sur le canapé de cuir, posa son verre en équilibre sur son ventre et répondit sans le quitter des yeux :

– On a beaucoup parlé de toi. Pas seulement pour l'année prochaine. Mais il faut que tu l'emportes quand même. C'est la première chose.

– Et la deuxième ? demanda Vince, intrigué.

– Eh bien, il a beaucoup été question de la Maison-Blanche. Trois ans dans le sens du courant. Ça ne laisse pas trop de temps, avec les primaires et tout ça.

Le silence s'installa. Vince se planta devant la baie vitrée et contempla la fontaine aux arches illuminées sur la place, en bas, et le café éclairé au-delà. Au fil des ans, Beloit et lui avaient évoqué la présidence et avaient sondé les hommes politiques et autres bailleurs de fonds du parti. Mais ça avait toujours semblé loin ; Vince était conscient qu'un sénateur d'un Etat peu peuplé de l'Ouest aurait besoin d'une base encore plus puissante que les candidats de l'Est. Mais si à l'intérieur du parti on en parlait déjà trois ans avant...

Il se retourna et laissa ses yeux errer sur le lourd mobilier noir de son bureau, les rangées de livres sur les murs, les portraits de Dora, partout, à l'usage des visiteurs. C'était utile ; Dora serait utile. Ce serait encore mieux s'il était marié. Il faudrait qu'il y songe, sans tarder. Trois femmes : pas terrible. Mais les choses évoluaient : on élisait des présidents célibataires, avec maîtresses et enfants illégitimes, il y en avait même eu un divorcé et remarié. Le passé n'était jamais incontournable.

– Alors tu dois être réélu l'an prochain, dit Beloit. Et que ce soit un véritable raz de marée.

Vince le regarda en coin.

– Je te dis que je ne suis pas inquiet.

– Tu m'as dit que ça pourrait passer tout juste, insista Beloit avant de boire à grandes gorgées. Je me suis intéressé à ce péquin, j'ai lu des trucs, tout ça. Il dit des saloperies sur ton compte, et on l'écoute. Pas tellement à Denver, évidemment, mais dans tous les petits bleds, et il récolte des tonnes de signatures, c'est moi qui te le dis. Et t'es pas inquiet ? Merde ! Tu n'aimerais pas qu'il soit hors circuit avant les primaires ?

– Je ne m'y opposerais pas, dit Vince au bout d'un moment. Tu as de quoi aboutir ?

– Tout juste. C'est un boy-scout, ce gars-là. Mais on a trouvé une ou deux petites choses qui devraient faire l'affaire. S'il le faut, on se servira de son frère ; celui-là, alors, dans le genre débile. Tu ne le croiras jamais ; il y a quelques années, il...

– Je ne veux pas le savoir. Occupe-t'en et ferme-la.

– Je la ferme toujours, t'es payé pour le savoir, bordel !

Vautré, Beloit tendait son verre. Vince y jeta un regard froid et rapide et se tourna pour remplir le sien. Beloit respirait lourdement. Il balança enfin ses jambes sur le côté.

– Je n'ai pas fini. J'ai encore deux ou trois choses à te dire. Il se versa un whisky à ras bord et commença à boire puis se redressa en grimaçant. On se fait vieux, remarqua-t-il. Bon, voici le deal. Je m'occupe du péquenaud, toi de ton raz de marée. Je peux pousser les gars en ville à rester avec toi au lieu de dénicher une autre jolie petite gueule pour une raison qui nous échappe. Ça fait du boulot, mais on peut se débrouiller ; au bout du compte, je crois qu'on peut t'obtenir l'investiture. Mais dans tout ça il faut quelque chose pour moi.

– Secrétaire d'Etat ? demanda Vince en souriant. Ambassadeur en Grande-Bretagne ?

– Pas pour moi, fit Beloit avec sérieux. Ça m'aurait plu, remarque, mais je n'ai jamais fait d'études et je ne parle pas toujours comme il faut et je suis affreux en pingouin. Et de toute façon je ne franchirais pas le premier barrage; il y a des trucs qui m'exploseraient à la gueule. Des trucs dont je ne t'ai jamais parlé, ni à ma femme, ni à personne. C'est drôle : on se trouve impliqué dans des trucs, on sait pas ce qui resurgira quinze, vingt, trente ans plus tard. C'est comme si toutes ces années on se baladait avec une bombe dans sa poche qui va exploser si on fait un truc bien précis, et c'est toujours le putain de truc qu'on a le plus envie de faire, seulement, pas moyen, cette fois. Jamais. Tu comprends ?

– De l'argent, je suppose, dit Vince comme si Beloit n'avait pas bronché. Combien ?

– Va te faire foutre, Vince, qui te parle d'argent ? Je veux un truc qu'a de la classe, un peu comme ambassadeur, mais mieux parce que tout le monde se fout de ce que je faisais avant.

Vince le regarda de haut.

– La classe, ça ne s'achète pas.

– Ça dépend. Pas moi, sans doute. Mais elle pourrait m'appartenir. C'est ça que je veux. Ecoute, Vince. Je veux être le propriétaire de la Tamarack Company.

– Quoi !

– Pourquoi pas ? Il y a rien de plus classe. Juste ce qu'il me faut. Lake Forest Development me manque; ça, ça en jetait. Lorraine dit qu'il faut que je me trouve un truc pour sortir de la maison, pour me requinquer. Mais ce sera super, Vince, et classe, et ce sera Tamarack. Evidemment ils pourraient avoir de gros ennuis avec l'EPA qui veut prélever des échantillons dans les vieux puits de mine – toute la partie est de la ville, c'est ça ? S'ils décident qu'il y a des fuites de minéraux dangereux, la ville est dans le pétrin jusqu'au cou. Je sais, je me suis rencardé. Les propriétaires des maisons doivent payer pour l'assainissement de leur arrière-cour et ils n'aiment pas ça. Sans compter tous les types qui ont brusquement le trouillomètre à zéro et mettent ça sur le compte de la pollution des mines, donc c'est la faute au proprio, et le proprio, c'est ta famille. Si bien qu'il faudrait déménager toute une partie de la ville, faire le ménage, rebâtir... bref, beaucoup d'emmerdes, beaucoup de fric. Je me demande bien qui peut en vouloir à ta famille et lui foutre l'EPA au cul. Ou alors c'est un boy-scout du gouvernement qui a décidé de faire un exemple avec une station chicos. En tout cas, moi je la veux. On peut prononcer Tamarack n'importe où dans le monde, les oreilles se dressent. Les gens voient tout de suite les vedettes de cinéma, de la télé, les ex-rois – et les vrais aussi, tant qu'on y est –, le fric, la jet-set, le plaisir. Ils pensent que c'est un endroit génial. C'est vrai. Et je le veux. Ton frère Charles veut vendre. Il s'est planté en beauté dans l'Illinois et a besoin d'argent. Mais t'es au courant.

– Si mon frère est vendeur, téléphone et fais une offre.

– Non, t'as toujours pas compris. Pendant que je graisse les roues de ta future voiture présidentielle, toi tu t'occupes de cette petite négociation pour moi; c'est tout ce que je demande. Fais-leur comprendre qu'ils doivent vendre; certains s'y refusent. Et pas question de surpayer; je l'ai déjà fait, j'ai horreur de ça, j'ai l'impression que les gens se foutent de ma gueule. C'est un jeu d'enfant pour toi, Vince; tu as de l'influence dans le coin. Sénateur important, réputation, influence, télévision; tout le truc. On adore ça dans les familles. Alors voilà. J'achète Tamarack un gentil petit prix et dare-dare; pas question que j'attende. Et tu as ton tapis rouge pour la Maison-Blanche. Tu peux me croire, Vince, tu seras président. Vince Chatham, président des Etats-Unis d'Amérique. Ça va être le pied.

Vince se versa un autre verre.

– Je vais y réfléchir.

– Pas question. Tu voulais que je te parle de mes réunions; voilà qui est fait, sans traîner; ce que je veux de...

Le téléphone sonna. Vince décrocha de son bureau et entendit la voix de Dora.

– C'est ma fille, dit-il à Beloit. On continue demain.

– Réglons ça maintenant.

– 7 h 30. Petit déjeuner. Et viens avec qui en sait le plus sur ce qu'on doit faire maintenant. Pas une armée; une ou deux personnes avec du plomb dans la cervelle, pas de slogans.

– Tu pourrais la rappeler dans cinq minutes.

– Je veux parler à ma fille, merde! Plus rien ne compte!

Beloit comprit enfin.

– Quelle dévotion, fit-il en soupirant. Il aime sa famille, c'est un bon père, un homme loyal, attentif, digne de confiance, surtout! Les femmes y sont particulièrement sensibles. A demain.

– Mon directeur de campagne, dit Vince au téléphone. Je vais devoir en changer, ajouta-t-il une fois la porte refermée, il n'a pas l'étoffe pour l'étape suivante. Ecoute : ceci devrait te faire plaisir...

– Papa, fit Dora, j'ai enfin rencontré ma cousine Anne.

Vince s'écroula dans son fauteuil.

– Qu'est-ce que tu me chantes?

– Ma cousine. Allez, papa, je sais que tu n'en parles jamais, mais ce n'est pas pour ça qu'elle n'existe pas. Je l'ai vue la semaine dernière. Elle s'appelle Anne Garnett, maintenant; elle a changé de nom quand elle s'est enfuie à quinze ans. Pourquoi personne n'en parle jamais? Je lui ai demandé, mais elle n'a pas vraiment répondu.

Garnett, songea Vince. Le nom de sa mère. Personne n'y avait pensé. Ni Ethan, ni Charles, ni ces imbéciles de détectives privés.

– Comment sais-tu tout ça?

– Elle me l'a dit. Elle était chez Gail à Tamarack. Tu l'as vue à l'enterrement; rappelle-toi, je te l'ai montrée en te disant que tout le monde la regardait.

– Elle était chez Gail?

– Je viens de te le dire.

– Charles a appelé. D'autres aussi. Gail a répondu qu'elle ne savait pas où était Anne.

– Là, je ne suis pas au courant. Gail savait où elle était quand je suis arrivée; elle déjeunait sur la terrasse. Il y a eu un scandale ou quelque chose? Pourquoi personne n'en parle? Elle est intéressante – mais pas ton type. Elle est forte, positive, sans concessions. Elle est très fine et ne dit pas d'âneries. C'est pour ça que je l'ai prise.

– Tu l'as prise!

– Comme avocate. Je t'ai dit que j'avais viré l'autre...

– Nom de Dieu! hurla-t-il en bondissant. Mais qu'est-ce qui te prend, bordel! Je t'avais dit...

– Change de ton, papa, ou je raccroche.

Il souffla.

– Je t'avais dit de laisser tomber. Je croyais que c'était chose faite.

– Bien sûr que non. En quel honneur?

– Quand tu as viré cet imbécile d'avocat, ce n'était pas pour laisser tomber l'affaire?

– Non. Lui, seulement. Il n'était pas de mon côté. J'ai besoin de quelqu'un qui compatisse. J'aurais dû prendre tout de suite une femme. Les hommes ne comprennent rien à ça. Regarde, toi par exemple. Tu te fiches que j'obtienne justice ou non. Tu n'aimais pas Josh non plus. Tu n'aimes jamais ce que je fais.

– Ne geins pas; j'ai horreur de ça. Attends un instant.

Vince transféra l'appel sur son téléphone portatif et commença à faire les cent pas. Le plafonnier lui brûlait les yeux. Il éteignit et s'habitua à l'obscurité. Un procès. Et Anne.

Un procès. Le sexe et l'argent.

Et Anne.

*Tu peux me croire, Vince, tu seras président. Vince Chatham, président des Etats-Unis d'Amérique.*

– Un instant, répéta-t-il.

*On élisait des présidents célibataires, avec maîtresses et enfants illégitimes... Le passé n'était jamais incontournable.*

Il en avait été si sûr.

Il fallait arrêter ça. Déjà il avait formellement interdit à Dora d'intenter ce procès tant ce pouvait se révéler dangereux. Mais la menace planait désormais au-dessus de lui comme un grand oiseau de proie. Anne. Avocate de Dora. Sa conseillère. Sa confidente. Une femme amère et vengeresse qui se creusait sournoisement un chemin dans la vie de sa fille, dans la famille aussi, pour qu'ils se retournent contre lui. Et après... à quelle échéance? Elle parlerait à la presse. Pour retourner le monde contre lui.

Il fallait l'arrêter. Ainsi que Dora. Mais à l'évidence Dora ne savait rien. Pas encore. Vince cessa de marcher et s'obligea à retrouver une voix chaude et claire.

– Dora, nous avons parlé de tout ça. Et je sais que tu as saisi tout ce que je t'ai dit, et lu entre les lignes. Tu ne peux te retrouver au tribunal, en tout cas pas avec ce genre de plainte; nous sommes connus du public...

– Toi, peut-être; moi, je suis invisible.

– Tu es beaucoup trop intelligente pour sortir pareilles imbécillités. Ma fille qui va au tribunal pour obtenir une pension de son ancien concubin! Tu sais que j'ai des ennemis qui en feront des gorges chaudes, dit-il avec un petite rire amusé. Le sexe et l'argent, plus un père qui se lance dans la politique. La presse va se jeter là-dessus. L'occasion serait trop belle d'insinuer que peut-être je ne suis pas le sénateur rêvé. Dora, il faut que tu m'écoutes. Cette ville est pleine d'ennemis! Et le pays aussi! Ils obtiendraient que les journaux publient des éditos sur l'environnement familial, l'éducation des enfants, la morale, nom de Dieu! Ils me mettraient toutes tes conneries sur le dos; ils s'en donneraient à cœur joie. Et je ne te parle pas des élections l'année prochaine!

– Mais tu t'excites, là, tout d'un coup! dit Dora. Quand je t'en ai parlé il y a quinze jours, l'idée d'un procès contre Josh ne t'enchantait pas, mais là, tu es déchaîné. J'ai dû manquer un épisode.

Il respira profondément.

– Je suis inquiet et j'aimerais que tu le comprennes. D'ordinaire, tu te préoccupes davantage de ce qui peut m'arriver. Tu me déçois. Est-ce important au point de me livrer à mes ennemis? Que cherches-tu? Pas la notoriété, tu n'en as que faire. L'argent? Je te donnerai ce que tu penses pouvoir obtenir de lui. Ecoute, vire cette avocate, oublie tout ça. Viens à Washington. Je vais recevoir sans arrêt dès septembre, et je ne saurais trouver meilleure hôtesse que mon adorable fille. Tu verras les hommes les plus puissants du pays et je trouverai pour toi les meilleurs partis... il est grand temps que tu rencontres un homme digne de toi. Qu'en dis-tu? Veux-tu faire ça pour moi?

– Non, refusa Dora tout net. Désolée, papa, j'ai horreur de te décevoir, mais c'est non. Ça n'a rien à voir avec l'argent ou la notoriété. Je veux lui faire mal, explosa-t-elle après un silence. Je ne serai pas satisfaite sans ça. Et Anne va m'y aider. Elle est coriace, intelligente, et je n'ai pas l'impression qu'elle aime beaucoup les hommes. C'est exactement ce qu'il me faut.

– Pourquoi fait-elle ça? demanda-t-il au bout d'un moment.

– Comment ça, pourquoi? Et pourquoi pas? Elle est l'avocate, je suis la cliente.

– Pourquoi t'a-t-elle prise comme cliente?

– L'affaire lui plaît. Ou moi. Qu'est-ce que ça change?

Vince se rassit à son bureau et prit un bloc de papier.

– Elle se fait appeler Garnett?

– C'est son nom. Pourquoi?

– Et le cabinet d'avocats?

– Engle, Saxon & Joute. Papa, qu'est-ce qui te prend? C'est ta nièce.

Sans compter que tu ne m'as toujours pas dit pourquoi on n'en parlait jamais. Que s'est-il passé ? Etait-ce vraiment honteux, peut-être que mon petit procès paraîtrait de la gnognotte à côté. Allez, papa, c'était quoi, ce scandale ?

– Il n'y a pas eu de scandale, dit-il en posant son crayon à côté des coordonnées d'Anne. Je ne sais pas pourquoi les autres n'en parlaient pas ; quant à ta mère et moi, c'est parce qu'elle ne nous est rien. On savait tout juste qu'elle était partie. Pour autant que je m'en souvienne, c'était une sacrée menteuse. Je ne sais même pas au juste pourquoi elle a disparu. J'avais un travail fou à l'époque et ta mère et moi avions des problèmes ; j'avais autre chose à faire qu'à écouter les états d'âme d'une adolescente psychotique.

– Psychotique ?

– Mettons troublée, dit Vince, indifférent. Quoi qu'il en soit, elle a fichu le camp un jour, point final. Nous étions tous fort occupés et ça ne valait pas la peine de perdre son temps à se demander où elle était passée. On ne la remarquait même pas ; elle ne montrait pas le moindre signe de volonté, d'intelligence ou Dieu sait quoi qui semble t'impressionner chez elle. Cela explique sans doute le silence autour d'elle. C'est bizarre qu'elle se pointe maintenant, d'on ne sait où. Elle t'a dit ce qu'elle voulait ?

– Je n'ai pas posé la question. Nous n'avons parlé que de moi.

Vince hocha la tête pour lui-même. Dora n'avait toujours pensé qu'à elle. Comme sa mère.

– Si tu la revois...

– Evidemment que je vais la revoir ; c'est mon avocate.

– Tu ne veux pas oublier ce caprice ?

– Ce n'est pas un caprice, tu le sais parfaitement ; c'est même très sérieux. Et tu ne m'as pas donné une seule bonne raison d'abandonner.

– J'ai une chance d'être président, laissa-t-il échapper. C'est confidentiel, tu t'en doutes, mais le parti y songe. Dans trois ans. Et ça me plaît beaucoup. Sauf que ma fille s'entête avec sa croisade. Lui faire mal ? Et moi, alors ? C'est à moi que tu fais du mal dans tout ça.

Il y eut un long silence.

– Ils veulent vraiment que tu sois président ?

– C'est ce qu'ils disent. Ils pensent que je peux y arriver. Ça ne te ferait pas plaisir ? Tu serais l'hôtesse de la Maison-Blanche.

– Tu ne comptes pas te remarier ? Tu as trois ans devant toi.

La garce, se dit Vince. Mais il aimait que sa fille comprenne vite ce qu'il convenait de faire. Elle tenait de lui.

– Je n'y avais pas pensé. C'est toi que je préfère dans le rôle d'hôtesse, de toute façon, tu es la femme la plus remarquable que je connaisse. Et ça te plairait, j'en suis sûr.

– A n'en pas douter. Mais tu sais, papa, s'ils te veulent comme président, un petit procès en Californie trois ans avant ne fera pas grande différence. Même si ça défrise deux ou trois personnes, quelle importance ?

Tu es si fort que ça ne t'atteindra pas. Ce ne serait pas juste de ta part de m'en empêcher pour quelque chose de si lointain. Je tiens beaucoup à ce procès ; c'est la seule chose qui m'intéresse en ce moment. Si tu m'aimais un peu, tu le comprendrais.

Vince avait toujours su quand abandonner la partie. Il battit en retraite.

– Tu as raison. Je te souhaite bonne chance. J'espère que tu obtiendras tout ce que tu veux. Et la prochaine fois que tu verras ton avocate, essaie de savoir pourquoi elle est revenue. Nous sommes tous curieux de l'apprendre.

– OK, dit Dora, l'air de penser à autre chose.

Vince sut qu'elle ne le lui demanderait pas ; elle était trop absorbée par son procès.

Le petit con ! jura-t-il en pensant à Josh Durant. Pourquoi n'avait-il pas été capable de baiser Dora correctement ? Du jour que Dora l'avait amené à dîner alors que Vince était à Los Angeles, il l'avait détesté ; trop sûr de lui, trop réservé, trop lisse. Un salaud de la pure espèce, arrogant, beaucoup plus grand que Vince. Et malin avec ça : il n'avait rien dit sur lui. Vince avait quitté le restaurant sans en savoir plus qu'en arrivant, ou presque. Il avait dit à Dora qu'on ne pouvait pas faire confiance à une ordure pareille ; elle ne le ferait pas plier d'un pouce. Mais elle ne l'avait pas cru.

Il resta à son bureau longtemps après que Dora eut raccroché. *Vince Chatham, président des Etats-Unis d'Amérique.*

Il jeta un œil sur ce qu'il avait écrit. *Anne Garnett.* Il la revoyait comme elle était à l'enterrement d'Ethan : cheveux noirs, chapeau noir, tailleur noir, visage d'une surprenante pâleur, tête parfaitement droite : majestueuse. Il se rappelait la petite fille mince, avachie, les cheveux en désordre, les grands yeux vides quand elle le regardait.

Il n'avait pas pensé à elle depuis vingt-quatre ans. Et elle était revenue, pour le détruire.

A moins qu'il ne la détruise en premier.

Il saisit l'appareil téléphonique et appela Ray Beloit.

# 10.

Anne retrouva Dora dans la salle des pas perdus, bruyante et grouillante, du palais de justice, peu avant 10 heures du matin.

– Magnifique! s'exclama Dora, évaluant en un clin d'œil la silhouette d'Anne; tailleur gris pâle, chemisier de soie blanche, montre ancienne épinglée au revers et attaché-case de cuir souple. J'aime beaucoup ton tailleur. Valentino?

– Non, dit Anne, la main sur la poignée de la porte. Tu restes à côté de moi et tu te tiens tranquille, n'oublie pas.

– Je n'oublie jamais rien de ce que tu me dis, fit Dora avec sincérité.

Elle se colla contre le mur quand les gens sortirent. Le cliquetis des talons ponctuait le brouhaha des conversations. Le soleil d'août qui filtrait à travers les fenêtres hautes dessinait de longues rayures sur la cohue gesticulante, malmenant l'air conditionné.

– On se croirait dans une fournaise, dit Dora. Comment fais-tu pour avoir l'air de marbre?

– Reste tranquille et ne t'occupe pas du reste, dit Anne.

Puis elle ouvrit la porte.

– D'accord, tant que Josh ne raconte pas de mensonges.

Anne lâcha la porte.

– S'il écoute son avocat, il se tiendra tranquille, fit Anne d'un ton cassant. Dora, je te le répète pour la dernière fois. Ce n'est pas un procès; nous allons voir le juge pour lui remettre nos conclusions. C'est tout. Ils vont demander au juge de te débouter de ta plainte car elle est sans fondement; nous expliquerons au juge pourquoi ta plainte est recevable. Ça devrait prendre une demi-heure, maximum. Et tu n'ouvres pas la bouche. Tu auras tout loisir de le faire par la suite. Bon, suis-moi.

Elle entra la première dans la salle d'audience, aussi bruyante et bondée que le hall, et désigna un endroit vide au bout d'un des bancs qui emplissaient la moitié de la pièce.

– Quand on t'appellera, avance-toi. Je serai là.

Comme elle s'éloignait, un homme trapu aux cheveux gris vint près d'elle. Il avait le visage triste, la mâchoire carrée, de grandes oreilles, des sourcils broussailleux et un grand sourire mélancolique.

– Bonjour, Anne. Il y a bien longtemps.

– Bonjour, Fritz.

Anne lui rendit son sourire tout en pensant que la malchance voulait que Josh Durant eût choisi l'avocat qu'elle préférait entre tous. Elle aurait pu s'en féliciter pour lui, mais ça ne changeait ni son caractère ni ce qu'il avait fait à Dora.

Miller posa les yeux sur Dora en s'asseyant au bout du banc.

– Je ne pense pas qu'Anne nous présentera. Miss Chatham, je suis Fritz Miller.

Il tendit la main à Dora, qui ne la prit pas.

– Oui, bien sûr, soupira-t-il en baissant le bras. Dommage, dit-il à Anne. La dernière fois, nous avons trouvé un excellent arrangement, sans bagarre, tout le monde était content.

– Définitivement soulagé, pour être précis, remarqua Anne qui sourit à nouveau. Croyez-vous qu'il y ait une chance cette fois ?

Il jeta un coup d'œil à Dora qui regardait Anne, le visage imperturbable.

– Ça ne va pas être une partie de plaisir.

Ils se dirigèrent vers la rambarde qui coupait la salle en deux et Miller tint la petite barrière pour Anne qui rejoignit le groupe des avocats assis à de grandes tables rectangulaires ou debout à bavarder par petits groupes.

– Vous savez, elle n'est vraiment pas raisonnable, dit Fritz. Josh a tout essayé – il l'a appelée plusieurs fois pour voir s'ils ne pourraient pas – il surprit le regard étonné d'Anne avant qu'elle ait eu le temps de se reprendre – trouver un accord à l'amiable. Il n'a rien contre cette jeune femme ; il aimerait la savoir heureuse ; seulement il ne voit pas pourquoi il devrait payer pour ça alors qu'il a déjà tant payé.

– Quand un homme veut reprendre sa liberté, il trouve toujours qu'il a déjà trop payé, fit Anne sèchement en s'asseyant à une table pour ouvrir son attaché-case. Nous aimerions arranger ça, Fritz ; et ne tenons pas à aller jusqu'au procès. Si vous pouviez nous faire une proposition honnête...

– La Cour ! lança une voix perçante.

Le juge entra dans la salle d'audience.

Pendant l'appel des affaires, dans le fond sonore des voix qui montaient et descendaient devant le juge, Anne se retourna pour essayer de repérer Josh Durant. Dora prétendait avoir brûlé toutes ses photos. Le regard d'Anne passa rapidement sur des hommes trop jeunes ou trop vieux. Pas pour Dora. Son regard s'attarda vaguement sur quelques visages pour croiser enfin les yeux d'un homme assis dans le coin, tout au fond. Il la regardait calmement, l'air sombre.

Il avait de minuscules rides au coin des yeux et de la bouche ; des yeux enfoncés, des sourcils foncés, un grand front et une bouche dure et droite. Il avait un menton carré avec une petite fossette, et une mâchoire bien dessinée. Pas beau, se dit Anne, mais fort ; peut plaire. Ses cheveux châtain clair viraient au gris ; trop longs pour mon goût, se dit Anne ; il avait les épaules carrées et Anne se rappela la longue liste des sports qu'il pratiquait. Elle ne voyait pas ses mains mais les imaginait négligemment croisées ; il semblait à la fois détendu et indéchiffrable. Pas beau, se répéta-t-elle, mais son visage pouvait être dur et arrogant, et sa bouche proférer des paroles mordantes.

Elle se détourna. Elle en connaissait un rayon sur les hommes beaux qui savaient se montrer charmants quand ça les arrangeait.

Quand ce fut leur tour, Dora et Anne se tinrent devant le juge à côté de Miller et de Josh. Josh eut un bref regard pour Dora, mais son visage ne trahissait rien. Dora gardait les yeux fixés sur le juge ou observait la salle. Anne entendit Josh soupirer sans savoir si c'était d'impatience ou de regret.

– Il s'agit d'une demande visant à débouter Chatham de sa plainte contre Durant, dit le greffier.

Le juge lut les conclusions remises séparément par Anne et Miller. Il feuilleta rapidement les pages, murmurant d'une voix monotone et clignant rapidement des yeux, comme s'il était ahuri. Anne savait pourtant qu'il en avait tellement vu dans sa carrière qu'il était peu probable d'arriver à l'étonner avec une histoire de divorce ou de séparation. Il luttait sans doute contre le sommeil.

– Maître ? dit le juge à l'adresse de Miller.

– Nous demandons que la plaignante soit déboutée de sa plainte, Votre Honneur. Cette plainte est sans fondement, fausse dans ses présomptions et ses conclusions. Il n'y a pas là matière à plaider.

Le juge parcourut une nouvelle fois les conclusions de Miller. Il posa une question sur un des points, à laquelle Miller répondit rapidement avec un argument qu'Anne avait déjà entendu. Rien de nouveau, se dit-elle. C'était toujours le plus triste dans les histoires de séparation : ils pensaient toujours être les seuls à souffrir, mais aux yeux des observateurs, les exigences, les doléances, les tensions, les colères et les déceptions étaient tellement semblables d'un couple à l'autre qu'on finissait par croire que l'expérience des amis, des parents, les films... rien ne permettait d'éviter les mêmes erreurs. Deux cents ans plus tôt, Samuel Butler avait défini le mariage comme le triomphe de l'espoir sur l'expérience. C'est à peine une boutade, pensa Anne qui se sentit heureuse de sa vie faite de silences et de rythmes dont elle était le seul maître.

Le juge se tourna vers elle.

– Que demande Miss Chatham ?

Anne redonna les éléments de son dossier.

– Nous demandons le respect du contrat verbal passé entre Dora Chatham et Josh Durant, Votre Honneur. Il n'a pas été honoré. Nous demandons en conséquence réparation.

Le juge hocha la tête.

– Sont-ce des faits ?

– Oui, Votre Honneur. Des promesses et des déclarations faites devant témoins, ainsi que des arrangements financiers et dans la vie quotidienne qui impliquaient ou montraient directement l'intention de durée et de mariage.

Le juge feuilleta une nouvelle fois le dossier, clignant toujours des yeux, se grattant le nez.

– Je pense qu'il y a là matière à plaider ; nous irons donc au tribunal. Disons le 15 septembre, dans un mois ; cela vous donne le temps de réfléchir, peut-être même de parler, avant que la porte ne se referme. S'il y a du nouveau dans cette bataille, je serai ravi de l'apprendre.

– Qu'est-ce qu'il a voulu dire ? demanda Dora tandis que tous s'éloignaient. Il faisait de l'esprit ?

– Non, fit Anne en l'accompagnant vers la sortie. Il espère seulement qu'on montrera assez de bon sens pour parvenir à un accord.

– Mais pourquoi ? On ne peut pas perdre. La seule chose que l'autre avocat a trouvé à dire est que je mens. Je ne mens pas. Josh le sait. C'est même une des choses qui lui plaisaient chez moi. Il m'a dit une fois qu'il pouvait toujours compter sur mon honnêteté même quand il ne pouvait pas... Quelle heure est-il ? J'ai l'impression d'être là depuis une éternité.

– Quand il ne pouvait pas quoi ? demanda Anne.

– Rien.

– Quand il ne pouvait pas quoi ?

Elles étaient dans le couloir maintenant presque vide et elle s'était arrêtée, obligeant Dora à en faire autant.

Dora haussa les épaules.

– Compter sur moi. Il pensait que je n'étais pas toujours là pour lui.

– Qu'entends-tu par là ?

– Oh, tu sais bien, l'écouter des heures parler de cultures anciennes, de la fouille d'un tombeau ou autre chose, ou lui dire à quel point il était merveilleux. Il fallait toujours que je le soutienne.

– Toujours ?

– Toujours. Il était impossible.

– Mais arrogant.

– Oui, je te l'ai dit.

– Comment peut-on être arrogant et avoir besoin de soutien ?

– C'était le cas. Essaies-tu de m'embrouiller ? Il est arrogant et méchant et il faut lui dire qu'il est merveilleux. Je le faisais, mais ça n'était jamais assez. Il aime que les femmes lui fassent sentir son importance... comme tous les hommes, évidemment, mais Josh c'est pis. Tu sais, il a toujours eu des femmes ; il en a eu plein avant moi, des très belles, il aime les femmes splendides. Tu comptes passer la journée ici ? J'aimerais bien rentrer.

Derrière elles, Miller et Josh quittèrent la salle d'audience. Miller s'arrêta près d'Anne.

– On se voit à votre bureau ?

– Parfait, dit-elle. Lundi matin 9 heures ?

– Nous y serons, dit-il dans un sourire. Le sang froid et le cœur chaud. Du moins, nous essaierons. Nous sommes entre gens civilisés, Anne, et vous êtes intelligente comme il n'est pas permis ; ne pourriez-vous vous en tenir au schéma global au lieu de vouloir que ça saigne à tout prix ?

Anne regarda Josh qui se tenait près d'une grande fenêtre, le visage tourné vers la place en contrebas. Son profil dur se découpait dans la lumière.

– Il y a deux personnes, Fritz, avec tout ce qu'elles signifiaient l'une pour l'autre. Il arrive peut-être à balayer tout cela sur un caprice, mais Dora en est incapable ; elle est plus stable, plus sérieuse que ça. Elle croyait en lui ; elle a mis son avenir entre ses mains quand un jour il les a ouvertes, l'a laissée échapper et lui a dit qu'il n'avaient aucun avenir ensemble. Il semble l'avoir fait sans regret, mais ça n'est pas le cas pour Dora. Vous lui demandez d'être aussi insensible que lui, d'abandonner sans se retourner une relation faite de tendresse, d'espoirs, de rêves. Elle en est incapable. Et, pour être juste, il n'y a aucune raison.

Anne s'était rendu compte que Josh l'observait. Elle croisa son regard et fut suffoquée de la tristesse qui se dégageait de tout son être. Il n'avait plus l'air dur ; il semblait plus vieux que dans la salle d'audience, plus fatigué, presque désespéré. Anne fronça les sourcils, essayant d'interpréter ce qu'elle voyait, mais Miller lui parlait et elle revint à lui.

– Anne, vous êtes merveilleuse. C'est un excellent début de plaidoirie. Comment un juge pourrait-il vous entendre sans penser que Josh est un fieffé salaud qui doit raquer un maximum ?

Anne lui sourit et Miller vit dans ses yeux un éclat malicieux – mais je dois me tromper, se dit-il, car a-t-on jamais vu la froide et distante Anne Garnett ne fût-ce qu'un tantinet espiègle ?

– Je pensais que vous aimeriez une avant-première. Cela pourrait faire évoluer différemment la réunion exploratoire de lundi.

Il eut un petit rire.

– Possible. Mais tous ces jolis mots sont bien loin de la réalité de l'affaire ; c'est comme ces miroirs déformants...

– Alors, on va y passer la journée ? s'énerva Dora. Je n'ai pas que ça à faire.

– Nous non plus, s'empressa de répondre Miller. Pardonnez-moi de vous avoir retenue, Miss Chatham. A lundi, Anne, dans votre bureau.

Tandis que Miller s'éloignait, Anne regarda Josh à nouveau. Il suivait Miller tout en écrivant sur un petit carnet. Il marchait d'un long pas tranquille. Il ne leva pas les yeux.

– Le salaud, dit Dora.

On ne savait à qui ça s'adressait, mais Anne ne posa pas la question. Elles empruntèrent le couloir en silence.

– Qu'est-ce qu'une réunion exploratoire ? s'enquit Dora quelques minutes plus tard en s'installant dans la voiture d'Anne.

– Un entretien au cours duquel chacune des parties découvre les informations dont dispose l'autre et comment elle compte les utiliser.

– Tu veux dire que tu vas tout leur dire avant le procès ?

– Je veux dire que nous passons en revue les faits et les preuves. Ça ne favorise personne ; ça aide les deux parties.

– Ça se passe dans ton bureau, fit Dora au bout d'un moment. Ça, c'est bien. A eux de se déplacer.

– Ça ne veut rien dire du tout, expliqua Anne en regardant dans son rétroviseur avant de déboîter. Il est presque systématique que le mari et son avocat se déplacent chez l'avocat de l'épouse, alors on applique le même système aux concubins. Il s'agit là d'une vieille tradition de courtoisie qui n'a plus guère de sens, mais elle demeure néanmoins.

– Sans doute parce qu'ils savent que ce n'est pas une affaire ordinaire, fit Dora comme si Anne n'avait rien dit. C'est vrai, on en parlerait aux infos du soir si ça se savait. Mais ça n'arrivera pas. Qui le leur dirait ? Josh a horreur de la publicité et mon père tomberait raide mort si je passais à la télé. Il est terrifié à l'idée que quelqu'un l'apprenne. Tu t'en souviens ? Il m'a dit qu'il n'avait pratiquement aucun souvenir de toi. Je suppose qu'il ne te prêtait guère d'attention ; maman dit qu'il n'aimait pas les enfants. A part moi. Il faudra que tu le voies un jour ; il est rudement gentil quand il veut. Il ne s'intéresse qu'à lui, comme tous les hommes, mais quand on appuie sur le bon bouton, ils montrent leurs bons côtés. Avec lui, je sais faire ; je m'entends mieux avec lui qu'avec ma mère. Ça lui plaît ; si tu veux mon avis, il a tout fait pour. Tu sais ce qui est drôle, c'est qu'en fait je les aime autant l'un que l'autre ; seulement c'est plus facile avec lui parce qu'il me laisse faire tandis que maman me soûle de ses conseils. J'aimais bien sa deuxième femme, mais elle est partie juste après les élections. Je suis persuadée qu'il lui a demandé de rester jusque-là. Etre sénateur tournait à l'obsession ; c'est pour ça qu'il est dingue à l'idée du procès. Il voulait que je laisse tomber, tu te rends compte ! Dans un sens, ça m'embêtait pour lui ; pauvre papa, jamais il ne s'est donné tant de mal pour arriver à ses fins. Il m'a dit de te virer et de venir jouer la parfaite maîtresse de maison à Washington. Je le ferai peut-être de toute façon, quand j'aurai gagné ; c'est un endroit génial. Il aura encore besoin de moi ; il aime que je sois près de lui.

Anne s'engagea dans le parking de son immeuble. Elle serrait tant le volant que ses jointures étaient blanches.

– Je monte à mon bureau, dit-elle d'une voix maîtrisée. Passe me voir demain ; il faut qu'on parle du rendez-vous de lundi.

– Et la publicité ? demanda Dora. Il y en aura ?

– Ça ne viendra pas de chez nous, en tout cas. Je ne peux pas contrôler la partie adverse ou ce que la presse peut ramasser ; certains journalistes errent dans la salle des pas perdus à la recherche d'un papier croustillant. Si on va jusqu'au procès, ajouta-t-elle alors qu'elle se dirigeait vers l'ascenseur, nous demanderons une audience à huis clos. Puis nous demanderons au juge de faire déposer le dossier au greffe d'où on ne peut le sortir sans ordre exprès. Et quand nous rédigerons l'accord auquel nous serons parvenus, comment nous y sommes parvenus, sans contrainte, etc., nous demanderons la même chose.

– Alors personne ne verra rien. Je le dirai à mon père. Ça va le rassurer.

– Ce n'est pas ce que j'ai dit. N'importe qui peut obtenir une autorisation de consulter les dossiers ; une personne à la fois. Sans compter le procès : le juge peut refuser le huis clos.

Dora haussa les épaules.

– Bof, peu importe. Monsieur le sénateur survivra.

Anne marcha d'un pas rapide vers la rangée d'ascenseurs.

– Ma secrétaire te fixera l'heure pour demain.

Je n'aurais jamais dû accepter cette affaire, pensa Anne une fois les portes refermées. C'était chercher les ennuis. Elle repensa à la conversation à Tamarack, comment Dora l'avait suppliée, comme son appel au secours avait vaincu ses réticences. Et elle songea combien cette affaire l'avait intriguée ; les lois qui régentaient les gens vivant ensemble étaient encore à établir. Mais elle savait que ça n'était pas si simple ; il y avait une raison plus obscure à tout ça. Elle avait entr'aperçu confusément le moyen de triompher de Vince. C'était elle qui pouvait aider Dora. C'était elle qui recevait les confidences, la confiance de Dora. Pas Vince.

Mais ça n'avait rien d'un triomphe. Anne l'avait compris dans la seconde où Dora avait commencé à parler de Vince. Tous les vieux sentiments avaient resurgi. Vince pouvait encore la vaincre.

Mais elle gagnerait pour sa fille. C'était désormais plus important que jamais. Elle était sur son territoire, et prouvait sa valeur, à elle-même, et aux autres. Elle l'emporterait, sur son propre terrain. Lundi, se dit-elle. Nous pouvons gagner dès la réunion exploratoire. Pas besoin d'attendre le procès. On peut les contraindre dès maintenant à un accord.

Elle revit alors la tristesse dans les yeux de Josh Durant. S'il est suffisamment malheureux, se dit-elle froidement, il sera trop heureux d'en finir.

Elle l'observa attentivement tandis qu'il entrait dans son bureau avec Fritz Miller ce lundi matin. Il était plus beau que dans son souvenir ; peut-être la douceur de l'éclairage, se dit-elle. Mais il était toujours aussi imperturbable.

– Josh Durant, Anne Garnett, dit Miller en faisant les présentations.

Ils se serrèrent la main avec une égale force.

Un sténographe du tribunal se tenait discrètement dans un coin. Josh salua Dora. Elle fit un signe de tête et s'assit dans un fauteuil au coin du bureau, le menton relevé, le regard fixé au-dehors. Miller approcha un fauteuil pour Josh dans l'angle opposé et s'installa entre les deux. Balançant son attaché-case sur ses genoux, il l'ouvrit et en tira un monceau de documents qu'il empila sur le bureau.

– Nous avons là, comme vous l'avez demandé, les déclarations fiscales de Josh Durant pour les trois dernières années, ses relevés de compte avec les chèques annulés pour les années correspondantes, les relevés de portefeuilles titres, les baux, actes et polices d'assurances. Son expert-comptable et son conseiller en investissements sont à votre disposition pour toute question que vous souhaiteriez leur poser.

– Nous n'hésiterons pas, le cas échéant.

Anne parlait avec naturel, tandis que Miller prenait soin d'être cérémonieux. Fritz se montrait aussi réservé et formaliste que s'ils ne se connaissaient pas et, pour le contrebalancer, elle prit cet air détaché qui l'inquiétait encore alors qu'ils s'étaient déjà retrouvés face à face sur cinq affaires. Elle ne jeta pas un œil aux papiers que Miller avait posés sur son bureau. Elle portait un tailleur de soie blanche et un chemisier bordeaux à petits plis.

– Nous avons beaucoup de sujets à aborder, Fritz, dont le train de vie que menaient Miss Chatham et Mr. Durant lorsqu'ils vivaient ensemble, mais j'aimerais d'abord aborder les promesses qui ont été faites. Mr. Durant, dit-elle à l'adresse de Josh, il y a un peu plus de trois ans vous avez demandé à Dora Chatham de s'installer chez vous ; c'était le 10 juillet, à 21 h 30, pendant le dîner.

– Nous prenions un café et un cognac à La Nuit, table 5, au fond.

Anne n'observa pas la moindre trace d'ironie dans ses yeux ni dans sa voix ; simplement, il gardait de cette soirée un souvenir aussi précis que celui de Dora. On est rarement étonné qu'une femme se rappelle les choses dans le moindre détail, surtout si elles sont romantiques, mais quand il s'agit d'un homme, on cherche toujours ce que ça cache, remarqua Anne. Mais c'est un scientifique, se dit-elle ; les détails font partie de son métier.

– Dès lors, dit-elle, vous avez pris un certain nombre de décisions qui impliquaient une relation permanente. Vous...

– Nous sommes ici pour aborder les faits, protesta Miller, pas pour d'éventuelles implications.

– Je crois que vous conviendrez avec moi qu'il s'agit là de faits, répliqua Anne sans quitter Josh des yeux. Peu après l'emménagement de Miss Chatham, vous avez ouvert un compte joint à la First National Bank of California.

Dora cessa de regarder par la fenêtre pour regarder Anne et approuver d'un signe à chaque argument.

– Vous avez obtenu des cartes de crédit avec le même numéro de compte, poursuivit Anne. Miss Chatham faisait les chèques pour en régler le montant mensuel. Les factures courantes étaient à votre nom, mais c'est Miss Chatham qui signait les chèques correspondants. Elle établissait les chèques mensuels pour les impôts locaux, la femme de ménage et les traiteurs. Elle faisait les courses. Bref, elle tenait la maison. En septembre, deux mois après son installation, vous l'avez faite bénéficiaire d'une assurance-vie souscrite par l'intermédiaire de l'université de Los Angeles où vous enseignez l'archéologie. Est-ce exact, Mr. Durant ?

– Oui.

– Pourquoi avez-vous fait cela ?

– Je n'avais pas d'autre famille, dit-il avec calme.

– Vous considériez donc Dora Chatham comme de votre famille.

– Non. Et je crois que la réciproque était vraie. Nous commencions tout juste à vivre ensemble.

– Vous venez de dire que vous n'aviez pas d'autre famille.

Il hésita.

– C'est vrai, je l'ai dit. Je me souviens qu'au début Dora et moi étions comme deux gosses qui jouent au papa et à la maman pour de rire.

– Tu disais que tu ne voulais pas d'enfant ! s'écria Dora.

– Dora ! intervint Anne sèchement, étonnée, comme souvent, devant l'art qu'ont les clients d'affaiblir ou de détruire leur position avec une seule remarque suicidaire.

Dora haussa les épaules et fixa à nouveau les yeux sur Anne.

– Je croyais que je n'en voulais pas, dit-il à Anne. Je me croyais très bien sans.

– Mais vous étiez prêt à demander à Miss Chatham de jouer à l'épouse.

– Non, je lui ai demandé de vivre avec moi, sans préciser comment faire ; je lui ai demandé d'être ma compagne, rien de plus.

– Mais, en l'occurrence, votre compagne faisait vos courses, recevait pour vous, payait vos factures et s'occupait de la femme de ménage ; elle a même choisi vos assiettes de porcelaine et vos verres en baccarat la première fois que vous avez fait des achats de Noël ensemble. Et ce ne sont que quelques exemples. Vous a-t-elle supplié de l'autoriser à faire tout ça ?

– Personne ne suppliait personne. Je ne sais pas comment ça s'est trouvé. C'est vrai que je lui ai demandé de trouver une nouvelle femme de ménage quand l'autre a déménagé et qu'elle l'a fait, mais pour le reste... on dirait que c'est arrivé, c'est tout.

– C'est tout, répéta Anne. En général, les choses arrivent quand on a monté les tréteaux pour ça. Il semblerait en fait que votre relation avec Miss Chatham se fût produite parce qu'il y avait une place disponible...

– Ce ne sont que conjectures, intervint Miller. Pourrions-nous revenir aux...

– J'aimerais entendre la fin de la phrase de Miss Garnett, dit Josh.

– J'allais dire qu'il y avait une place disponible pour Miss Chatham, comme si vous disposiez d'une confortable paire de chaussons que quelqu'un avait récemment abandonnée – ou avait été obligé d'abandonner – et que vous aviez montré à Miss Chatham comment les enfiler, même si...

– Ridicule, dit-il, glacial. Ce n'est pas Dora qui vous aura dit ça ; elle n'aurait pas trouvé ça toute seule. Et même si elle en avait été capable, elle me connaît mieux que...

– Je ne te connais pas ! hurla Dora. Tu m'as fichue dehors – je n'ai même pas deviné que tu allais le faire !

– Alors, Anne, vous voyez ? fit Miller d'un ton de reproche.

– Et même si je n'ai pas pensé à cette histoire de chaussons, c'est vrai ! poursuivit Dora, déchaînée. Tu voulais une épouse, mais tu ne voulais pas t'engager ; tu voulais un joli petit corps à la maison qui te construise un nid et t'y protège, mais tu n'étais pas prêt à la prendre sous ton aile pour la cajoler.

Josh regarda Anne, l'air interloqué.

– Ça non plus, ça ne vient pas d'elle.

– Peu importe. Dora, nous étions convenues que je menais le débat.

– Excellente idée, dit Miller à Josh. Contentez-vous de répondre aux questions. Laissez les avocats s'occuper du reste.

Josh s'adressa à Anne.

– Quoi que nous ayons fait, nous l'avons fait ensemble. Quand on veut être protégé et cajolé, on a envie d'en faire autant, non ? Je croyais que l'époque des valeureux guerriers et des frêles jeunes filles était révolue.

– Qu'est-ce que ça a à voir ? s'écria Dora. Non seulement tu ne m'as pas protégée... tu m'as obligée à partir !

– Non, dit-il, parfaitement calme.

– Nous y viendrons dans un instant, dit Anne. J'aimerais auparavant que nous abordions un autre point. Avant votre rencontre avec Miss Chatham, deux femmes ont partagé votre appartement ; l'une pendant un peu plus d'un an, l'autre pendant presque deux ans. Vous vous êtes débarrassé des deux. Est-ce exact ?

– C'est hors de propos, Anne, dit Miller.

– Je crois que non. L'une est partie en Europe où vous lui avez trouvé une situation. L'autre s'est installée à New York. Puis il y a eu une autre femme que vous connaissiez très bien ; on vous a vus ensemble pendant deux ans. Elle est partie pour Chicago quelques mois après votre rencontre avec Miss Chatham. Cela constitue une longue liste de relations brisées et, à chaque fois, vous disparaissez sans laisser de trace ; vous ne payez rien, vous ne donnez rien, vous ne perdez rien.

Le regard de Josh se durcit.

– En tout cas, j'essaie de construire une relation au lieu de faire une affaire lucrative en l'interrompant.

– Taisez-vous, Josh, dit Miller. Je ne vais tout de même pas vous raconter l'histoire du dindon de la farce !

– Dora connaît l'existence de ces femmes, dit Josh à Anne. Demandez-lui donc de vous dire la vérité.

Anne rougit.

– Vous avez repris avec Miss Chatham un scénario connu. Votre dossier est plein de ces relations qui s'achèvent au bout d'un à trois ans, et chaque fois, c'est vous qui demandez à la femme de partir. Peu nous chaut les promesses, réelles ou implicites, que vous avez faites aux autres ; l'intimité engendre les promesses, souvent issues de la paresse ou de la passion...

– Joli duo, la paresse et la passion, lança Josh, mordant. Si c'est tout ce que vous savez de l'amour, vous n'avez guère autorité pour nous donner des leçons.

– Josh, au nom du ciel! bondit Miller.

– Pardonnez-moi, dit Josh dans un souffle quand il vit un éclair de douleur traverser les yeux d'Anne. C'était grossier et totalement malvenu. Vous vous trompez sur mon compte, mais ça n'excuse pas mon attitude. Je vous supplie de me pardonner. Quant à mon passé, je refuse d'en discuter. Il vous faudra l'accepter. Ça n'a rien à voir avec Dora et moi. Au début, il y avait de l'affection; je croyais qu'il était question de donner, pas d'exiger; de partager, pas de prendre. Je sais maintenant que je me trompais, mais je l'ai cru pendant un an, avant que les choses commencent à changer. Si j'avais pu maîtriser ça... Sa voix se brisa soudain et il rentra en lui-même. Mais non. Ça m'a pris par surprise.

Il se tut. Anne, qui essayait de calmer le tourbillon qui l'agitait, laissa le silence s'installer.

– Bon, fit Miller, j'aimerais poser quelques...

– Mais tout au long de la première année, reprit Josh sans s'occuper de Miller qui ronchonnait de mécontentement, tout ce que j'ai fait a probablement émané du désir d'avoir une femme et des enfants; désir qui m'habitait depuis longtemps sans que je l'aie reconnu – comme un rêve qui vous hante. Je ne vois pas comment expliquer autrement le fait que j'ai, comme vous avez dit, pris un certain nombre de décisions...

Miller frappa sa cuisse du plat de la main.

– On se calme, maintenant. J'ai déjà vu des réunions exploratoires un peu bizarres, dit-il à Anne, mais on s'apprête à battre un record.

Anne ne répondit pas; elle prenait des notes. Qu'est-ce qui clochait chez elle, aujourd'hui ? Jamais elle ne s'était prise de bec avec les clients de la partie adverse; elle leur posait des questions directes ou leur parlait par l'intermédiaire de leur avocat. Mais ce matin elle se comportait comme si elle était à la place de Dora. C'est vrai qu'il se passe beaucoup de choses, songea-t-elle pour se rassurer. Elle s'aperçut qu'elle répétait les mots de Josh : *un rêve qui vous hante...*

C'est ce qui lui arrivait depuis vingt-quatre heures.

Mais ce n'était pas le moment. Au contraire.

– Je dois revenir sur quelques points, Fritz, dit-elle avec fermeté. Mr. Durant, en octobre suivant l'emménagement de Miss Chatham, vous avez tous deux fait un voyage en France; puis en Grèce en décembre; en Angleterre au printemps suivant et en Egypte en octobre. Vous avez payé tous ces voyages et réserviez votre chambre au nom de Mr. et Mrs. Joshua Durant...

Il approuva d'un signe.

– Dora y tenait. Quant à...

– C'est toi! hurla Dora. Tu disais que, même si la société était indifférente, tu ne voulais pas que je traîne derrière comme la cinquième roue du carrosse; tu voulais que je sois avec toi partout où tu allais!

– Intéressant, murmura Anne en regardant Josh avec intensité.

– Mais légèrement inexact, dit-il d'une voix neutre. C'est Dora qui ne voulait pas être la cinquième roue du carrosse; pour moi, c'était ma compagne, mon égale. J'ai effectivement dit que je voulais qu'elle soit avec moi partout; j'ai effectivement suggéré qu'on voyage sous le même nom si ça pouvait contribuer à son bien-être. Quant à payer, évidemment que c'était moi. Je lui ai demandé de m'accompagner en Grèce et en Egypte; c'étaient des voyages d'affaires. La France et l'Angleterre, c'étaient des vacances et je voulais l'avoir près de moi. Alors, j'ai payé.

– Et cela ne prouve rien, intervint Miller. Où tout cela mène-t-il, Anne ? Nous n'avons jamais nié qu'ils vivaient ensemble. Ça se passe ainsi dans tous les couples.

– Un an après l'arrivée de Miss Chatham chez vous, dit Anne à Josh, vous avez acheté une maison à Tamarack. L'acte notarié est à vos deux noms.

– Ça aussi, ça se fait, dit Miller. Ça veut seulement dire qu'ils s'entendaient bien. Mais ils n'étaient pas mariés, ne comptaient pas l'être, n'avaient pas fixé de date, n'en parlaient même pas. Personne n'a promis quoi que ce soit à personne en aucune façon à aucun moment.

– Quant aux promesses, dit Anne à Josh, au réveillon du jour de l'an six mois après son emménagement, Dora a dit à une amie, en votre présence, qu'elle comptait s'occuper de vous pour toujours et vous tenir à l'écart des petites minettes quand vous seriez trop vieux et trop faible pour résister. Vous ne l'avez pas contredite.

– Bien sûr que non. Il faisait presque jour quand Dora l'a dit; plus personne ne parlait sérieusement. C'était plus simple de laisser glisser.

– Un mois plus tard, vous êtes arrivé à l'appartement alors que Dora avait un essayage. Dora vous a présenté et a ajouté à l'adresse de la couturière : « Un jour vous me ferez une robe de mariée et une ceinture dans le même tissu pour l'habit de Josh. » Vous ne l'avez pas contredite.

– Non. J'étais gêné pour elle – elle n'aurait pas dû dire ça et elle le savait; elle avait pris sa voix de petit chat typique quand elle sait avoir tort – et je voulais plutôt parler d'autre chose.

– Laisser filer était plus simple que de se disputer.

Josh fronça légèrement les sourcils.

– Oui.

– En juillet de la même année, lors d'un barbecue à Wellfleet, Massachusetts, votre hôtesse vous a demandé la date du mariage; Miss Chatham a répondu que c'était pour bientôt. Vous ne l'avez pas contredite.

Miller lança un bref regard inquiet à Josh, qui hocha la tête lentement.

– Je m'apprêtais à le faire. Mais Sandra – qui nous recevait – est la reine des commères. Si j'avais soufflé mot, tout Cape Cod l'aurait su dans l'heure, la nouvelle aurait atteint Los Angeles en huit jours, enjolivée de broderies humiliantes pour Dora. C'était impossible.

– Il était plus simple...
– De laisser filer, dit-il avec froideur.
– Anne, dit Miller, mécontent. Il n'y a là que des phrases négatives. Il ne l'a pas contredite, il ne s'est pas disputé... où sont les faits ?
– Ce sont des faits, Fritz, pour vous comme pour moi. Au fil des ans s'est bâtie une atmosphère dans laquelle Miss Chatham avait toutes les raisons de croire que Mr. Durant partageait ses sentiments.
Miller fit la moue.
– On peut voir les choses ainsi. On peut aussi penser : voici un garçon sympathique qui n'aime pas faire de peine; alors, quand une femme raconte n'importe quoi, il se tait pour ne pas la mettre dans une position où chacun verrait sa stupidité. Alors à moins que vous n'ayez des preuves directes de promesses directes, de propositions de suggestions ou Dieu sait quoi, je ne vois pas.
Anne hocha la tête.
– Mr. Durant, trois mois après vos débuts de vie commune, vous avez offert à Dora pour son anniversaire un scarabée royal égyptien au bout d'une chaîne en or. Il était accompagné d'un petit mot. Anne déplia un parchemin très fin et lut. « Ma chérie, le scarabée est le symbole de l'éternité de l'âme et de la renaissance quotidienne du soleil – c'est le symbole de la vie. Ce scarabée gravé du cartouche du pharaon Akhenaton, l'un des rares sur qui nous en savons assez pour dire qu'il a profondément aimé sa femme, sera le symbole de notre vie ensemble. »
Le visage de Miller fut empreint de tristesse.
– J'aimerais voir ce billet.
– Moi aussi, dit Josh. Puis-je ?
Il tendit la main. Quand Anne lui donna le papier, il prit un long moment pour le lire.
– Il n'y a que trois ans, murmura-t-il. Je n'étais pas assez jeune pour avoir écrit ça.
– Ce n'est pas drôle, s'écria Dora.
– Je suis très sérieux.
Il posa ses yeux sur Anne, l'air pensif.
– Cette note a été écrite par un jeune homme sans expérience, persuadé que non seulement il voit l'avenir mais encore peut le contrôler. Il y a trois ans, j'étais trop vieux pour écrire ça. Non parce que j'avais trente-deux ans, mais parce que j'en avais trop vu. Je savais combien l'avenir est mouvant; combien il peut craqueler et ébranler les certitudes; combien un événement – infime ou considérable – peut donner à la vie une nouvelle orientation, une nouvelle forme, irrémédiablement. Je savais déjà tout ça, comme je le sais aujourd'hui. Mieux qu'un autre, un archéologue vit l'évolution, les changements. S'il me fallait essayer de comprendre pourquoi j'ai écrit...
– Josh, si vous permettez, intervint Miller, j'aimerais poser quelques questions à Miss Chatham.

Dora eut l'air ahurie.

– A quel sujet? Il a tout reconnu.

– Peu s'en faut, dit Miller. Miss Chatham, Mr. Durant vous a-t-il jamais demandée en mariage?

– Vous avez entendu ce qu'il a écrit! Il a dit qu'il voulait partager sa vie avec moi!

– J'ai parfaitement entendu. Je répète ma question. Vous a-t-il jamais demandée en mariage?

Dora avait les lèvres qui tremblaient.

– Non.

– A-t-il jamais dit qu'il vous épouserait?

– Non.

– A-t-il dit qu'il voulait vous épouser mais que quelque entrave l'en empêchait?

– Non.

– En réalité, Miss Chatham, a-t-il jamais parlé de mariage avec vous?

– Non.

– En trois ans de vie commune, il n'a jamais évoqué l'idée de mariage. Pour quelle raison, diriez-vous?

Les yeux de Dora s'emplirent de larmes.

– Je suppose que... qu'il n'en avait pas envie... qu'il ne m'aimait pas assez. Encore qu'il n'ait jamais dit ça. Il n'arrêtait pas de me faire croire que je faisais partie de la... famille et que, le moment venu, il m'épouserait. Il me faisait croire qu'il m'aimait autant que je l'aimais et qu'un jour nous nous marierions, parce que ça se fait, non, quand on s'aime et qu'on est déjà comme une famille?

Josh regarda Anne. Elle scrutait Dora des yeux. Comme un entraîneur, songea Josh, ou un patron. Quelle femme superbe, mais la plus froide que j'aie jamais vue. Elle était semblable à une déesse sculptée dans un tombeau égyptien : lisse, glacée, à l'écart du drame humain dans lequel elle jouait un rôle capital. Il se demandait ce qui avait figé Anne Garnett pour qu'elle ne fût pas femme à part entière, que tant de beauté ne fût qu'ironie, évoquant la passion mais masquant un vide glacial. Si l'on exceptait ce brusque éclat de douleur dans les yeux. Il se demandait ce que cela cachait, ce qu'il faudrait, en plus de la douleur, pour la réveiller.

– Tout cela est bien triste, Miss Chatham, disait Miller, mais nous n'avons vu aucune preuve réelle de la duperie de Mr. Durant. A ce compte-là, peut-être est-ce vous qui l'avez dupé en le convainquant que le mariage ne vous intéressait pas alors que vous n'attendiez que ça.

– Vraiment, Fritz? demanda Anne.

– Oui, je le pense vraiment. Partout où elle allait, elle glissait ses gentils petits commentaires sur le mariage, comme si elle voulait le faire trébucher au moment où il était le plus détendu – les réceptions, ce genre de choses –, l'amener à dire : « D'accord, mon cœur, c'est décidé, quand tu veux. » Il ne l'a pas fait parce qu'il ne voulait pas et n'a jamais prétendu le contraire. Miss Chatham, quand Mr. Durant ne vous contredisait pas, chaque fois que vous lanciez des petits ballons à qui pouvait entendre, de Cape Cod à votre couturière, quand il ne vous contredisait pas, poussiez-vous votre pion ? Disiez-vous : « Allez, mon chou, fixons une date ; ma couturière attend avec le satin et le tulle ; nos amis de Cape Cod vont organiser un raout pour nous ; pour le jour de l'an, les invités vont nous lancer dans la vie sur un océan de champagne » ? Avez-vous dit ça ?

– Bien sûr que non.

– Rien de ce genre ?

– Non, je...

– Pourquoi ? Si vous pensiez vraiment qu'il voulait vous épouser, pourquoi ne pas l'avoir bousculé un peu et mis le grappin dessus ?

– Parce qu'on ne bouscule pas Josh ! lança-t-elle, furieuse. Il devient méchant quand on le bouscule. Et après j'avais peur de lui.

– Peur ? De quoi ? Qu'il vous frappe ?

– Eh bien, euh... peut-être.

– Vous a-t-il jamais battue ?

– Non, mais...

– A-t-il menacé de le faire ?

– Non, mais...

– Pour tout dire, vous a-t-il touchée autrement que par son affection ?

– Non, mais on ne sait jamais, hein ? Quand les hommes sont furieux, qui sait de quoi ils sont capables ?

– Miss Chatham, avez-vous déjà vu un homme battre une femme ?

– Non, mais mon... j'ai vu des hommes être mauvais avec des femmes et c'est la première étape. Vous ne le direz jamais parce que vous êtes un homme, mais c'est la vérité.

– Mon... quoi ? Qu'alliez-vous dire, Miss Chatham ? Mon amant ? Avez-vous eu un amant, ou plusieurs, qui se sont montrés mauvais avec vous ?

Anne fit un geste de la main.

– Fritz, ça n'a rien à faire ici.

– Autant que lorsque vous évoquez les autres femmes que Josh pourrait avoir connues. Votre amant était-il méchant avec vous, Miss Chatham ?

– Non.

– Pas votre amant ? Alors qui ? Personne, n'est-ce pas ? Vous vouliez seulement nous faire croire que vous aviez peur de Josh Durant, mais vous n'aviez aucune raison de l'être, c'est bien ça ? Alors vous avez inventé un homme mythique à qui le comparer, mais il n'y a personne d'assez mauvais pour vous faire peur...

– Mon père ! s'écria Dora. Je n'ai rien inventé, nom de Dieu ! J'ai vu comme il peut être froid et méchant et faire mal à quelqu'un...

– Il a frappé votre mère ? demanda Miller.

Dora secoua la tête.

– Non, évidemment. C'était seulement moche. Méchant.

– Et Mr. Durant vous rappelle votre père ?

– Exactement. Il est exactement pareil.

– Un instant, intervint Anne d'une voix pressante.

Elle avait besoin d'un peu de silence. Pour la première fois, elle était sûre que Dora mentait. Jusqu'ici, elle avait à peu près tout cru. Elle avait voulu la croire ; elle avait voulu croire, même avant de rencontrer Josh Durant, qu'une femme en compagnie d'un homme charmant, manipulateur et arrogant ne pouvait être que la victime. *C'est ça qui n'allait pas tout à l'heure. Je me comportais en fillette de quinze ans en colère, pas en professionnelle.* Mais il y avait là beaucoup plus que Dora ne laissait entrevoir. Un schéma global, avait dit Fritz. Et Dora mentait. Anne avait assez vu Josh Durant pour savoir qu'il n'avait rien en commun avec Vince Chatham. Elle se tourna vers Josh et vit qu'il regardait Dora avec mépris.

– Il y avait un tas de choses pareilles, dit Dora.

– Il était méchant ? suggéra Miller.

– Non, pas exactement...

– Effrayant ?

– Non, mais...

– Mesquin ?

– Il était mesquin, mais pas tout à fait de la même façon.

– Alors qu'est-ce qui vous inquiétait, exactement ?

Elle se taisait. Les larmes embuèrent ses yeux. Elles firent scintiller ses cils avant de tomber comme du cristal sur ses joues pâles.

– J'avais peur qu'il me quitte, murmura-t-elle. J'avais peur qu'il s'énerve, qu'il s'impatiente, qu'il s'en aille et me laisse toute seule alors qu'il avait promis de s'occuper de moi et de rester avec moi pour toujours. Et je ne le supportais pas. Je l'aimais tant...

La tête droite, elle essuyait ses larmes d'un doigt tremblant.

Miller laissa échapper un petit grognement.

Il était temps d'intervenir, mais de toute façon Anne avait hâte d'en finir.

– Fritz, j'aimerais que nous fassions le point, si vous permettez.

– Allons-y. Je vous écoute.

Debout près de la fenêtre, sans consulter ses notes, Anne donna ses éléments de plaidoirie pour le cas où il y aurait procès.

– On retrouve plusieurs thèmes dans ce que Miss Chatham et Mr. Durant ont vécu au cours de ces trois années ; chacun constitue une sorte de promesse, ou de contrat. D'abord, le thème de l'affection ou de la protection. Mr. Durant a amené Miss Chatham dans son appartement et lui a de fait confié la gestion du foyer. Elle a engagé la nouvelle femme de ménage, payé les factures, organisé les réceptions, choisi le nouveau service de table, etc. Il a acheté une maison à Tamarack, lui a demandé de l'accompagner aux quatre coins du monde et payé tous les frais. Il a globalement pris en charge Miss Chatham et l'a placée sous son aile protectrice.

Elle s'interrompit un bref instant avant de poursuivre :

– Le deuxième thème est la création d'une atmosphère de suppositions, d'attentes, d'assurances. Mr. Durant nous a dit avoir lui-même suggéré qu'ils voyagent sous le même nom. Il a tout à l'heure parlé d'elle comme sa famille. « Je n'ai pas d'autre famille », a-t-il dit exactement. Il a été jusqu'à la déclarer bénéficiaire de son assurance-vie, ce qu'on fait en général avec son épouse ou un parent proche. Et il nous a dit qu'elle n'était pas la cinquième roue du carrosse mais une part de lui-même.

Elle retourna à son bureau et s'adressa à Josh et à Miller :

– Cela nous conduit au dernier thème – étroitement lié à ces suppositions et à ces espoirs : le thème des promesses. Au réveillon du jour de l'an, Mr. Durant a entendu Miss Chatham dire à une amie qu'elle comptait s'occuper de lui pour toujours et le tenir à l'écart des autres femmes qu'il pourrait trouver à son goût. Il ne l'a pas contredite, pas même avec un « oh, peut-être ». Dans l'esprit des interlocuteurs, puisqu'il n'a pas bronché, il pouvait très bien se réjouir que Miss Chatham entendît s'occuper de lui pour toujours. De la même façon, il ne l'a pas contredite quand elle a parlé à sa couturière. « Un jour vous ferez ma robe de mariée et une ceinture en même tissu pour l'habit de Josh. » Une fois encore, il n'a soufflé mot, comme s'il était d'accord. Toujours le même scénario à Wellfleet, Massachusetts, quand elle a répondu : « C'est pour bientôt », à une question sur la date de leur mariage. A chaque occasion, Mr. Durant a trouvé plus commode de laisser Miss Chatham parler pour eux. Si commode qu'on est en droit de se demander si au fond il n'approuvait pas. Comment savoir ce qu'il éprouvait à l'époque ? Il pourrait avoir changé d'avis par la suite, ce qui ne modifierait en rien le consentement donné à Miss Chatham par son silence. Mr. Durant est chercheur, professeur, conseiller auprès de musées et de gouvernements étrangers pour la préservation de leur patrimoine. Est-il possible qu'un tel homme laisse passer sans les rectifier des déclarations vagues ou incorrectes ? Ce serait à l'encontre de sa nature. Pour étayer cette conclusion, nous sommes en possession du billet d'anniversaire écrit à Miss Chatham. Nous pouvons d'ailleurs supposer, à en juger par le contenu émotionnel de celui-ci, qu'il y en eut beaucoup d'autres. On y lit : « Ce sera le symbole de notre vie ensemble. » Enfin, n'oublions pas ce que Mr. Durant a dit : « Tout ce que j'ai fait a probablement émané du désir d'avoir une femme et des enfants ; un désir qui m'habitait depuis longtemps sans que je l'aie reconnu. »

Anne retourna s'asseoir.

– J'aimerais ajouter que le train de vie de Mr. Durant, qu'il a voulu partager avec Miss Chatham, était plutôt opulent, dans la haute société de Los Angeles, avec des biens durables. Le wedgwood et le baccarat n'ont rien d'éphémère. Ils évoquent la permanence et la tradition ; ils évoquent les trésors qui se transmettent de génération en génération dans l'espoir et la stabilité en des temps où tout bouge.

Elle s'interrompit pour boire un peu d'eau.

– Tels sont les thèmes que j'ai relevés. Et pour répéter ce que j'ai dit plus tôt, Dora Chatham a compris leur signification au cours des trois années passées avec Mr. Durant. Elle s'est abandonnée à la tendresse d'une relation, avec tout ce qu'il y a d'espoirs et de rêves, persuadée de les partager avec quelqu'un qui voyait les choses comme elle. Ne lui demandez pas de se montrer aussi insensible que Mr. Durant, désormais las de la vie avec elle ; ne lui demandez pas de quitter cette tendre relation sans un regard en arrière, sans exiger qu'il lui reste quelque chose de cette relation à laquelle elle croyait. Pour elle, partir sans rien serait le signe que les promesses en l'air, les pirouettes et les silences désinvoltes constituent un comportement normal envers qui demande affection et secours. Pour elle, ce serait une parodie d'amour et de confiance. On ne saurait l'accepter.

Dora soupira longuement. Miller avait mis ses mains en cathédrale sous son nez et se concentrait, l'air sombre. Josh regardait Anne ; il ne l'avait pas quittée des yeux de tout ce temps. Son visage était immobile, mais il se savait dans de sales draps. A elles deux, ces femmes le terrasseraient au procès. D'abord, Dora serait excellente. Elle était d'une beauté banale comparée à Anne, mais elle apparaîtrait adorable et fragile. Sa lèvre inférieure, sans doute son arme la plus redoutable, tremblerait. Il en arrivait à détester sa lèvre avec une violence qui le surprenait. Mais ce serait nouveau pour le juge, et aussi pathétique qu'une bouche d'enfant. Elle ferait pleurer ses grands yeux quand elle voudrait et sangloterait même s'il le fallait. *Il me faisait croire que je faisais partie de la famille. J'avais peur qu'il me laisse toute seule après m'avoir promis de s'occuper de moi et d'être avec moi pour toujours.*

Qui résisterait ?

Qui éprouverait de la sympathie pour Josh Durant ? Même si le juge trouvait une raison de le comprendre, combien de temps tiendrait-il en face de la toile serrée des arguments d'Anne Garnett ? Combien de temps compatirait-on envers un homme qui a écrit ce satané billet d'anniversaire pour dire à sa dame, deux ans après, de bien vouloir vider les lieux ? Qui, après ça, renverrait Dora avec ses larmes pour pleurer ?

Brillant résumé, pensa Josh, admiratif, tout en sachant qu'il perdrait contre elle. Il était fasciné par la façon dont travaillait son esprit, il aimait la voir à l'œuvre, il aurait aimé la comprendre. C'est vrai qu'elle disait de lui des choses grotesques, mais elle ne le connaissait pas. Et elle était bien trop intelligente pour ne pas s'en rendre compte. Elle était même assez maligne pour avoir repéré la faiblesse de certains de ses arguments, comme cette histoire de permanence avec les verres en baccarat – c'était un argument fabriqué de toutes pièces, faible et spécieux, mais futé et évocateur la première fois qu'on l'entendait. Et elle savait aussi bien que lui qu'il n'y aurait qu'une fois.

Le scientifique en Josh salua le joli travail d'Anne Garnett ; pourtant, sa colère montait. Parce qu'il était foutu. Il avait de toute façon décidé de régler ça à l'amiable – personne n'est assez fou pour rechercher la publicité d'un procès – mais il avait pensé s'en tirer avec une petite compensation, de quoi faire penser à Dora qu'elle s'en sortait victorieuse. Il savait désormais que ça lui coûterait beaucoup plus parce qu'il était clair pour tous qu'aller au procès n'arrangerait rien. Il était foutu. S'il avait été aussi rapide qu'Anne Garnett, s'il avait réfléchi à tout ça avec autant d'intelligence en trois ans qu'elle en un mois, il aurait conclu un arrangement financier raisonnable avec Dora quand il lui avait demandé de partir, et l'affaire aurait été classée.

– Josh, dit Miller, sortons un instant.

Et voilà, se dit Josh en se levant. Tous deux quittèrent le bureau d'Anne et empruntèrent le dédale des boxes des secrétaires séparés par des cloisons basses ou des plantes vertes; et voilà, c'est là que le marchandage commence. Miller savait aussi bien que Josh qu'ils étaient foutus. Ils trouveraient un accord, Josh verserait à Dora sacrément plus qu'elle ne méritait, et un peu moins qu'elle ne demandait. Anne Garnett surveillerait tout de son visage froid et impassible. Son visage ne trahirait pas le moindre signe de triomphalisme; elle n'aurait même pas un sourire de satisfaction, du moins tant que Miller et lui seraient dans son bureau. Peut-être éprouverait-elle de la satisfaction, ou plus – encore qu'il n'en était pas sûr –, mais rien n'apparaîtrait.

J'aimerais voir à quoi elle ressemble quand elle sent que quelque chose de merveilleux lui arrive, se dit-il. J'aimerais voir son esprit fonctionner sur quelque chose de plus gai que de pomper tout ce qu'elle peut des ruines d'une liaison au profit d'une cliente. Curieuse sorte d'ennemis; jamais ils ne se reverraient une fois l'accord trouvé, tôt ou tard aujourd'hui. Dommage. Miller et lui trouvèrent un bureau vide et s'y installèrent pour préparer la stratégie des propositions et contre-propositions.

Anne s'assit à son bureau longtemps après que les trois autres furent partis; Miller et Josh d'abord, puis Dora, qui avait attendu en faisant les cent pas tout en parlant avec nervosité, jusqu'à ce qu'elle soit sûre de ne pas tomber dessus dans l'ascenseur ou dans le hall d'entrée.

– Ça s'est bien passé. On s'en est bien sorties, hein ? Une chance que j'aie gardé ce petit mot; il y a des gens qui jettent tout, pas moi; on ne sait jamais, il faut prévoir. Ouf! je suis rudement contente que ça soit fini; je n'aurais pas supporté sa voix une minute de plus. Tu as été plus coriace que moi, tu t'en rends compte ? Moi j'aurais accepté la première offre, dès que j'ai su que j'avais gagné. Bon sang, c'était fantastique de les clouer au sol. Josh faisait une tête! Tu n'as pas trouvé ? Malheureux, jaloux, fou furieux, tout ça parce que j'ai pris un meilleur avocat. Bien fait pour lui. J'aimerais bien pouvoir le battre encore, à autre chose; je me suis vraiment bien amusée. Je vais peut-être partir à Washington, maintenant. Mon père est rudement en colère après moi, mais je n'aurai qu'à dire que je préfère être avec lui qu'avec maman et il m'accueillera à bras ouverts. Oh, mais il n'y est pas : il fait de la politique dans le Colorado. Washington au mois d'août, a-t-on idée ? Je vais peut-être lui demander de me rejoindre à Tamarack. Ou en Europe. Ou... je trouverai bien. Si seulement je savais ce que je veux. Tout me semble sans intérêt. J'ai tout cet argent de Josh ; je devrais faire quelque chose de fantastique avec. Tu ne trouves pas ? Bon, je suppose qu'il faut que j'y aille, dit Dora en consultant sa montre. Ils ont sûrement filé. Tu vas à Tamarack un de ces jours ? Ou cet hiver ? Je t'y verrai sûrement.

Anne la regarda fermer la porte derrière elle. C'est une garce de première, remarqua-t-elle, honteuse d'avoir mis si longtemps à s'en apercevoir ; elle était d'ordinaire plus psychologue. Ç'aurait été différent si elle avait eu un autre père, ou un autre compagnon ; ça m'a aveuglée. Elle secoua la tête tristement. Heureusement, je n'attends aucune gratitude ; je serai morte avant que Dora songe à me remercier.

Mais Dora était sans importance ; seul comptait le fait qu'elles avaient gagné. Pour elle, la vie se résumait à être le vainqueur, jamais la victime.

Pourtant j'aurais droit à un peu de gratitude, se dit-elle. Sans moi, ces deux hommes auraient piétiné Dora. Elle était secrétaire à plein temps, compagne au lit, mais pas épouse, et jamais elle ne lui a dit ce qu'elle attendait de leur relation. Il aurait pu arguer devant le tribunal que, si elle avait voulu davantage, elle aurait dû le lui dire au lieu de faire la futée avec ses amis et sa couturière. Fritz a enfourché ce cheval, mais je ne lui ai pas donné une chance de poursuivre. J'ai obtenu pour Dora Chatham vingt-cinq millions de dollars et la maison de Tamarack qui en vaut un et demi, et elle pense que c'est arrivé tout simplement. *Ça s'est bien passé.* Oui, parce que j'ai tout fait pour ça. Alors un « merci » tout simple ou carrément un « merci du fond du cœur » semblerait de mise.

Heureusement que je n'en ai ni le besoin ni l'envie.

Elle pencha la tête et se massa la nuque. Après de telles réunions, elle était toujours plus tendue qu'elle ne le pensait. Un verre de vin, un massage et un sauna, se dit-elle. Voilà ce qu'il me faut. Puis dîner. La pensée lui vint qu'il pourrait être agréable de partager son triomphe avec quelqu'un. Mais elle n'avait personne. Dîner chez moi, décida-t-elle ; elle téléphonerait au chef du restaurant français de sa résidence et lui demanderait de faire livrer son repas vers 9 heures. Elle ouvrirait une bonne bouteille de vin puis regarderait un film ou une pièce à la télévision ; elle se ferait apporter une cassette vidéo après le dîner. Ce serait une merveilleuse soirée.

Elle remit en marche le carillon de sa pendule ancienne qu'elle arrêtait toujours quand elle prévoyait un long rendez-vous. Bientôt, 4 heures sonnèrent. Ils y avaient presque passé la journée. De 9 h 30 à 16 heures, sans déjeuner. Je devrais sans doute avaler quelque chose avant de prendre du vin, se dit-elle, sinon je vais m'évanouir dans le sauna. Elle rassembla ses papiers, les glissa dans le dossier de Dora et s'aperçut que Josh avait conservé son petit mot d'anniversaire. Ça lui apprendra peut-être à garder ses sentiments pour lui.

Elle rangea le dossier dans le tiroir du haut où il resterait tant que Josh n'aurait pas envoyé son chèque. Vingt-cinq millions de dollars et une maison. Etonnant, cette double vie : professeur de réputation internationale, playboy toujours en compagnie d'une femme superbe, qui achète du baccarat et peut signer un chèque d'un pareil montant.

Un homme intéressant. Elle ne saurait jamais qui il était vraiment, ni dans quelle mesure Dora avait menti. Dommage. Il était manifestement autre que Dora l'avait décrit; en fait, Dora ne le connaissait sans doute pas vraiment. Elle était trop préoccupée d'elle-même pour tenter de comprendre l'homme avec qui elle vivait. Quelle sensation agréable que celle de la victoire! La meilleure, pour elle. Elle s'étira. Un verre de vin, se dit-elle. Un bon massage. Un sauna.

Elle n'habitait qu'à quelques minutes à pied, dans une autre partie de Century City. Une fois dehors, elle fut frappée par l'humidité lourde et chaude qui faisait comme un écran opaque devant elle. Les piétons semblaient lutter contre le courant. Anne traversa la place. Dans la fraîcheur de son bureau, il était facile d'oublier qu'on vivait une chaleur record en ce mois d'août. On est mieux à l'intérieur, se dit-elle tandis que le portier lui tenait la porte. L'air glacial la saisit. Elle frissonna. Sommes-nous obligés de passer des tropiques au pôle Nord ? se demanda-t-elle.

Elle sourit en prenant le courrier dans sa boîte aux lettres pour le fourrer dans son attaché-case. Elle souriait encore quand elle se dirigea vers l'ascenseur pour trouver Vince devant elle.

– Bonjour, dit-il d'une voix douce.

Elle se figea sur place. Sa serviette lui parut si lourde qu'elle pouvait à peine la porter.

– Il faut que je te parle. Quel étage ?

Il n'avait pas changé. Tout dans son monde avait changé, mais pas Vince : sa voix, son arrogance, son apparence, tout était comme avant. Il était un peu plus lourd et son menton un peu plus pointu, mais il avait les mêmes cheveux blonds et le même air angélique. Il lui souriait, tout charme dehors. Elle sentait ses mains l'agripper, la pousser, la tourner, la forcer.

Elle traversa le couloir en courant, prit la porte de service et se rua dans les lavabos des gardiens. Elle eut tout juste le temps de fermer la porte avant de vomir.

Elle releva la tête, pantelante. Elle s'agenouilla sur le carrelage froid, les bras sur la cuvette des toilettes, tentant de retrouver son souffle. Puis elle se releva et alla se rincer la bouche dans un des lavabos et, avec son mouchoir, elle frotta les petites taches de vomi sur son chemisier. Elle se regarda ensuite dans le miroir et tenta de se recomposer un visage. Tout revint à sa neutralité habituelle, hormis ses yeux hagards. Elle demeura un moment la main sur la poignée de la porte. Elle pouvait emprunter l'ascenseur de service, mais il l'avait retrouvée une fois; il recommencerait. Elle devait l'affronter un jour ou l'autre. Aujourd'hui, décida-t-elle. Elle releva la tête, redressa les épaules et ouvrit la porte qui donnait dans le couloir.

Il attendait à quelques pas de là.

– Ça va?

Elle se dirigea vers un groupe de fauteuils et s'assit dans le plus éloigné. Avec un léger haussement d'épaules, Vince la suivit et prit place en face d'elle devant la petite table basse en verre, le dos tourné au couloir. Anne regardait les gens rentrer de leur travail et prendre leur courrier avant de monter chez eux. Leur présence était rassurante. Elle se tenait bien droite, muscles noués, et s'obligea à regarder Vince. Elle n'était que haine. Elle le regardait calmement, sans rien dire.

C'est lui qui détourna les yeux, avec une fausse désinvolture, affichant de l'intérêt pour les allées et venues dans le couloir.

– Qui l'aurait cru? dit-il enfin en revenant à elle. La petite Anne, fâchée avec les peignes, qui habite ici, avocat vedette des divorces et des séparations. Une femme superbe. Félicitations; ta fugue t'a plutôt réussi.

Elle lui offrit un regard vide.

– Je suis désolé que tu nous aies quittés; tu m'as manqué. On est toujours triste d'être privé du plaisir de voir une jeune fille se transformer en femme. Nous aurions aimé partager cela avec toi, t'aider quand c'était possible. Où es-tu allée après ton départ?

Anne ne soufflait mot.

– C'est vrai, soupira Vince. Nous nous faisions un sang d'encre, tu sais. Chaque fois que nous lisions le journal, il y avait un article épouvantable sur ces jeunes fugueuses qui finissent sur le trottoir, droguées, assassinées; nous n'en dormions plus la nuit. Surtout Ethan.

Il continua tranquillement, parlant d'un détective privé, de deux, mais Anne l'entendait à peine. Il souriait, parlait, gesticulait, parfaitement à l'aise, comme si ses actes passés n'avaient pas eu de conséquences. Peut-être avait-il traversé indemne ces vingt-quatre années.

– Ce n'est guère l'endroit pour une conversation privée, dit Vince tandis que des gens passaient près d'eux pour prendre l'ascenseur. Nous serions mieux chez toi.

– Non, dit Anne d'une voix sans appel.

– Alors un café, peut-être? Il doit bien y avoir un restaurant dans ta résidence, ou un café? On y va?

– On reste ici.

Il regarda à nouveau autour de lui. C'était l'heure où chacun rentre chez soi, sa journée finie; il y avait beaucoup d'allées et venues dans le hall. Il inclina la tête, acceptant de bonne grâce.

– Comme tu veux. Aujourd'hui, j'ai attendu Dora à la sortie de ton bureau; nous dînons ensemble. Nous nous appelons régulièrement – tu le sais certainement –, elle m'avait dit que la réunion exploratoire était pour aujourd'hui. J'ai pensé que c'était le moment de venir l'encourager, ou la réconforter. Mais c'était inutile, apparemment. Elle m'a dit que tu t'en étais bien sortie. Ça veut sans doute dire que tu as été remarquable; Dora se montre toujours avare en compliments. Elle m'a parlé de vingt-cinq millions de dollars et une maison. Pas mal, surtout qu'il n'y a pas eu procès et que tu as tenu les journalistes à l'écart. J'y suis très sensible; c'est bien de ta part d'avoir songé à ma position. Dora m'a dit qu'elle t'en avait parlé.

– Qu'est-ce que tu veux?

– Oui, tu es sûrement pressée; tes amis t'attendent sans doute pour célébrer ta victoire, dit-il en souriant. Je suis curieux de savoir pourquoi tu es revenue après si longtemps. Je peux comprendre – et encore – pourquoi tu as voulu assister à l'enterrement d'Ethan; ça m'amuse toujours que les gens se croient obligés de rendre un dernier hommage, ou Dieu sait quoi, à un mort qui n'en a rien à faire. De plus tu es allée à Tamarack chez Gail. Et tu t'es chargée du dossier de Dora. Pourquoi?

– J'ai mes raisons. Qui n'ont rien à voir avec toi.

– Tu sais bien que si. Tout ce qui concerne ma famille me concerne aussi. Tout le monde fonctionne politiquement. Tu essaies de faire alliance avec la famille, de t'y réfugier pour m'attaquer sous leur protection.

– T'attaquer? Je n'en ai pas la moindre intention.

– Tu mens, dit-il d'une voix douce. Tu veux me détruire, je le sais. Quelle autre raison aurais-tu de réapparaître? Tu as attendu que je sois sur le devant de la scène, que je sois vulnérable aux rumeurs et aux potins, et tu es revenue. Tu as attendu la fin de mon mandat, la campagne électorale, et tu as ferré Gail et Dora pour arriver à moi.

Devant le silence d'Anne, il poursuivit, sur le ton de la conversation intime :

– Je te connais, Anne. Tu étais une sale gosse mal dégrossie et j'ai fait de toi une femme. Mais tu étais trop jeune pour apprécier. Tu n'as jamais compris ce que j'ai fait pour toi. J'ai fait ton éducation, comme Harvard. Il n'y a aucune différence, vois-tu; tu devais apprendre avec des experts. Si je ne t'avais pas prise en main, tu aurais atterri dans les bras d'un adolescent boutonneux avec un appareil dentaire qui t'aurait pelotée n'importe comment sur le siège arrière d'une voiture. C'était sacrément mieux de tout apprendre avec moi. Sans compter que tu aimais ça. Tu as adoré ça longtemps, très longtemps. Puis je suppose que tu as rencontré quelqu'un et décidé que tu en avais assez de moi, alors tu m'as accusé devant eux. Tu ne m'as pas dit que tu aimais ça, bien sûr. Les femmes ont le don de gommer l'inutile; elles ont la mémoire sélective. Elles se rappellent surtout la colère. Elles s'en nourrissent, comme des araignées. Puis elles cherchent vengeance. Regarde-toi, ma petite araignée; tu as attendu toutes ces années que je sois vulnérable pour fondre sur moi.

*Il est fou.* C'était clair dans l'esprit d'Anne, mais elle ne pouvait s'accrocher à cette idée. La présence de Vince semblait lui ôter toute volonté, comme du temps où il la dominait dans sa chambre. Il se dressait devant elle comme un lynx, les yeux brillants, prêt à bondir. Elle ne pouvait lui échapper. Elle essaya en vain de retrouver la sensation excitante de la victoire. Elle ne voyait que Vince, ne pensait qu'à lui. En elle. Elle se recroquevilla intérieurement. Elle aurait voulu se sauver, mais c'était comme si elle n'avait plus ni bras ni jambes. Et, de toute façon, où aller ? Il la rattraperait partout, il la toucherait.

– Mais je ne suis pas vulnérable, dit-il sans se départir de son sourire. C'est toi qui l'es. Tu n'es qu'une petite avocate qui essaie de se bâtir une réputation en prenant les cas à sensation, et tu ne veux pas commettre la moindre erreur, ajouta-t-il d'une voix doucereuse. Mais ce serait une grave erreur que d'attaquer un sénateur des Etats-Unis en l'accusant de Dieu sait quoi prétendument commis il y a presque un quart de siècle. Tu n'as rien dit pendant tout ce temps et, maintenant que c'est un homme important, tu surgis avec ce conte à dormir debout. On se ficherait de toi dans tout le pays. Tout le monde penserait que tu veux me faire chanter; quel autre motif ? On te traiterait de petite salope intrigante et opportuniste; qui te ferait confiance après ça ? Ce serait ta ruine, et tu le sais, Anne. Regarde-toi : tu es terrifiée à l'idée du retour de flamme qui te réduirait à une petite avocate sans clients.

*Il a peur.* C'était si évident, cette fois, que la pensée prit véritablement corps. *Il pense que je peux détruire sa carrière politique.* Les mots résonnèrent dans sa tête et elle s'y accrocha. *Il croit que je peux lui causer du tort.* Elle se détendit peu à peu. *Il croit que j'ai du pouvoir sur lui.* Elle serra le poing et sentit la force de son bras. Elle se rappela enfin qu'elle était dans son immeuble à elle et qu'elle venait de l'emporter dans une affaire. La présence de Vince n'était plus aussi menaçante. Anne voyait ce qui se passait autour d'eux. Son hall d'entrée, ses voisins qui passaient et la saluaient discrètement. Elle parvint à se redresser. *Il a peur de moi.*

– Je n'ai jamais rien attendu de ce genre, dit-elle d'une voix posée et froide. Je n'ai seulement jamais pensé à toi.

– Encore un mensonge, protesta-t-il. Tu penses à moi tout le temps. C'est pour ça que tu es venue à l'enterrement d'Ethan. Un prétexte pour revenir. C'est pour ça que tu es partie avec Gail. C'est pour ça que tu as sauté sur l'occasion de travailler pour Dora.

– Je n'ai pas pensé à toi, dit-elle, les poings serrés, sûre d'elle, à présent. Tu me dégoûtes. Je n'ai jamais aimé, ou adoré – qu'est-ce qu'il ne faut pas entendre ! – que tu me forces. Je te haïssais. Tu as peut-être fait de moi une femme, mais tu as détruit mon enfance et jamais je ne te le pardonnerai, ni le fait que tu m'aies manipulée. Tu ne m'as jamais traitée en être humain mais comme une poupée que tu pouvais modeler à ton idée. J'ai définitivement cessé de penser à toi du jour que j'ai quitté cette maison. J'avais ma vie à bâtir et, si je pensais à toi, ça me rendait si atrocement malade qu'il fallait que ça s'arrête. Je n'ai jamais pensé à toi. J'essaie de trouver plaisir et satisfaction dans ma vie, et penser à un excrément de ton acabit détruirait la paix en moi. Tu me donnes la nausée.

Il avait le visage tordu.

– Garce! cracha-t-il entre ses dents. Saloperie de putain de garce! Du coin de l'œil, il vit les têtes se tourner.

– Personne ne te croira, dit-il en prenant garde de ne pas élever la voix. Je ferai de toi un objet de risée; je t'empêcherai de...

– Je ne veux pas en parler. Je ne veux pas faire resurgir le passé. Il est mort et enterré.

Il la regarda, le dos courbé.

– Je ne te crois pas, dit-il au bout d'un moment. Je sais que tu mens, comme toujours. Tu as menti sur mon compte ce soir-là; tu ne leur as pas dit comment tu m'avais aguiché et comme ça te plaisait avec moi; tu as eu assez de moi et tu as essayé de me détruire. Mais ça n'a pas marché; c'est toi qui es partie comme une voleuse. Et moi, je suis resté. Je vais encore rester et toi, tu partiras, crois-moi. Je ne te laisserai pas leur tourner autour. Je ne te laisserai pas apparaître dans les journaux et les magazines avec ma famille; je ne te laisserai pas donner aux journalistes des histoires salées sur mon compte. Est-ce clair ? Tu vas disparaître comme la dernière fois; tu ne t'approcheras plus d'eux.

Il a peur, se répéta Anne. Moi, je n'ai plus peur. Lui, si. Je n'ai rien à craindre. Elle respira profondément.

– Si je veux retrouver ma famille, je ferai ce que je peux pour ça. Tu ne peux pas m'en empêcher. Si tu essaies, je te battrai.

– Comment ça ? demanda-t-il avec un petit sourire. Ils ne te croiront pas plus que la première fois. Alors quoi ? Tu parleras à la presse ? A la radio ? A la télévision ? Je ne te laisserai pas faire, fit-il en se penchant en avant. D'autres ont essayé de me barrer la route. Je me suis arrangé pour les en empêcher. Tu comprends ? On s'est occupé d'eux.

Anne secoua la tête. Quand il s'était rapproché, elle avait recommencé à avoir la nausée. *Il a peur, il a peur. Pas moi.* Mais elle se sentait défaillir.

– Je ne le dirai à personne, dit-elle dans un murmure. Fiche le camp. Laisse-moi tranquille. Je veux oublier. C'est tout.

Vince rapprocha son fauteuil de la table et d'Anne et se pencha plus encore; elle eut l'impression de sentir son haleine.

– Je vais te brosser la situation exacte. Je n'en avais pas l'intention, mais tant pis. J'ai toujours été honnête avec toi, Anne, alors écoute bien. Le mois dernier, quand Dora m'a parlé de toi, j'ai appelé un de mes amis, qui travaillait avec moi à Denver. Il s'est toujours occupé des problèmes, les gens en travers de notre chemin, ce genre de choses. Nous travaillons toujours ensemble, alors je l'ai appelé pour qu'il me débarrasse de toi. Tu sais ce qu'il a dit ? Qu'il ne fait plus ce genre de choses. Il a dit qu'il avait presque soixante-dix ans et qu'il était à la recherche d'occupations plus respectables. Il m'a beaucoup déçu. Ah, je vois que je t'intéresse.

Anne était assise bien droite et le regardait, les yeux écarquillés, le souffle court. Elle avait ouvert les poings et posé les mains sur ses genoux. Elle était froide et distante.

– Je me suis trouvé face à un terrible dilemme, poursuivit Vince. Mon ami était le seul à qui je pouvais confier ce genre de tâche. Je pouvais évidemment faire appel à quelqu'un d'autre – on trouve toujours des gens prêts à faire n'importe quoi pour quelques poignées de dollars – mais ça ne ferait que déplacer le problème. Tu aurais disparu, mais alors mon employé aurait eu l'avantage sur moi. J'ai bien réfléchi. Je pourrais te tuer moi-même, mais ce n'est pas dans ma nature. Ça va peut-être t'étonner – je t'assure que ça m'a surpris moi-même mais c'est comme ça : je ne suis pas un assassin.

Il y eut un long silence.

– Je ne déteste rien tant que me sentir sans défense, dit Vince avec douceur. C'est pourquoi je ne suis pas venu te voir plus tôt : je devais connaître ma marge de manœuvre. Voici ce que j'ai décidé : si tu me causes des ennuis, plus de dilemme. Si tu divulgues tes folles accusations à la presse, je n'ai rien à perdre à engager un tueur. Et je le ferai. Dans la seconde, et sans la moindre hésitation. Est-ce clair ? Si tu te tiens tranquille, tu n'as rien à craindre. De moi, en tout cas, ajouta-t-il en souriant. Nous sommes dans la même galère, Anne. N'est-ce pas extraordinaire, après tout ce temps ? Les enjeux sont énormes, pour toi comme pour moi. Dora te trouve extrêmement intelligente, fit-il en se levant, brillante et coriace. Si elle a raison, je suis certain que tu agiras avec intelligence et prudence. Autrement dit, reste à l'écart de ma famille. Tu n'as rien à faire avec eux. Me fais-je bien comprendre ? On va beaucoup parler de moi dans les prochaines années, et je ne veux pas t'y voir mêlée. Si tu t'approches de Gail, de Dora ou de quiconque, je trouverai le moyen de t'arrêter. Tu peux me croire, Anne ; si tu t'en approches, méfie-toi.

Il baissa les yeux sur elle.

– Cette petite conversation fut un plaisir. Quel bonheur de te voir si belle. Et couronnée de succès, bien sûr. Je te souhaite bonne chance. Tu pourrais en faire autant pour moi.

Anne le dévisagea. Il recula devant tant de haine. Puis il quitta les lieux, trop vite pour que le portier puisse lui tenir la porte.

Anne prit son attaché-case et monta dans l'ascenseur. Elle regardait droit devant, la tête vide. Une fois à son étage, elle alla jusqu'à sa porte comme une aveugle, ouvrit et referma à clef derrière elle. Elle fut absorbée par la froideur rassurante des murs blancs et alla droit au fauteuil près de la fenêtre qui donnait sur les jardins en contrebas. Elle balança ses chaussures et se pelotonna dans le coin.

Des employés de bureau traversaient la place et le jardin. Si chaud dehors, si parfait ici. Mais si glacial dans le hall – elle s'interrompit. Elle ne voulait pas repenser à Vince. Comme il était étrange de vivre dans deux mondes à la fois : chaud et froid, étouffant et libérateur, menaçant et calme. Avoir une famille et n'en avoir pas. Ses pensées défilaient à toute vitesse, comme si elle les contrôlait mieux ainsi. Je viens juste de retrouver ma famille, sans l'avoir cherchée. Le sourire de Vince s'insinua dans ses pensées et un sanglot lui noua la gorge. Elle savait qu'elle voulait revenir dans sa famille, chez certains, en tout cas. Elle voulait essayer. C'était si dur pour elle de se montrer ouverte, de se dévoiler, de laisser entrer les autres dans sa vite si soigneusement protégée. Mais ils semblaient bien l'aimer. Et elle aimait être avec eux, prévoir sa prochaine visite. Quand elle y réfléchissait, elle aimait l'idée de n'être pas toujours seule.

*Si tu t'approches de Gail, de Dora ou de quiconque, je trouverai le moyen de t'arrêter.*

Elle pencha la tête pour coller son front contre la vitre. Tout ce que je désire, c'est une chance d'être à nouveau parmi eux.

Elle releva le front et laissa la colère l'envahir. Que feras-tu donc, espèce d'ordure. Trouver le moyen de me tuer ? Tu l'as déjà fait une fois. Tu as tué l'enfant en moi, la jeunesse, la joie, l'éveil auxquels j'avais droit. Tu crois que ça me fait quelque chose si tu m'attaques à nouveau ? Essaie donc, je me battrai. Tu ne m'écraseras pas une seconde fois. Je ne te laisserai pas faire. Plus jamais. Elle cessa de regarder par la fenêtre et chercha un numéro de téléphone dans son petit répertoire. Je le saurai bientôt par cœur, se dit-elle. Elle posa le combiné sur ses genoux et composa le numéro.

– Gail ? Ça te va si je viens ce week-end ?

# 11.

Le samedi précédant la fête du Travail, Charles arriva de bon matin dans le jardin derrière la maison de Marian, et la trouva occupée à couper ses chrysanthèmes et ses dahlias.

– Comme c'est gentil, dit-elle avec douceur alors que Charles pensait la surprendre car il ne venait jamais dans la journée à moins d'avoir prévenu. Tu arrives à temps pour le petit déjeuner.

Elle posa son sécateur dans le panier au milieu des fleurs blanches et violettes. Elle portait une longue jupe de cotonnade et un chemisier, des gants de jardinage roses et un chapeau de paille sur ses cheveux blancs à l'ondulation parfaite. Quel tableau désuet! se dit Charles.

– Je prends toujours mon petit déjeuner tard quand Fred n'est pas là, précisa-t-elle.

– Où est-il ?

– Peut-être avec sa petite amie new-yorkaise. Es-tu venu pour lui ?

– Non, dit Charles en s'emparant du panier. Ça ne t'ennuie pas ?

– Tu parles de sa petite amie ? Enfin non, plus maintenant. La première, oui, il y a quinze ans, mais je me suis aperçue après un temps que ce qui me contrariait, en fait, c'était d'avoir épousé un coureur de jupons. Je n'exagère pas ; il a tant de femmes que je l'imagine toujours rôdant dans les coins sombres à leur recherche. Mais tu sais cela ; vous vous voyez souvent.

Charles l'observa remplir d'eau l'évier du jardin et couper les tiges au-dessus.

– Pourquoi restes-tu avec lui ?

– Bah. Pourquoi pas ? Je suis globalement satisfaite, et je suppose que lui aussi ; n'est-ce pas ce qu'on attend du mariage ? Je ne me sens plus gênée ; je ne fais pas attention, c'est tout, pour moi, tout cela n'existe pas. J'ai ma vie – je m'intéresse beaucoup aux affaires et je suis au conseil d'administration de trois petites entreprises – et j'ai Fred autant que je veux. Nous avons une vie commune, figure-toi ; nous avons si longtemps formé un couple. Il est toujours plus aisé de vivre avec quelqu'un qu'on connaît et qui est prévisible. Pourquoi rêverais-je de surprise, à mon âge ? Le sexe ne m'intéresse plus. Bonté divine, Charles, s'exclama Marian en le voyant rougir, cela fait cinquante ans que nous sommes frère et sœur ; je pensais qu'on pouvait maintenant aborder tous les sujets. Je trouve le sexe incroyablement ennuyeux ; toutes ces contorsions, ces grognements ; parfaitement incongrus passé un certain âge. J'ai décidé un jour que c'était du temps perdu et au-dessus de mes forces, et je me suis sentie... légère. Tout m'a semblé plus simple, sans contraintes. C'était ahurissant. Et ce fut un tel soulagement.

Le silence s'attarda. Marian arrangeait ses fleurs dans un grand vase de cristal.

– Tu connaîtras ça un jour, Charles, fit-elle avec sérénité. Je suis sûr que c'est inévitable, tôt ou tard.

– Je voudrais te parler d'Anne.

– Oui, soupira Marian. Quelle étrange histoire ! Réapparaître après tant d'années, de nulle part, sans nous saluer, sans nous donner une chance de l'accueillir. J'ai été profondément déçue. Je l'ai cherchée après la cérémonie, elle avait disparu. Attends, je vais juste mettre ces fleurs dans le salon.

Quand elle revint, Charles était debout devant les portes-fenêtres et regardait le jardin s'incliner jusqu'au lac. Il avait les pouces dans sa ceinture.

– Que lui aurais-tu dit ?

– Eh bien, je lui aurais dit qu'elle était la bienvenue, qu'elle nous a beaucoup manqué et que nous étions très heureux de son retour. Je lui aurais demandé comment elle va et où elle habite et ce qu'elle fait, si elle est mariée, si elle a des enfants... Te rends-tu compte qu'elle a presque quarante ans ?

Charles se tourna vers elle.

– Et que dirais-tu si elle reparlait de cette histoire ?

– Eh bien, commença Marian en fouillant dans le réfrigérateur. Il y a du saumon fumé, des tomates et de la baguette française. Veux-tu que je fasse griller du pain ?

– Fais comme pour toi. Que lui diras-tu ?

– Je n'y ai pas réfléchi, ajouta-t-elle en prenant dans le placard deux assiettes qu'elle remplit de nourriture. Je ne crois pas qu'elle en parlerait. Tout cela est si vieux. Vingt ans. Plus que ça, même. Pourquoi ramener tout ça à la surface ? Tout le monde a oublié. Vince a remarquablement réussi ; il serait impossible de lui reprocher quoi que ce soit. Et Anne était impressionnante à l'enterrement ; elle a manifestement bien mené sa barque. Nous sommes entre adultes – entre gens civilisés – et je dois supposer que ce soir-là il y a eu une terrible confusion, que nous étions tous si bouleversés que nous ne pouvions aller au fond des choses. Mais tout cela est loin maintenant et ce n'est sûrement pas moi qui vais ramener ça sur le tapis. Je suis d'ailleurs persuadée qu'Anne éprouve exactement la même chose.

Charles hocha lourdement la tête et prit un peu de saumon.

– Elle était chez Gail la semaine dernière. Je pensais monter demander à Gail de quoi elles ont parlé. Et si elle pense que je devrais la voir.

– Elle était chez Gail ? Personne ne m'a rien dit. C'est vraiment étonnant, que personne ne me l'ait dit; j'étais pour ainsi dire sa mère. Comment l'as-tu appris ?

– Vince m'a dit qu'il le tenait de Keith, il y a deux jours.

– Keith, répéta Marian. Mon propre fils. Et il ne m'a rien dit à moi. Enfin, je suppose qu'il a pensé que ça ne m'intéressait pas. Après tout, je ne lui ai jamais parlé d'Anne. Si tu veux la voir, Charles, ajouta-t-elle en versant du café dans les tasses de porcelaine, appelle-la. Pourquoi demander l'avis de Gail ?

– Parce que je ne sais pas quoi faire, bon sang! Si j'avais la moindre idée de ses sentiments à mon égard – elle ne m'a pas appelé, pas un mot – si je pouvais savoir comment lui parler...

– Dis ce que tu veux, Charles, c'est simple. Parle avec ton cœur. C'est la seule façon de parler à sa fille. C'est ainsi que j'ai toujours parlé à Rose; cela explique que nous soyons si proches.

– Tu crois que je peux demander son numéro à Gail et l'appeler directement ?

– Si c'est ce que tu souhaites. Au nom du ciel, Charles, ne sois pas si timoré. Tu ne pars pas en guerre, tu parles à ta fille.

– Et toi ? Tu vas lui téléphoner ?

– J'aimerais qu'elle m'appelle la première, en fait. C'est elle qui est partie et je veux croire qu'elle rétablira le contact maintenant qu'elle est de retour. Mais si elle ne le fait pas... j'appellerai, bien sûr, dès que je saurai où elle est.

– Gail me le dira et je te transmettrai.

Il repoussa sa chaise.

– Où vas-tu ? Tu n'as rien mangé.

– A Tamarack.

– Maintenant ?

– Dès que j'ai une place dans l'avion.

– Après tout, ça n'est pas une mauvaise idée. On y allait toujours pour la fête du Travail, tu te rappelles ? Je me demande pourquoi ça a changé. Je pars avec toi. Pour Anne, je peux me débrouiller toute seule; j'étais presque sa mère, tu sais. Il faut que j'emballe deux ou trois choses. Partir en week-end, quelle excellente idée ! Surtout que Fred est en vadrouille. Une heure, ça va ?

– Je pars tout de suite, Marian, mais tu peux prendre l'avion suivant et m'appeler à ton arrivée. Je serai au Tamarack Hotel.

– Charles, une heure.

– Trop long. Il faut que je file avant de changer d'avis. On se lasse d'être couard, si tu savais, ajouta-t-il en l'embrassant.

Il pensait à ça en retournant chez lui à pied, et encore dans l'avion de

Denver, puis celui de Tamarack, au-dessus des monts San Juan dans la lumière tamisée du soir. Pourquoi avait-il dit ça à Marian ? Il n'avait jamais admis devant elle la moindre faiblesse, ou ses peurs ou ses ennuis, à bien y réfléchir ; il n'en avait jamais touché mot à quiconque dans la famille hormis Vince, et récemment Fred Jax. Il ne le pouvait pas. Ethan ne l'avait jamais fait ; pareil pour lui.

Mais Ethan était mort et Anne était revenue. Rien n'était plus comme avant.

Il loua une voiture à l'aéroport et fit les quatre kilomètres jusque chez Gail. Pour la deuxième fois, il arrivait à l'improviste. Bizarrement, cela lui donnait le sentiment d'être plus fort.

– Grand-père ! s'exclama Robin en ouvrant la porte. On ne t'a pas vu depuis un temps fou ! Elle leva le visage pour recevoir un baiser. On va dîner. Tu restes ; il y a plein à manger. M'man ! s'écria-t-elle en tirant Charles par la main pour l'emmener dans la cuisine. Grand-père est là !

Gail et Anne tournèrent le visage, fourchette en l'air. Ned se leva d'un bond.

– Bonjour ! Je viens de t'écrire une lettre ; je suppose que tu ne l'as pas encore reçue.

Charles avait les yeux fixés sur Anne ; il n'avait pas imaginé un instant qu'elle pût être là. Leo lui serra la main.

– Charles ! Quelle bonne surprise ! On va rajouter un couvert.

– Bonjour, papa, dit Gail en se levant pour embrasser Charles.

Anne se leva et tendit la main.

Charles s'inclina pour lui baiser la main mais, devant l'expression glacée de sa fille, il la serra avec solennité.

– Je suis heureux de te voir, Anne.

– Il y a même du gâteau, grand-père, dit Ned. C'est tante Anne qui l'a fait ; il est au chocolat avec des noix et du glaçage.

– J'en prendrais avec plaisir, répondit Charles. J'ai déjà dîné.

– Un café, ajouta Gail. Assieds-toi, papa.

Charles s'installa à côté de Leo. Un ange passa.

– Je ne me suis décidé à venir que ce matin.

– Vous avez eu de la chance de trouver un vol, commenta Leo.

– L'avion n'était pas plein. Sans doute que les gens en week-end sont tous arrivés.

Le silence retomba. La cuisine était dans l'obscurité qu'égayaient deux cercles de lumière émanant des deux lampes de cuivre au-dessus de la table. Les grandes baies vitrées étaient d'un gris profond ouvrant sur la nuit ; un amas de lumière, comme une galaxie dans le lointain, brisait le noir : c'était Tamarack. Les fenêtres laissaient entrer une petite brise chargée de senteurs de pin et de fleurs sauvages ; il faisait un peu frais, l'hiver s'annonçait.

– Quelle bonne idée, Charles ! s'exclama Leo. Nous aimons avoir une maisonnée pleine. Sans compter que nous pourrons parler de la Tamarack

Company; une bonne conversation aura plus de sens que toutes ces lettres que nous avons échangées.

– Tu donnes du gâteau à grand-père? demanda Ned à Gail. Pendant que tu y es, tu pourrais couper deux tranches?

– As-tu fini de manger?

– Presque. J'aime bien regarder mon dessert, comme s'il m'attendait. Ça me fait penser à l'avenir.

Gail coupa deux tranches en souriant. Elle donna une assiette à Charles et en posa une près de Ned. Elle versa du café à Charles et remplit les verres d'eau et de vin. Anne observait la précision de ses mouvements qui la berçaient; elle commença à retrouver son calme. A elle de jouer, maintenant.

– Vous voulez bien nous excuser? demanda-t-elle en se levant et en tendant la main à Charles. Je crois que nous allons passer au salon.

Eperdu de reconnaissance, Charles s'empressa de la suivre.

– Je viens avec vous, dit Robin en se levant.

– Pas cette fois, dit Gail en posant la main sur le bras de sa fille. Tante Anne et grand-père ont besoin de bavarder tranquillement.

– Et ton gâteau? demanda Ned.

– Mange ma part, dit Charles. J'en prendrai une autre après.

Ned sourit et regarda sa mère.

– C'est à moi qu'il l'a dit.

Le salon était calme. Anne alluma une lampe près du grand canapé et s'assit à une extrémité. Pour la première fois, ils se regardèrent véritablement. Charles conservait le souvenir d'une enfant et avait du mal à imaginer que c'était sa fille. Elle était en tenue sport, jean et pull cachemire en V; ses cheveux étaient noués par un foulard blanc; mais elle dégageait une élégance et un raffinement qu'on n'aurait jamais envisagés chez la petite sauvageonne.

– Tu as l'air en forme, dit Anne.

– Oui, ça va, dit Charles, balayant l'idée d'un geste négligent. Toi, tu es magnifique, Anne. Et si belle... on dirait ta mère, mais en beaucoup plus belle.

Anne secoua la tête.

– Je ne pense pas.

– Tu m'as manqué. J'avais tant de choses à te dire. C'était atroce de ne pouvoir le faire.

– Vraiment? dit Anne avec un faible sourire.

– Pardonne-moi. Ça a dû être bien pis pour toi. Où es-tu allée après ton départ?

– A San Francisco. Je suis allée à l'université de Berkeley, puis à Harvard pour faire du droit. Je travaille pour un cabinet de Los Angeles, maintenant.

– Tu es avocate. Je t'aurais crue trop... rêveuse. Encore que tu aies toujours eu le sens de la repartie, ajouta-t-il, souriant. Une spécialité?

– Les divorces, essentiellement.

– Ce matin, Marian m'a dit que tu avais presque quarante ans. Je n'arrive pas à m'y habituer. Et tu fais une carrière d'avocate! Pour moi, tu étais restée ma petite fille, tout ce temps; nous venions de fêter tes quinze ans – excuse-moi, dit-il bien vite en voyant le visage d'Anne se renfrogner. Je ne veux pas en parler non plus. Pourquoi revenir là-dessus? Parle-moi de toi. Tu n'es pas mariée?

– Mais il faut en parler, dit Anne d'une voix posée. Ça se dresse encore entre nous et ça ne va pas disparaître parce que tu détournes les yeux. C'est une manie dans cette famille. Je m'en souviens. Comme une conspiration du silence; ce qu'on ne veut pas voir n'existe pas. On devient sourd et aveugle et on sourit en silence. C'est pourquoi je suis partie.

Charles repensait à ce que Marian lui avait dit le matin même. *Je ne me sens plus gênée; je ne fais pas attention, c'est tout, pour moi, tout cela n'existe pas.*

Il regarda ses mains.

– Je suis désolé, dit-il. Tu dois nous détester.

– Un seul.

Il ferma les yeux un instant.

– Il nie toujours, tu sais.

Anne le regarda, prête à le tuer.

– Je n'aurais pas dû dire ça. Je sais que ce n'est pas un... pas un...

– Débat contradictoire?

– Non, pas ça. J'accepte ce que tu as dit...

– Vraiment?

– Oui! Que dire, Anne? Je te crois. Oh, mon Dieu, j'ai l'impression de revivre ce terrible moment... Tu vas le revoir.

– C'est déjà fait. Il est venu à Los Angeles pour me menacer si je parlais du passé ou essayais de vous revoir.

Charles eut un mouvement de recul.

– Vince ne ferait pas une chose pareille.

– Mais écoute-toi donc! lança Anne, hors d'elle. Pour l'amour du ciel, tu n'as donc rien appris? Dès que tu parles de lui, c'est pour dire qu'il ne ferait jamais ça. Tu n'as pas la moindre idée de ce dont il est capable; tu ne le connais pas. Pourquoi ne me menacerait-il pas? Si tu me crois, tu sais qu'il a fait bien pis.

– Quoi qu'il ait pu faire avant, il a changé. Il a grandi. Il est sénateur. C'est mon frère, Anne; je ne puis le condamner sans autre forme de procès. C'est ça que tu veux? Oui, j'en ai l'impression. Mais c'est impossible; pas avec quelqu'un de la famille.

– Tu me l'as fait.

– Je ne t'ai pas condamnée. C'est seulement que je ne pouvais pas... je ne savais comment prendre ce que tu nous disais, ce que je savais de toi, et de Vince. Je sais que j'ai eu tort; j'aurais dû trouver le moyen de t'aider. Mais c'était il y a vingt ans, Anne...

– Vingt-quatre.

– Oui, bien sûr, vingt-quatre. Ça ne suffit pas pour oublier et continuer ta vie ? Pourquoi es-tu restée éloignée si longtemps ? Nous avons tout tenté pour te retrouver ; ton grand-père a engagé des détectives, mais ils ont affirmé qu'il n'y avait aucune trace de...

– J'ai pris le nom de maman.

– Garnett ? C'est ton nom ? Comme c'est étrange. Tu t'es bien débrouillée. Tu sais, quand tu es partie et que les détectives privés ne parvenaient pas à te retrouver, j'ai pensé que tu avais peut-être changé de nom, puis je me suis dit que c'était impossible : tu aimais trop t'appeler Chatham, pas à cause de moi, évidemment, mais à cause de ton grand-père. Je n'ai jamais cru que tu l'abandonnerais... J'ai toujours voulu être un bon père, explosa-t-il après un silence. Après la mort de ta mère, quand Marian a dit qu'elle s'occuperait de toi, j'ai cru que toi et moi serions bons amis ; que nous irions au zoo, au Field Museum, au musée des Sciences et de l'Industrie, au planétarium, à l'aquarium... j'avais fait une liste. Je pensais que nous allions bavarder, assis l'un près de l'autre, quand tu le voudrais, de tout ce qui t'intéressait, que je t'aiderais à comprendre les choses et à t'en sortir. C'était si clair dans mon esprit, comme ces tableaux représentant des parents et leurs enfants, si lumineux, si rayonnants dans le soleil... Il eut un petit rire embarrassé. Ça semble sans doute ridicule, mais je nous voyais, une fille et son père qui s'aiment et sont amis.

– Mais rien de tout cela n'est arrivé.

– Non. Je me demande pourquoi. Je n'ai peut-être pas suffisamment essayé. Ou pas essayé du tout. Tu ne t'en souviens sûrement pas, mais pendant longtemps j'ai été incapable de quoi que ce soit. Elle est morte si brutalement. Si encore elle avait été malade, j'aurais pu me faire à l'idée de sa disparition ; mais elle m'appelle pour me dire qu'elle sera rentrée dans une demi-heure et tout de suite après cette foutue bagnole lui rentre dedans, il était complètement soûl, l'ordure, et il a foutu le camp et elle est morte sur le coup. Si elle n'avait pas téléphoné – mais elle savait comme je m'inquiétais, alors elle appelait toujours – ou si elle était partie une minute, trente secondes plus tard, ou si elle... Mais non. Et elle est morte et j'ai toujours mal.

– Je sais, murmura Anne.

Lentement, Charles comprit ce qu'elle voulait dire.

– C'était la mort de notre famille, dit-il d'une voix plus ferme. Jamais je ne te demanderai d'oublier ça ; c'était encore plus horrible que tout ce qui t'est arrivé.

– Vraiment ?

– Tu as perdu ta mère !

– Oui, dit Anne, le regard pensif, je ne m'étais pas rendu compte... Il semblerait que le viol, la perte, la trahison soient plus difficiles à surmonter que la mort d'un être cher.

Charles grimaça.

– Tu penses que nous t'avons trahie.
– Oh oui!
– Je voulais seulement être un bon père. Mais ça ne semblait pas marcher. Tous ces rêves où tu m'aimais, où tu courais vers moi quand je rentrais pour me serrer dans tes bras, toi, ma petite fille... tu n'étais rien de semblable. Tu paraissais toujours en colère. Tu partais de ton côté, jamais tu ne me demandais de faire quelque chose avec toi. J'avais toujours l'impression que tu me tournais le dos.
– Et tu te demandes pourquoi.
– C'est vrai. Je me sentais si désemparé et je me demande pourquoi.
– J'habitais chez Marian. J'avais sept ans et j'avais perdu ma mère et ma maison. Mon père, lui, ne pensait qu'à son chagrin à lui, il n'y avait pas de place pour moi. Pas même pour partager sa peine. Tu as raison, j'étais en colère.
Ils se taisaient. Charles soupira.
– J'ai commis des erreurs, Anne, j'en ai parfaitement conscience. Je les réparerais si c'était possible. Mais que voudrais-tu que je fasse, maintenant? Passer la nuit à te dire que je suis navré, ça t'aiderait? On pourrait aussi oublier le passé, repartir de l'instant présent... et faire connaissance. Tu le souhaites certainement, sans ça tu ne serais pas revenue. Même si tu ne peux oublier, ajouta-t-il en voyant qu'elle ne répondait pas, tu pourrais pardonner. Je n'ai jamais agi par méchanceté; je t'ai toujours aimée; j'ai toujours voulu pour toi ce qu'il y a de mieux. Pardonne-moi, Anne, je t'en prie. Est-ce trop demander?
– Oui.
– Mais pourquoi, au nom du ciel? Nous avons souffert assez longtemps; pourquoi veux-tu prolonger cette douleur? Tu es là, maintenant; tu as réussi, tu es belle, et tout ça sans mon aide. Tu as prouvé n'avoir besoin de personne. Il est temps d'oublier. Je veux être ton père, Anne; il n'est pas trop tard. Gail et moi ne sommes guère proches l'un de l'autre – elle a dû te le dire –, elle ne s'est jamais montrée chaleureuse. Elle me reproche ton départ. Elle ne me l'a jamais dit; mais je ne crois pas me tromper. Mais si tu me pardonnes, si nous repartons à zéro, Gail en fera autant, j'en suis persuadé. Nous pourrions retrouver tout ce que nous avons perdu. Je n'exige rien de toi, Anne, je voudrais seulement que tu m'aimes à nouveau.
Anne lui offrit un faible sourire.
– Est-ce tout?
– Enfin, Anne, explosa-t-il, tu n'éprouves donc rien pour moi?
Anne eut envie de pleurer, mais ses yeux étaient secs.
– C'est trop tôt. Je ne te pardonne pas. Je ne peux pas t'aimer.
Charles se mit soudain à penser à Marian, Marian asexuée qui se sentait libre. Charles, lui, avait pensé à une coquille vide, desséchée. Comme Anne. Sa voix, son visage n'exprimaient ni douleur, ni tension, ni colère. Anne semblait discuter avec un étranger.

Etait-ce si sûr ? Il avait toujours eu du mal à comprendre les gens. Peut-être n'était-elle pas une coquille vide mais une jeune femme rendue insensible. Ou endormie.

– Je ne sais pas, dit-il. Je ne sais pas.

Anne le regarda sans comprendre. Il regardait ses mains serrées. Il était grand, mais, affaissé au coin du canapé, il avait l'air rabougri et ses rides semblaient se creuser davantage.

– Parle-moi de la société, dit Anne. J'aimerais savoir ce qui se passe. Gail et Leo prétendent que tu as eu des problèmes.

Il continua de contempler ses mains et sourit faiblement.

– C'est tout ce qu'ils ont dit ?

– J'aimerais que ce soit toi qui me racontes, offrit-elle avec douceur.

Il ouvrit les mains.

– Nous avions un projet qui a tourné court. Ton grand-père en a monté des dizaines du même genre, mais celui-ci a tourné court. Non, à vrai dire ton grand-père aurait attendu que tous les éléments fussent en place. Moi, je voulais tellement avancer, réussir quelque chose dont tout le monde aurait été fier – bref, dit-il en se redressant, j'ai foiré, comme disent les jeunes. Et j'ai emprunté un maximum dans l'opération, je me suis porté garant sur mes biens propres – les banques ne voulaient plus suivre autrement – si bien que je me retrouve en mauvaise posture.

– Je suis désolée.

– Mais ça ira beaucoup mieux quand j'aurai vendu la Tamarack Company. J'ai déjà une offre ; elle est beaucoup trop basse, mais c'est la première ; on s'intéresse beaucoup aux stations de sports d'hiver ces temps-ci, y compris les Japonais. On devrait en tirer cent millions, voire cent cinquante ; ça couvrirait le passif et nous laisserait de quoi lancer de nouveaux projets. On déciderait alors du sort de Chatham Development. Fred veut la présidence, ce qui me convient parfaitement. Je ne demande qu'à prendre ma retraite. Mais il faut faire les choses dans l'ordre. Je dois nous sortir de cette mauvaise passe, avec l'aide de la famille.

– Je crois qu'ils le feraient volontiers s'ils le pouvaient, dit Anne. Mais tu leur demandes de vendre une affaire qui est toute leur vie. Es-tu au moins sûr d'en tirer un bon prix ? Leo prétend que l'assainissement dont parle l'EPA pourrait être un sérieux écueil ; j'imagine mal quiconque mettant de l'argent là-dedans tant que ce n'est pas réglé.

– L'EPA est sans importance. Tout ce qu'ils veulent, c'est assainir un petit coin de la ville où le sol est contaminé par des résidus miniers. Je me demande pourquoi Leo s'excite ; une fois cela fait, la ville sera encore plus sûre et la valeur de la société grimpera.

– N'est-ce pas davantage qu'un petit coin de la ville ? Leo parle plutôt de la moitié, dont la plupart appartient à l'entreprise. Il faudrait donc payer l'assainissement, le déménagement des gens pendant ce temps, peut-être une centaine de familles, minimum. Personne n'a la moindre idée du temps que ça prendra ; on ne sait quelle profondeur atteint le sol contaminé, on ne peut donc dire à quelle profondeur il faut opérer. Ça pourrait se révéler exorbitant. L'autre jour, l'EPA a dit à Leo qu'ils s'inquiétaient des particules empoisonnées dans l'atmosphère pendant les travaux. Il y a déjà des gens qui ont du mal à vendre leur maison et n'arrivent pas à emprunter auprès des banques qui attendent de voir comment ça tournera.

– Ridicule, dit Charles, furieux. Je me demande ce qui lui prend de grossir l'affaire.

– Mais on te poursuit en justice, n'est-ce pas ? Deux familles habitant le quartier ont fait un procès à la société parce que leurs enfants sont malades; ils mettent ça sur le compte des résidus. Je parie qu'il y aura d'autres plaintes, surtout quand la poussière commencera à voler. Cette publicité cause déjà du tort à la ville; les premiers articles dans la presse nationale ont entraîné des annulations de réservations. Si l'assainissement est très onéreux et s'il y a de la contre-publicité, Dieu sait ce que vaudra la Tamarack Company.

– Tout cela est exagéré, je te le répète. Vince a vérifié auprès de l'EPA. C'est une petite opération; le coût en sera limité et la ville ne s'apercevra même pas des travaux. Si certains ont annulé, d'autres les remplaceront; ce n'est pas grave. Anne, dit-il brusquement, j'ai besoin de toi. J'ai en général du mal à demander de l'aide, tu sais, dit-il, l'air presque penaud. C'est comme si j'admettais avoir échoué. Je n'ose même pas demander mon chemin Je sais que c'est ridicule, mais les mots restent collés au fond de ma gorge. Je roule des heures avant d'admettre que je suis perdu. Je me demande pourquoi je te dis ça. C'est seulement que je me sens un peu dépassé, et j'en ai honte. J'ai le sentiment que, si j'étais véritablement adulte, je maîtriserais tout. C'est obsédant. Je devrais être plus avisé, plus mûr, plus à même de prévoir. J'ai l'âge d'être un homme d'Etat expérimenté mais j'ai l'impression d'avoir vingt-cinq ans, d'avoir tant à apprendre, tant à accomplir avant d'être à la hauteur de mon père... Excuse-moi, je me déverse sur toi, comme on dit. Tout cela est sans importance, Anne; ce qui compte, c'est de sortir de cette mauvaise passe pour retomber sur mes pieds. Je dois vendre la Tamarack Company. C'est mon seul espoir. Certains membres de la famille sont contre, mais tu pourrais leur en parler et obtenir leur accord; ils t'écouteraient; tu es plus objective que moi. Tu le feras, Anne ? Ça m'ennuie de te demander ça, mais je n'ai pas le choix; les choses vont si mal...

– On peut venir dire bonsoir ? demanda Robin en passant le bout du nez.

– Bien sûr, fit Anne. Je ne me rendais pas compte qu'il était si tard.

Charles n'avait pas quitté Anne des yeux.

– Aide-moi, murmura-t-il d'une voix pressante. Parle-leur. Ils t'écouteront.

– Bonne nuit, grand-père, dit Robin, debout devant lui.

Elle lui tendit les bras et Charles se pencha pour l'embrasser.

– Dors bien, dit-il. Je te verrai peut-être demain après-midi.

– Tu ne dors pas là ? demanda Ned qui suivait. Tu n'as même pas vu ma nouvelle bicyclette. Elle a dix-huit vitesses, et grimpe droit dans la montagne.

– Je la verrai demain après-midi. J'ai un rendez-vous d'affaires demain matin, mais je peux revenir après.

Ned fit une drôle de tête.

– Un rendez-vous d'affaires ? Pour vendre la Tamarack Company ? Tu ne peux pas faire ça; on t'en empêchera.

Robin lui donna un coup de coude.

– On n'avait pas le droit d'en parler à grand-père.

– J'en parlais pas. Je lui disais, c'est tout.

– Au lit, les enfants, ordonna Leo depuis la porte du salon.

Charles se leva.

– Je file aussi.

– Reste, voyons, protesta Gail qui se tenait derrière Leo. Tu ne vas quand même pas dormir à l'hôtel.

– J'aime autant. J'y ai déposé mes bagages.

– Restez au moins un moment, suggéra Leo. Vous n'avez pas goûté le gâteau d'Anne. Et nous n'avons pas pu échanger trois mots.

Robin et Ned observaient avec intérêt leur grand-père indécis. Charles se tourna vers Anne.

– D'accord ?

– Bien sûr, répondit-elle, parfaitement à l'aise. On va refaire du café.

Elle alla à la cuisine et Charles suivit tandis que Gail et Leo montaient avec les enfants dans l'autre aile de la maison.

– Tu vois, dit-il, même les enfants. Ils ne veulent rien savoir. Mais ils t'écouteront.

Anne emplit le moulin à café et prit le pot pour le remplir d'eau. Mais, lorsqu'elle tourna le robinet de l'évier, il ne vint qu'un mince filet.

– Bizarre, murmura-t-elle. Ça marchait bien, tout à l'heure.

Charles la regardait et cherchait quelque chose à dire. Mais il paraissait lui avoir tout dit – et échoué. Il eut soudain désespérément besoin de son amour. Il était encore temps de devenir un bon père.

Le téléphone sonna. On décrocha d'en haut. Anne se retourna quand l'eau eut totalement cessé de couler.

– J'aimerais te rendre visite à Los Angeles, dit Charles. Qu'en penses-tu ? Il y a tant...

Leo entra dans la cuisine, la veste sur l'épaule.

– Il y a une réunion à la mairie; un problème d'eau, semblerait-il. Mieux vaut ne pas en boire. Je ne sais pas quand je rentrerai.

– Devrais-je t'accompagner ? demanda Charles.

Leo s'arrêta à la porte.

– Pourquoi pas ? Soit ils m'ont téléphoné comme d'habitude en cas de problème, soit ils pensent que la société y est pour quelque chose. De toute façon, je serais ravi que vous y soyez.

Charles s'avança vers Anne. Une fois encore, il s'interrompit dans son élan.

– A demain. D'accord ?

– Bien sûr. On prend la télécabine pour aller pique-niquer ; tu pourrais te joindre à nous.

– Avec plaisir.

Une fois les hommes partis, Anne jeta l'eau et retrouva Anne assise sur le lit de Robin.

– Chouette, tu peux me dire bonsoir, dit Robin. Et à Ned aussi, il se sentirait affreusement abandonné si tu m'embrassais et pas lui.

Les deux sœurs eurent un sourire entendu.

– Loin de moi cette idée, dit Anne avec le plus grand sérieux. Dors bien, Robin, ajouta-t-elle en posant un instant sa joue sur le front de l'enfant.

– Tante Anne, es-tu psychotiquement anti-câlin ? demanda Robin.

Arrivée devant la porte, Anne se retourna et offrit à Robin un regard étonné.

– Mais qu'est-ce que tu veux dire, Robin ? demanda Gail d'une voix pressante.

– Je crois que Robin aimerait savoir si je suis psychologiquement opposée aux câlins, dit Anne en s'asseyant sur le lit à côté de sa nièce. Non ; seulement je n'ai pas l'habitude. Je ne vaux pas ta mère, sur ce plan, loin s'en faut. Je ne voulais pas que tu te sentes abandonnée, pardonne-moi.

Robin s'agenouilla sur le lit et entoura Anne de ses bras.

– Tu pourrais t'entraîner pour être aussi forte en câlins que maman.

Lentement, les bras d'Anne s'enroulèrent autour de Robin. Elle se sentait grotesque tant elle était raide ; elle essayait seulement d'embrasser une petite fille de huit ans. Elle s'obligea à resserrer son étreinte. Elle sentit la chaleur du corps de Robin à travers le pyjama de coton, elle respira le parfum délicat de sa peau bronzée, comme un jardin au soleil. Ses doigts caressaient le dos de Robin, ses omoplates pointues ; Robin serrait Anne de ses bras menus et lui donnait de gros baisers bruyants.

Anne eut l'impression de tenir dans ses bras son propre corps d'enfant. Le vide, le chagrin l'envahirent soudain. Puis elle sentit monter en elle un élan pour Robin, une envie irrépressible de la serrer dans ses bras pour toujours, au cœur de l'innocence, de la pureté, de la vie.

– Je t'aime, tante Anne. Je voudrais que tu restes toujours.

Anne ferma les yeux.

– Moi aussi.

Elle ne parvenait pas encore à dire les mots tout simples que Robin avait prononcés si aisément. Anne effleura les joues de Robin de ses lèvres et dénoua doucement son étreinte.

– Allez, c'est l'heure de dormir. On se voit au petit déjeuner.

Robin tira ses couvertures jusqu'au menton.

– Tu t'es très bien débrouillée, fit-elle avec solennité.

– Merci.

Radieuse, Anne se rendit dans la chambre de Ned qui lisait au lit.

– Je suis venue de dire bonne nuit. Tu veux un câlin ?

– Nan, je laisse ça aux gamins.

– D'accord, dit-elle en se penchant pour lui poser un baiser sur la joue.

– Finalement, un petit câlin quand même.

Anne fit comme il avait dit. Pas si difficile, songea-t-elle. Je vais finir par m'habituer.

– Bonne nuit, Ned. Dors bien.

– Bonne nuit, tante Anne.

Il était déjà retourné à son livre.

Elle croisa Gail dans l'entrée et toutes deux retournèrent dans la cuisine.

– Tu es merveilleuse avec les enfants, dit Gail.

– Ils sont merveilleux avec moi, tu veux dire. Je n'en reviens pas à quel point il est cent fois plus difficile de se comporter avec eux que de s'occuper d'un procès de A à Z.

– J'aimerais que tu me racontes. Tu ne m'as jamais parlé du procès de Dora. Leo m'a dit qu'il l'avait évoqué une fois, mais que tu semblais réticente.

– C'est vrai. Tu sais que nous avons gagné ; elle a eu de l'argent et la maison de Tamarack. Plus qu'elle espérait. Elle était contente.

– Mais ?

– Pas de mais. J'aime gagner, je ne m'y attarde pas pour autant. Je m'intéresse davantage aux affaires en cours qu'aux affaires classées.

– Je suis sûre que tu as trouvé Dora quelque peu difficile.

Anne sourit.

– Voilà une phrase que les avocats emploient souvent. Ça s'appelle mettre des gants pour tâter le terrain.

Gail éclata de rire.

– En tout cas, moi je la trouve difficile. Je ne l'ai jamais trouvée sympathique, c'est pourquoi je m'étonne que nous ayons tant aimé Josh. Presque tout le monde l'aime à Tamarack ; beaucoup plus qu'elle, en fait. Alors je pensais que c'est pourquoi tu ne voulais pas en parler. Bon, je suppose qu'on peut dire adieu au café tant que l'eau ne sera pas revenue. Oh, attends, nous avons des bouteilles d'eau dans le garage ; il y a eu un petit problème l'an dernier, du coup on a acheté quelques caisses. J'arrive.

Anne s'installa à la table tandis que Gail sortait précipitamment. Quand le téléphone sonna, elle s'écria :

– Tu réponds ?

Anne décrocha.

– Allô ?

– Gail, dit Marian. Nous sommes à la maison, Nina et moi. Ça s'est décidé brusquement. Nous sommes à la maison et nous voulions vous inviter, Leo et toi, à prendre le thé, mais il y a un problème d'eau. On peut venir ? Je sais qu'il est tard, mais il faut absolument qu'on te parle et tu pourrais nous faire du thé. L'eau sera sûrement revenue à notre retour. Sauf si c'est vraiment sérieux; il y a un camion avec des haut-parleurs qui disent de ne pas boire; mais comme de toute façon il n'y a pas d'eau! Charles est avec toi ? Je l'ai appelé sans succès à son hôtel. Bon, on arrive.

Anne perçut le son amplifié d'une voix montant de la route de Riverwood. Gail se tenait dans l'encadrement de la porte avec deux brocs d'eau. Elles écoutèrent en silence.

« Ne buvez pas l'eau du robinet. Seulement de l'eau minérale. Vous trouverez de l'eau potable à la mairie dans deux heures. Ne buvez pas l'eau du robinet. Seulement... »

– Gail ? demanda Marian. Tu es là ?

Anne faillit tendre le combiné à Gail mais se ravisa. Inutile de se cacher.

– C'est Anne.

– Seigneur Dieu, Anne, si j'avais songé que tu étais là. Alors on vient cette fois, c'est sûr. Attends-nous, hein ? A moins que tu ne dormes chez eux. Oui, ça va de soi. Ma chérie, comme j'ai hâte de te revoir.

– C'était Marian, dit Anne après avoir raccroché. Elle vient avec Nina prendre une tasse de thé.

– Nina ? Que fait-elle à Tamarack ? Elle n'est pourtant pas en train de divorcer. Ça m'inquiète, cette histoire d'eau. C'est la première fois que nous avons des haut-parleurs avec d'inquiétants messages. Ma pauvre Anne, rien ne te sera épargné. Entre papa, Marian, Nina et une panique à cause de l'eau! Tu vas regretter le calme de Los Angeles.

– Non.

Sa voix trahissait la surprise. Elle songeait à son appartement tout blanc, frais, silencieux, vide, tout à elle. Personne n'y venait jamais. Après son bureau, c'était son endroit préféré. Mais y penser lui serrait le cœur.

– Non, répéta-t-elle. Je suis heureuse d'être là.

– Bon, réfléchit Gail à voix haute. Il nous reste le tiers de ton gâteau; Leo et Ned se sont jetés dessus. Nous allons sortir du pain et de la viande froide; Marian et Nina meurent certainement de faim. C'est presque une réunion de famille, remarqua-t-elle en ouvrant le réfrigérateur. Ça nous manquait. Au fait, qu'as-tu pensé de Josh ?

– Rien de spécial.

– C'est vrai ? Après tout, il était l'homme à abattre, non ?

– L'adversaire, précisa Anne qui se sentait gênée et se demanda pourquoi. Il m'a paru arrogant, enclin à n'en faire qu'à sa tête et prêt à manipuler les gens pour obtenir ce qu'il veut.

– C'est vrai qu'il est plutôt sûr de lui, remarqua Gail après un instant de réflexion, mais il est tellement réputé; les musées, les gouvernements du monde entier font appel à lui. Leo et lui parlent beaucoup d'histoire; j'ai parfois l'impression que Josh préfère le passé au présent – en tout cas, il y consacre plus de temps et son visage s'éclaire dès qu'il en parle, beaucoup plus que lorsqu'il parlait de Dora, je peux te l'affirmer. Jamais je n'ai compris ce qu'il lui trouvait. Grand-père disait que le seul défaut de Josh était de ne pas vouloir épouser Dora ; moi, je pensais plutôt que c'était d'être avec elle. Je ne devrais pas le dire – c'est ma cousine, après tout, notre cousine – mais j'ai toujours pensé que c'était une petite garce.

*Et la fille de Vince.* Les mots flottaient dans l'air, non dits. Gail dressa un plat de viande froide, avec des olives marinées et de la baguette.

– Assiettes en carton, murmura-t-elle, puisqu'on ne peut pas faire la vaisselle. Serviettes en papier, couverts en plastique. On utilisera quand même des tasses. C'est mieux pour le café. Josh vient encore souvent à Tamarack. Il vient toujours pour la fête du Travail ; tu le verras sans doute. Il passe souvent. Tu auras du mal à te montrer amicale ?

Anne pliait les serviettes.

– Pas du tout. Mais lui ?

– Il est extrêmement bien élevé.

– Alors il n'y aura aucun problème.

– Du sucre, fit Gail. Je suis sûre que Nina en met dans son thé. Et peut-être du citron. Je me demande ce qu'ils entendaient à propos d'eau à la mairie dans deux heures.

– Ils doivent l'amener par camion, ce qui signifierait qu'ils ne comptent pas résoudre le problème rapidement.

– Anne, dit Marian en entrant dans la cuisine. Anne, ma chérie.

Elle s'avança vers Anne, bras tendus. Anne se leva et saisit sa main avant qu'elle ne la touche, la gardant dans les siennes, tenant Marian à distance.

– Bonjour, Marian. Bonjour, Nina.

– La porte était ouverte, expliqua Nina.

– Elle l'est toujours, tu le sais, dit Gail. Asseyez-vous ; je fais du thé. Nous le prendrons à la cuisine.

– Parfait, tellement agréable, dit Nina. Tu as l'air en pleine forme, dit-elle à Anne.

– Elle est même superbe, dit Marian. Je suis si fière de toi, Anne. Tu t'en es sortie, tu as vaincu.

– Es-tu mariée ? demanda Nina en regardant autour d'elle. Es-tu venue avec quelqu'un ?

– Non, répondit Anne en lâchant la main de Marian pour pouvoir reculer.

– Alors tu es divorcée ? dit Nina.

– Pas davantage.

– Oh ! Je trouve très éprouvant de n'avoir personne à qui parler quand la journée est finie, personne pour vous aider à prendre des décisions. C'est tellement difficile de donner un sens au monde quand on n'a que ses pensées pour compagnie. Ça m'empêche de dormir. Rien n'a d'intérêt quand on est seul ; on n'a pas de but quand on n'appartient qu'à soi. Mais ça ne semble pas t'avoir tracassée; tu t'es débrouillée seule. Je t'admire. Cela témoigne d'une grande maturité.

– Nous voulons tout savoir, interjeta Marian. Tout depuis que tu es partie. On s'inquiétait, tu sais...

– Oublions le passé pour l'instant, tante Marian, intervint Gail avec force. Ce qui nous préoccupe, c'est l'eau. Vous ne vous asseyez pas?

– Si, si, dit Nina. Comme tout cela est tentant. Est-ce de la dinde fumée? C'est mon péché mignon. Et ce gâteau au chocolat! Quelle merveille!

– C'est Anne qui l'a fait.

Gail servit le thé, Anne le café. Sans se concerter, elles s'entendirent pour faire traîner les choses, s'arrangeant pour que leurs tantes s'intéressent surtout au contenu de leur assiette. Un bref regard dans le grand miroir montra à Anne à quel point elle et sa sœur se comprenaient; elle en éprouva une joie intense.

– Allez-vous vous décider à vous asseoir, toutes les deux? demanda Marian.

– Une petite minute, dit Gail en voyant la porte s'ouvrir sur Leo. Où est papa? Que s'est-il passé? demanda-t-elle.

– Il est rentré à son hôtel.

Leo embrassa Marian et Nina comme s'il était parfaitement naturel de les trouver dans sa cuisine à 10 heures du soir. Il s'installa et accepta avec un sourire le café qu'Anne lui tendit.

– C'est une catastrophe. On dirait que des minéraux toxiques se sont infiltrés dans l'eau, sans doute des résidus miniers au-dessus de la réserve. Personne ne sait comment. Cela fait cent ans que Tamarack Creek est d'une pureté absolue, je trouve ahurissant que ça se soit contaminé du jour au lendemain. Mais c'est comme ça. Ils ont testé l'eau tous les jours depuis l'arrivée de l'EPA et, tard dans l'après-midi, ils se sont aperçus que le taux de plomb avait brusquement grimpé bien au-dessus des normes admises. Ils ont immédiatement coupé l'eau en attendant de comprendre et de trouver un moyen de filtrer.

– Il y avait un camion avec un haut-parleur qui parlait d'eau potable à la mairie, dit Marian.

Leo hocha la tête.

– Ils font venir des camions-citernes de Durango. On remportera de l'eau chez soi.

– Avec des seaux? demanda Nina. Ça va nous ramener à l'époque des pionniers et des mineurs.

– Pas tout à fait, fit Leo sèchement. A moins de troquer votre Mercedes contre un âne.

– Le terrain au-dessus du bassin de retenue, dit Gail avec calme. Ça appartient à la compagnie.

Leo et elle se regardèrent.

– Exact. Tu penses que les dieux s'acharnent contre les Chatham et les Calder ? demanda-t-il à Anne. Peut-être devrions-nous leur sacrifier un bouc. Ou trouver quelques vieux Indiens Ute pour exécuter une danse sacrée. Désolé, je deviens parano.

– Je ne comprends pas, dit Nina.

– Cela veut dire que la Tamarack Company pourrait être responsable si la contamination vient de chez elle, expliqua Anne. Ce serait la deuxième fois, ajouta-t-elle à l'adresse de Leo.

Il acquiesça.

– Difficile à croire... tant de coïncidences, dit-il devant l'air ahuri de Nina. Les tunnels miniers ont été creusés à l'est de la ville sur quatre kilomètres en direction de la vallée, plus à l'est. Ethan a acheté toute la terre et a creusé la réserve d'eau sans jamais penser aux résidus de surface. Personne, d'ailleurs. Mais on dirait maintenant que l'eau de pluie et les eaux souterraines ont lavé le plomb des résidus pour s'infiltrer dans Tamarack Creek qui alimente notre station de pompage. Nous devons payer l'assainissement. Nous sommes déjà prêts à négocier avec l'EPA. Les deux opérations réunies pourraient nous coûter une petite fortune.

– L'eau est-elle empoisonnée ? demanda Marian.

– Je l'ignore. Mais une chose est sûre, c'est mauvais pour nous.

– Alors il faut maintenir l'affaire sous le boisseau, déclara Marian avec fermeté.

– Exact. Dites-moi donc comment on fait.

– Donnez ordre aux gens de se taire. Tout le monde peut comprendre ça. Nous prendrons les coûts à notre charge ; nous sommes une entreprise responsable. Mais nos gens ne seront pas autorisés à en parler ; non plus que les habitants. Bon sang, à qui cette histoire d'eau empoisonnée causerait le plus de tort ? Un enfant comprendrait ça.

Leo secoua la tête.

– Il y a toujours un bavard. Le gros problème est que ça finit inévitablement par apparaître dans le journal. Et vous savez pourquoi. Dès l'instant où une flopée d'ex-rois, de vedettes de la télévision, de stars du cinéma et de cheikhs arabes ont construit leur maison ici, Tamarack a cessé d'être une petite ville ordinaire. Vous pourriez faire courir des bruits sur Alamosa ou Durango ; ça n'intéresserait personne. Mais le moindre murmure sur nous, surtout désobligeant, et les lecteurs vont se jeter dessus. Et cette fois, c'est vraiment sérieux. Quand ça touche la santé ou la sécurité... Je prévois une série d'annulations. Juste quand la saison de ski va débuter.

– Pauvre Charles, dit Marian. Il aura du mal à vendre l'affaire jusqu'à ce que tout soit réglé.

– J'imagine que c'est notre lot de consolation, dit Leo. Nous n'entendrons plus parler de vendre.

– Mais Charles a besoin d'argent ! s'écria Nina.

– Je crois qu'il n'est plus question de ça, dit Leo pour éviter une discussion.

– Sauf si quelqu'un essaie de faire une bonne affaire, murmura Anne d'un ton rêveur. Il a déjà eu une offre à un prix ridicule.

– Je doute qu'il en ait une autre, dit Leo. Qui s'intéresserait à nous en ce moment ? Je file voir comment ça se passe avec les camions-citernes, ajouta-t-il en se levant. Je ne serai pas long.

– Puis-je t'accompagner ? demanda Anne. Ça m'intéresse. Tu n'y vois pas d'inconvénient, Gail ?

– On s'esquive ? murmura Gail dans un sourire. Ne t'inquiète pas, vas-y ; nous bavarderons en attendant.

– On rapportera de l'eau pour tout le monde, dit Leo. On déposera ce qu'il faut chez toi, Marian.

Une fois dehors, il enfila sa veste et respira l'air frais à pleins poumons.

– C'est la fin de l'été. On sent presque la neige. Elles t'ont soumise à un véritable interrogatoire ?

– Gail a interrompu le premier. J'ai voulu éviter le second.

Il lui ouvrit la portière.

– Que veux-tu que nous fassions si Vince se montre ? On l'abat ? On pourrait peut-être le sacrifier aux dieux et épargner ce pauvre bouc.

Anne pouffa de rire.

– Merci, Leo. Rien du tout. S'il arrive, je partirai sans doute.

– Provisoirement, j'espère.

– Oh oui ! Plus question de partir pour toujours.

– Voilà une bonne nouvelle. Il descendirent Riverwood jusqu'à la vallée et arrivèrent en ville. On aime t'avoir avec nous, Anne. Je n'ai jamais vu Gail aussi heureuse. Et les enfants sont fous de toi.

– Je me plais ici.

Elle regardait Tamarack, joyau scintillant au creux des montagnes obscurcies. Il y avait deux villes, en réalité, se dit-elle : l'une avec ses quatre mille habitants qui travaillaient ici, mettaient leurs enfants à l'école, votaient, payaient les impôts et grommelaient devant tant de changements ; l'autre, ville aux vingt mille touristes qui venaient pour un week-end ou un mois, exigeaient les services les meilleurs, se plaignaient des prix, fourraient leur nez partout à la recherche des célébrités et repartaient en ayant traversé la petite ville sans la voir. Dans l'ensemble, on pouvait parler de coexistence pacifique nourrie par les dollars du tourisme.

Mais, si les touristes se méfiaient de l'air et de l'eau, ils iraient ailleurs. La ville et l'entreprise n'y survivraient pas.

Leo se gara à cent cinquante mètres de la mairie.

– Pas moyen d'aller plus près. On dirait que toute la ville est rassemblée.

Ils s'immiscèrent dans la foule de gens qui envahissaient les rues et les trottoirs, jaillissant de leurs voitures abandonnées. On posait des questions, on cherchait un bouc émissaire, la foule grossissait. D'un côté de la mairie, deux camions-citernes ; une table et des chaises avaient été installées ainsi qu'un listing.

– Les listes électorales pour le rationnement, expliqua Leo en suivant le regard d'Anne. Les pensions de famille et les hôtels signeront pour leurs clients; les touristes qui ont loué une maison ou un appartement se feront enregistrer pour la durée de leur séjour. Tout devrait bien se passer.

– Si l'on oublie l'inquiétude, dit Anne, qui observait la foule grossissante et entendait les clameurs monter.

– Ce que j'aimerais savoir, brailla quelqu'un, c'est depuis combien de temps nous buvons du poison.

Le maire se tenait sur les marches, attendant qu'on ait branché son micro.

– Qu'est-ce que ça va coûter, Mack? lui cria quelqu'un. Tu t'imagines qu'on va payer?

Le maire secoua la tête.

– On s'en occupe, dit-il.

Mais au milieu de cette cacophonie, personne ne l'entendit. Quelques minutes plus tard, un ouvrier fit un signe de tête.

– OK, lança la voix amplifiée du maire. Bon, il y a suffisamment d'eau pour tout le monde; on travaille à résoudre le problème; aucune inquiétude à av...

– Que s'est-il passé? hurlèrent des voix.

– Nous ne savons pas, dit le maire. Ecoutez, croyez bien que je suis le premier à vouloir une réponse rapide, mais je ne l'ai pas. Il y a du plomb et d'autres minéraux indésirables dans l'eau, provenant sans doute de résidus miniers au-dessus de la ville, filtrant probablement dans Tamarack Creek, d'où vient notre eau. Mais nous ne savons pas pourquoi; voilà la vérité. Quand nous aurons trouvé la cause, nous réparerons tout ça, épurerons l'eau et renverrons les camions-citernes. Je vous le promets. En attendant, nous continuerons à vous fournir de l'eau potable et personne ne partira sans. Payez votre quittance d'eau comme d'habitude, la ville et la Tamarack Company prendront en charge la différence. Vous ne courez aucun danger, c'est le plus important.

– Combien de temps ça va durer, Mack?

– Ça n'a commencé qu'à 17 heures. Depuis que l'EPA est ici, nous faisons des tests quotidiens et tout allait bien hier. Ce matin aussi. Je sais que ça paraît bizarre, mais nous avons pris les choses à temps, c'est l'essentiel. Et il y a toute l'eau qu'on veut. Nous la rationnons, mais avec compréhension et intelligence; il y a largement pour tout le monde. Maintenant voici ce que vous allez faire. Une fois au bureau...

– Leo! fit une voix derrière Anne.

Ils se retournèrent en même temps.

– Josh, voilà qui fait plaisir! s'exclama Leo. Je me demandais si tu étais là... Il s'interrompit en voyant que Josh avait les yeux braqués sur Anne. Vous vous connaissez, bien sûr.

– Quelle incroyable coïncidence, dit Josh avec calme. Vous n'êtes pas avec Dora? demanda-t-il en regardant autour de lui.

– Dora n'est pas là, dit Leo. Et tu ignores sans doute... Il éleva la voix à cause de la foule. Josh, Anne est la sœur de Gail. Elle passe le week-end chez nous.

– La sœur de Gail! Je ne savais pas qu'elle en avait une, remarqua Josh sans quitter Anne des yeux.

– Je me suis absentée très longtemps.

– La cousine de Dora, dit-il.

– Oui.

– Et personne ne parlait de vous.

– C'est compliqué, intervint Leo qui chancela sous la pression de la foule. Ecoute, si on allait boire un verre? On reviendra quand ce sera plus calme.

– Allez-y, suggéra Anne. Je vais faire la queue.

– Quelle queue? fit Leo sèchement. On se croirait à la chute du mur de Berlin; tout le monde veut être le premier. Viens, Anne, tu as entendu le maire. Il est sensible et intelligent et il y a toute l'eau qu'il faut. Tu viens aussi, Josh, d'accord?

Josh et Anne échangèrent un regard. Ses yeux étaient empreints de curiosité. Le visage d'Anne ne répondait à aucune des questions qu'il se posait. Quelqu'un les poussa et Josh tendit instinctivement la main pour retenir Anne.

– Bonne idée, dit-il à Leo. Je crois qu'on devrait utiliser la tactique des avants de rugby.

– Ça te va, Anne? demanda Leo en riant.

– Oui.

Elle se sentit écrasée par la foule et sa première idée de les laisser seuls lui semblait déjà stupide.

– Par où?

– On fonce dans le tas, dit Leo. Ne nous lâche pas.

Tous trois plongèrent à contre-courant. Ils mirent cinq minutes à se retrouver au calme, le souffle court, les cheveux ébouriffés.

– J'ai l'impression d'avoir couru le marathon à l'envers, dit Leo en se rajustant. Où allons-nous?

Ils se tournèrent vers Anne.

– Chez Timothy. Avec ses cinquante sortes de bières, il n'a pas besoin d'eau.

– Mon endroit préféré, remarqua Josh.

Ils marchèrent sans parler. Les rues étaient silencieuses, le bar était vide. Anne et Leo s'installèrent l'un à côté de l'autre dans un box, Josh en face, dos au mur de briques nues, jambes étendues sur le siège de cuir vert.

– Quand es-tu arrivé? s'enquit Leo.

– Jeudi matin.

– Où es-tu?

– A Tamarack. J'ai acheté une maison il y a une quinzaine de jours, mais je fais quelques travaux.

– Tu n'as pas traîné. Je me demandais si tu rachèterais quelque chose. Où est-ce?

– Un peu à l'ouest de chez toi.

Il y eut un silence.

– Tu as acheté la maison des Stern ?

Josh hocha la tête.

– Je pensais que ça ne t'ennuierait pas.

– Tu plaisantes ! C'est génial ! Tu as l'autre bout de Riverwood. Tu pourras venir dîner chez nous à pied. Je ne pouvais rêver meilleur voisin. Qu'est-ce qu'on boit ?

– Tout ce qui se boit en bouteille, dit le propriétaire qui venait d'arriver. Salut, Anne.

– Tu passes ton temps ici ? demanda Leo à Anne avec intérêt.

Elle sourit.

– Je suis venue la semaine dernière. Timothy connaissait mon grand-père et nous avons longuement parlé de lui.

– Un grand seigneur, dit Timothy. Il nous manque beaucoup. Qu'est-ce que je vous sers ?

Ils passèrent commande et se turent jusqu'au retour de Timothy avec trois bières différentes, une corbeille de chips au maïs avec de la sauce mexicaine.

– C'est la maison qui régale. En souvenir d'Ethan.

– Je suis désolé de ne pas l'avoir connu, fit Josh. Dora et lui ne se voyaient guère.

– Il a essayé de l'aimer, dit Leo, songeur. Je crois qu'elle lui rappelait trop Vince.

Sous la table, Anne posa sa main sur la cuisse de Leo pour qu'il s'arrête.

– Ethan et toi vous seriez bien entendus, dit Leo à Josh. Mais je te l'ai déjà dit.

– Une bonne centaine de fois. Moyennant quoi, je suis convaincu que tu as raison.

Leo sourit. Le silence s'étira.

– Alors, dit enfin Leo. Tu as voyagé ces temps-ci ? La dernière fois que nous t'avons vu, tu partais en Grèce dire au gouvernement de renforcer la sécurité dans je ne sais quel musée.

– Dans tous les musées. Il s'y prépare entre six et huit cambriolages.

– Et alors ?

– On attend ; ils étudient mon rapport. Dans l'intervalle, ils déploreront un vol important – je parie pour Corinthe où une collection magnifique est gardée par un homme de presque soixante-dix ans –, après quoi ils se décideront enfin à investir dans une sécurité renforcée.

– Puis ils te consulteront à nouveau.

– J'espère bien, dit Josh en riant.

– Où as-tu œuvré, récemment ?

– En Egypte ces quinze derniers jours. Je n'y retournerai pas de sitôt.

– Quelque chose de bien ?

– Peut-être. On y travaille.
– Un tombeau ? Un temple ?
– Un tombeau. Rien n'est encore sûr.
– Un nouveau ? Un gros ? Aussi gros que celui de Toutankhamon ?
– Plus, si nous avons raison. Leo, tu sais que je ne parle pas sans certitude, c'est mon petit côté superstitieux. Dis-moi plutôt ce qui se passe avec l'eau. Ces résidus miniers sont sur tes terres, non ?

Anne observait les deux hommes bavarder. Elle ôta sa veste et se cala sur la banquette, sirotant sa bière, écoutant le son de leurs voix plus que les mots. Celle de Leo était carrée, les syllabes étaient claires et décidées. Celle de Josh était plus grave, plus mesurée, la voix d'un homme qui passe beaucoup de temps à expliquer les choses. Elle était forte et assurée ; une très bonne voix, se dit Anne. Elle s'était déjà fait cette réflexion dans son bureau, mais elle l'avait trouvée plus tendue, plus dure, plus arrogante qu'aujourd'hui.

En fait, elle n'en était pas si sûre. C'étaient les paroles de Dora. Elle se demandait à quel point elle n'avait pas vu et entendu certaines choses à travers Dora.

Josh la regarda. Leurs yeux se croisèrent.
– Pensez-vous venir souvent ?
– Oui, dit-elle. C'est un endroit merveilleux.
– Est-ce votre premier séjour ? Non, suis-je bête ; Gail dit qu'elle vient depuis l'âge de cinq ans. Vous étiez forcément avec elle.
– Oui

Au bout d'un moment, Leo dit :
– Je suis venu précisément deux fois avant qu'Ethan m'engage. Avec le recul, j'ai du mal à y croire ; je me suis installé ici sans rien connaître de cet endroit. Et si je l'avais détesté ?
– Quelle est la première chose que tu aies faite ? s'enquit Anne.
– Je suis monté au col de Douglas. J'ai cru mourir ; muscles en compote, air raréfié, sans compter que j'avais probablement choisi la voie la plus dure. Mais la vue m'a littéralement sonné. Je me suis assis pour manger un beignet. Pas une âme, pas un nuage, rien que le ciel, le soleil et assez de brise pour me rafraîchir. J'ai regardé autour de moi, trois cent soixante degrés de ce qui pour moi était le monde, des cimes, des vallées, des forêts, des ruisseaux, le lac Douglas à sept cents mètres en contrebas. Et j'ai su qu'Ethan avait raison : c'était le paradis. Ça reste mon endroit bien spécial.
– Vous rappelez-vous la première chose que vous ayez faite ici ? demanda Josh à Anne.
– J'ai fait une promenade en traîneau tiré par des huskies, répondit-elle, souriant à ce souvenir. Mais l'été suivant fut encore mieux. J'ai marché avec mon grand-père et nous avons trouvé un endroit magique et j'ai dit que je voulais y vivre pour toujours.
– Où était-ce ? demanda Leo.

– A Riverwood. Tout près de votre maison. Evidemment, ça n'avait pas de nom à l'époque; tout appartenait à deux fermiers. Je l'appelais « mon jardin secret », ce qui était pour le moins fantaisiste car il y avait là les fermiers, leurs familles, sans compter les troupeaux, chevaux, chiens, chats et lapins des enfants, mais quand j'y étais, cachée dans les sapins, assise près du ruisseau, c'était rien qu'à moi et je pouvais absolument croire que personne d'autre ne l'avait découvert, ou le découvrirait jamais.

– Cachée dans les sapins ? fit Josh.

Les joues d'Anne rosirent légèrement.

– Tous les enfants ont des cachettes. Quelles étaient les vôtres ?

– Les musées. J'y allais une fois par semaine, quand je n'avais pas base-ball; mes parents me déposaient après l'école et me reprenaient à la fermeture. Une fois, je me suis trouvé enfermé; ça m'a fichu la trouille de ma vie. J'étais assis derrière une vitrine à dessiner la statue d'un nain égyptien et le gardien ne m'a pas vu quand il est passé annoncer qu'on fermait; moi je n'ai rien dit parce que je voulais finir mon dessin. Après, les lumières se sont éteintes et il n'y a plus eu un bruit. Sauf qu'au bout d'une minute j'entendais des craquements, des grognements, des grondements, il faisait noir comme dans un four et je rampais en pleurant sur le parquet pour ne pas me cogner aux vitrines.

– Quel âge aviez-vous ? demanda Anne.

– Neuf ans. J'ai promis au bon Dieu tout ce que j'avais s'Il me faisait sortir d'ici. J'ai même promis d'étudier mon piano deux fois par jour.

– Mais vos parents vous attendaient dehors.

– Ils criaient au gardien de rouvrir. On a fini par me retrouver pleurnichant à quatre pattes, mon carnet de croquis à la main. J'étais si heureux de les revoir que je n'ai même pas eu honte.

– Avez-vous demandé à y retourner la semaine suivante ?

Il leva les sourcils.

– Vous êtes la première à me poser la question; je ne savais trop ce que je voulais, mais mes parents pensaient que je devais y retourner, ce que j'ai fait. J'ai un temps détesté l'odeur du musée, le bruit des pas qui résonnaient, les ombres. Mais ça n'a pas duré; deux semaines, je crois. Je n'ai jamais oublié.

– Josh est professeur, dit Leo à Anne au bout d'un moment. Il enseigne l'archéologie à UCLA. Mais tu le sais, bien sûr. Tu en sais sans doute sur lui beaucoup plus que... Il but d'un trait. Désolé, murmura-t-il. Le terrain est miné.

Josh éclata de rire.

– Ne t'inquiète pas, Leo. Inutile d'avancer sur la pointe des pieds; c'était une affaire d'argent et d'orgueil, l'un et l'autre ne me posent pas de problème. Miss Garnett est une sacrée avocate et, la prochaine fois, j'aimerais l'avoir avec moi.

Anne le regarda, surprise.

– Merci.

Leo consulta sa montre.

– A mon avis, il est temps d'y aller. Il nous faudra un petit quart d'heure pour retourner prendre de l'eau. Ça ira ? J'aimerais remercier Timothy ; je reviens tout de suite.

Josh tint la porte à Anne. Ils attendirent Leo dehors. Les rues étaient vides et sombres ; la lumière pâle des réverbères les entourait de cercles jaunes.

– Je suis occupé avec des amis demain, dit-il brusquement, mais j'aimerais vous appeler lundi. Puis-je ? Vers midi, si cela vous convient.

Anne le dévisagea longuement. Leurs regards s'attardèrent. Plus la moindre trace d'arrogance.

– Cela me ferait très plaisir.

# 12.

– Je connais un endroit appelé le lac du Défi, dit Josh au téléphone le lundi. C'est à la fois superbe et peu fréquenté. Je pensais que nous pourrions y monter déjeuner, si cela vous tente.

– D'accord, répondit Anne.

Elle se garda de préciser qu'elle n'avait pas fait de marche depuis des années; elle irait à son rythme et, si c'était trop lent pour lui, il n'aurait qu'à ralentir ou marcher devant. L'important, c'était de monter jusqu'au lac. Je vais emprunter des chaussures de montagne, se dit-elle.

– Je passe vous prendre dans une demi-heure, reprit Josh. Je suppose que vous n'avez pas de sac à dos; je mettrai tout l'équipement dans le mien.

– Non, non, j'emprunterai celui de Gail. Pas question que vous vous chargiez de mes affaires. Que puis-je apporter pour le repas?

– Rien. Je me suis occupé de tout. A tout de suite.

Quand il arriva, Anne lisait sur un rocher devant la maison. Elle arborait un short kaki, un chemisier bleu dont elle avait roulé les manches et la visière de tennis de Gail.

– Gail et Leo ont emmené les enfants au défilé de la fête du Travail, fit-elle en mettant son sac à dos dans la jeep. Ils vous embrassent tous.

– Que lisez-vous?

– Le *Los Angeles Law Review.*

– Apportez-vous toujours du travail?

– Toujours. Pas vous?

– Si, malheureusement. Je peux m'échapper des bureaux, mais pas de mes casquettes.

– Combien en avez-vous?

– Deux. L'université et le musée. Connaissez-vous le musée de l'Antiquité?

– Non, je n'ai guère de temps pour les musées. J'ai entendu dire qu'il était remarquable.

– C'est vrai. Je vous emmènerai le visiter après la fermeture, si ça vous dit. Quand rentrez-vous ?

– Demain.

– Et vous venez tous les week-ends ?

– Oh non, je ne puis m'échapper aussi souvent ; si je parviens à dégager un week-end par mois, j'aurai de la chance. Si je viens davantage, il faudra que je loue quelque chose.

– Gail et Leo n'ont jamais dit ça.

– Evidemment, dit Anne en souriant. Mais je préfère être chez moi ; je dors chez eux parce qu'ils insistent. Mais tout a des limites, même ça.

– Pourtant vous aimez être avec eux.

– Oui.

Réponses laconiques, pensa Josh. Simples, directes, ne dévoilant presque rien. Réservée. *Je préfère être chez moi*. Sans doute guère de place pour autrui, songea-t-il. Il avait tant de questions à lui poser, en particulier sur sa place dans la famille Chatham, pourquoi elle était partie, quand – elle avait parlé d'une longue période ; longue à quel point ? – et pourquoi, toutes ces années où il avait connu Dora, personne n'avait jamais parlé d'elle. Mais il garda ses questions pour lui. Peut-être un jour se connaîtraient-ils assez pour qu'elle s'ouvre à lui.

Il traversa la vallée et tourna sur une petite route étroite ; un panneau signalait un ranch.

– Les propriétaires sont des amis, des gens épatants. J'espère que vous les rencontrerez un jour. Le chemin commence chez eux, c'est pourquoi presque personne ne l'emprunte. Il n'y a que quatre kilomètres jusqu'au lac, mais ça monte raide, parfois ; si votre sac est lourd...

– Ça ira.

La route était jonchée de feuilles de tremble que les roues envoyaient sur le bas-côté en petits tas dorés. Anne les contemplait, respirant le parfum chaud de la terre et du soleil. Paupières closes, elle revoyait ses promenades avec Ethan au cours desquelles il lui enseignait le nom des fleurs et des arbres, l'aidait à ôter la résine des pommes de pin sur ses petites mains poisseuses. Il avait ri devant son incrédulité la première fois qu'il ramassa une petite coquille en colimaçon et lui expliqua qu'il y avait des escargots dans la montagne ; des escargots de terre qui ressemblaient à ceux de la mer. Elle n'avait pas treize ans.

– Ils ne sont pas là, je ne puis vous les présenter, dit Josh lorsqu'ils passèrent devant une maison de bois et de pierre avec des paddocks au loin. Peut-être la prochaine fois.

La route tournait et commença à grimper, bientôt sillonnée d'ornières et constellée de pierres. Ils traversèrent un petit cours d'eau et s'arrêtèrent à une aire de repos.

– Nous y sommes. Le chemin est de l'autre côté.

Ils mirent leur sac à dos et commencèrent à marcher dans la forêt, Josh en tête. Les troncs fins et blancs des trembles bordaient le sentier. Les rayons du soleil jouaient dans les feuilles jaunes qui tenaient encore aux arbres, mouchetant le sol de jaune et de brun, se mêlant à la couleur de vin des sumacs. Les dernières gentianes et les asters bleus se lovaient au creux des framboisiers ; des angéliques sauvages séchées bruissaient délicatement sous la brise. Ils se taisaient. Anne regardait le dos de Josh, ses larges épaules, ses mollets musclés, son pas assuré, son équilibre parfait. C'était un excellent marcheur dont le pas semblait à Anne presque trop lent.

Mais bientôt ce ne fut plus le cas. Imperceptiblement, le chemin raidit ; Anne commençait à avoir mal aux cuisses, ses jambes étaient lourdes, son souffle inégal ; la tête lui tournait presque. Elle essaya d'apercevoir le bout du chemin, mais se ravisa. Si elle savait ce qu'il restait à parcourir, elle ne ferait sans doute pas un mètre de plus. Josh grimpait régulièrement – elle ne l'entendait même pas respirer –, du diable si elle abandonnerait. Elle irait avec lui jusqu'au bout.

– Rejetez les épaules en arrière et respirez profondément, dit Josh par-dessus son épaule. Remplissez vos poumons. Respirez au rythme de vos pas.

Elle suivit ses instructions. Les étourdissements disparurent. Elle commença à compter en respirant, ce qui interrompit les halètements.

– Merci, dit-elle.

Je n'ai plus qu'à faire avancer mes jambes, se dit-elle ; mais l'énergie lui manquait pour prononcer le moindre mot ; elle se contentait d'avancer derrière lui, pas après pas.

Josh lui tendit une gourde. Elle but en marchant, avec délice, et garda un glaçon dans sa bouche en lui rendant sa bouteille. Le chemin cessa de grimper et ils traversèrent une sapinière, puis des pâturages qui faisaient comme des coupes capturant le soleil brûlant. Puis il y eut une autre forêt, si sombre après le scintillement doré des trembles et l'éclat lumineux des prairies ; le soleil ne pénétrait pas ici. L'air était frais et doux et sentait fort la résine ; le sentier était tapissé d'aiguilles de pin. Josh et Anne marchaient en silence. Des geais les suivaient de branche en branche, des écureuils rayés filaient le long du chemin. Anne avait l'impression d'appartenir à la terre. Elle éprouva un instant de bonheur pur.

Puis elle leva les yeux et vit le sommet des arbres se balancer doucement sous la brise. Les troncs craquaient légèrement. *Ecoute ça, Amy. Les arbres craquent. Tu ne trouves pas qu'on dirait un film d'horreur ? Ferme les yeux et tu auras l'impression qu'il va se passer quelque chose de vraiment horrible.*

Elle pleurait. Marchant derrière Josh, s'obligeant tant bien que mal à maintenir l'allure, le dos droit pour supporter le poids de son sac, elle sentait les larmes couler sur son visage. Les arbres tremblaient, le chemin se troublait, ses lèvres avait le goût du sel. Elle ne pouvait s'arrêter ; elle sanglotait du fond de son âme et les larmes échappaient à sa volonté. Elle marcha ainsi pendant ce qui lui parut une éternité, passant des pentes rocailleuses, des grosses pierres, des sapins, jusqu'à ce que Josh ralentisse et pointe du doigt sur la gauche.

– Le lac du Défi. Ainsi baptisé par une poignée de mineurs qui ont défié un terrible hiver et ont survécu. Il se retourna. Anne, qu'y a-t-il ? Ça ne va pas ?

– Si, si. Ça va aller.

Ils s'étaient arrêtés si brusquement qu'elle faillit tomber. Elle s'agenouilla, fit semblant de renouer ses souliers et respira profondément. Les larmes cessèrent de couler. Quand elle se releva et rajusta son sac à dos, sa voix était posée.

– Vous aviez raison : c'est une magnifique promenade. Merci de m'avoir amenée.

– Vous vous êtes fait mal ?

– Non, ça va.

– Alors c'était un souvenir ?

Elle lui lança un bref regard en coin.

– Vous avez des souvenirs qui vous font pleurer ?

Elle sourit timidement.

– N'est-ce pas le cas de tout le monde ? Je sais que vous me croyez suffisamment insensible pour ne jamais pleurer, mais oui, j'ai des souvenirs porteurs de larmes. Si on cherchait un endroit où déjeuner ?

– D'accord.

Une fois encore il marcha devant. Le petit lac était serti comme une turquoise au fond d'une cuvette de sapins. Depuis la rive, les arbres grimpaient raide sur cent cinquante mètres pour laisser place à des promontoires de roche grise qui formaient un grand cercle de cimes au-dessus du lac. Josh longea une étroite bande de sable au bord de l'eau, puis pénétra dans la forêt. Anne suivit. Elle n'avait plus mal. Elle s'était entraînée des années à éliminer tout souvenir, à se persuader qu'ils n'existaient plus, à se comporter comme si tout allait à merveille. Elle suivit Josh. Bientôt, ils quittaient les arbres pour un groupe de roches plates qui s'avançaient dans l'eau.

– Il m'arrive de venir prendre mon petit déjeuner ici.

– Tout seul ?

– Parfois. Avez-vous faim ? demanda Josh en se débarrassant de son sac à dos.

– Non. Toute mon énergie était concentrée sur mes jambes.

– Remarquables, d'ailleurs, dit Josh dans un sourire.

Anne fit glisser les bretelles de son sac qu'elle cala derrière elle.

– Je prendrais volontiers un peu d'eau.

Josh sortait déjà la gourde de sa ceinture.

– N'hésitez pas. J'ai une autre bouteille dans mon sac.

Elle but à grandes gorgées puis s'assit sur la plus grande roche, jambes tendues, mains en arrière. Le visage tourné vers le soleil, elle ferma les yeux.

Josh s'assit près d'elle.

– Si vous voulez en parler, je sais écouter.

Elle secoua la tête, paupières closes.

– Je vous remercie. Il n'y a rien à dire. Parlez-moi de votre travail. Si ça ne vous ennuie pas, j'aimerais que vous me racontiez l'Egypte.

Josh la dévisageait. Elle avait le nez et le front roses. Il aurait dû la prévenir que le soleil cognait en montagne. Il aurait dû s'arrêter en chemin pour voir si elle tenait le coup au lieu de foncer comme un homme des cavernes. Il aurait dû la laisser passer devant et trouver son propre rythme. Il aurait dû essayer de l'aider en voyant les larmes sillonner son visage et ses lèvres trembler. L'image glacée d'Anne Garnett l'avocate lui revint : dans son bureau impersonnel et rassurant, elle assénait avec calme argument sur argument, de sa bouche froide et sensuelle. Mais maintenant, elle semblait humaine, plus belle encore avec ses coups de soleil, ses cheveux défaits par le vent, ses longues jambes écorchées et sa chemise mouillée. Il se rappelait que dans son bureau il avait eu envie de la voir sourire de plaisir; mais, si elle était détendue, elle ne souriait pas encore. Il n'était pas satisfait : il voulait la voir rire, la voir joyeuse, la voir témoigner un peu de chaleur.

– Je comprendrais parfaitement que vous ne souhaitiez pas en parler, dit Anne, les yeux toujours fermés. Non que je sois superstitieuse moi-même, mais les choses confidentielles, je connais.

– Je travaille depuis six ans sur une hypothèse concernant un pharaon nommé Tenkaure, de la XVIII^e^ dynastie, commença Josh, surpris de voir comme les mots lui venaient aisément. J'ai trouvé des allusions le concernant, mais aucune preuve irréfutable; en fait, je soupçonne un de ses adversaires politiques d'avoir cherché à éliminer toute trace de son existence après sa mort.

– A quand remonte la XVIII^e^ dynastie ? demanda Anne.

– Entre 1570 et 1320 avant Jésus-Christ. L'époque qui m'intéresse est 1300, autour du règne d'Akhenaton.

– Celui qui a vraiment aimé son épouse.

– Oui.

Il n'était guère agréable de se rappeler ce petit mot d'anniversaire adressé à Dora, mais il s'intéressait davantage au fait qu'Anne se souvînt de ce petit détail.

– Vous n'avez pas oublié, ajouta-t-il.

– Vous n'avez pas oublié à quelle table vous dîniez dans tel restaurant il y a trois ans et demi, dit-elle en ouvrant les yeux; ils se sourirent. Et qu'a donc fait ce pharaon pour vous intéresser à ce point ?

– Je n'en serai pas certain avant d'avoir trouvé son tombeau. Il semble avoir été impliqué dans des intrigues familiales; il s'est querellé avec son fils et peut-être avec les prêtres de Thèbes. A cette époque, il n'était pas plus facile qu'aujourd'hui de maintenir l'harmonie familiale. Anne, vous faites comme vous voulez, mais moi je meurs de faim.

– Moi aussi. Dès que j'ai oublié mes jambes, le reste a commencé à fonctionner normalement. Marchez-vous toujours à ce rythme ?

– Quand je suis seul ou avec des amis d'ici. Pas quand je viens avec des gens qui habitent au niveau de la mer. Excusez-moi.

– Je pensais que j'avais droit à un régime de faveur; je ne peux pas gagner à tous les coups.

Il eut l'air surpris.

– En fait, je n'y avais pas songé, mais quand vous vous êtes accrochée à mes basques, c'est comme si j'étais devenu têtu. Je me suis comporté comme un gosse. Excusez-moi.

Anne le regarda déballer le repas. Elle appréciait l'honnêteté de leur conversation.

– Ce n'est tout de même pas la première fois que vous perdez contre une femme!

Il attendit avant de répondre.

– C'est la première fois que je perds tout court.

– Impossible.

Il disposa deux assiettes en plastique sur la pierre et les remplit de rôti froid, de tomates, de laitue, de pain azyme et d'olives marinées. Il sortit une bouteille de vin blanc de son sac et prit deux verres emballés dans des serviettes en tissu. Il en tendit un à Anne.

– Vous avez le choix entre manger avec une fourchette ou fourrer le tout dans le pain, ce qui fait désordre mais est tellement meilleur. Et plus conforme à l'environnement.

Anne se fit un énorme sandwich qu'elle engouffra avec appétit.

– Quel délice! dit-elle. C'est le repas idéal.

Ils virent des truites sauter pour attraper des insectes avant de replonger dans l'eau, nageant juste sous la surface pour guetter une autre proie. Elles faisaient des ronds dans l'eau qui s'agrandissaient jusqu'au rivage et mouraient en silence au pied de Josh et d'Anne. Les nuages s'amassaient en lourdes vagues d'un blanc parfait au-dessus d'un ciel azuré. Anne se détendait peu à peu et se sentait habitée par un profond désir qu'elle se refusait depuis longtemps. Elle voulait plus de beauté, de sérénité, de cet étrange contentement qui ne s'apparentait en rien au triomphe d'un procès mais semblait être une satisfaction en soi; un peu ce sentiment de s'ouvrir au lendemain. Il s'aperçut qu'elle avait sans doute perdu le contact avec ces petites choses merveilleusement apaisantes; tout dans sa vie n'était qu'angles aigus, haute pression, travail à outrance, brillant succès, concentration sans répit. Où trouver place pour les menus plaisirs?

Peut-être doit-il en être ainsi, se dit-elle. On ne change pas de vie du jour au lendemain. Il faudrait qu'elle y réfléchisse. Plus tard. Pour l'instant, l'important était de parler à Josh. Quelque chose la hantait dans ce qu'il avait dit tout à l'heure. Oui, elle s'en souvenait.

– Si vous n'avez jamais perdu, demanda-t-elle, comment pouvez-vous avoir des souvenirs qui vous font pleurer?

Il sourit.

– Bonne question, mais j'ai dit que je n'avais jamais perdu contre quelqu'un, c'est différent. J'ai perdu contre le destin, ou Dieu, ou les dieux, aurait-on dit dans l'Egypte ancienne, mais jamais une personne ne m'a conquis. Il resservit du vin. J'y ai beaucoup réfléchi; cela semble impossible, mais au fond ça ne l'est pas. Je ne me suis jamais bagarré étant gosse, et jamais je n'ai pratiqué de sports individuels ; j'ai fait du football et du base-ball, et nous avons gagné ou perdu en tant qu'équipe. Je crois que c'est vrai pour presque tous les enfants. J'étais très fort aux billes et, quand je perdais, c'est que j'avais fait une bourde. Autrement dit, je perdais contre moi-même. Ça aussi, c'est vrai pour la plupart des gens ; nous utilisons mal nos talents. Quand mes parents sont morts, j'ai accusé toutes les divinités possibles, sans oublier les grecques et les romaines, et le destin. Je ne pouvais accuser personne. A mon sens, il est relativement rare d'être vaincu par quelqu'un ; c'est souvent une excuse pour refuser d'admettre que nous ne sommes pas assez bons ou pas assez forts pour gagner ; que c'est contre nous-mêmes que nous avons perdu.

Anne était immobile.

– C'est terriblement prétentieux.

– Vraiment ? On m'a souvent dit que j'étais trop dur avec moi-même. Pourquoi trouvez-vous cela prétentieux ?

– Personne n'a le dessus avec vous hormis Dieu ou une armée de dieux de tous pays. Aucun mortel, sauf si vous commettez une bévue qui lui permet de tenter sa chance et de faire mieux que vous.

Josh la regarda avec curiosité.

– Pas bien joli, à vous entendre. Je n'irais pas jusque-là, et même ? Quel mal y a-t-il ? Ne trouvez-vous pas qu'il y a en nous quelque chose qui gagnerait à être réveillé ? N'est-il pas possible que nous nous laissions souvent vaincre parce que se défendre donne trop de mal ?

– Vous ne savez pas de quoi vous parlez, lança Anne sauvagement. Vous ne savez pas le mal que les gens peuvent causer, la destruction ...

– Vous avez raison, s'empressa-t-il de dire. J'ai été trop loin. C'est un de mes défauts : je pars d'une idée séduisante, je joue avec et je l'étire jusqu'à ce qu'il n'en reste qu'un fil ténu.

Il continua à parler, lui donnant le temps de retrouver son calme, se demandant si ses pleurs étaient liés à une défaite passée.

– C'est un problème chaque fois que je rédige un article, poursuivit Josh. J'adore jouer avec des idées jusqu'à ce que je sois sur la corde raide et arrive aux conclusions les plus fantaisistes. En général, je reprends mes esprits avant qu'il ne soit trop tard. Et pour couronner le tout, j'ai oublié le dessert.

– Pas moi, dit Anne. Et pardonnez-moi à mon tour. Je me suis montrée mal élevée. Je ne sais pas ce qui m'a mise dans un état pareil.

Si, vous le savez, pensa Josh, ç'a été terrible, et vous l'avez enterré, mais pas assez profond pour empêcher que ça resurgisse quand on le dérange, comme je viens de le faire. Il observa Anne tendre la main vers son sac et en sortir une petite boîte dorée.

– Des truffes ! s'exclama-t-il. Splendide ! Lesquelles ?

– Chocolat, noisette.

– Vous avez un goût parfait. Le même que le mien. Merci.

Il prit une truffe dont il ne fit qu'une bouchée.

Anne en fit autant. Le chocolat fondit dans sa bouche avec une sensation douce-amère. Elle soupira d'aise et regarda Josh. Il lui sourit.

– C'est la cerise sur le gâteau du pique-nique. Que rêver de plus ? Sauf... puis-je en prendre une autre ?

– Deux. Je ne pensais pas que la marche serait assez longue pour mériter plus de trois chacun.

– La prochaine fois on trouvera plus long. Il ne faudrait pas tarder, ajouta-t-il en observant les nuages noirs s'accumuler. Sinon la pluie va nous rattraper.

– Dommage. On est tellement bien, ici.

Ils finirent les truffes et le vin et entreprirent d'emballer les reliefs du repas.

– Qu'est-ce qui vous a contrarié dans la plainte de Dora ? demanda Anne. De perdre contre elle ou de perdre contre vous ? Pouvons-nous en parler ?

– Bien sûr. J'ai perdu contre moi et contre vous. L'argent n'était pas le problème. Pour Dora si, mais pas pour moi, encore que j'aurais préféré ne pas avoir à payer. L'important était mes faiblesses et le fait que vous les ayez utilisées de telle façon qu'il nous a été pratiquement impossible de bâtir une défense. Nous aurions pu montrer que Dora savait d'emblée que je ne voulais pas l'épouser et qu'elle n'a jamais eu la moindre raison de penser que j'avais changé d'avis, mais, une fois que vous avez établi que je me taisais quand j'aurais dû parler, toute défense en était affaiblie. Pas nécessairement détruite, mais sérieusement affaiblie. Je me suis toujours vanté de ne pas me faire prendre à ce jeu ; les bons universitaires ne se laissent pas coincer comme des collégiens.

– Et ce billet d'anniversaire ?

Il tira violemment le cordon de son sac à dos.

– C'est le poète en moi qui s'était déchaîné. Depuis, j'ai appris à me contrôler. Le plus curieux, c'est que je suis censé comprendre le passé et savoir m'en servir. Ma vie tourne autour du passé ; j'y consacre plus de temps qu'au présent. Mais j'ai vécu avec Dora comme si je n'avais rien appris ; comme si le passé était sans importance.

– Pourquoi est-ce si important ? C'est un aveu extraordinaire.

– Et pas tout à fait juste. Je me sers du passé comme des musées dans mon enfance : c'est un refuge. Parfois un lieu où se perdre. Quand mes parents sont morts...

– Quel âge aviez-vous ?

– Treize ans. Ils étaient en Alaska ; mon père était photographe et ils avaient pris un coucou pour se rendre dans le massif de la Brooks Range ; ils ont été pris dans un blizzard et se sont écrasés. Pendant six mois j'ai balayé le présent, le niant en bloc, pour vivre dans le passé. Je n'allais pas en classe, je ne voyais pas mes copains. Je n'ai même pas joué au base-ball. Mais j'allais au musée, et je lisais. J'étais chez mes grands-parents et ils ont une remarquable bibliothèque où je passais mon temps. Ils se sont montrés très patients et ils se sont entendus avec mon proviseur au lycée pour que je reprenne l'école quand je serais prêt et rattrape les cours le soir. A l'époque, je ne pensais jamais à eux; pourtant ils avaient autant de chagrin que moi; nous en avons parlé une fois que j'étais en fac. Ils étaient extraordinaires; ils m'ont aidé à franchir cette année terrible. Je me suis longtemps dit que personne ne devrait jamais avoir treize ans.

Anne le dévisageait, fascinée.

– Je ne voulais pas vous raconter ma vie, dit Josh dans un sourire. Vous parliez du passé. J'y passe beaucoup de temps parce que c'est le lot des archéologues et que j'éprouve beaucoup de plaisir à reconstituer ce qui s'est produit il y a longtemps, et pourquoi, et comment ça s'est imbriqué, pour bâtir ce que nous sommes aujourd'hui. Et j'y passe beaucoup de temps parce que je m'y retire quand j'en ai assez des querelles à l'université et au musée, ou de la circulation à Los Angeles, ou de Los Angeles en général, ou quand je ne veux pas penser que j'ai fait quelque chose de médiocre. Le passé offre une excellent cachette, vous savez; il est toujours là à vous attendre, et vous pouvez toujours le reprendre là où vous l'avez laissé, intact. Et pas besoin de le partager pour en jouir.

Il s'interrompit, regarda le lac et se parla presque à lui-même.

– C'est bien le problème avec le présent : il exige qu'on le partage. C'est le vide quand les jours se déroulent sans des pas dans les vôtres, des idées qui répondent aux vôtres, ou vous défient. En tout cas pour moi, et c'est ce que j'ai toujours cherché. Pas avec Dora; c'était une charmante compagne, du moins au début; j'étais seul, elle aussi, ça semblait une bonne idée de vivre ensemble. Mais j'espère toujours rencontrer quelqu'un qui m'aidera à me sentir lié au monde, comme si ma présence changeait vraiment quelque chose, pas sur le plan universitaire, mais sur le plan humain. On ne peut pas faire ça tout seul, pas pleinement. On a besoin d'une autre personne : deux esprits se rencontrent, deux mains se touchent, deux cœurs se rejoignent.

Un épais banc de nuages cacha le soleil. Les ombres s'évanouirent; le lac se fit d'acier. Anne frissonna.

– Filons, dit Josh.

Ils s'emparèrent prestement de leurs pulls et de leurs K-way et prirent le chemin du retour.

– Voulez-vous marcher en tête? demanda Josh.

– D'accord.

Elle marcha à longues enjambées. La descente était presque aussi pénible parce qu'elle devait retenir ses pas quand la pente était raide, mais, sous le ciel qui s'obscurcissait, son pas se fit peu à peu régulier, genoux pliés, pied sûr entre les pierres. Elle entendait Josh marcher derrière elle. *Des pensées qui répondent aux vôtres. Des pensées qui vous défient. Deux esprits se rencontrent, deux mains se touchent, deux cœurs se rejoignent.* Les mots résonnaient en elle. Quelles paroles étonnantes, se dit-elle, et rares. Cet homme a des idées, et ses paroles sont douces. Mais combien sont authentiques ? *Le poète en moi s'est déchaîné.* Il a dit qu'il avait appris à se contrôler, mais c'est sans doute faux. Il était agréable à écouter, mais il ne faudrait pas prendre pareille conversation trop au sérieux.

Elle sentit une goutte sur ses cheveux. En moins d'une minute, des grêlons blanchissaient les arbres et le sentier dans un bruit assourdissant. Anne haleta puis s'arrêta. Ses pieds laissaient des empreintes sur le chemin, ses mains étaient glacées.

Elle sentit Josh la saisir par le bras et l'attirer hors du chemin dans l'épaisse forêt de pins et de sapins. Le bruit de la grêle s'estompa comme si on venait de fermer la fenêtre. Il tira un poncho de son sac à dos et l'étendit par terre sous un sapin de Douglas à la robe argentée.

– Attendons que ça se calme. J'ai beaucoup de respect pour les intempéries en montagne.

Tremblante, Anne fouilla dans son sac à la recherche du pantalon imperméable de Gail.

– Je n'ai pas apporté d'après-skis ; j'espère que c'est le dernier changement de temps de la journée.

Josh sortit en riant son pantalon imperméable et un thermos.

– Ma dernière offrande de la journée. J'espère que vous aimez le café noir.

– Oui. Etes-vous toujours aussi prévoyant ? Je suis impressionnée.

Il s'appuya contre l'arbre et lui tendit le gobelet de plastique fumant.

– Votre grand-père a dû vous enseigner le caractère imprévisible de la montagne.

– Oui, mais je n'ai pas fait de randonnée depuis des années.

– Bravo. On aurait cru que ça remontait à la semaine dernière.

Anne sourit.

– Beaucoup de tennis et encore plus d'obstination.

Elle se réchauffa les mains autour du gobelet brûlant. La petite clairière où ils s'étaient installés ressemblait à une grotte embrumée bordée de pins noirs. Au loin, ils entendaient l'orage et le claquement régulier des grêlons sur les aiguilles de pin et les branches. De temps à autre, un grêlon se glissait dans l'épaisseur des arbres pour rebondir près d'eux, minuscule perle sur le sol. Anne buvait son café tout en regardant. Elle soupira et tendit le gobelet à Josh.

– Ça fait du bien. C'est étonnant à quel point ça se refroidit vite.

Josh but un peu et lui rendit le gobelet.

– Qu'est-ce qui vous a poussée à choisir les divorces ?

– Je me suis aperçue que j'étais bonne. Environ un an après mon entrée au barreau, j'ai eu un gros procès à New York ; une amie m'a envoyé sa cousine, il y avait beaucoup d'argent en jeu : les enfants, des sociétés d'investissement, des biens divers, même une fondation. Les négociations ont duré trois mois et nous avons obtenu un accord acceptable sans casse, sans même une bagarre sérieuse. Il en est résulté une relativement bonne atmosphère pour les enfants, sans doute la meilleure possible. J'aime m'arranger pour qu'il en soit ainsi.

– Vous pensiez aux enfants.
– C'étaient eux les plus effrayés. Ils n'avaient rien à quoi s'accrocher.
– Puis vous êtes arrivée.
Elle secoua la tête.
– Rien d'aussi spectaculaire. Ils avaient besoin qu'on leur explique ce qui allait se passer. Je l'ai fait et je leur ai montré qu'il y avait encore des gens pour penser à eux.
Josh prit le gobelet vide de ses mains et l'emplit à nouveau.
– Ça les a sûrement aidés. Quel âge avaient-ils ?
– Neuf, onze et douze ans.
– On est vulnérable à cet âge. Aimez-vous votre travail ?
– Oui, dit-elle en levant sur lui des yeux étonnés. Pas vous ?
– Si ; nous avons de la chance. Qu'aimez-vous en particulier ? Gagner ? Aider les enfants ? Vous assurer que justice est faite ?
– Tout ça. Si vous me demandez si j'aime m'occuper des mariages qui meurent, ça n'a rien à voir.
– Je vous ai prié de m'excuser pour cela dans votre bureau. Je peux recommencer si vous voulez.
– Non, je n'aurais pas dû y faire allusion. Sur le moment, ça m'a mise hors de moi.
– J'étais hors de moi quand je l'ai dit. J'ai été trop loin, une fois de plus. Je sais parfaitement que ce n'est pas l'avocat qui met fin aux mariages ou aux liaisons. Tout est fini bien avant d'arriver dans votre bureau. Vous écopez des ruines. A vrai dire, il y a de quoi vous décourager de tenter quoi que ce soit. Vous ne voyez jamais le début, quand tout n'est qu'espoir. Vous n'avez droit qu'à la lie : colère, méfiance et agressivité. Je suppose que je pensais à la destruction globale, et vous sembliez vous acharner à détruire au lieu de construire.
Anne hocha la tête.
– Mais la vie existe-t-elle sans destruction ? Notre métier consiste à y survivre.
Il la regarda, interloqué.
– Est-ce ainsi que vous concevez la vie ? Survivre à la destruction.
– N'est-ce pas le sujet de vos recherches ? Des cultures qui prospèrent puis disparaissent parce qu'elles sont incapables de survivre à une sorte de destruction ou à une autre ?
Il lui tendit le gobelet, non sans remarquer l'art avec lequel elle déviait toute conversation autour d'elle. Elle a une sacrée habitude, songea-t-il.
– J'étudie la prospérité autant que la destruction, fit-il. Je m'intéresse aux forces qui rendent une société florissante autant qu'aux faiblesses qui la font échouer. C'est comme d'étudier les gens, vous savez : ce qui nous rend forts et créatifs, comment nous devenons ce que nous sommes. Et aussi comment nous survivons à la destruction. Le tout est nécessaire. Comment pourrions-nous être pleinement humains sans construire des

sociétés, des relations, des idées ? Se contenter de ramper pour échapper aux ruines n'apprend qu'à développer nos défenses.

Anne se taisait. Elle redonna le gobelet à Josh et regarda les branches au-dessus d'eux, écoutant le silence.

– Si on repartait ? J'ai l'impression que l'orage est passé.

– Moi aussi.

Il finit le café et rangea le thermos. Ils quittèrent l'abri de la clairière, Anne en tête. Le soleil brûlait à travers les nuages et, comme l'air se réchauffait, la sente devint boueuse. Ça glissait tellement qu'Anne regardait sans arrêt ses pieds. Elle leva un instant les yeux, et stoppa brusquement.

– Regardez !

Une brume argentée planait sur la montagne, les arbres vert et or, les affleurements rocheux, les pics déchiquetés qui chatoyaient dans la lumière douce, pâles et délicats comme de la peinture sur soie.

– Comme c'est beau ! Je n'ai jamais vu ces montagnes si belles.

Le visage et les mains fraîches, les cheveux humides, Anne ne bougeait pas, perdue devant ce paysage de rêve.

Josh était juste derrière elle. Ses bras touchaient les siens. Il avait failli lui rentrer dedans tant elle s'était arrêtée brusquement.

– Oui. Mais je préfère le soleil et les ombres. J'aime que le monde soit bien réel.

– Aimez-vous les clairs-obscurs ? demanda-t-elle pardessus son épaule quand ils reprirent la route.

– Ah, excellente remarque. Je collectionne toutes les sortes d'art. J'ai une jolie collection. J'aimerais vous la montrer. Après notre visite au musée, nous prendrons un verre chez moi puis nous irons dîner quelque part. Si cela vous tente.

– Et comment ! dit Anne qui se concentrait pour ne pas glisser.

Quand ils arrivèrent à la voiture, le soleil brillait intensément et les nuages s'étaient retirés à l'horizon. Anne et Josh se débarrassèrent de leurs vêtements de pluie et les balancèrent à l'arrière de la jeep. Anne ôta sa visière humide et secoua ses cheveux. Complètement trempée, le visage entouré de boucles brunes et sauvages, Josh la regardait.

– Vous êtes très belle. Et j'ai rarement autant apprécié une promenade. Merci.

– C'était formidable. Et merci pour le déjeuner.

– Les truffes ont constitué le morceau de choix, dit-il en roulant sur le chemin boueux. Nous explorerons le musée dans quelques jours ; je vous appellerai. Serez-vous libre ce week-end ?

– Non ; il faut que je rattrape mon retard. C'est la première fois que je pars quatre jours.

– Alors on fera ça un soir. Ce sera une visite privée ; seuls les gardiens nous tiendront compagnie.

Il arrêta la jeep au croisement et tous deux regardèrent la circulation sur la nationale en direction de Tamarack.

– Ça me fait toujours un choc. Merci encore, dit-il en posant sa main sur celle d'Anne. Jamais je n'oublierai cette journée.

– Moi non plus, dit-elle en enlevant vivement sa main.

Josh réussit à se glisser dans la file de voitures. Ils roulèrent en silence jusqu'à la maison de Leo et Gail.

– J'ai hâte d'être à Los Angeles, dit-il.

Anne attrapa son sac et ses affaires.

– Moi aussi. Vraiment.

En entrant, elle trouva intéressant de s'apercevoir à quel point elle le pensait.

Dans la montagne, près de Denver, Vince assistait à un barbecue pour réunir des fonds quand Keith réussit enfin à le trouver.

– Ça fait trois fois que je t'appelle. Tu devrais virer ton maître d'hôtel; il ne transmet pas les messages.

– Mais si. Calme-toi.

Vince l'attira loin du groupe à qui il parlait; ils prirent un des couloirs de l'immense maison et arrivèrent dans une petite chambre d'ami. La maison appartenait à Sid Folker, un banquier qui finançait largement Vince et qu'on avait, il y a quelques jours, mis dans la confidence de son éventuelle candidature à la présidence.

– Nous pouvons nous installer là quelques minutes, dit Vince.

– Tu pourrais quand même offrir un verre aux copains.

– Plus tard. Dis-moi ce qui t'amène.

– Merde, Vince. J'arrive de Tamarack en avion...

– Pourquoi ? Que se passe-t-il ?

– Ton amie y est. Anne, je ne sais quoi. La sœur de Gail.

Vince planta ses yeux dans ceux de Keith.

– Tu l'as vue ?

– Exact. Il y a deux jours, près de la mairie; elle était avec Josh; tu sais, le mec de Dora. L'ex-mec.

– Durant ? Qu'est-ce qu'il fout avec elle, bordel ?

– Mystère. Il y avait aussi Leo, mais quand je l'ai vue elle parlait à Josh. Je n'ai pas pu m'approcher; il y avait foule. Tu sais qu'ils ont amené de l'eau en camions-citernes, enfin tu sais tout ça, la retenue d'eau, les réserves foutues...

– C'est tout ? coupa Vince.

– En fait, j'ai gardé l'œil sur la maison de Gail aujourd'hui, quoi; ils sont partis vers midi. Anne et Josh. Tu sais, faire une marche. Ils avaient des sacs à dos. Il doit vraiment aimer la famille. Je l'ai toujours trouvé un peu bizarre. Bref, tu voulais que je trouve ce qu'elle veut...

– Et alors ?

– Rien. Comment pouvais-je savoir si tu y tenais toujours ? Je veux dire, c'est vrai, ça remonte à juillet dernier. Et tu sais, cette histoire de te débarrasser d'elle, je ne savais pas si ça tenait toujours. Ou ce que tu voulais dire exactement. Lui rendre la monnaie de sa pièce ou quoi. Bref, je me suis dit que tu aimerais savoir qu'elle était là-bas, alors j'ai pris l'avion. Ça mérite bien un verre, Vince, et un dîner, et je peux rester chez toi cette nuit, d'accord ? Et repartir demain.

– Ah, vous voilà ! Je vous cherchais partout ! s'exclama Sid Folker en le menaçant du doigt. On vous réclame, sénateur – vous savez comme personne électriser une foule – et voilà que vous vous cachez. Oh, désolé, je ne voulais pas vous interrompre.

Vince se leva.

– Sid, voici mon neveu, Keith Jax. Je me suis permis de l'inviter ce soir ; c'est un peu mon assistant officieux et sacrément efficace ; il m'aide énormément.

Folker s'empara de la main de Keith.

– Ravi, Keith. Du moment que Vince vous invite, vous êtes le bienvenu. Votre oncle est un homme important, un grand homme, mais vous le savez déjà. Restez près de lui, vous irez loin. Jusqu'au sommet, c'est ce que nous visons. Le vent est porteur – vous vous en rendez compte, Vince ? C'est dans l'air, on le sent ! Et rien ne pourra nous arrêter. Bien. Keith, venez donc prendre un verre. On va s'en occuper. Vince, j'aimerais vous présenter un ou deux gars qui arrivent de Californie pour s'installer ici ; ils ont fait élire leur type président, et je leur ai dit qu'ils pourraient avoir une chance de remettre ça dans le Colorado. Je suis resté vague, évidemment – il faut d'abord songer à novembre prochain ; vous reconduire au Sénat avec les honneurs – mais je me suis dit qu'une petite allusion ne ferait pas de mal ; ces gens-là jouent gros et ont hâte de vous rencontrer. Keith, vous m'avez l'air d'un gars qui trouve tout seul le chemin du bar.

Keith regardait Vince en plissant les yeux comme s'il essayait d'absorber toutes les informations qu'il venait d'entendre.

– Pas de problème. Merci. A tout à l'heure chez toi, oncle Vince, d'accord.

– Absolument. Je serai ravi de ta présence, Keith ; cet appartement est beaucoup trop grand pour moi, ajouta-t-il à l'adresse de Folker. Mais je ne désespère pas de trouver un jour une merveilleuse femme avec qui le partager.

– Je suis ravi que vous abordiez le sujet, Vince. J'aimerais justement vous présenter une veuve. C'est parfait, les veuves ; on ne peut pas leur reprocher de vivre seules. C'est une gentille fille, douce et simple, elle vous plaira. Restez dans le coin après le barbecue, nous prendrons le dessert en petit comité.

– Entendu, Sid. Vous êtes vraiment un ami. Merci.

Mais tandis qu'ils regagnaient le salon, c'est à Keith que Vince pensait. Il avait vingt-huit ans et n'avait jamais travaillé avant que Leo le nommât responsable adjoint du domaine skiable à Tamarack. Et il devait tout à Vince. C'était Vince que Keith avait appelé de prison voici deux ans ; il avait poignardé un barman en pleine rue de Miami à la suite d'une querelle pour une histoire de drogue, et il ne voulait pas que sa mère l'apprît. Vince avait alors payé la caution, acheté le barman, trouvé un avocat et envoyé Keith dans un hôpital aux abords de Chicago pour se refaire une santé. C'était également Vince qui l'avait expédié à Tamarack et avait demandé à Leo de lui trouver un job.

« Je veux savoir ce qui se passe là-bas, avait-il dit à Keith. Ce que fabrique ton grand-père, l'étendue des travaux, ce que trame Leo, où ils trouvent les fonds... tout. Ouvre l'œil, et si je demande quelque chose, tiens-toi prêt à le faire. Je m'alignerai sur le salaire que te donne Leo. Mais si je m'aperçois que tu retouches à la drogue ou que tu bois plus que de raison, tu es cuit. Marian et Fred sont au courant pour Miami et l'hôpital, Leo aussi. Tu retournes à tes hôtels borgnes, ta came et tes putes jusqu'à ce que ce soit ton tour de prendre un coup de couteau, sans doute de quelqu'un qui s'en servira mieux que toi. Et cette fois, personne ne lèvera le petit doigt. Est-ce assez clair ou te faut-il davantage de précisions ? »

Keith secoua la tête et partit s'installer à Tamarack.

Pas très intelligent, pensa Vince en regardant Keith se diriger vers le bar. Mais pas si bête que ça. Et pas une once de sens moral pour lui embrouiller les idées. Il se montrait égocentrique et fidèle comme un toutou. Pour Vince, qui avait horreur des surprises, Keith Jax, aussi transparent que prévisible, se révélait l'assistant idéal.

– Alors, qu'est-ce que c'est que cette histoire dont il avait plein la bouche ? demanda Keith quand Vince rentra, vers minuit.

Il était assis dans la cuisine où il buvait dans un grand verre et mangeait un gâteau au chocolat directement dans le carton du pâtissier.

– Beaucoup de soda, un trait de scotch, ajouta-t-il en surprenant le regard de Vince. Vérifie la bouteille, si tu ne me crois pas.

Vince s'appuya contre le réfrigérateur.

– Parle-moi de cette foule autour de la mairie de Tamarack.

– Ça chauffait. Tout le monde apportait des brocs et signait comme de bons boy-scouts, le maire disait que tout allait bien, tout le monde parlait en même temps, des journalistes prenaient des photos... Quelle nuit !

– Ils ont forcément accusé quelqu'un.

– Personne. Pas une fois. Ils se demandaient seulement si ça allait durer longtemps et si les camions-citernes resteraient en permanence pour qu'ils aient de l'eau à volonté, et si on commençait à résoudre le problème et...

– Qui était censé le faire ?

Keith haussa les épaules.

– Eux. C'est toujours « eux », t'as pas remarqué ? Le maire a dit que la ville et la société paieraient l'eau.

– Personne n'a accusé la compagnie ?

– Je n'ai rien entendu, en tout cas. Ils n'étaient pas vraiment déchaînés, inquiets, je dirais. Eh, Vince, est-ce qu'il a dit que tu serais président ? C'est vrai ?

– Possible.

– Ouaouh ! Ça serait marrant. Dis, si je peux t'aider, enfin tu sais, ne te gêne pas...

– Je veux que tu gardes l'œil sur Tamarack. Ne fonce pas à Denver ou Dieu sait où ; j'ai besoin de toi là-bas. Je veux connaître les faits et gestes de Leo, quand ils trouveront ce qui s'est passé avec la retenue d'eau ; combien de temps il faudra pour tout réparer. Et cette femme. Je veux savoir quand elle y est et qui elle fréquente. Tout ce que tu peux trouver.

– Pas de problème. C'est tout ? Tu veux juste savoir ce qu'elle fabrique ? Tu ne veux pas que je lui rende la monnaie de sa pièce ou quoi ? Tu sais, tu n'as qu'à me dire, je le ferai, mais si je ne sais pas ce que tu veux, c'est pas évident.

Vince sentit les muscles de son cou se serrer, comme chaque fois qu'il était frustré.

– Je ne sais pas encore. Ça dépend de la suite. Reste dans les parages et garde le contact.

– OK. Vince, écoute. Si tu deviens président, je peux aller avec toi ? J'aimerais bien habiter Washington.

– Pourquoi pas ? répondit Vince en quittant la pièce. Si tu fais attention et si tu m'obéis.

– Super ! Tu parles ! Génial !

Vince ferma la porte de son bureau derrière son neveu et téléphona à Beloit qui avait quitté la réception avant le dessert.

– Combien as-tu obtenu, ce soir ?

– Six millions et demi. On n'a aucun problème d'argent, Vince, tu le sais bien. On arrivera aux primaires en forme. Ce qui m'intéresse, c'est davantage de soutien de la part du Comité national ; ces mecs peuvent beaucoup pour nous en coulisses et je n'ai rien vu pour l'instant. Mais on y arrivera. Tu as été très bon ce soir ; les dames étaient sous le charme et les messieurs se croyaient en conseil des ministres. Tu es très fort pour ça. Et la veuve ?

– Pas mal.

– C'est tout ?

– Mieux que ça. Je reste quelques jours pour approfondir la question.

– Elle n'est pas aussi futée que Maisie.

– Pas besoin de ça. Quel est le problème avec le Comité national ? Je croyais que tu les avais dans la poche ?

– C'est pour bientôt. Il faut parfois une petite impulsion supplémentaire. J'ai parlé à ton frère, t'es au courant ?

– Non. Quand ?

– Il y a quelques jours. Il a refusé ; offre trop basse. Il veut beaucoup d'argent, Vince. Il n'a pas l'air d'un homme aux abois.

– Il l'est, pourtant. Et ça empire de jour en jour. Laisse-moi un peu de temps ; tu auras ce que tu veux. Il faut obtenir le soutien de ta famille.

– Ça n'est pas le cas?

– Pas encore. Je m'y emploie. Il en suffit de deux et Charles pourra alors mettre ça aux voix. Tu auras ce que tu veux, Ray. Ne t'inquiète pas. Laisse-moi faire.

– Je ne m'inquiète pas. J'attends.

Moi aussi, pensa Vince en raccrochant violemment. Il avait horreur de ça. Trop de choses lui échappaient. Ce que tramait cette garce; ce que ces salopards du Comité national avec leur air patelin feraient pour lui avant les primaires; s'il emporterait les sénatoriales dans un an avec une marge confortable. Il était sûr de gagner, mais cette fois ce devait être haut la main. Et il avait commencé à faire bouger les choses à Tamarack, mais se demandait si c'était suffisant.

Ces deux derniers mois, pour la première fois depuis qu'Ethan l'avait fichu dehors, Vince avait éprouvé plus d'une fois l'atroce douleur de l'inaction et de l'impuissance.

– Merde, murmura-t-il dans son bureau. Merde, merde! explosa-t-il en balançant son presse-papier à l'autre bout de la pièce.

La boule de verre griffa le mur puis rebondit à deux reprises sur le tapis avant de s'arrêter sous une table où étaient posés six cadres avec des photos de Dora. Josh, se dit Vince. Cette garce sort avec lui. Elle dormait chez Gail et Leo et en plus elle sortait avec Josh. Qu'est-ce qu'elle trafiquait, bordel? Il l'avait pourtant prévenue...

Vince remarqua l'éclat dans le mur de noyer et sut qu'il devait reprendre les choses en main, contraindre les gens à agir comme il l'entendait. Et vite.

Anne avançait lentement dans la longue galerie de l'appartement de Josh, regardant les tableaux. Leur variété et leur éclat la surprirent, on passait des impressionnistes aux minimalistes.

– A l'évidence, il ne se limite pas au clair-obscur, murmura-t-elle.

Josh, qui apportait deux verres de vin, l'entendit avec amusement.

– Pas de limite du tout, en fait. Ce n'est pas ce qu'on appelle une collection thématique. Mes grands-parents ont acheté les impressionnistes en Europe; mes parents ont rassemblé Braque, Picasso et les sculptures eskimo du salon; j'ai acquis le reste. Vous contemplez l'histoire des Durant, surtout celle de mes grands-parents, quand ils portaient leurs pas dans le monde entier. Ils ne se doutaient pas qu'ils achetaient de l'art; ça leur plaisait, ou ils trouvaient l'artiste sympathique. Et je crois qu'ils étaient désolés de voir que ces artistes n'amassaient jamais ni argent, ni biens, ni pouvoir.

– Pensaient-ils que les biens avaient plus d'importance que l'art?

– Non, mais ils trouvaient l'argent essentiel, les biens agréables et le pouvoir utile. Ils ne voyaient rien de romantique à ce qu'un artiste crève de faim. Métallurgistes du Midwest dotés d'un immense sens pratique, ils devinrent de modestes mécènes parce qu'ils aimaient l'art et le considéraient comme vital, et parce qu'il pensaient de leur responsabilité, puisqu'ils étaient riches, d'aider les artistes à survivre, voire prospérer.

Arrivés au bout de la galerie, ils entrèrent dans le salon où le manteau de la cheminée et un mur d'étagères étaient ornés de sculptures eskimo : minuscules oiseaux, gros ours dansants, scènes familiales, pêcheurs montant des morses comme des cow-boys.

– C'est la collection la plus impressionnante que j'aie jamais vue, dit Anne.

Josh acquiesça d'un signe.

– J'en chéris la moindre pièce depuis que je suis gosse. A ma mort, tout ira dans un musée. Pas question qu'elle soit dispersée.

Il ne la laissera pas à ses enfants, songea Anne. Ou alors il ne veut pas d'enfants. C'était sans doute ça; il vivait comme un homme installé ne s'intéressant qu'à lui-même. Et Dora disait qu'il détestait les gosses. Elle parcourut tranquillement le salon, observant les dizaines d'objets réunis – scarabées égyptiens, vases grecs, cloisonnés français, casse-noisettes sculptés allemands, boîtes russes en laque, jades chinois, masques africains, colliers de plumes de Nouvelle-Guinée. L'appartement était gigantesque – deux appartements réunis, lui avait expliqué Josh –, haut de plafond, grandes pièces meublées – surchargées, trouva Anne – de meubles anciens, de canapés et de fauteuils recouverts de tissu légèrement passé, tapis d'orient aux motifs estompés par le temps. Au milieu des objets de collection, des photographies qui allaient du pêcheur sur un chalutier à des hommes et des femmes qu'Anne avait vus dans des magazines et des journaux. Ses amis étaient aussi variés que sa collection.

– Voulez-vous voir le reste? s'enquit Josh.

Elle fit signe que oui et ils retraversèrent la galerie. Sa chambre était à l'autre bout de l'appartement. Elle comprenait une table ronde recouverte de cuir et de cadres d'argent. Anne s'approcha. Toutes les photographies représentaient le même couple, un homme qui aurait pu être Josh et une grande et belle femme aux courtes boucles blondes.

– Vos parents, dit-elle. Je me demandais comment ils étaient.

– Ils restent dans cette partie de l'appartement, qui est privée, dit Josh qui les regardait aussi. Ils vous auraient aimée, Anne; ils avaient de l'admiration pour ceux qui font leur vie eux-mêmes au lieu de se laisser modeler par autrui.

Elle lui lança un bref regard.

– Qui vous dit que cela s'applique à moi?

– J'en jurerais. Je crois qu'il vous est arrivé, il y a longtemps, quelque chose de destructeur. Un peu comme la mort de mes parents pour moi, encore que je m'en voudrais de comparer; chacun souffre à sa façon. Mais vous avez refusé que la blessure soit irrémédiable; vous avez façonné votre existence pour devenir une femme remarquable. Je vous admire. Et mes parents vous auraient beaucoup aimée. Retournons à mon bureau; la femme de chambre a préparé une terrine et nous devons lui faire honneur. Puis nous pourrons aller dîner.

Sans attendre, il passa devant, commentant au passage quelques toiles, racontant une anecdote sur un dessin d'Albers qu'il avait acheté dans une vente, une histoire sur une esquisse de Miró dans son bureau. Anne se disait qu'il se comportait comme s'il en avait trop dit et tentait maintenant de la distraire de son angoisse par un monologue badin et amusant.

Mais elle s'aperçut qu'au lieu de s'éloigner de lui elle se demandait ce qu'il avait d'autre à lui dire sur elle. Non, elle ne voulait pas qu'il l'analysât; elle souhaitait une compagnie agréable. Ce qui semblait aussi le cas de Josh. Voilà pourquoi elle passait un si bon moment.

– J'ai réservé aux Plumes pour 20 h 30, dit Josh quand ils s'installèrent dans le grand canapé du bureau. Mais ça peut être plus tard, si vous préférez.

La pièce était petite et simple avec des murs vert foncé, des rayonnages de noyer jusqu'au plafond, des sièges de velours beige et une cheminée de marbre vert. Il y avait des livres partout; les étagères étaient bourrées à craquer, il y avait des piles par terre, sur le rebord des fenêtres, sur les tables au milieu des revues professionnelles. Dans un coin, derrière des livres, une télévision; à côté, un lecteur de disques compacts et de disques noirs. Josh avait mis les sonates de Scarlatti. Anne comprit que c'était là qu'il passait le plus clair de son temps.

– J'aimerais que vous me parliez de votre travail, dit-il en lui tendant une assiette. Est-ce que tous les divorces se ressemblent après un certain laps de temps?

– Pas plus que vos pharaons, je suppose, répondit Anne en se préparant une tartine. Oh, c'est exquis, commenta-t-elle après avoir goûté une bouchée.

– Une des nombreuses spécialités de Mrs. Umiko. Champignons sauvages, au moins quatre sortes, je crois. Elle connaît les cuisines du monde entier; elle et son mari ont travaillé à l'ambassade de Belgique en France, à l'ambassade des Etats-Unis en Suisse, puis ils sont arrivés ici et se sont inscrits à l'agence où j'avais appelé le matin même. Ça a collé à la perfection.

– Ce n'est pas la femme de chambre engagée par Dora.

– Non. Elle n'était pas contente, et nous non plus.

– Elle est partie quand Dora était ici?

– Non, six mois après avoir été engagée. Après, j'ai pris les Umiko.

– Pourquoi ne pas l'avoir mentionné? demanda Anne, surprise.

– Dora se vantait de savoir choisir le personnel; je ne trouvais pas cela suffisamment important pour lui balancer à la figure. Ça n'aurait rien changé.

– C'est vrai.

N'empêche qu'elle était étonnée de tant de retenue. Il aurait pu se servir de cet élément pour affaiblir le tableau que Dora faisait de leur existence. Elle était certaine que la décision venait de Josh, pas de Fritz Miller. Et se demandait ce qu'il avait tu d'autre. Incroyable à quel point la petite Dora le connaissait mal, songea-t-elle. Cet homme avait bien des côtés admirables.

– Alors, revenons à nos moutons.

Anne évoqua les cas les plus intéressants, sans donner de noms mais en brossant des portraits vivants. Il pouffa de rire quand elle lui raconta l'histoire de cet acteur de télévision qui voulut divorcer parce que sa femme avait enlevé les cinquante-quatre miroirs de leur maison avant de lui dire de choisir entre ses miroirs et elle. Il avait choisi les miroirs.

– Vous devez commencer à vous poser des questions sur ce qui compte vraiment pour les gens, remarqua Josh. Il ne doit pas être aisé de voir ça tous les jours sans jamais juger.

– Les avocats passent leur temps à juger, dit Anne. Je crois que nous sommes les critiques les plus sévères qui soient parce que nous ne pouvons échapper à tant de folie et de mensonges comme nous le ferions pour une mauvaise pièce ; nous sommes obligés de rester jusqu'au rideau. Seulement, nous ne faisons jamais part de nos sentiments ; vous, vos clients sont morts il y a quatre mille ans, vous avez de la chance.

– Pas tant que ça. Il arrive souvent qu'un mensonge offre de quoi se réjouir. Le silence du tombeau est un obstacle définitif à toute recherche.

Ils sourirent et se turent. Josh remplit les verres et se rassit confortablement. Au loin, les lumières de Santa Monica dessinaient une mosaïque contrastant avec l'obscurité ; les lumières tremblaient légèrement sous la chaleur de la mi-septembre ; Anne sentait l'air frais s'enrouler autour de ses chevilles. Elle soupira. Sans réfléchir, elle ôta ses chaussures et s'assit sur ses pieds, bien calée au coin du canapé.

– Dommage qu'il faille sortir, murmura-t-elle.

– Ça n'a rien d'obligatoire, dit Josh immédiatement. Il y a sûrement de quoi manger. Mrs. Umiko a sa soirée, mais on peut dévaliser le congélateur.

Il regarda Anne : robe de soie rouge, veste de soie à motif cachemire, boucles d'oreilles d'or et de rubis, sautoir en or.

– J'avais prévu élégance et cuisine française, mais si vous préférez un potage et une salade, il ne nous reste qu'à les manger aux chandelles.

Josh se pencha pour s'emparer du téléphone qu'il posa sur le bras du canapé.

– J'appelle le restaurant. Nous avons les mêmes goûts, mais je vous l'ai déjà dit, n'est-ce pas ? Je mange toujours ici quand je suis seul. Je préfère ça à tous les restaurants du monde.

– Je suis plutôt bonne cuisinière, dit Anne. Si je puis faire quelque chose...

– Pas en robe de soie. Peut-être une autre fois, mais pas ce soir. A moins que cela ne vous contrarie.

– Ça me va.

– Ça me va plus que ça.

Il composait le numéro du restaurant quand le disque s'arrêta.

– Mettez autre chose, demanda-t-il avec simplicité.

Anne se dirigea nu-pieds vers les tiroirs où des centaines de disques étaient rangés par ordre alphabétique. Elle choisit les trios de Mozart et ceux de Beethoven.

– Merci, dit Josh après avoir raccroché.

C'est alors seulement que, à nouveau pelotonnée dans le canapé, écoutant la musique, elle s'aperçut que cette soirée n'avait rien à voir avec ce qu'elle avait imaginé ; rien à voir non plus avec les soirées qu'elle passait seule chez elle à dîner en écoutant de la musique ou à lire, ou à regarder un film dans le calme de son bureau. C'était si différent ; pourtant, c'était arrivé naturellement, simplement.

Il faudra que j'y réfléchisse, se dit-elle. Mais plus tard ; pas maintenant. Pour l'instant, je ne veux vraiment pas penser à ça.

# 13.

Keith fonça pour rattraper Leo. Il trébucha sur une corbeille à papier et se cogna la cuisse au coin d'un bureau.

– Leo ! hurla-t-il en dévalant le couloir. Eh !

Leo sortit la tête de sa voiture.

– Un problème ?

– Je veux y aller aussi, d'accord ? dit-il en faisant le tour de la voiture. Je veux savoir ce qui se passe. D'accord, Leo, hein ? La moitié du temps, j'ai l'impression d'être en dehors du coup.

Leo démarra en haussant les épaules.

– Viens si ça t'amuse. Mais tu ferais mieux de t'occuper des pistes ; c'est la seule chose qui devrait t'inquiéter.

– Ouais, bon, mais je m'inquiète pour la société aussi, tu sais. Je veux dire, après tout je possède les cinq pour cent que grand-père m'a donnés. Comme par exemple si oncle Charles vend un jour, il aura besoin de ma voix, hein ? Et l'affaire est dans la merde jusqu'au coup avec cette histoire d'eau – je sais ça, en tout cas –, alors je me suis dit que, s'ils trouvaient ce qui s'est passé, j'avais bien le droit de savoir.

Leo lui lança un bref regard. Ses cheveux d'un blond délavé étaient parfaitement coiffés, sa barbe peu fournie bien taillée, sa chemise écossaise repassée à la perfection. Il faisait l'effet d'un jeune homme présentable et plein de bonne volonté. Ce n'était pas sa faute si Leo ne l'aimait pas. Il traversa rapidement la ville. Les rues étaient calmes après ce week-end férié qui marquait la fin de l'été ; les habitants de Tamarack déambulaient sur les trottoirs désertés et se garaient facilement, ravis de retrouver enfin leur ville. Les rares touristes qui s'étaient attardés se promenaient en montagne pour profiter des couleurs d'automne, faisaient les soldes, ou s'installaient à la terrasse des cafés pour jouir des derniers rayons du soleil ; la ville sombrait dans la somnolence avant la neige et le tourbillon des skieurs. C'était la période de l'année que Leo préférait ; il pouvait imaginer que la ville avait retrouvé son aspect d'avant, quand chacun se connaissait, quand tous œuvraient ensemble au confort et à la sécurité, même par les temps les plus durs.

En ce mois de septembre, les choses en étaient allées autrement. L'automne était splendide et doré, mais les gens avaient peur et beaucoup cédaient à la panique. Les parents emmenaient leurs enfants chez le médecin, improvisaient des réunions houleuses quand ils venaient chercher de l'eau à la mairie et écrivaient des lettres au *Tamarack Times*, exigeant de savoir ce que faisait la ville pour assurer leur protection.

« D'abord l'EPA nous dit que tout le quartier est insalubre, fulminaient les lettres, et maintenant c'est notre eau. Qui est responsable ? »

« Qui est responsable ? » Le bruit grandissait. Ç'avait commencé comme une question pressante à la mairie, la première nuit ; moins d'une semaine après, le murmure grondait dans toute la ville, les questions prenaient un ton de colère inquiète. QUE SE PASSE-T-IL ? A QUI LA FAUTE ?

Le coupable était facile à désigner. Leo savait que lorsque les choses tournaient mal dans ce genre d'endroit, c'était toujours la faute de la compagnie.

Il prit la nationale qui menait à l'est et à Wolf Creek Pass.

– Alors, qu'est-ce qu'ils ont trouvé ? demanda Keith.

– Je l'ignore. Bill m'a téléphoné de la voiture qu'ils avaient quelque chose à me montrer.

– Où ça ?

– Au-dessous de Mother Lode.

– La vieille mine ? Mais c'est au diable !

– Le fossé de drainage, fit Leo.

Il emprunta une étroite route de graviers qui zigzaguait vers le haut, passé les veilles mines presque dissimulées par les broussailles et les chênes noueux de Virginie. Quelques minutes plus tard, ils arrivèrent à un pick-up garé devant eux. Après, la route était bloquée par des rochers et des broussailles arrachées.

– Bill, appela Leo.

Un homme de grande taille se montra et s'approcha.

– Heureux de vous voir, fit Bill Clausan en serrant la main de Leo.

Ils grimpèrent la petite pente et rejoignirent deux autres hommes.

– Nous sommes sûrs de nous, Leo. C'est un glissement de terrain, et pas un petit, encore. Ça a coupé ici, traversé la route pour atterrir au fossé.

– Une idée de ce qui l'a provoqué ?

– Pas d'emblée. Il y a quelques années, il y a eu de faibles secousses sismiques, ça a peut-être suffi. Cela a pu être un accident à retardement.

– Keith, grimpe voir si tu trouves d'où c'est parti, dit Leo. Nous, on descend au fossé.

Bill et Leo descendirent la pente en suivant le sillon creusé par la terre et les pierres dans leur course. Une fois en bas, à quinze mètres de là, ils virent les blocs de béton éclaté. Ethan avait construit ce fossé quinze ans plus tôt ; cela faisait partie intégrante de l'extension du vieux réseau qui datait de son installation à Tamarack. Il avait construit un petit réservoir et un barrage à cinq kilomètres en amont de la ville, avec une conduite jusqu'à la station d'épuration et une usine de pompage en ville. Le réservoir était au-dessus de toutes les vieilles mines du coin, exception faite de Mother Lode, la plus importante, qui avait autrefois affiché un rendement de millions de dollars de minerai d'argent. Quand les mineurs creusaient en suivant la veine d'argent, ils balançaient d'énormes volumes de roche juste sous l'ouverture de chaque tunnel, où elles formaient des amoncellements de résidus à l'air libre : des roches noires et des gravillons s'étendaient sur les pentes herbeuses. Ce n'était pas beau, mais les mineurs ne s'intéressaient guère au paysage. Ils ne savaient pas non plus que ces résidus étaient bourrés de minéraux toxiques.

Quand les mineurs abandonnèrent Tamarack, l'eau des sources souterraines noya les kilomètres de tunnels et s'échappa sur les résidus, prenant du même coup une forte concentration en plomb, sélénium, arsenic et autres avant d'arriver à Tamarack Creek. Si on laissait ça en l'état, l'eau contaminée coulerait dans la retenue et empoisonnerait toutes les réserves. Ethan fit donc construire un fossé de drainage pour détourner les eaux polluées en un point situé sous le réservoir.

– Ça a parfaitement marché pendant quinze ans, murmura Leo, agenouillé pour effleurer des doigts le béton. Il se releva et essuya ses mains humides sur son pantalon. Nous allons faire réparer ça immédiatement. Mais la retenue d'eau...

Bill et lui échangèrent un long regard.

– Il faudra probablement vidanger, dit Bill. Deux cents millions de litres d'eau. Sans compter qu'il faudra sûrement racler le fond sur une dizaine de centimètres; je suppose que ça dépendra des tests du labo de Denver. Nom d'un chien, quatre hectares de boue à dégager. Ça va nous prendre un mois, pour le moins. Peut-être deux ou trois.

Dévalant la pente, Keith saisit les derniers mots.

– Ouah ! Ça va coûter un max. Et il va falloir apporter de l'eau pendant tout ce temps. C'est la tuile.

*Tu penses que les dieux s'acharnent contre les Chatham et les Calder*, avait plaisanté Leo quand le problème de l'eau était survenu. Mais, bon sang, que se passait-il ? Ça faisait trop d'ennuis en même temps. Tout ça ne rimait à rien... *Désolé, je deviens parano.*

Mais, après tout, ça ne faisait que deux choses en quarante ans : l'EPA et l'eau. Pas de quoi devenir parano.

– Et les journaux ? fit Keith dont les mots se bousculaient. Il faut les tenir à l'écart, non ? C'est vrai, quoi, si les touristes apprennent que l'endroit est empoisonné...

Il vit l'expression de Leo et se calma.

– As-tu trouvé d'où ça venait ? s'enquit Leo.

– Juste au pied des falaises. Il a dû y avoir un tremblement de terre, parce qu'on est en septembre et aucune tempête n'aurait pu causer ça.

Leo donna un coup de pied dans une pierre.

– Réparons ça dare-dare, dit-il à Bill. Envoyez une équipe dès aujourd'hui, ça empêchera au moins que les choses s'aggravent. Je vais faire venir des pompes de Durango. Il faut régler cette histoire avant la neige.

Ils savaient que c'était impossible puisqu'il commençait toujours à neiger fin septembre. Quoi qu'il en soit, il fallait faire vite. *Peut-être devrions-nous leur sacrifier un bouc; ou trouver quelques vieux Indiens Ute pour exécuter une de leurs danses sacrées.*

Mais qu'est-ce qui me prend ? se dit Leo. Ce n'est qu'un banal glissement de terrain. Pas de quoi en faire une tragédie. En regrimpant la pente, il se dit qu'en tout cas Keith s'intéressait à l'affaire. C'était bien la première fois.

– Viens, Keith, dit Leo en le prenant amicalement par l'épaule, au travail.

– Mr. Durant est là, annonça le portier à Anne.

Anne allait dire qu'elle descendait quand elle se ravisa.

– Priez-le de monter.

Jamais personne n'était entré chez elle. La semaine dernière, quand Josh l'avait raccompagnée, elle ne l'avait pas prié d'entrer. Mais aujourd'hui, elle avait envie qu'il voie son appartement.

– Bonjour, fit-il quand elle lui ouvrit la porte; je suis en avance. J'attendrai si vous n'êtes pas prête.

– Une petite minute. Il y a du café dans la cuisine.

Laissé à lui-même, Josh trouva la cafetière et une tasse. Appuyé contre le chambranle, il regarda le salon avec la table à un bout, inondée de lumière. Parquet laqué, sièges, murs, lampes d'acier, tables d'acier aux plateaux de verre, tout était blanc à l'exception de quelques surprenantes touches de couleur : table de salle à manger en granit vert foncé sur laquelle trônait la maquette d'une sculpture acrylique de Wolock Werner; des tapis d'Orient aux tons de rose, bleu et vert séparaient la pièce en deux. Sur les murs, de la peinture abstraite aux couleurs vives; Josh y reconnut Zorach, Putterman, O'Keefe, Bartlett et Rothenberg : rien que des femmes.

Anne posa sa valise dans l'entrée. Elle arborait un jean noir moulant et un chemisier de soie blanche.

– J'y suis presque, dit-elle en entreprenant de baisser les stores vénitiens du salon. Voulez-vous visiter avant de partir ?

– Oui.

Josh la suivit. Laissant la cuisine immaculée, il arriva dans un petit couloir et aperçut ce qu'il devina être la chambre d'Anne : une chambre charmante avec un tapis à l'aiguille vert pâle, un dessus-de-lit en patchwork blanc orné de fleurs blanches, des doubles rideaux à rayures céladon et blanches et des fauteuils capitonnés. Cette chambre respirait le calme et la fraîcheur. Josh s'arrêta devant la porte, essayant d'imaginer un instant de passion, ou une pensée, ou un rêve. En vain.

– La bibliothèque, dit Anne.

Il la suivit dans l'autre pièce. Des rayonnages blancs recouvraient les murs. Les livres étaient en ordre parfait, les sièges tapissés de lin sombre et le bureau de verre et d'acier était impeccable. Tout était à sa place.

Il n'y avait pas de chambre d'ami. Ni de photos encadrées.

– Surprenant, commenta-t-il. Eclatant et spectaculaire. Comme un tableau.

– Merci, dit Anne. C'est ainsi que je l'ai conçu d'emblée.

Un tableau, une scène de théâtre, une illustration, songea Josh. Pas un livre qui traîne, pas de journaux amoncelés sur une table, rien par terre. Aucun désordre. Décoration superbe, perfection glacée ; high-tech, grande classe, aucune émotion. Cet appartement semblait sous anesthésie. Il observa Anne faire le tour du salon et vit son visage prendre un air pensif ou légèrement préoccupé. Il se demanda si elle ne le voyait pas pour la première fois avec ses yeux à lui, si, comparé à son monde de blancheur, le sien ne lui avait pas paru trop meublé, en désordre, voire légèrement extravagant. Il se fit la réflexion qu'il n'avait pas la moindre idée de ce qu'elle pensait de lui.

– Cela me fait penser à Diebenkorn, dit-il en désignant le salon. Toutes ces lignes de démarcation bien définies. Mais bien sûr vous ne pourriez concevoir votre appartement d'après lui puisque ce n'est pas une femme.

Anne le regarda, ahurie.

– Vous avez reconnu tous ces peintres ? La plupart des gens n'en ont même pas entendu parler ; elles ne sont pas si connues que ça.

Il sourit.

– Je pourrais bluffer, mais, pour tout dire, j'ai une amie qui s'intéresse énormément aux femmes artistes. Elle me passe ses livres. Elle fait partie du conseil d'administration du musée de l'Antiquité. Je jurerais qu'elle espère prouver un jour que certains tombeaux égyptiens ont été dessinés par des femmes.

Anne hocha la tête, l'air absent, et jeta un dernier regard à l'appartement.

– Voilà. Nous ferions mieux d'y aller. L'avion est bien à 10 heures ?

– Oui. Il s'empara de sa valise et attendit qu'elle ait enfilé son blazer de cuir bleu et fermé la porte à clef. Pourquoi ne collectionner que des femmes ? demanda-t-il alors qu'ils se dirigeaient vers l'ascenseur.

– Ça m'intéresse. Comme votre amie du musée. Sans compter que j'aime ce qu'elles font ; on y décèle une ardeur, des strates successives de sens cachés que j'aimerais décrypter. Et puis tant de gens collectionnent des œuvres d'hommes.

– Ne trouvez-vous aucune ardeur chez les artistes masculins ?

– C'est différent.

– En quoi ?

– Le pouvoir. A tort ou à raison, les hommes sont persuadés de le détenir. La plupart des femmes savent qu'elles ne l'ont pas.

Il leva les sourcils.

– Vous aimez l'ardeur émanant de l'impuissance ?

– Non. J'aime l'ardeur émanant du combat pour s'en sortir.

– Nous savons ce qu'il en est, dit Josh. Vous ne pouvez croire que tous les hommes détiennent le pouvoir ou savent seulement comment l'obtenir.

– Ils en ont davantage que les femmes et prennent cela comme un dû. Les femmes y voient la récompense d'une longue bataille. Par exemple, où sont les reines sur les tombeaux égyptiens ? Je les ai toujours vues en retrait, et pas plus grosses qu'une main. Et quand par hasard elles sont assises près du roi, elles lui arrivent au genou. Et encore.

Il lui jeta un regard en coin.

– Isis jouissait d'un immense pouvoir.

– Soyez honnête. C'était une déesse. Les divinités n'obéissent pas aux mêmes règles.

Il sourit.

– Détrompez-vous. Connaissez-vous l'histoire d'Isis partie à la recherche de son mari, Osiris, après qu'il eut été tué et coupé en quatorze morceaux éparpillés dans tout le pays ?

Anne fit signe que non.

– Eh bien, elle trouva les morceaux, les rassembla et le ramena à la vie. C'est la version égyptienne de la résurrection. Mais, pour moi, c'est l'histoire de notre temps. Sans les femmes, les hommes ne seraient pas entiers.

Anne fut estomaquée.

– Je crois rêver.

Il s'arrêta au feu rouge et se tourna vers elle.

– Ça ne m'était jamais venu à l'idée. Pas mal. J'en ferai peut-être un article.

– Seulement, vous n'y croyez pas vraiment.

– Mais si, dit-il avec calme.

Le feu passa au vert et il démarra.

Tous deux se taisaient.

– Avez-vous parlé à Leo de ce qui se passe à Tamarack ? s'enquit Josh.

– Non, seulement à Gail. Et vous ?

– Je l'ai appelé hier. J'avais lu un article dans le *Los Angeles Times* sur les problèmes d'eau à Tamarack ; on faisait allusion à une retenue d'eau polluée, je me suis demandé ce qui se passait. Que vous a dit Gail ?

– Qu'ils vidangeaient le réservoir et avaient la situation en main, mais elle semblait inquiète.

– Ça fait beaucoup, dit Josh en entrant dans le parking de l'aéroport. Leo m'a dit qu'ils feraient de la maintenance de routine cet après-midi et m'a proposé de les accompagner. Ça vous dit ?

– Je ne peux pas, j'ai promis à Gail d'aller aux champignons à Hayes Creek avec elle et les enfants.

Il prit les valises à l'arrière.

– Vous a-t-elle dit qu'elle m'avait invité à dîner demain soir ?

– Oui. Je crois qu'elle veut nous aider.

– Elle s'imagine que nous en avons besoin, fit-il, étonné.

– Pour ce qui me concerne, en tout cas.

La tristesse de son sourire émut Josh. Il faillit lui prendre la main mais s'en garda, se rappelant qu'elle manifestait une phobie de contact. Même chez lui, elle n'avait pas dépassé le stade de l'amitié distante et, quand il l'avait raccompagnée, elle lui avait dit au revoir de cette voix polie et de cette expression impersonnelle qu'elle conservait depuis cette soirée chez Timothy où ils étaient passés d'adversaires à... à quoi ? Qu'étaient-ils désormais ? Des relations ? Des camarades ? Peut-être en passe de devenir amis.

Cherchait-il davantage ? Oh, la barbe, bien sûr que oui. Il voulait au moins trouver qui elle était vraiment. Il voulait percer cette façade engourdie pour atteindre les émotions qui se terraient sûrement en elle. Il voulait savoir s'ils pourraient partager un moment de joie.

– On y va ? demanda Anne en l'observant, l'air interrogateur.

– Oui, dit-il précipitamment.

Ils traversèrent la foule jusqu'au comptoir d'enregistrement. Elle était si près de lui qu'il respirait le parfum de ses cheveux ; et plus loin que toutes les femmes qu'il avait jamais connues.

Mine de rien, elle fit un pas de côté. Effarouchée, se dit Josh ; elle a creusé des douves entre elle et le monde. Mais très intelligente, très forte, de conversation agréable, charmante, intelligente, surprenante et avec une infinie tristesse au fond d'elle-même. Oui, se dit-il, tu cherches beaucoup plus qu'une camarade. Tu veux du temps avec elle, beaucoup de temps.

Lorsque Anne arriva, William était assis sur la terrasse. Il prit ses mains dans les siennes et les serra avant de l'attirer à lui pour l'embrasser bruyamment.

– Comme tu n'es pas venue à Lake Forest, je suis venu ici. Suis-je bête, c'est évident. Marian dit que je me complais dans les évidences. Elle a sans doute raison. Mais elles expliquent tant de choses.

– Ça me fait plaisir de te voir, dit Anne en approchant une chaise. Ils étaient seuls dans la maison. Tu viens aux champignons avec nous cet après-midi ?

Il secoua la tête en signe de dénégation. Il était petit, comme Vince, un peu replet. Il avait le visage jovial et coloré orné d'une impeccable moustache qui tremblait au-dessus de sa petite bouche bien dessinée chaque fois qu'il parlait avec la ferveur qui l'avait toujours caractérisé.

– Non. J'ai des lettres à écrire. A cause de cette histoire de retenue d'eau. C'est terrible. Mais il y a pis : les journaux et la télévision font de Tamarack un endroit dangereux. Leo a eu vent d'un article à Los Angeles ; tu l'as lu ? Evidemment, c'est là que tu habites. Parler d'annuler les vacances de ski des mois avant! Quelle catastrophe! Comment ont-ils su aussi vite? Ils étaient au courant à Chicago et à New York avant le *Tamarack Times*! Bavardages inexcusables. C'est ainsi qu'on perd les guerres. Mais je vais m'en occuper; quelques lettres à la rédaction pour expliquer que le problème est simple et sera vite réglé... et les annulations vont cesser. Tu es ravissante, Anne; tu m'as manqué. Tu le sais, j'espère?

– Toi aussi, tu m'as manqué. Je me demandais toujours si tu étais heureux.

Il la regarda en plissant les yeux.

– Pourquoi?

– Je me disais que tu ne l'étais pas toujours.

– C'était vrai. Ça l'est encore. Mais je n'en parle pas. Je n'en ai jamais parlé, n'est-ce pas?

– Non. C'est seulement que tu avais l'air malheureux, parfois.

– Vraiment, tu étais très observatrice. C'était sans doute l'époque où je pensais que j'aurais dû me marier. Tout le monde l'était sauf moi, qui étais là à faire la java comme un soldat en permission. Je me suis toujours cru incapable de faire le bonheur d'une femme; j'étais persuadé que c'était l'affaire de Vince... euh, bon, où en étais-je? Ah oui, le mariage. Je ne me suis jamais marié et j'ai commencé à me sentir en dehors de tout – en dehors de la vie, en quelque sorte – mais je ne voyais personne avec qui passer le reste de mon existence. Je devrais peut-être y songer maintenant que j'ai plus de soixante ans; je n'ai plus beaucoup de temps pour regretter mon erreur ou en commettre une autre, ce qui est pis. Qu'en penses-tu?

Anne lui sourit.

– Si tu es prêt à te marier, tu rencontreras quelqu'un.

– C'est vrai. J'ai appris que toi non plus tu ne t'étais pas mariée. Etait-ce que tu n'étais pas prête?

– Sans doute. Qu'as-tu fait d'autre?

Il lui montra un doigt menaçant.

– Et voilà! Ils avaient raison. Tu ne parles pas de toi et tu réponds à une question par une autre question. Et les gens sont trop contents de parler d'eux-mêmes. Pas avec moi, ma belle. Quand deux personnes ont une conversation, elles répondent aux questions de l'autre. Il y a quelque chose que je veux savoir. Es-tu heureuse?

– Oui.

– Vraiment heureuse? Sans te forcer?

– Si j'ai réussi, c'est pareil, non?

Il eut l'air ravi.

– Voilà une question d'avocat rusé. Es-tu satisfaite? Voilà le mot. Qu'en dis-tu? Es-tu satisfaite?

Anne hésita.

– Je ne sais pas.

– Comment ça?

– Je ne sais pas. Je n'y pense pas; je suis trop occupée. Et à quoi cela sert-il ? Si je suis insatisfaite, m'en préoccuper n'arrangera rien ; et si je le suis, pas besoin de m'inquiéter. On ne me pose jamais ces questions. Personne de la famille, en tout cas.

– Pourquoi ? Toutes se les posent.

– Je crois que ce qui les arrête, c'est la peur de se retrouver à parler de Vince.

Il y eut un silence.

– Veux-tu en parler ?

– Non.

Il hocha gravement la tête. Au bout d'un moment, il dit :

– Tu sais, Anne, j'ai toujours cru que nous étions une famille heureuse. Avec ce que ça comporte, évidemment, on a tous ses ennuis. Mais j'étais persuadé que nous faisions mieux que les autres. Nous nous voyions souvent, nous parlions de tout et ne nous disputions jamais sérieusement. Pour moi, c'est ça une vraie famille. Marian et Nina avaient la même impression que moi. Puis tu nous as fait penser à des choses désagréables et nous n'étions pas à la hauteur. Non que nous ne t'ayons pas crue, Anne ; moi, en tout cas, savais que tu ne mens jamais. Seulement, nous nous sommes révélés incapables d'affronter ce que tu nous disais. C'était comme si tu nous l'enfonçais dans la gorge et que nous avions des haut-le-cœur, sans pouvoir penser à autre chose qu'à notre inconfort ; et bizarrement, nous avons pensé que c'était ta faute. Pardonne-moi d'évoquer ça maintenant, mais il y a si longtemps que je voulais te dire que je t'ai toujours crue.

– Merci, fit Anne d'une voix tremblante.

Malgré le soleil, elle tremblait de froid et la tête lui tournait ; tout revenait. Elle regarda fixement la montagne. *Rejetez les épaules en arrière et respirez profondément. Remplissez vos poumons.* Elle s'assit bien droite et inspira longuement.

– Ainsi tu es de retour. Nous en sommes si heureux, dit William en essayant de déchiffrer l'expression de son visage. Encore une évidence, n'est-ce pas ? Ce que je veux dire en fait, c'est que nous ne sommes pas fous au point de vouloir effacer le passé, mais nous te demandons d'essayer de nous comprendre et de nous pardonner. Nous avons fort mal agi et nous l'avons regretté toutes ces années ; si nous avions réussi à te retrouver, nous te l'aurions dit plus tôt. Il est désormais temps de rebâtir et nous devrions le faire ensemble. N'est-ce pas pour cela que tu es ici ? demanda-t-il après un instant.

Anne hocha la tête.

– Comme tu es raisonnable, oncle William.

– Tu ne vas pas me donner de l'oncle, Anne, plus personne ne le fait. Pour ce qui est d'être raisonnable, eh bien, le jour où j'ai reconnu que mon père et Vince étaient les deux êtres intelligents de la famille et que j'étais normal sans plus – sympa, remarque, plein de bonnes intentions, un cœur d'or, gentil avec les gens et les chiens, tout ça, mais quand même normal, sans plus –, j'ai décidé de regarder tout le reste de la même façon, en face.

Je n'ai plus cherché à embellir les choses. Je ne serai jamais bon à grand-chose, Anne ; c'est sans doute pourquoi je passe le plus clair de mon temps à écrire des lettres. J'essaie de faire bouger le monde. Je sais que dans l'ensemble il se fiche comme d'une guigne de ce que je pense ; il ira son petit bonhomme de chemin, que ça me plaise ou non. Guerres, élections, augmentations d'impôt, diminution de la couverture sociale, déchets toxiques plus nombreux, parcs nationaux plus petits... tout ça arrivera, et mon opinion n'y changera rien. Sauf... Tu vois, c'est ça le truc. Sauf si ça change quelque chose. Comment être sûr ? Peut-être qu'une lettre vraiment réussie au ministère de l'Intérieur ou au cabinet du président poussera quelqu'un à se dire : « Eh, au fait, je n'y avais jamais pensé. Il faudrait revoir le dossier, ce William Chatham a une bonne idée. » Qui sait si ça n'arrivera pas un jour ?

– Bien sûr que c'est possible, dit Anne. Je trouve merveilleux que tu t'en occupes et fasses quelque chose. Cela fait de toi quelqu'un de tout à fait particulier ; tu ne devrais pas te trouver banal.

– Oh, tu es gentille, Anne ; voilà qui est agréable à entendre. Mais ça n'est pas un métier et ça ne demande ni talent ni connaissances. C'est un passe-temps, rien de plus. Voilà ce que dit Vince.

– Il a tort. Tu te fais une place dans le monde en essayant d'exercer une influence sur son destin. Cela exige beaucoup de réflexion et d'abnégation. Je suis fière de toi.

– Bonté divine ! dit William en rougissant. Quel son agréable à mes oreilles ! Merci, ma petite Anne. Tu es devenue une femme si belle, qui pense de si jolies choses. Tu devrais quand même te marier, et avoir des enfants. Etre juste une avocate, ce n'est pas naturel.

Anne sourit.

– Je vais y réfléchir.

– Tu sais que j'ai entendu parler de ta promenade en montagne avec ce jeune homme qui vivait avec Dora. Je le voyais rarement, mais je l'aimais bien ; comme il passait peu de temps parmi nous, je me posais des questions à son sujet. Mais je l'aimais vraiment bien, et je crois savoir qu'il est très admiré dans son domaine. Les tombeaux, les musées, et j'en passe. L'as-tu revu ?

Anne aperçut Leo et Gail qui arrivaient en voiture avec les enfants à l'arrière. L'avantage d'être sans famille, se dit-elle, est qu'on ne vous pose pas de questions.

– Nous avons dîné ensemble un soir à Los Angeles.

– Et ?

– Et ce fut très agréable.

– *Agréable*. Tu parles d'un mot ; ça veut tout dire et rien dire. Que cherche-t-il ? Après tout, tu lui as coûté une sacrée somme d'argent. Alors que fait-il à jouer les chevaliers servants ?

– Je l'ignore.

– Tu t'es quand même posé la question.

– Je me suis surtout demandé ce que moi je faisais.
– Conclusion ?
– C'est un charmant compagnon, de conversation agréable. Il est intéressant et avec lui je peux me détendre.
– Ça paraît bien inoffensif. Est-il inoffensif ?
– J'en doute.
– Alors quoi ? Qu'est-ce qu'il cherche avec toi ?
– L'amitié, je suppose. N'est-ce pas suffisant ?
– Avec une femme qui lui a fait baisser le pantalon ? Je l'aime bien mais, quand même, c'est bizarre.
– Il dîne ici demain soir. Tu n'auras qu'à lui demander.
– C'est vrai ? Intéressant. Il a déjà été marié ?
– Non.
– Regrettable. J'ai affreusement peur de faire un mauvais mari parce que je n'ai aucune expérience.
– Tu as affreusement peur du mariage. Toutes les autres peurs disparaîtront avec celle-là. Sais-tu au moins ce qui t'effraie ?
– Euh... J'aurais dû me douter que tu ne serais pas dupe. Tu es une spécialiste, des mariages qui se terminent, du moins. Cela explique-t-il que tu ne te sois jamais mariée ? Tu entends trop d'histoires de guerre ?
– Non. Je ne pense pas que le mariage soit une guerre.
– Oh que si, mon petit. Bien trop souvent.
Anne le regarda avec étonnement.
– Où as-tu vu ça ?
– Partout. Nina et ses époux nombreux et variés, Vince et Rita, Marian et Fred, et trop de mes amis. Tes parents aussi ont eu leurs difficultés, ma chérie, et les miens, même si, comme il se doit, elles ont été oubliées dans la tragédie de la mort.
– Les périodes difficiles ne font pas une guerre, protesta Anne, surprise de s'entendre défendre le mariage.
– Non, mais le mariage est un champ de mines plein d'émotions imprévisibles et de violentes passions. Je préfère le calme. Il y a trop de tourbillon en ce monde ; je ne puis me résoudre à y ajouter délibérément celui de ma vie.
– Mais ne viens-tu pas de me dire que je devrais me marier ?
– Ah, mais toi ça n'est pas la même chose. Tu es...
– Salut ! hurla Ned en fusant sur la terrasse pour se jeter dans les bras d'Anne.
Robin vint se blottir de l'autre côté.
– On a gagné, tante Anne ! J'ai intercepté une passe et j'ai marqué un essai et il y avait juste un gars à côté, mais je suis bien plus rapide que lui. Tu sais qui c'était ? Phil Morton, l'avorton qui a dit que c'était de la faute de mon père si l'eau était empoisonnée. Je lui ai cassé la gueule hier pour lui apprendre. Et ce matin t'aurais vu sa tête quand il n'arrivait pas à me plaquer ! De toute façon, c'est un trou duc'.

– Ned, ne peux-tu t'exprimer autrement ? demanda William avec douceur.

Anne regarda Gail et Leo arriver.

– Est-ce ce qu'ils disent en ville ?

– Certains, dit Leo.

– Beaucoup, précisa Gail. Si seulement je savais quoi faire ; on ne peut quand même pas passer une annonce dans le journal pour dire que nous n'y sommes pour rien.

– Je sais ! déclara Ned. Tu n'as qu'à dire que c'est un sabotage et qu'on répare. Je suis sûr que c'est ça, de toute façon. Comme dans *Indiana Jones*. Quelqu'un voulait quelque chose, alors ils ont fait sauter la montagne et déclenché une avalanche.

– Du calme, intervint Leo. C'est une grave accusation, Ned. Je ne veux pas te voir raconter ça en ville. Nous avons assez de problèmes sans devoir affronter des gens dressés les uns contre les autres à se demander qui a fait le coup. Je suis navré que tu aies dû te battre contre Phil mais...

– Pas moi ! C'était super ! Et puis il s'est excusé. Enfin, presque.

– Il faut qu'on sache quoi dire, intervint Gail. Nous ne pouvons tenir les mêmes propos que l'entreprise dans ses communiqués de presse et dans sa publicité : que personne n'est en danger, que nous nous occupons de tout et que la saison de ski sera merveilleuse. Tout le monde a peur, vous savez ; les commerçants et les propriétaires attendent toute l'année les deux mois d'été et les quatre mois et demi d'hiver et voilà qu'ils commencent à penser que personne ne viendra.

Leo l'entoura de son bras.

– Ne t'inquiète pas. L'automne a été rude, mais la saison d'hiver se déroulera bien. Il suffit d'attendre le temps qu'il faut. On peut y arriver. Après tout, nous sommes quatre... six, ajouta-t-il en regardant Anne et William. Une vraie famille. Personne ne peut rien contre nous si on est une famille aimante. Exact ?

– Exact, dit Gail d'une voix sourde. C'est seulement que je déteste quand on n'est pas au calme.

Anne et William échangèrent un regard.

– C'est dans les gènes, remarqua William. Aucun des Chatham n'est vraiment doué pour les problèmes.

– Mais si, dit Leo avec fermeté. Alors, on est privé de déjeuner ou quoi ? On ferait mieux de prendre des forces si on veut ramper sous les arbres à la recherche de champignons.

– On s'en occupe. Anne et William n'ont qu'à continuer de bavarder, dit Gail.

– Voilà qui me plaît, dit William quand il fut à nouveau seul avec Anne. Je suis sûr qu'ils ont leurs problèmes, comme tous les couples ; mais ils sont jeunes et accommodants ; ils apprennent à les résoudre. C'est ce que je disais à ton sujet, ma chérie. Tu es jeune et intelligente ; tu pourrais trouver quelqu'un et réussir ton mariage, autant qu'il est possible...

– Voilà qui est encourageant, fit Anne d'un ton moqueur.

– ... mais sans doute mieux que de rester seule et de sentir que la vie passe à côté. Je regrette bien d'en avoir eu si peur, mais c'est ainsi et je ne vois pas comment ça changerait maintenant ; je vais continuer à prodiguer mes conseils. Celui-là en est un bon ; penses-y sérieusement. C'est quoi son nom, encore, ce garçon qui vient dîner demain ?

– Josh Durant ?

– Eh bien, on ne sait jamais. William se frotta la panse et regarda le paysage, sous le ravissement. Sais-tu que c'est la première fois que je viens ? Il a fallu que tu y sois pour que je me décide. Ça me plaît plus que je ne l'aurais cru. Tu dis son nom comme si tu l'aimais bien.

– C'est le cas, fit Anne au bout d'un moment.

Elle se demandait ce que William avait perçu exactement. Elle y pensa toute la journée, même en apprenant à identifier les champignons comestibles, et tout le lendemain en travaillant aux dossiers qu'elle avait apportés, et pendant que Gail et elle préparaient le repas avec les chanterelles qu'ils avaient ramassées et les truites pêchées l'après-midi même par Leo, et pendant qu'elle enfilait pour le dîner un pantalon de lainage et un pull de coton ras de cou. Puis, tandis qu'elle se brossait les cheveux dans sa chambre, elle s'aperçut qu'elle attendait avec impatience cette soirée où elle verrait Josh avec sa famille. Elle s'interrompit, le peigne à la main. C'était inhabituel chez elle. Elle avait des amis hommes et femmes à Los Angeles mais elle ne pensait pas que sa voix changeait quand elle en parlait ; et elle ne se rappelait pas avoir songé que ce serait bien de les voir en famille.

*Qu'est-ce qu'il cherche avec toi ? Après tout, tu lui as coûté une sacrée somme d'argent. Je l'aime bien mais, quand même, c'est bizarre.*

– Et puis zut, murmura Anne.

Elle releva ses cheveux avec des barrettes en argent et glissa à son poignet un bracelet d'argent et de turquoise. Je ne veux pas chercher ; je veux passer un bon moment, un point c'est tout.

Mais je ne parlerai presque pas, ce soir ; j'écouterai. Je ne voudrais pas que quelqu'un d'autre perçoive je ne sais quoi dans ma voix, du moins pas tant que je n'aurai pas compris ce que c'est.

Cela se révéla aisé parce qu'ils étaient huit à table. William resta dîner et au dernier moment Gail avait invité Keith.

– Ça alors, je suis rudement content ! dit-il en lui serrant fortement la main. Tu es rudement célèbre. On ne parle que de toi.

– Qui ?

– Oh, les gens en ville, quoi. Tu sais.

– Non, je ne sais pas.

– Ben, les gens. Timothy, quoi. J'ai pris une bière chez lui l'autre jour et il a dit qu'il **t**'avait vue, quoi.

– Il a dit ça à brûle-pourpoint ?

– Ben non, pas exactement. J'ai dit que j'étais ton cousin et est-ce qu'il te connaissait et il a dit et comment, quoi. J'avais vraiment envie de te connaître, Anne; c'est super que Gail m'ait invité, quoi. Alors t'es là pour combien de temps? Tu vas t'installer ici? Il y a déjà plein d'avocats mais j'imagine qu'il y a toujours de la place pour un nouveau, quoi. Surtout, les divorces; il y en a plein dans le coin; tu pourrais faire le ménage.

– Je ne m'installe pas ici; j'habite Los Angeles. Si tu veux bien m'excuser, je vais donner un coup de main pour le dîner, dit-elle en s'échappant dans la cuisine. C'est l'agent local de la CIA? demanda-t-elle à Gail.

– Qui ça? demanda Robin qui revenait de mettre la table.

– Keith, répondit Anne. Il ne parle pas. Il interroge.

– Ça m'étonne, dit Gail. Il n'a jamais fait attention à nous avant, même quand il reste dîner, ce qui est rare. Il est peut-être entre deux petites amies; il a insisté pour venir ce soir – en fait, pour une fois, c'est lui qui a appelé.

Anne regarda par la porte Keith parler de façon très animée avec Josh, Leo et William.

– Tu ne trouves pas qu'il y a quelque chose qui cloche chez lui?

– Que veux-tu dire?

– Il est plutôt dévoré de curiosité qu'attentif aux autres.

– Tu pourrais avoir raison. Il s'est peut-être aperçu qu'il nous connaissait mal; qui sait, il s'intéresse peut-être enfin à la famille. Pauvre Keith, il n'est pas très malin mais il fait son travail et Marian est si heureuse qu'il se soit enfin calmé; il y a un bout de temps, il avait de sérieux problèmes de drogue.

Elles œuvraient en silence.

– Robin peut s'en charger, dit Gail, tu n'as pas encore pu parler à Josh.

– Nous avons toute la soirée, répondit Anne. Je vais parler à tout le monde.

– Même à Keith? demanda Robin.

– Robin! Garde ça pour toi, avertit Gail. C'est notre cousin et notre invité.

– N'empêche, je ne l'aime pas.

– Pourquoi? demanda Anne.

Robin haussa les épaules.

– Je ne sais pas. Il ne vous regarde jamais en face. Comme s'il pensait à autre chose quand on lui parle.

– Pauvre Keith, répéta Gail. Dieu sait s'il se donne du mal, mais personne ne semble l'aimer. J'espère qu'il a des petites amies qui l'aident à se sentir bien dans sa peau. Tu es bien calme, remarqua Gail au bout d'un moment. Tout va bien?

– Oui, dit Anne en mettant son bras autour de sa sœur. Je suis bien ici. On commence à mettre les choses sur la table?

– D'accord.

Robin et Anne emportèrent les plats tandis que Gail faisait cuire les truites; puis tout le monde s'installa. Des chandelles tremblaient au-dessus d'un bouquet de feuilles de vigne rouges et de feuilles de tremble dorées; au loin le ciel était strié des derniers feux du couchant.

– Parfait, dit William en approchant sa chaise. Parfait. Je bois à vous tous ici réunis. Je suis désolé que Charles ne m'ait pas accompagné; nous en avons parlé mais il est en pleine négociation et n'a pu se libérer. Pourtant il aurait aimé cette petite réunion de famille.

– Quelle négociation ? intervint Gail d'une voix pressante.

– Tu sais bien, ma chérie, Tamarack. Inutile de faire semblant. Ton père est terriblement inquiet; en fait, nous le sommes tous. Nous pourrions ne pas y survivre. Tu as tendance à refuser de l'admettre, Gail, mais si nous perdons Chatham Development, nous en pâtirons tous. Pas tant que Charles, il est vrai, parce qu'il est le seul à avoir mis ses biens personnels en jeu, mais généralement parlant ce serait un jour noir pour tous les Chatham que de perdre l'affaire fondée par Ethan Chatham. Tu ne voudrais pas voir ça.

– La Tamarack Company était aussi une affaire de grand-père, fit Gail avec obstination. Et il l'aimait autant que Chatham Development, du moins ses dernières années. Je suis désolée pour papa, mais il ne devrait pas nous demander de le laisser vendre l'affaire. C'était le rêve de grand-père et c'est devenu le nôtre; et jusqu'à il y a deux mois, tout allait à merveille. Je veux que ça redevienne comme avant, pas vendre à quelqu'un qui s'en fiche.

– Personne n'est prêt à acheter pour l'instant, interjeta Leo. Pas avec tous ces problèmes. Je ne sais pas ce que Charles négocie, mais ce n'est pas nous.

– Quand penses-tu avoir tout réparé ? demanda Keith.

– Début novembre, probablement. Largement à temps pour la saison de ski. Nous recevons beaucoup d'aide; c'est fou ce que les gens sont prêts à faire. Ils distribuent l'eau à la mairie, ils la livrent à ceux qui ne peuvent se déplacer, et on a près de cinquante volontaires pour nous aider à déblayer le réservoir. Je te le dis, c'est une ville fantastique.

– Ouais, et les poursuites judiciaires ? demanda Keith. C'est vrai, quoi, il y a des gens qui deviennent dingues. Ils ont leur gosse malade, quoi, et ils font un procès à la société. Ça va coûter combien, tout ça ?

– Nous sommes assurés, répondit brièvement Leo. Et les poursuites sont rares; presque toute la ville est avec nous.

– Gail, fit Anne, ce dîner est exquis.

– Absolument, approuva Josh. Leo, emmène-moi la prochaine fois que tu pêches. Si ça ne t'ennuie pas de donner des leçons à quelqu'un qui n'a jamais tenu une canne de sa vie.

– Quoi, on m'a parlé de quinze procès déjà, dit Keith. On est assuré pour tant que ça ? Je veux dire, tu sais, ça pourrait atteindre, quoi, des centaines de millions de dollars. T'es avocate, hein ? dit-il à Anne. Ça pourrait faire des tonnes de fric, non ? Plus que l'assurance ? Alors on fait quoi ? Je veux dire, on pourrait tous se retrouver au chômage demain.

– Pas demain, fit Leo sèchement. Ni après-demain. Si tu as peur pour ton job...

– Et le coût des réparations ? reprit Keith d'une voix haute qui trahissait l'excitation. C'est vrai, quoi, je suis inquiet. Pas toi, Leo ? C'est vrai ? On devrait pas s'inquiéter, quoi ?

– Keith, pour l'amour du ciel ! intervint Gail.

Elle observait Robin et Ned qui ne mangeaient pas et observaient bouche bée le duel entre Keith et leur père.

– On s'occupe de tout, reprit-elle. On s'occupera de toi. Ne sois pas si catastrophiste !

– Ça coûte combien ? demanda Keith à Leo. La réserve, les camions-citernes, tout le truc ? Et les pubs qu'il faut acheter, quoi. Je veux dire, combien, sans compter les procès ?

– Deux millions de dollars, dit Leo d'une voix neutre. Et ça n'est pas bon. Ecoute, nous ne sommes pas stupides au point de croire que ce n'est pas grave, mais on s'en sortira. Si l'hiver est mauvais, nous tiendrons jusqu'à l'été ; et s'il est moins bon que je ne l'espère, ce sera pour le prochain hiver. Je ne crois pas que nous ayons à attendre si longtemps, mais si c'est le cas, nous survivrons. Il y a beaucoup de postes sur lesquels économiser. Aucun compromis sur la maintenance, mais on peut repousser les nouveaux projets et, en dernier recours, réduire les effectifs. Je ne peux dire d'emblée comment se dérouleront les procès, mais je ne puis décider qu'ils sont perdus d'avance. Josh, qu'as-tu pensé de notre petite balade d'hier ? Ai-je réussi à t'impressionner ?

– Absolument, dit Josh, prêt à aider Leo à changer de conversation. William, vous devriez demander à Leo de vous montrer la télécabine. C'est impressionnant.

– Quelle télécabine ? fit William.

Il y eut un silence interloqué autour de la table.

– Ça fait trois ans qu'il est là, expliqua Gail. C'est vrai que tu n'y étais pas.

– Mais tu ne lis jamais les articles sur nous ? demanda Robin, mécontente. C'était dans tous les journaux : la plus grande de toute l'Amérique.

– Je peux te dire tout ce que tu veux savoir, déclara Ned avec emphase. Tu vois, il y a d'immenses nacelles rondes, et six personnes s'assoient dedans et on monte tout en haut des monts Tamarack puis on descend à skis et on recommence. Ça marche aussi tout l'été ; mais comme on est en septembre, ça ne fonctionne que le week-end. Reviens pour Thanksgiving ; je t'emmènerai voir les environs. Tu n'es pas obligé de skier, ajouta-t-il, débordant d'attentions. Il y a plein de gens qui montent juste en chaussures.

– C'est un système fascinant, dit Josh. A elle seule, la roue d'entraînement est plus grande que cette pièce et les mécanismes semblent sortir d'un rêve de paléontologue ; on dirait des dents de dinosaure.

– Tu t'es bien amusé, on croirait entendre Ned quand il revient de faire un tour avec son père.

Josh pouffa de rire.

– Exactement. C'est à la fois si impressionnant et si simple que tout le monde peut comprendre. Voilà pourquoi nous retrouvons notre émerveillement d'enfant.

Leo se lança dans la description de la construction de la télécabine, puis ils parlèrent d'autres choses; plus personne n'évoqua les problèmes de Tamarack. Après le dessert et le café, ils se levèrent de table. Josh dit à Anne :

– Vous êtes bien calme, ce soir.

– Il m'arrive de préférer écouter.

– Je fais une marche demain matin, une petite; ça vous dit?

– J'ai apporté une montagne de travail, désolée.

– Moi aussi; je pars en Egypte et j'espérais que nous pourrions nous voir avant.

– Josh, dit Leo en lui mettant la main sur l'épaule, merci de ton aide avec Keith. Je ne sais pas ce qui lui prend, mais il me colle aux basques depuis que les ennuis ont commencé; c'est comme s'il ne pouvait s'empêcher d'en parler. Oh, je vous ai interrompus.

– Oui, dit Josh en lui souriant, mais nous aimons toujours parler avec toi.

– Je voulais juste te remercier. Et combien Gail et moi sommes heureux de t'avoir avec nous. Dis-moi, tu es au courant de ces pourparlers de vente de la Tamarack Company.

– Anne m'en a parlé la semaine dernière.

– Mais vous n'étiez pas là!

– A Los Angeles.

– Oh, fit Leo dont le sourire s'éclaira lentement. Mais, euh, parfait. Alors inutile de te demander de garder ça pour toi.

– Je ne suis pas bavard, Leo.

– Je le sais. Excuse-moi. C'est que je suis inquiet. Nous essayons de trouver une solution. Anne pense que nous devrions chercher à connaître l'opinion du reste de la famille et trouver du soutien avant que Charles ait une offre sérieuse. Mais on ferait mieux de se tenir cois au lieu d'inquiéter tout le monde en formant une bataille rangée. Peut-être Charles réunira-t-il l'argent autrement; je ne vois personne s'intéresser à nous en ce moment. Nous sommes en plus mauvaise posture que je ne l'ai laissé entendre tout à l'heure.

– Anne a raison, dit Josh. Il faut savoir où vous en êtes. Ça ne va pas forcément tourner à l'émeute; les familles se sortent de tout si elles songent à rester unies au lieu de compter les points.

Leo haussa les épaules.

– Les Chatham sont de vraies autruches; jamais ils ne veulent affronter... oh, merde, murmura-t-il en lançant un regard en coin à Anne. Ce n'est pas ce que je voulais dire. Bon, je vous laisse; je vais voir ce qu'ils fabriquent tous à la cuisine.

Josh observait Anne dont le visage était de marbre.

– Voulez-vous m'en parler ?

Elle le regarda brièvement. Il avait le regard droit et chaleureux, et pendant une infime seconde elle crut pouvoir lui raconter sa fugue, et les raisons. Mais bien sûr c'était impossible; elle n'avait jamais rien dit à personne; elle ne le ferait jamais.

– Un malentendu, dit-elle, cherchant ses mots, en vain. Vous partez en Egypte ?

– Lundi. J'avais prévu d'attendre encore quelques semaines mais j'ai reçu un coup de fil ce matin : mon équipe a besoin de moi tout de suite.

Anne détourna les yeux, effarée de constater à quel point elle était déçue. Que lui arrivait-il ? Elle le connaissait à peine; il prenait si peu de sa vie, qu'est-ce que ça changeait qu'il soit là ou non ? En réalité, son départ était plutôt une bonne chose; cela mettrait un terme au petit complot de Leo et de Gail à leur sujet.

– Vous partez longtemps ? demanda Anne.

– Je l'ignore. Tout dépend de ce que je trouverai. Une quinzaine de jours, peut-être plus. Dommage que vous n'ayez pas de client égyptien, j'en aurais profité pour vous montrer mes tombeaux préférés. On vous a sans doute rarement fait pareille proposition.

– Vous êtes le premier, répondit-elle en souriant. J'espère que tout ira comme vous voulez; vous me raconterez à votre retour.

– Je vous téléphonerai de Louxor quand j'aurai une idée plus précise de mon emploi du temps.

Ils se taisaient. Ahurissant de voir comme ils semblaient intimidés tout à coup.

– Je crois que je vais rejoindre les autres, dit enfin Anne. Il faudrait que je donne un coup de main. Ils se dirigèrent côte à côte vers la cuisine. Bon voyage, dit Anne, furieuse de ne pas trouver un moyen simple de mettre un terme à la conversation. J'espère que vous trouverez ce que vous cherchez.

Elle l'avait déjà dit, pensa-t-elle en fonçant dans la cuisine où tout le monde s'affairait à la vaisselle en grignotant les reliefs du dessert. Si tu n'es pas capable de parler comme un adulte, tais-toi, grommela-t-elle en silence. Elle s'empara d'un torchon et entreprit d'essuyer les verres qui attendaient sur l'égouttoir.

Elle avait tant de travail, elle ferait mieux de rester à Los Angeles et de reprendre son rythme de seize heures par jour sept jours sur sept. Elle devait prendre une décision concernant deux clients éventuels venus la voir la semaine dernière : une vedette de la télévision et un créateur de mode de réputation mondiale. Tous deux l'aideraient considérablement dans sa carrière. Plus que de passer son temps à Tamarack.

Elle s'interrompit dans sa tâche et fixa sans les voir les gens dans la cuisine. Elle ne pouvait même pas se rappeler une occasion où elle avait fait passer sa carrière au second plan ; en juillet, elle ne se serait même pas demandé si elle allait prendre ces deux clients si renommés. Mais Tamarack l'attirait comme un aimant. Gail et Leo l'aimaient, Marian et Nina disaient vouloir revenir pour passer du temps avec elle, et elle avait promis à Ned et à Robin de partir en balade avec eux la prochaine fois, rien que tous les trois, et elle attendait ce moment avec impatience.

Elle avait soudain suffisamment de choses pour équilibrer sa vie sans se mêler de penser à un homme qui s'envolait pour l'Egypte au moment où ils devenaient amis. Elle se remit à essuyer les verres et intégra le bourdonnement de la pièce. Gail était près de l'évier avec ses enfants. Josh, Leo et William bavardaient en emportant les assiettes propres dans le vaisselier de la salle à manger, faisant valser la porte battante chaque fois. Et Keith... Keith la regardait.

Anne se sentit brusquement inquiète. Il déployait une telle curiosité ; que pouvait-elle représenter pour lui ?

William revint dans la cuisine et Anne pensa à Charles. Ils ne s'étaient pas parlé depuis l'autre fois. Mon père, se dit-elle, perplexe, cherchant un sens à ce mot. Elle avait essayé de penser à lui, mais ses idées dérivaient sans arrêt.

Pourtant, il faut que je commence à penser à lui et à la famille. Ma famille. Et à mon travail, et à mes amis de Los Angeles ; je les ai à peine vus ces derniers temps. Je n'ai même pas réussi à ouvrir un livre. Avoir une vie trop remplie était une sensation agréable. Ça suffit amplement, songea-t-elle en étendant les torchons humides.

La vaisselle était finie ; les autres passaient au salon. Prenant conscience du calme soudain, Anne regarda autour d'elle. Josh se tenait dans l'encadrement de la porte et parlait à Gail. Il leva les yeux, leurs regards se croisèrent, il sourit. Oh, ça va, se dit-elle, légèrement fâchée. Après tout, je peux aussi penser à Josh Durant. Je voudrais qu'il me raconte son voyage quand il reviendra ; surtout ses tombeaux préférés. Je ne les verrai sans doute jamais, mais ce serait agréable d'en entendre parler.

Encore une chose que j'attends avec impatience, songea-t-elle avant de rejoindre les autres.

# 14.

Josh était assis dans l'avion bourré d'hommes d'affaires arabes et de touristes. Il avait fait si souvent le voyage qu'il imaginait la scène qui se déroulait sous ses pieds sans avoir à lever les yeux de son livre : un désert de dunes à l'infini, que brisaient des roches noires. Au milieu, le Nil, bordé de terres vertes cultivées qui pouvaient s'étendre sur huit kilomètres ou sur quelques mètres. Le Nil, c'était l'Egypte. Les cartes pouvaient toujours montrer les frontières du pays, les habitants vivaient autour de cette ligne qui serpentait à travers le désert, et dans le delta en forme d'éventail, au nord, où le fleuve se jetait dans la Méditerranée. Le reste était sable. Et silence.

Entre Le Caire et Assouan, l'avion faisait escale à Louxor. Josh et de nombreux hommes d'affaires descendirent la passerelle, plongeant dans la chaleur intense de cette soirée d'octobre. Il ôta sa veste et la balança sur son épaule. Il était vêtu d'un pantalon kaki et d'une chemise à manches courtes, et portait une valise de toile bourrée à craquer, un attaché-case éraflé et un appareil photo dans un étui de toile en bandoulière.

– Bonjour, Mr. Durant, dit la jeune femme qui jeta à coup d'œil rapide à son passeport.

– Bienvenue, Mr. Durant, dit le chauffeur de taxi qui semblait toujours l'attendre à l'arrivée.

– Quel plaisir de vous revoir, Mr. Durant, dit le directeur du Winter Palace qui l'escorta personnellement dans sa chambre au sixième avec vue sur le Nil et la Vallée des Rois, le centre du monde de Josh.

Debout devant la fenêtre, il contempla le spectacle. Le long des berges, des bateaux de tourisme illuminés étaient rangés sur deux ou trois files ; sur le pont supérieur, on prenait des cocktails avant de dîner. Le long du Nil s'étendait la corniche récemment pavée ; ses lampadaires éclairaient à peine la route qui y menait où des voitures filaient phares éteints dans un charivari de klaxons. Il n'y avait pas de feux tricolores. Josh était maintenant habitué à la circulation égyptienne et adorait comme les autochtones foncer avec agilité entre les voitures et les calèches, refusant l'offre des cochers de le conduire où il voulait pour un prix symbolique.

Josh aimait Louxor. Cet ancien village se donnait un mal fou pour être une ville moderne; elle était sale, miteuse et pauvre, mais pleine de vie. Et elle était située à califourchon sur la Thèbes antique comme une porte ouverte sur les merveilles d'un autre âge; Josh se sentait chez lui avec les pharaons et les courtisans morts depuis quatre mille ans et avec les amis qui l'invitaient à dîner chez eux. Louxor, l'Egypte, son travail, tout était clair et net pour Josh; ils n'avaient rien de la sentimentalité excessive qui le gênait dans ses relations avec Dora, rien de ce flou qui semblait définir ses relations avec les femmes au point qu'elles n'avaient jamais duré. Absorbé dans son travail, déambulant dans les rues de Louxor, il affichait la rigueur d'un chercheur. Cela semblait le seul côté permanent de sa vie. Et il espérait réaliser à Louxor le coup le plus sensationnel dans l'histoire de l'exploration depuis la découverte de la tombe de Toutankhamon en 1922.

– La chose la plus merveilleuse du monde, dit Carol Marston alors qu'ils dînaient le premier soir.

Grande, cheveux foncés, un visage mobile et des yeux bruns en amande sans cesse en mouvement de peur de rater quelque chose, elle était le nouveau et plus jeune membre du conseil d'administration du musée de l'Antiquité.

– La chose la plus merveilleuse du monde, répéta-t-elle, et pour moi aussi, dit-elle en achevant son dessert dans un soupir. Josh, je dois vous avouer ne m'être jamais tant amusée depuis la mort de Whit. C'est la première fois qu'on ne me plaint pas, et j'en suis fort aise; j'ai horreur d'être entourée de gens qui veulent s'assurer que je ne suis pas seule. Je ne voudrais pas paraître ingrate, mais c'est agréable de participer à quelque chose d'immense et d'historiquement grandiose, pour changer. Je dois vous remercier de m'avoir permis de venir.

– Je suis ravi que vous soyez là, dit Josh, qui la trouvait sympathique. Mais ce ne sera peut-être pas une semaine historiquement grandiose. Voilà six ans que nous travaillons à ce projet et nous avons creusé dans une dizaine d'endroits sans rien trouver.

– Vous allez trouver; j'en suis sûre. Vous semblez confiant. Donnez-moi le programme de demain.

– Vérifier un site possible pour le temple de Tenkaure, mais vous êtes au courant.

– Je ne sais que ce que vous avez dit au conseil d'administration; vous pensez que c'est un véritable pharaon, mais vous n'avez aucune certitude.

– Assez quand même pour chercher depuis six ans. On trouve suffisamment de références dans l'histoire de ses successeurs pour que le pari semble raisonnable. Il a dû y avoir une scission familiale ou une tentative de coup d'Etat; on dirait que ses successeurs ont ensuite conspiré à le gommer de l'Histoire après sa mort. Ils ont presque réussi. Mais, si j'ai raison, il est enterré quelque part et nous cherchons où.

Carol soupira de nouveau.

– J'aime le timbre de votre voix quand vous en parlez. Si seulement nous avions tous un projet au fond d'un tiroir, un projet auquel nous tenons énormément ; ainsi, quand nous sommes seuls, nous pouvons ouvrir le tiroir et nous absorber au point d'oublier tout le reste. Nous en parlons avec ardeur, comme vous, nous nous déchaînons pour quelque chose qui a plus d'ampleur que nous et nos petits problèmes. Voilà ce que j'entends par historiquement grandiose.

– Whit vous manque toujours, n'est-ce pas ? dit Josh.

– Oui. Incroyable, non ? Je pensais qu'au bout de quatre ans la douleur serait tolérable, mais j'ai toujours envie qu'il revienne et je lui en veux d'être mort. Je lui parle quand je suis seule, surtout la nuit. Je suppose que je m'accroche à lui parce que la pensée de le laisser définitivement partir m'est intolérable.

Je n'ai jamais connu ça, se dit Josh, ou une femme qui m'inspirât pareilles pensées. Puis il pensa à Anne.

Il y pensait depuis son départ, quand il survolait l'Europe et qu'il regardait par le hublot le lac Léman niché dans un paysage de fermes et de villes à la netteté irréelle. Il y avait eu un orage ; les nuages se dissipaient et jetaient des ombres sur le lac. Le soleil brillait en une myriade de lumières entre les ombres. *Anne aimerait ça.* La pensée lui vint sans prévenir et s'ancra en lui.

Puis, à Louxor, il s'aperçut qu'il voyait la ville et les fouilles, comme si c'était la première fois, à travers les yeux d'Anne. C'était comme si elle marchait avec lui dans les rues étroites et se tenait près de lui quand Carol et lui traversèrent le Nil en ferry le lendemain matin. Avec les gens qui partaient travailler, il regardait la rive ouest du fleuve, où une chaîne compacte de collines de deux cents mètres de haut cachait la Vallée des Rois. On aurait dit de l'or frappé martelé sous le soleil encore bas ; l'air chaud et sec détachait chaque objet.

– Dieu que c'est beau ! dit Carol. Ça dépasse tout ce que j'avais imaginé.

– Le soleil du désert, dit Josh. C'est de la magie. Ces collines deviennent violet et bronze au couchant ; vous verrez.

Mais il s'adressait aussi à Anne. Il engrangeait mille choses à lui raconter, apprenait le paysage par cœur. Pour la première fois en vingt ans, il pensa à utiliser son appareil photo autrement que pour alimenter le dossier de sa prochaine fouille. Il se faisait touriste, cherchant à rapporter des images des mondes anciens. Il regarda au-delà des falaises. Quand le soleil monterait dans le ciel, des vaguelettes de chaleur feraient trembler les dunes et les collines qui disparaîtraient presque dans le ciel troublé. Nul appareil photo ne pouvait s'emparer de cette image. Il faudrait qu'Anne vienne, se dit-il.

Aucune femme n'avait à ce point attisé sa curiosité – surtout depuis qu'il avait quitté les Etats-Unis. Il était si loin qu'elle semblait lui échapper d'une nouvelle façon.

Il se demanda si ce n'était pas son côté insaisissable qui le passionnait tant. En partie, du moins. Il y avait aussi sa beauté, son esprit aiguisé, le mystère qui l'entourait et cette impression qu'elle donnait d'attendre qu'on la réveille. Pour Josh, chercheur incapable de laisser passer une énigme sans la résoudre, Anne avait tout pour l'intriguer. Qui d'autre l'aurait conduit à oublier sa décision de vivre seul un moment afin de comprendre où il en était et pourquoi il s'était montré si stupide à propos de Dora ?

Six mois seul, voire un an, avait-il conclu. Mais, depuis qu'il avait vu Anne à la mairie de Tamarack, elle ne lui était plus sortie de la tête.

Carol et lui quittèrent le ferry avec son équipe de fouilleurs en direction des voitures qui les attendaient pour les conduire dans la Vallée des Rois. Ils laissèrent derrière eux le Nil, ses bateaux et Louxor, soudain rapetissés devant les falaises de calcaire, les immenses dunes de sable et les roches ravinées. Quatre mille ans semblèrent s'effacer d'un coup pour laisser place à l'Egypte ancienne.

Ils s'enfoncèrent dans le désert, quittant la route principale et brinquebalant au bord du lit de pierre d'un long ravin qui commençait juste audessus d'eux.

– Nous y sommes, fit enfin Josh quand ils s'arrêtèrent.

Les deux voitures ressemblaient à des jouets au pied des collines dont les crêtes aiguës se détachaient sur un ciel sans nuage. On ne distinguait pas la moindre plante, pas le moindre animal, ni âme qui vive. Il régnait une chaleur de fournaise.

– Ça va, remarqua Josh en remontant ses manches. On a dix degrés de moins qu'en juillet. Hosni ne devrait pas tarder, ajouta-t-il en consultant sa montre. On va l'attendre en haut.

Les ouvriers avaient déjà emprunté le ravin pour disparaître derrière la colline. Quand Carol et Josh les rejoignirent, ils étaient assis par terre, menton sur les genoux, pioches à côté d'eux. Tout près, un trou profond et des tas de cailloux. Les deux gardes qui avaient passé la nuit ici s'adressèrent à Josh en arabe, puis s'en allèrent.

Carol le regarda, l'air inquisiteur.

– Tout va bien, dit Josh. Personne n'a essayé de s'emparer de notre trou. C'est le gouvernement qui les paie ; nous ne faisons rien sans accord officiel. Ce n'est pas comme il y a cent ans quand archéologues et amateurs creusaient chacun dans son coin et louaient des gardes pour repousser tout le monde – le gouvernement, les autres ouvriers, les pilleurs de tombes, et j'en passe. Ça creusait partout à la recherche des galeries conduisant aux tombeaux ; on comptait des centaines d'ouvriers qui remontaient des trésors et les emportaient en bateau sur le Nil.

– Pourquoi avoir choisi cet endroit ? demanda Carol. Il n'a rien de spécial.

– Pas en surface. Mais un ami de Washington m'a envoyé des photos satellite montrant des perturbations dans les contours du terrain, et une équipe d'étudiants de second cycle m'en a fait des croquis en trois dimensions sur ordinateur. Il s'agit là d'un nouvel outil, qui n'est pas infaillible certes, mais c'est toujours mieux que de sonder à l'aveuglette. Sans lui, nous avons connu six échecs ; je mets donc beaucoup d'espoir ici. Voici Hosni, dit-il en voyant s'approcher un petit homme à la peau sombre vêtu d'un pantalon blanc et d'une chemise jaune.

Les deux hommes se serrèrent la main et Josh fit les présentations.

– Hosni est archéologue à l'université du Caire ; il est responsable de ces fouilles. Quand nous aurons trouvé notre sépulture, nous ferons une tournée de télévision. Nous travaillons à notre prestation. Alors, où en sommes-nous ? demanda-t-il à Hosni.

– Regarde ici.

Hosni s'agenouilla au bord du trou derrière les ouvriers ; Josh en fit autant. Il y avait une dépression le long d'un des côtés, comme si les pierres et les cailloux s'étaient écroulés ; Josh se pencha pour l'étudier et, pour la première fois depuis son arrivée, ne pensa à rien d'autre.

– Il y a des irrégularités au-dessous, murmura-t-il.

Hosni approuva d'un hochement de tête.

– Nous sommes arrivés ici hier après-midi et avons décidé de t'attendre.

Josh se releva.

– Voyons ce qui se passe.

Sa voix calme démentait son bouillonnement intérieur. Afin de contrôler son excitation, il pensa aux six échecs précédents. Il s'éloigna des ouvriers et s'assit sur ses talons. Carol vint s'asseoir en tailleur près de lui. Ils mirent leur chapeau et attendirent.

Hosni s'adressa aux ouvriers, qui commencèrent à creuser sur le flanc. Le bruit des pelles troublait le silence. Quand ils brisaient de grosses pierres à la pioche, le son métallique allait se briser sur les collines proches et résonnait comme des cloches d'église. Ses recherches dans les bibliothèques et les musées, les livres et les articles qu'il avait lus, les photos satellite, ses estimations dans le calme de la nuit, tout se réduisait à un groupuscule d'hommes creusant sous le soleil brûlant en plein désert.

Une heure passa, puis deux. Josh prenait des photographies du trou et des environs au fur et à mesure. Le soleil cognait si fort que le sable brûlant ressemblait lui aussi à un soleil montant vers le ciel. Pas la moindre brise. Carol prit une grande ombrelle dans son sac de toile pour les abriter Josh et elle. Les ouvriers s'affairaient et ahanaient, tout gris de poussière ; Hosni donnait des directives, s'emparant d'une pelle à l'occasion. Son pantalon restait miraculeusement blanc.

– Avons-nous apporté de quoi manger ? s'enquit Carol.

Josh la regarda comme si on l'avait tiré d'un rêve. Cela faisait trois heures qu'ils creusaient et il n'avait pas bougé sauf pour prendre des photos.

– A manger ? Oh, je suis désolé, je n'y pense jamais sauf si on me le rappelle ! dit-il en tirant de son sac deux pommes et des boîtes de biscuits salés. Un vrai festin. Nous rentrerons déjeuner à Louxor. Il n'est que 10 heures, beaucoup trop tôt.

– Oh non, il est sûrement midi. Incroyable ! s'exclama-t-elle en consultant sa montre. Je me crois déjà l'après-midi. C'est vrai que nous avons démarré à l'aube. 4 h 30 du matin...

– Nous nous arrêterons vers 1 heure pour être là-bas à 3 heures. Je vous avais pourtant prévenue.

– C'est vrai. 4 h 30, je croyais que vous plaisantiez.

– Josh.

La voix de Hosni était stridente tant il était excité. Josh le rejoignit en un instant, Carol suivit. Ils regardèrent l'endroit que désignait Hosni. Un coin d'escalier grossier jaillissait des décombres.

Josh se glissa au fond du trou et tomba à genoux. Il effleura la marche du haut. Il dégagea les cailloux et les pierres d'une main délicate. L'ivresse s'empara de lui. Il imagina l'escalier descendant dans le sol pour devenir un passage au sol inégal s'enfonçant peu à peu à angles aigus dans le noir, l'air se raréfier, se réchauffer ; puis une porte de pierre...

Carol l'avait suivi au fond ; ses mains s'affairaient sur les marches. Josh la voyait à peine. Jamais il n'avait vécu un tel moment. C'était d'ailleurs le cas de la plupart de ses confrères. Il s'y était préparé, l'avait rêvé, avait planifié le travail et réuni des fonds, mais rien ne pouvait le préparer à cet instant où ses doigts caressaient un escalier construit, enterré et oublié depuis trois mille cinq cents ans. Il imaginait les ouvriers tailler les marches à même la roche, puis le couloir, puis les nombreuses chambres, les peintures murales, les richesses...

– Nous n'avons évidemment pas la certitude d'être les premiers, fit Hosni.

Josh se releva lentement. Le charme était rompu.

– Mais si, voyons, protesta Carol. Ils viennent de creuser. Personne n'est venu là avant nous.

– Peut-être que si, il y a trois mille ans, dit Josh. Les pilleurs ont trouvé beaucoup de tombeaux peu après leur construction, parfois seulement quelques années après. Non loin d'ici se trouve un village où toutes les maisons sont construites sur des puits de sépulture. Les voleurs les ont bâties pour s'emparer des trésors sans se déplacer et leurs descendants vivent toujours au-dessus, fiers de leur héritage. Il n'existait évidemment aucun moyen de garder la vallée entière et trop de gens travaillaient aux tombeaux pour que le secret soit gardé. De toute façon, chez les pharaons, la tradition voulait qu'on les enterrât avec suffisamment de biens, de richesses et même de nourriture pour leur prochaine vie. Chez les voleurs, la tradition voulait qu'on pillât les sépultures.

– Quitte à y pénétrer de force, ajouta Hosni. Quoi qu'il en soit, c'est une superbe trouvaille, même si elle est vide ; nous aurons toujours les écritures et les peintures murales. Mais il nous faudra attendre d'arriver au tombeau. Alors, creusons.

Josh approuva. Il avait eu son grand moment; restait à creuser. Et à attendre. Il prit une photo des marches et demeura sur le côté, caméra au poing. Carol se tenait près de lui. Les ouvriers travaillaient avec plus de précaution maintenant, utilisant surtout balais et brosses. Josh et Hosni examinaient les gros morceaux de pierre pour s'assurer qu'ils ne faisaient pas partie des marches; les pierres qui n'appartenaient pas à l'escalier étaient hissées avec un treuil manuel.

Josh photographia les ouvriers, silhouettes longilignes et fantomatiques entourées d'un tourbillon de poussière. Il photographia Hosni dans son pantalon immaculé. Il photographia le long ravin dans lequel il travaillait, et, au-dessus, les dunes et les falaises brisées. Jamais il n'avait autant mitraillé des choses qui n'étaient pas directement liées à son travail. Pour Anne, se dit-il. Comme ça, elle verrait tout.

Il se revit étendre la main sur la pierre de l'escalier. Une fois dans une vie, songea-t-il. Elle aurait dû être là; ses doigts auraient dû caresser la pierre. Il voulait qu'elle partageât tout ce qu'il faisait, les petites réussites, les grands triomphes et les déceptions aussi.

Il secoua la tête et remit son appareil dans l'étui. C'était trop tôt pour le dire, trop tôt pour le penser. Il ne savait rien d'elle.

Seulement qu'elle hantait ses pensées.

Il resta longtemps debout, immobile sous la chaleur, fasciné par les gestes rythmés des ouvriers qui murmuraient dans l'air suspendu. Puis tout cessa. Les ouvriers se dirigèrent vers les voitures.

– Déjeuner arrosé de bière, dit Hosni à Josh. Tu seras à l'hôtel ?

– Oui. Vous devez mourir de faim, dit-il en s'adressant à Carol, honteux de l'avoir délaissée.

– Et légèrement de chaud, fit-elle gaiement. Mais ça m'a beaucoup plu. Je me suis baladée; vous étiez trop occupé à prendre des photos pour le remarquer. C'est tellement ahurissant qu'à quinze mètres d'ici il n'y ait que le sable et le ciel, comme si le monde s'était vidé. Ça fait atrocement peur; on se sent si petit. Rentrons-nous déjeuner ?

– A l'instant. Hosni, tu viens ?

– Volontiers, merci. Josh, il nous faudrait davantage de monde.

– Pour accélérer la cadence ? Il n'y aurait pas de place dans l'escalier.

– Ils pourraient maintenir l'ouverture dégagée quand nous nous enfoncerons. A cette allure, ça va nous prendre un temps fou.

– Nous n'avons pas assez d'argent, dit Josh.

Il y eut un silence. Hosni haussa les épaules.

– Alors, qu'il en soit ainsi.

Ça, c'étaient bien les Egyptiens! *Alors, qu'il en soit ainsi.* Combien d'Américains auraient si facilement accepté un obstacle comme si c'était le destin ?

– On trouvera l'argent, dit-il avec fermeté. J'irai au Caire demain au lieu de la semaine prochaine. Je connais des gens au gouvernement.

– Il ne les lâche pas facilement en ce moment, remarqua Hosni. Les temps sont durs. Je vous retrouve au ferry, ajouta-t-il en grimpant dans sa voiture.

– Que ferez-vous si vous n'obtenez rien ? demanda Carol tandis qu'ils retournaient sur la rive.

– Je m'adresserai à des investisseurs privés. Il y a de l'argent en Egypte ; on ne le voit pas, c'est tout. Voulez-vous m'accompagner au Caire demain ?

– Je crois que j'aimerais autant rester ici un moment. Quand rentrez-vous ?

– Pas dans l'immédiat ; je ferais aussi bien de repartir directement. Il n'y a vraiment rien à faire tant qu'il n'aura pas mis au jour l'escalier et le couloir. Cela modifierait-il vos plans si je ne revenais pas ?

– Pas tant que Hosni me laisse regarder et prendre des photos.

– Sans problème ; il adore avoir un public.

Josh se gara près du quai et ils prirent le ferry. Il parlerait aux responsables après-demain ; s'ils ne pouvaient lui trouver des fonds, il verrait les investisseurs dès le lendemain. Puis il s'envolerait pour les Etats-Unis.

En parlant à Hosni, il pensait partir deux jours puis revenir à Louxor. Mais, en parlant à Carol, il s'aperçut qu'il avait changé d'avis. Il voulait rentrer.

Charles prit le train de Chicago à Washington. Il pensait que ce serait un intermède reposant, une occasion de réfléchir calmement à cette année et au moyen de s'en tirer. Mais ce voyage se transforma en agonie.

Il souffrait. Il n'était pas dans ses habitudes de se plaindre auprès de sa famille ou de ses amis, aussi supportait-il en silence les picotements nerveux et les brûlures d'estomac qui avaient commencé avec la mort d'Ethan et n'avaient fait qu'empirer depuis. Il avait du mal à manger et à dormir et il espérait que, bercé par le rythme du train, il s'endormirait aisément.

Mais, installé au bar devant un whisky-soda, il entendait Anne dire que Vince l'avait menacée, il s'inquiétait de l'offre ridicule de Ray Beloit pour Tamarack, il était hanté par le calendrier des prochaines échéances ; ses pensées s'accéléraient au rythme des roues, plus fortes, plus pressantes, tambourinantes et moqueuses. Il dîna seul au wagon-restaurant, prisonnier de ses soucis. Il n'avala pas une bouchée et quitta la table pour regagner sa place. Puis il fit demi-tour. On avait desservi, mais sa table était toujours inoccupée ; il se rassit et commanda un café. Il avait mal à la tête et prit un cognac. Il avait mal à l'estomac et suça une poignée de pastilles. Il commença à bâiller sans pouvoir s'arrêter. Quand il se coucha dans sa chambre, il ne trouva pas le sommeil.

Il entra dans le bureau de Vince avec l'impression d'avoir fait la guerre.

– Je déjeune de bonne heure ; viens si tu veux, dit Vince, qui signait son courrier sans lever les yeux. J'ai un rendez-vous à 13 heures.

Charles s'assit et bâilla.

– Je vais prendre un café avec toi ; je n'ai pas faim. Vince, il faut que je te parle.

Vince parapha les deux dernières lettres.

– Parfait. Tu es au courant pour Ray ? Il veut acheter Tamarack.

– Oui, mais c'est insensé. Où diable a-t-il trouvé ses chiffres ? N'importe quel imbécile saurait que cette affaire vaut deux fois plus que ce qu'il propose, minimum.

– Demande-le-lui ; je n'en ai aucune idée. Tu crois trouver mieux ailleurs ?

– Bon sang, je sais ce qu'elle vaut ! Tu ne lui as pas dit que j'étais pressé de vendre, au moins ?

– Bien sûr que non ; ça doit rester entre nous. Mais j'y ai réfléchi, tu sais, puisque c'est la seule offre. Je me fais du souci pour toi, Charles ; il faut que nous fassions quelque chose pour te tirer de là.

Charles bâilla si violemment qu'il n'entendit qu'un mot. Nous. Vince s'inquiétait pour lui ; Vince l'aiderait.

– Comment ? demanda-t-il.

– Il faut qu'on en parle. Une des solutions serait que je travaille la famille. Tu ne peux faire de proposition sérieuse tant que tu n'as pas assez de personnes de ton côté ; Beloit t'a peut-être fait une offre très basse parce qu'il n'est pas sûr que tu le sois, sérieux.

– Il ne nous connaît pas. Comment saurait-il ?

– Tu ne lui as rien dit ? demanda Vince, l'air menaçant.

– Franchement, Vince !

– On dirait qu'il est au courant. Il apprend un tas de choses en traînant à droite à gauche sans se faire remarquer ; Dieu sait ce qu'il a appris sur notre famille. Tu n'as fait changer personne d'avis ? Charles hocha la tête en signe de dénégation. Alors, je ferais bien de m'en occuper, dit-il en pianotant sur son bureau. Je pourrais parler aux gens de l'EPA. Ils ont du pain sur la planche en ce moment et seraient sans doute heureux d'oublier cette histoire d'assainissement, surtout si nous leur trouvons d'autres villes qui ne valent pas mieux. J'imagine que si je fais ça on réunirait quelques votes reconnaissants dans la famille ; il y a plus d'une façon d'obtenir ce qu'on veut.

Quelque chose remua en Charles ; il se souvint qu'il avait quelque chose d'important à demander à Vince.

– Vince, nous avons un autre sujet à aborder.

– Tout de suite ? Tu parlais de sauver ta peau ; c'est ton seul sujet de conversation ces temps-ci, d'ailleurs. Tu n'es pas venu pour ça ?

Charles bâilla une fois encore.

– Mais qu'est-ce que tu as ? s'enquit Vince, énervé.

– Rien. Je n'ai pas fermé l'œil de la nuit. Ecoute-moi, Vince. As-tu menacé Anne ? As-tu dit que tu allais la tuer si elle revoyait la famille ?

Vince bondit.

– Nom de Dieu ! En voilà une question à poser à son frère !

– J'aurais préféré m'en passer. Mais je dois savoir. Alors ?

– Ce n'est pas toi qui aurais inventé ça ; où as-tu pêché ça ? Tu l'as vue ! C'est ça !

– Oui.

– Où ?

– A Tamarack. Merde, Vince...

– Alors ? Tu lui as demandé pardon de t'être rangé du côté de ton frère ? Et elle t'a dit que je l'avais menacée ? Elle a dit ça ? Alors, cette petite garce n'a pas changé, hein ? Il faut toujours qu'elle commence par m'accuser.

– L'as-tu menacée, Vince ? Vas-tu me répondre ?

– Bien sûr que non, bordel ! Je ne suis pas un assassin. Tu devrais le savoir et être le premier à me défendre quand tu entends pareilles inepties, merde ! Alors ? Lui as-tu au moins dit que ton frère n'était pas un assassin ? Dis ?

Charles le regarda, désarmé.

– Non. Mon propre frère ne lève pas le petit doigt pour me défendre. Merde ! Que lui as-tu dit ? demanda Vince d'une voix de fausset. « Ne t'inquiète pas, ma chérie, je vais demander à mon frère s'il a menacé de tuer ma fille. » Mais qu'est-ce qui te prend ? Et elle ? Elle se prend pour Jeanne d'Arc, ma parole ! Pourquoi voudrais-je la tuer ? Il y a longtemps que je lui ai pardonné ; c'était une enfant perturbée, elle a fait une chose terrible mais c'est du passé, elle a grandi – je le pensais en tout cas, mais on dirait que non. Je ne vais pas la tuer pour autant ! Alors ? Il y a autre chose que tu veux savoir ?

Charles secoua la tête. Vince avait parlé trop longtemps, mais Charles ne savait pas si cela trahissait sa culpabilité ou prouvait son innocence. *Mais écoute-toi donc !* avait protesté Anne quand son premier réflexe avait été de défendre son frère. *Tu n'as pas la moindre idée de ce dont il est capable ; tu ne le connais pas.*

C'est vrai, se dit Charles, envahi d'une profonde tristesse. Mais je ne sais rien de ma fille non plus.

En fait, se dit-il avec désespoir, je ne sais rien sur rien. Ce qui s'est passé, ce qui se passe et ce qui se passera. Il bâilla et fut soudain pris de panique. C'était inexplicable, mais il était terrifié. Je ne peux pas ! hurla-t-il en silence. Je ne peux pas quoi ? se demanda-t-il. Il jeta autour de lui un œil égaré ; la pièce se refermait autour de lui, comme le train. Il ne pouvait ni rester ni partir ; il était incapable du moindre mouvement. Non, non ! hurla-t-il en silence.

Il bâilla à nouveau quand une douleur atroce le poignarda à l'estomac. Elle s'étendit, brûlante. Il serra sa poitrine en bâillant et se mit à trembler. Le cœur, se dit-il. Crise cardiaque. Ses mains tremblaient et ses chaussures martelaient le tapis. Il laissa échapper un long gémissement et ferma les yeux.

– Nom de D..., fit Vince en faisant le tour de son bureau. Qu'est-ce que tu as ?

Charles serra sa poitrine de ses doigts tremblants.

– Le cœur, murmura-t-il dans un souffle.

Vince hurla à la rescousse. Sa secrétaire et ses assistants se précipitèrent autour de Charles. Tout ce bruit le rassura. C'est tout ce dont Charles se souvint quand il se réveilla dans l'ambulance et leva les yeux sur Vince. Il aperçut un ambulancier de chaque côté, mais le plus important était Vince. Il était tellement rassuré de le voir qu'il en oublia tout le reste.

– Merci, dit-il.

– Tout va bien. Ton rythme cardiaque est bon ; pas d'arythmie ; ils ne pensent pas que ce soit une crise cardiaque.

– J'ai très mal, dit Charles.

– Ils ont trouvé ça dans tes poches, dit Vince en lui montrant deux boîtes de Maalox. Tu en prends souvent ?

– Je m'en nourris, ces temps-ci, dit Charles avec un petit sourire. Je pensais consulter, ça va se faire, maintenant.

– Ils parlent d'un possible ulcère ; la douleur s'apparente parfois à celle d'un infarctus. Ou une crise de panique avec un ulcère, encore que je leur aie dit qu'à ma connaissance personne n'avait jamais paniqué dans notre famille.

Charles secoua la tête et ferma les yeux.

– Bien, dors maintenant. De toute façon je ne peux pas rester ; je reviens dès que possible m'assurer que tu as tout ce qu'il te faut. Je téléphonerai pour prendre de tes nouvelles.

Paupières closes, Charles hocha la tête. Crise de panique. Ulcère. Pas le cœur. Il n'allait pas mourir. La médecine moderne savait traiter les ulcères. Et la panique, sans doute. Pourquoi avait-il paniqué ? Non, non ! Il entendait encore le cri résonner dans sa tête. Que se passait-il pour qu'il ait disjoncté de la sorte ? Faible, se dit Charles. Il avait toujours été faible – Vince le lui avait suffisamment répété – et la plus petite chose le terrassait. A quoi pensait-il quand ça avait commencé ? En tout cas, c'était trop pour lui. Vince aurait pu encaisser. Papa aussi. Mais pas moi. Je panique et je m'évanouis.

– Nous y sommes, dit Vince.

L'ambulance s'arrêta et les infirmiers ouvrirent les portières arrière.

– Je t'appellerai, dit-il en voyant que Charles avait fermé les yeux. Tout ira bien.

Il sauta de l'ambulance et s'éloigna à grands pas. Putain de corbillard, songea-t-il avec dans le nez l'odeur des médicaments et de la mort. Il avait horreur des hôpitaux et n'y mettait jamais les pieds. Même quand Ethan y séjournait, il ne s'y était rendu que lorsqu'il n'avait pu faire autrement. Plus jamais, s'était-il juré à l'époque. En montant dans le taxi, il décida que sa secrétaire téléphonerait. Et irait le voir si nécessaire.

Une fois dans son bureau, il appela Keith à Tamarack.

– Rien de nouveau, dit celui-ci. Ils ont bientôt terminé avec le réservoir ; encore une petite semaine. Il y a longtemps que le fossé de drainage est réparé ; tu sais ça. L'EPA tiendra ses audiences en janvier. Dans quinze jours, c'est Thanksgiving ; il a neigé cette semaine. Tout le monde est heureux. Voilà.

– C'est tout ? Cela fait plus d'un mois qu'on ne s'est pas parlé.

– Ecoute, c'est la morte-saison, t'as oublié ? La seule chose excitante est ce qui s'est passé il y a deux mois quand je dînais chez Leo et Gail.

– Tu ne m'en as rien dit.

– Je n'ai rien appris que tu ne saches déjà. J'ai eu une petite conversation avec ta nièce. Tu parles d'un cul gelé, celle-là. Elle n'a pas l'air de m'aimer beaucoup.

– Pourquoi ?

– Comment veux-tu que je le sache ? Je viens de te le dire, un vrai iceberg.

– A-t-elle donné la raison de sa présence ?

– Je n'ai pas demandé. J'essayais de me rancarder sur la société.

– Alors ?

– Je n'ai pas glané grand-chose. Leo et Josh se sont entendus à merveille pour faire dévier la conversation.

– Il était là ?

– Il l'est souvent. En octobre, il est allé en Egypte ; mais, depuis son retour, il monte à Tamarack un week-end sur deux. En général avec, quoi, ta nièce. Voyons, qu'est-ce que j'ai appris ? Anne a dit qu'elle ne s'installait pas à Tamarack, au cas où ça t'intéresse. Gail se tracasse pour son père ; elle dit que les choses sont terribles pour lui et qu'elle aimerait l'aider mais pas au point de vendre la Tamarack Company. Elle appelle ça le rêve d'Ethan, devenu le leur. Elle a fait un joli laïus. A mi-chemin entre les sanglots et le poing levé.

– Quoi ?

– Je disais...

– J'ai entendu.

Vince était songeur. Depuis quand Keith était-il un observateur avisé à la langue aiguisée ? Il s'était dissimulé derrière une façade de grand benêt – et Vince n'y avait vu que du feu. Ouvre l'œil, se dit-il soudain.

– Quoi d'autre ?

– Leo pense que personne n'achètera la société parce que c'est la panique. Mais il jouait peut-être au type courageux devant ses gosses. Il est beaucoup plus inquiet qu'il voudrait le faire croire. Il fanfaronne. La réserve d'eau rouvrira dans une dizaine de jours ; la saison de ski sera bonne – il y a déjà cinquante centimètres de neige – et l'EPA met la pédale douce en attendant janvier ; peut-être même que c'est définitif ; qui sait ? Ta nièce a demandé au rédacteur en chef du journal de rédiger un éditorial sur toutes les putains d'expertises faites à Tamarack depuis les dinosaures, et elle a demandé à un avocat du coin d'obtenir d'un juge une injonction à toute personne de s'abstenir d'assainir avant que la ville ait eu le temps de, quoi, de tout étudier en détail. C'est un agitateur de première, cette bonne femme, tu sais. Vince ? T'écoutes ?

– Continue.

– Bon, alors ils gueulent à cause des expertises et des bavardages inutiles de l'EPA, que ça prend du temps de tout réunir, tu sais. Ça fait peut-être trop d'emmerdes, tu pourrais peut-être savoir, quoi. T'es sur place. Alors, ils vont peut-être laisser tomber. Ce qui signifie que Gail et Leo pourraient dire à la famille d'attendre le printemps, quoi, de voir comment se présente la saison. Ils ont dépensé plus d'un million de dollars jusqu'ici ; il y a eu la retenue d'eau, les camions-citernes, les pubs pour dire que tout était au poil, la pile de plaintes déposées contre eux, mais ils pourraient peut-être s'en sortir si la saison est bonne, quoi. Leo a déjà dit qu'ils allaient repousser les améliorations et les nouveaux programmes, et réduire les effectifs.

Il me cache quelque chose, se dit Vince.

– Quoi d'autre ?

Keith répondit avec naturel :

– Oh, juste quelque chose que Leo a dit. *Aucun compromis sur la maintenance.* Et il ne plaisante pas. Mais quand ça va mal, qui peut dire ?

L'enfant de pute, se dit Vince en admirant Keith à contrecœur. Il avait l'œil à tout, cherchait des ouvertures, faisait ce qu'on lui disait sans jamais poser de questions. Mais Vince entendit pour la seconde fois un signe d'avertissement. Surveille-le. Il est beaucoup trop malin ; ça pourrait lui coûter cher.

– C'est tout, dit Keith. S'il y a quoi que ce soit, je t'appelle. Tu y seras, non ?

– Je pars à l'étranger une quinzaine de jours après Thanksgiving. Mais après, je ne bouge plus.

– Tu maintiens les troupes en rangs serrés, je parie.

– Il y a de ça.

Vince raccrocha, gêné de l'indiscrétion de Keith. Tant qu'il espionnait chez Gail et Leo pour son compte, c'était parfait, mais s'il se mettait à l'espionner, lui, il n'était plus d'accord. C'était un petit fouineur qui ne saurait de Vince que ce qu'il voudrait bien. Sûrement pas que Vince partait en lune de miel en Europe.

– Monsieur le Sénateur, dit sa secrétaire dans l'encadrement de la porte, vous m'avez demandé de vous prévenir quand il serait 2 heures. Ne ratez pas votre avion.

– Merci, dit Vince en se levant avant d'enfiler son manteau. Je vous vois à Denver dans trois jours. Pas question que je me marie sans mon équipe.

– Nous y serons, monsieur le Sénateur. Nous attendons ce jour avec impatience. C'est si aimable à vous de nous compter parmi vos invités et de nous payer le voyage... Nous tenons à vous en remercier.

Vince hocha la tête.

– Si Ray Beloit téléphone, dites-lui qu'on se retrouve à l'aéroport. Si Sid Walker me demande, dites-lui que je compte sur lui à ma descente d'avion. La cérémonie a lieu chez lui, vous m'y trouverez donc si je ne suis pas chez moi.

– Bien, monsieur.

Vince s'aperçut qu'il lui avait déjà dit tout ça. Pourquoi était-il nerveux comme un gamin ? Il n'en était pourtant pas à son premier mariage.

Non, il était plutôt déchaîné. C'était le véritable début de la course à la présidence. Il y avait bien les sénatoriales avant, mais il était sûr de l'emporter. Il voyait déjà plus loin ; voilà pourquoi il épousait une épouse parfaite, une partenaire idéale : douceur de caractère, suffisamment de beauté, beaucoup d'argent, énormément de relations, des bonnes œuvres. Elle incarnait le rêve américain de la « first lady ». Et, quand elle regardait Vince avec des yeux adorateurs, elle devenait l'épouse parfaite.

Pourquoi pas ? songea Vince en s'installant dans sa limousine. Si tu attends assez longtemps, tout vient à toi.

# 15.

Il sonna chez elle à 20 heures. Elle ouvrit la porte de son cocon blanc et lui sourit.

– Bienvenue aux Etats-Unis.

Il était si heureux de la revoir qu'il prit instinctivement sa main. Evidemment, elle recula ; s'il avait réfléchi ne serait-ce qu'une fraction de seconde, il l'aurait deviné. Furieux après lui, et après elle, il la suivit dans le salon où du vin et des hors-d'œuvre étaient préparés sur la table basse en verre.

Mais elle était heureuse de le voir. Il s'assit dans un canapé blanc tandis qu'Anne, debout, versait le vin. Elle portait une robe assez courte en soie bleu foncé qui soulignait les lignes de son corps et dévoilait ses longues jambes élégantes ; ses cheveux noirs encadraient son visage. Elle semblait satisfaite à l'idée de laisser le silence s'attarder ; Josh pensa à elle, à son regard quand elle l'avait accueilli. Chaud, ravi, un tantinet surpris. Surpris, se dit-il ; elle n'avait pas pensé être heureuse. Ou aussi heureuse. Mais elle avait reculé.

Il faudra qu'on en parle, songea-t-il. Bientôt. Et elle le sait.

– Votre retour prématuré est-il signe d'échec ou de réussite ? demanda Anne tandis qu'elle s'installait sur le canapé.

– Réussite, dit Josh en levant son verre. En tout cas, possible. Nous avons trouvé l'entrée d'un couloir menant à un tombeau, du moins l'espérons-nous. Il nous faudra un mois pour savoir s'il s'agit d'un pharaon ou non ; c'est très long de dégager les débris.

– De quoi ?

– De tremblements de terre ou de crues soudaines. Nous l'apprendrons aussi quand nous aurons suffisamment avancé pour constater les dégâts causés sur les piliers et les murs. J'ai rapporté des diapos pour que vous vous fassiez une idée.

– Vous les avez avec vous ?

– Oui, je les ai récupérées en chemin, mais ça peut attendre.

– Non. J'aimerais les voir maintenant. Je suis ravie que vous les ayez déjà. Cela vous ennuie ?

– Non, bien sûr que non.

– Je vais chercher le projecteur.

Elle alla d'un pas rapide dans une autre pièce et revint presque immédiatement avec le projecteur et un bac à diapositives. Elle était nerveuse, ou peut-être l'était-elle devenue après cet éclat de surprise que ses yeux n'avaient pu dissimuler.

– Si vous voulez placer les photos...

Elle lui tendit le bac. Perplexe, Josh avait conscience de son malaise. Sans un mot, il plaça les photos, lui rendit le bac et la regarda faire. Elle éteignit la lampe derrière elle et la pièce se trouva plongée dans une obscurité presque totale. Anne appuya sur un bouton ; la première diapositive, et une immense scène prit vie à l'autre bout de la pièce : l'impressionnante étendue de falaises dénudées et de dunes de sable dans l'ombre de la Vallée des Rois. Anne soupira profondément et se pencha en avant.

– C'est vraiment magnifique.

Josh observait son profil extasié.

– Pourquoi ?

– La démesure. Voilà pourquoi j'aime la montagne : sa beauté tient à son côté impressionnant, massif et fondamental. Un tel spectacle fait croire à l'éternité.

– C'est pour ça que j'y retourne sans cesse, dit Josh. Si je n'y avais pas de travail, il faudrait que j'en invente.

– Mais vous avez aussi la montagne.

– Sauf qu'elle est un peu plus humaine ; elle abrite la vie. Il faut que vous voyiez le désert ; c'est merveilleux et terrifiant à la fois. C'est un paysage aussi impitoyable qu'attirant. Il s'apparente à la face obscure de notre personnalité ; dur et cruel mais perversement attirant.

Anne ne le quittait pas des yeux. Au bout d'un moment, elle secoua la tête.

– Nous sommes loin de la beauté que j'évoquais, dit-elle avant d'appuyer pour passer à la photo suivante.

Pour quelques minutes, le salon à la blanche froideur se transfigura en un paysage de textures grossières brun et or et de lumière aveuglante. Anne sentait les vagues de chaleur rouler sur le corps poussiéreux des ouvriers s'acharnant sur les pierres ; elle sentait presque le sable entre ses dents et l'acier résonner sur la roche. Elle était toujours penchée, fascinée par l'exotisme qui l'entourait. J'aimerais y être, se dit-elle. Si seulement j'avais été là quand il a pris ces photos.

Josh commentait d'une voix grave et détendue, mais avec tant de passion qu'il donnait l'impression d'emmener véritablement Anne dans ce monde inconnu d'elle. Il lui parla de Hosni – « le meilleur chef de chantier dont on puisse rêver ; égyptologue autodidacte qui en remontrerait à bien des experts ; et le seul homme qui creuse en pantalon blanc sans jamais se salir » ; il donna les noms des ouvriers qu'il connaissait depuis des années. Il parla alors avec plus d'excitation de ce qui allait suivre.

– Ils vont dégager le couloir – assez rapidement, à moins qu'ils ne tombent sur des peintures sur le plafond et les murs latéraux ; puis ils ralentiront, car il leur faudra travailler à la main – et Hosni m'appellera quand ils arriveront à la première porte. Elle conduit d'ordinaire à une grande salle carrée avec une autre porte dans le mur du fond ; au-delà, un passage débouche sur d'autres chambres. L'air est lourd et chaud ; et vieux, comme si on ne pouvait y vivre. Mais nous avons vu des tombeaux avec du blé placé près du pharaon pour qu'il se nourrisse au cours de son voyage dans son autre vie, et il a germé dans ce lieu obscur et scellé avant de mourir privé d'eau. Cette façon de s'accrocher à la vie est plus fondamentale que toute émotion. Sauf l'amour, je suppose, parce qu'il est synonyme de vie.

Le silence s'attarda, puis Josh poursuivit :

– Nous n'avons aucune idée du nombre de chambres ni de leur taille ; mais nous savons que la dernière contient toujours le sarcophage avec une momie à l'intérieur. Si nous sommes bénis des dieux, cette momie nous attend ; le couvercle du sarcophage ne demande qu'à être soulevé...

Sous le charme de ses paroles et de l'intensité de sa voix, Anne dit :

– J'aimerais voir. Et toucher. Et sentir l'air...

– Ça peut s'arranger, dit Josh. Il faut que vous soyez sur place ; les photos ne donnent qu'une vague idée. Il y a une dernière diapo.

Anne appuya sur le bouton. Les marches de pierre apparurent, et une main de femme, dans le coin.

– La main de Carol, expliqua Josh. L'amie qui me prête ses livres d'art ; je vous en ai parlé. Elle est restée là-bas, plus passionnée que je ne l'aurais cru. Voilà, c'est tout.

*J'aurais voulu que ce fût ma main. J'aurais voulu être là, près de lui, à regarder ces marches et à imaginer ce qu'elles cachaient.*

– Excellentes photos, dit-elle. Elles m'ont même donné chaud.

Elle se retourna pour rallumer. Leurs yeux clignèrent et ils se sourirent. Anne redevint nerveuse et se concentra sur les diapositives qu'elle rangea dans leurs boîtes jaunes. Elle était rongée par le souvenir de sa réaction brutale quand il lui avait pris la main. Elle avait transformé un geste simple en une manœuvre compliquée, et ça ne lui ressemblait pas. Ç'aurait dû être plus naturel ; après tout, il ne s'était absenté que huit jours. Mais ça lui avait semblé très long et elle était si heureuse de le voir ; voilà ce qui l'avait surprise. Comment avait-elle pu laisser Josh prendre une telle place dans sa vie ? Il faudra que j'y réfléchisse. Et nous en parlerons si je veux continuer à le voir. Mais pas ce soir.

Ils ne le firent pas. Ils ne se voyaient qu'occasionnellement. Anne avait accepté deux nouveaux clients en octobre et n'allait plus à Tamarack. Josh fit deux voyages éclair cet automne ; il consacrait ses journées et ses soirées à ses cours, ses réunions avec des étudiants, ses réunions de comité au musée, son écriture et ses conversations téléphoniques avec Hosni, qui n'avait pour l'instant rien à raconter. Puis, début décembre, il invita Anne à un dîner au profit du musée de l'Antiquité

La soirée se déroulait dans l'enceinte du musée. L'apéritif fut servi dans la cour intérieure, avec ses jardins de simples et de fleurs comme aux temps anciens, ses sculptures grecques et romaines, son hippopotame égyptien en faïence bleue et ses statuettes précolombiennes trapues dans des vitrines le long des murs. C'était la première fois que Josh et Anne apparaissaient ensemble dans la société de Los Angeles.

Les invités se rassemblèrent autour d'eux, amis et collègues qui n'avaient pas vu Josh depuis longtemps; tous regardaient Anne en essayant de deviner à son allure si elle avait ce qu'il fallait pour mettre le grappin sur Josh Durant. C'était le monde de Josh, le monde des gens riches et des bonnes relations; il connaissait presque tout le monde et évoluait aisément, échangeant des nouvelles des voyages et des amis communs. On aurait dit que Josh et Anne formaient soudain un couple. C'était le fait de la société, Anne le savait : la société avait besoin de se sentir structurée, harmonieuse, stable, déterminée et stable; elle s'empressait pour ce faire de mettre les gens dans des cases pour avoir le moins de surprises possible. Elle entendit qu'on posait une question à propos de Dora; derrière eux, quelqu'un évoquait le travail que Josh avait accompli en Sardaigne, en Turquie et, plus récemment, en Egypte; une autre voix dit que Josh et elle formaient un merveilleux couple.

Elle savait que c'était vrai. Il portait son smoking avec autant d'aisance qu'un jean ou un short; elle avait choisi une robe-bustier de satin noir qui épousait sa silhouette avec une longue fente sur le côté. Elle portait des boucles d'oreilles en or et un collier d'or et de saphir. Elle lui arrivait à l'épaule et ils se déplaçaient de la même façon, tête droite, l'œil curieux de tout. Quand ils traversèrent la pièce, tout le monde se retourna sur eux.

Anne s'aperçut que cela l'enchantait. En général, elle détestait être le centre d'attraction, sauf dans le prétoire, mais partager cela avec Josh était comme un petit jeu, un secret connu d'eux seuls. Et elle aimait qu'il commentât pour elle et à mi-voix les gens qu'ils rencontraient.

– Il a empoché les dix millions de dollars de subventions et il attend le verdict, murmura Josh à l'approche d'un couple. Ç'a été une sacrée aubaine pour deux ou trois églises de la ville; il les a arrosées d'un pourcentage de ses millions mal acquis, espérant ainsi obtenir une peine minimum ou un passeport pour le ciel, dans cet ordre, de préférence.

Anne émit un petit rire et Josh la regarda, ravi, avant que le couple passe devant eux. L'homme portait une chemise noire et une cravate violette sous son smoking; la femme arborait un sac en paillettes pour lutter contre tant de noir.

Au bout de quelques minutes, une grande femme anguleuse s'approcha, enturbannée, encapée de rouge sur une sorte de chemise de nuit blanche.

– Elle donne tout son argent à des musées, en gros un million de dollars par an, dit Josh. Elle veut être sans un sou à sa mort, mais pas une minute avant, si bien que ses comptables et ses médecins comparent leurs notes quatre ou cinq fois par semaine pour voir où en sont les choses.

Anne rit de nouveau.

– Pourquoi les musées ?

– Elle prétend qu'à part elle les musées sont les seules institutions à célébrer et préserver l'exotisme. Elle dit qu'elle aurait aimé vivre sous la Rome des Césars.

– Sait-elle comment on traitait les femmes à l'époque ?

– Un jour, j'ai essayé de lui expliquer ; elle n'a rien voulu entendre, alors j'ai laissé tomber. Pourquoi écorner les rêves ?

Anne le regarda avec stupeur.

– N'est-ce pas ce que font les scientifiques ? Nous inculquer la vérité, que ça nous plaise ou non ?

– Nous la désignons et vivons avec. Mais nous ne forçons pas... Il s'arrêta en voyant arriver la dame au turban. Lillian, comme je suis heureux de vous voir ! Puis-je vous présenter Anne Garnett ?

Ils n'eurent pas le temps de se dire grand-chose que d'autres se joignirent à eux.

– Ah, celui-là je le connais, murmura Anne alors qu'un homme rondouillard et barbu se dirigeait vers eux. Colin Riley. C'est le producteur du Rosie Show à la télévision ; sa femme a demandé le divorce parce qu'il lui préférait Rosie.

– Mais Rosie est un teckel ! protesta Josh.

Anne acquiesça.

– Elle prétend que s'il avait choisi un chien plus classe, genre golden retriever ou griffon d'arrêt à poil blanc, elle aurait pu tenter de comprendre son point de vue, mais s'intéresser à un teckel plus qu'à elle montrait qu'il était tombé si bas qu'elle ne pouvait le tolérer.

Josh pouffa.

– Elle était votre cliente ?

– Oui. Facile, d'ailleurs : tous deux avaient hâte d'en finir. Le plus dur a été le yacht ; ils le voulaient tous les deux.

– Mais c'est elle qui l'a obtenu.

Anne lui lança un regard en coin.

– Oui.

– Combien de procès avez-vous perdus ?

– Aucun. Colin, quel plaisir. Laissez-moi vous présenter Josh Durant.

Bientôt, la foule se dirigea vers la grande salle égyptienne pour dîner. Josh avait fait visiter le musée à Anne quelques semaines auparavant, mais elle s'arrêta devant les doubles portes pour admirer une fois encore les magnifiques panneaux de peintures et sculptures tombales ornant les murs. Les invités, qui trouvaient leur place autour des tables rondes drapées de nappes argentées, semblaient se fondre avec ces panneaux. Les robes du soir et les smokings ne ressemblaient en rien aux jupes courtes des hommes sur les peintures et aux longues robes translucides des femmes, mais Anne imaginait qu'en dépit des milliers d'années qui les séparaient tous avaient les mêmes espoirs, les mêmes rêves, les mêmes soucis. L'idée lui plut et elle se tourna pour en faire part à Josh.

– Ah, voici Carol, dit-il à cet instant. Je voulais que vous la connaissiez. Carol Marston. Anne Garnett.

– Je suis heureuse de vous connaître. On m'a dit beaucoup de bien de vous; j'ai des amies pour qui vous avez fait des miracles.

– Le mot est grand, dit Anne. Je dois être capable de reproduire ce que je fais faute de quoi je me retrouve sans travail. Je crois savoir que la définition du miracle est qu'il n'arrive qu'une fois.

– J'ai eu la chance d'être le témoin d'un miracle il y a deux mois, dit Carol. Josh vous a probablement tout raconté.

– L'alliance du travail et de la chance, intervint Josh.

– C'était absolument passionnant. J'y retourne dès que possible; je ne suis pas rassasiée. Et vous, Josh, vous y retournez? Comment pouvez-vous supporter de rester à l'écart alors qu'ils travaillent à votre tombeau?

– J'y serai bientôt. De toute façon, Hosni n'ouvrira pas la première porte sans moi. Où êtes-vous placée?

– Table huit. Oh, vous êtes à la numéro un. Quel dommage! On se verra peut-être tout à l'heure, ajouta-t-elle à l'adresse d'Anne avant de s'éloigner.

Josh tint la chaise d'Anne et dit quelque chose qu'elle n'entendit pas. Elle était troublée sans savoir pourquoi. Carol, se dit-elle. Et Josh, bien sûr. Carol Marston – jeune, grande, de magnifiques yeux noisette en amande qui semblaient absorber tout et tout le monde – Carol était en Egypte avec Josh.

Quelques minutes plus tôt, Carol n'était encore qu'un membre du conseil d'administration du musée parti en Egypte avec le reste de l'équipe de Josh. Elle s'était vaguement imaginé une femme d'une soixantaine d'années, minimum, du genre terne, seule ou respirant l'ennui, qui s'occupait en se consacrant au musée. Mais faire la connaissance de Carol Marston et l'imaginer à Louxor avec Josh, en train de marcher à côté de lui dans la somptueuse Vallée des Rois, déjeuner au restaurant, effleurant des doigts les marches de pierre pendant qu'il prenait des photos... voilà qui lui serrait le cœur et lui donnait le sentiment d'être laissée pour compte.

Le président du musée accueillit les invités et présenta Josh. Anne observa sa longue silhouette gravir les marches du podium et se tenir avec aisance sous les feux de la rampe. Il était extraordinairement beau, songeat-elle. Son visage respirait la force et la détermination; sa bouche laissait entrevoir l'obstination, même quand il souriait, mais elle était prometteuse, du moins pour qui le connaissait, de chaleur et de tendresse. C'est alors qu'elle comprit ce qui la troublait. Elle était victime d'une émotion nouvelle. La jalousie.

– Je suis heureux de pouvoir vous accueillir moi aussi, dit Josh dans le micro. Ceci est votre musée; c'est votre soutien qui lui garde littéralement les portes ouvertes et permet de faire des projets d'avenir.

Anne le dévorait des yeux. Elle avait le sentiment de regarder un étranger. Elle tremblait. Ce qu'elle avait pris pour une amitié à part virait à un sentiment terrifiant. Jalouse, se dit-elle, atterrée, je suis jalouse. La jalousie était réservée aux amants, elle était synonyme d'attachement, d'exigences. Non! hurla-t-elle en elle-même. Je ne peux pas. Vraiment pas.

– ... vous montrer en partie ce que le musée a pu réaliser grâce à vous, disait Josh.

Les lumières s'éteignirent. Derrière lui, un écran s'abaissa. Pendant quelques minutes, une rapide succession de diapositives illustra les fondations d'un ancien palais au Mexique, les restes de boutiques romaines mises à jour dans la vieille Jérusalem, les colonnes d'un temple grec sur la côte turque, des outils primitifs trouvés au nord de l'Irak.

Anne n'arrivait pas à se concentrer. Comment avait-elle pu perdre ainsi le contrôle d'elle-même, elle qui faisait toujours tellement attention? Jamais elle n'allait au-delà de la simple camaraderie. Sauf avec Eleanor, évidemment, et Gail et Leo, mais c'était différent. Que lui était-il arrivé? C'était comme si elle avait oublié de fermer une porte à clef et se trouvait menacée. Elle serra les poings pour s'arrêter de trembler. Je ne le voulais pas. Tout allait si bien; je ne veux pas tout gâcher.

– Enfin, dit Josh, ceci s'inscrit à merveille dans cette grande salle.

Une fois de plus, Anne contemplait la Vallée des Rois avec les ouvriers et Hosni.

– Nous creusons tout au bout d'une strie basse – ici, en arrière-plan – qui court le long de la partie connue de la Vallée des Rois. Voici ce que nous avons trouvé il y a quelques semaines.

La diapositive de l'escalier apparut, avec la main de Carol. Un murmure parcourut la salle.

– Un escalier de pierre dans la Vallée des Rois, dit Josh après un moment. Dans quelques semaines, nous saurons où il conduit. Nous vous tiendrons informés de toutes nos découvertes.

On ralluma.

– A propos, la main que vous voyez sur cette photo est celle de Carol Marston, membre de notre conseil d'administration. Nul musée ne saurait fonctionner sans un conseil attentif et actif, non plus que sans le soutien financier que vous et d'autres apportez chaque année. Grâce à votre aide, nous ferons de ce musée le meilleur du genre au monde.

Les convives applaudirent tandis que Josh regagnait sa place. Le président présenta le commissaire-priseur.

– Il va les exciter à un tel point qu'ils surenchériront comme des fous;

moyennant quoi nous aurons un an de calme, pas besoin de tendre la main. Quelque chose ne va pas ?

Anne commença à parler, mais le bruit était devenu assourdissant à cause des enchères.

– Plus tard, dit-elle en élevant la voix juste assez pour être entendue de Josh.

Il se leva immédiatement.

– J'ai fait ma part. A moins que vous ne teniez à savoir la suite, nous pouvons y aller.

Ils gagnèrent une petite porte située à l'autre extrémité de la pièce.

– C'est l'issue de secours, réservée aux initiés. Nous allons couper par mon bureau.

Il emprunta un petit couloir qui donnait sur une grande pièce aux murs couverts de livres. Il n'y avait pas de bureau ; seulement une table longue couverte d'ouvrages, de diapositives, de magazines et de carnets. Anne y était déjà venue et elle se rappelait qu'il lui avait parlé de son travail avec la même passion que de ses fouilles.

Tout ce qu'elle savait de lui donnait l'image d'un homme absorbé par son activité, fasciné par les défis et soucieux de remplir ses journées au maximum. Archéologue, professeur, conseiller auprès des musées. Un homme bien dans sa peau, qui vivait bien, avait de bons amis, aimait les femmes. Elle sentit le regret l'envahir. Elle l'admirait ; elle aimait les moments qu'ils passaient ensemble. Elle avait toujours hâte de le revoir.

Josh lui tint la porte puis referma derrière eux. Ils gagnèrent sa voiture sans un mot, et roulèrent en silence jusque chez elle. Il se gara tout près de l'entrée.

– Voulez-vous parler de ce qui vous tracasse ? proposa-t-il.

– Oui, dit-elle en le regardant dans les yeux. Je dois cesser de vous voir, Josh, je suis désolée ; je vous aime beaucoup et j'aime votre compagnie, mais pour certaines raisons nous devons arrêter.

– Non.

La tristesse se mêlait à l'admiration de la voir parler sans détourner les yeux. Elle regardait les choses en face, sans broncher, qualité qu'il recherchait toujours chez quelqu'un. Mais il s'aperçut avec colère qu'elle sortait de sa vie sans qu'il ait son mot à dire.

– J'aimerais connaître ces raisons.

– Je ne puis en parler. Vous n'y êtes pour rien.

– C'est pourtant moi que vous ne voulez plus voir.

Elle rougit.

– Oui. C'était stupide. Je veux dire, ce n'est pas quelque chose que vous avez fait ou n'avez pas fait. Ça n'a trait qu'à moi.

Elle ne cherchait aucune excuse, remarqua Josh ; encore un motif d'admiration.

– Vous savez que je vous aiderais si je le pouvais.

– Oui. Merci. Mais personne ne le peut ; je vous l'ai dit, c'est en moi.

– Est-ce irrémédiable ?

– Oui.

– Quelles que soient les circonstances ? Pour toujours ? Eternel, comme le désert ?

Elle rougit encore.

– Je donne sans doute l'impression d'exagérer ou d'être irrationnelle, ou encore trop émotive, mais c'est quelque chose dont je dois m'accommoder, quelque chose de très fort dont nul ne peut juger.

– C'est vrai, s'empressa de dire Josh, c'était présomptueux de ma part. Mais vous rendez-vous compte que vous m'obligez à m'en accommoder aussi ?

– Il vous suffit de réagir comme si quelqu'un cessait de subventionner vos fouilles ; trouvez quelqu'un d'autre.

Tant de cruauté le cloua sur place. Le pensait-elle superficiel au point de changer de femme sans y accorder plus d'attention qu'à un bailleur de fonds ? Réfléchissons avec objectivité et précision, comme Anne, se dit-il. Et il sut qu'elle avait raison. Il trouverait quelqu'un d'autre. Ce qu'ils avaient pu construire ensemble n'était pas assez profond pour changer sa vie, a fortiori en faire un moine.

Avec le temps, elle aurait pu changer sa vie, mais elle ne l'avait pas permis. Puis il pensa à elle et comprit que la dureté de ses paroles s'exerçait sur elle plus que sur lui. Elle serait seule parce qu'elle n'avait pas le choix ; Josh, lui, trouverait une autre compagne. Et ils avaient passé si peu de temps ensemble que chacun laisserait à peine une ridule sur la vie de l'autre, comme le saut d'une truite sur le lac du Défi.

Il fit le tour de la voiture pour lui ouvrir la porte. Lorsqu'elle se tint devant lui, il lui prit la main et, avant qu'elle ait eu le temps de l'en empêcher, il l'embrassa sur la joue.

– Anne, vous êtes une femme remarquable. J'aurais aimé passer beaucoup de temps avec vous. Je vous souhaite d'être heureuse.

Elle le regarda tourner au coin de la rue. Elle se sentait vide. La soirée avait été belle, mais le ciel s'assombrissait et le vent se levait. Il va pleuvoir, se dit-elle. Elle entra dans l'immeuble, salua distraitement le portier et prit l'ascenseur. Quel dommage ! se dit-elle. Elle entra dans le salon et se pelotonna dans le fauteuil près de la fenêtre sans allumer. Elle était chez elle, dans son appartement. Elle était seule, elle était en sécurité.

En sécurité. Alors, elle s'aperçut qu'elle pleurait.

Keith était au milieu de la foule rassemblée autour de l'immense épicéa. La neige lui tombait doucement dans le cou. Il tenait d'une main ferme la jolie nuque d'Eve.

– A quelle heure ça va décoller, ce satané truc ? demanda-t-il.

– Ils ont dit 5 heures, répondit Eve. Tu as froid ?

– J'en ai marre. Je m'emmerde.

– Pas moi. C'est passionnant. Peut-être parce que je suis nouvelle ici. C'est merveilleux, tous ces gens, des milliers...

– Deux à trois cents, fit Keith.

– Et la neige, les couronnes de Noël autour des lampadaires, les lumières allumées de la maison des Fortsmann, les ravissants petits rideaux de dentelle aux fenêtres... on dirait une carte postale. Je suppose que ça te dépasse. Tu n'es pas très romantique, Keith.

– Je le suis en ce qui te concerne, dit-il automatiquement. Je te le prouverai tout à l'heure.

– Je ne voulais pas dire romantique comme ça.

Eve plissa les lèvres. Elle avait des idées arrêtées sur le monde et deux jobs; serveuse au petit déjeuner et au déjeuner, et barmaid la nuit, et elle rêvait de grandes villes, de grosses voitures, de soies, de fourrures, d'appartements en terrasse. Et d'amour.

– Etre romantique, c'est s'asseoir et bavarder, faire des projets, s'embrasser, se câliner. Toi, tu ne penses qu'au lit.

– Joyeux Noël à tous, dit le maire, et heureuse année!

Il appuya sur un bouton et l'épicéa s'éclaira de mille feux. La foule applaudit; un groupe d'élèves commença à chanter « Les anges dans nos campagnes ». Keith fit demi-tour.

– N'est-ce pas merveilleux! dit Eve, mélancolique. C'est si beau... on dirait un tableau. Keith, regarde!

Keith se retourna pour voir l'arbre. Il passait devant tous les jours en voiture. Mais il devait admettre que cet arbre était extraordinaire; haut de vingt mètres de long, de forme parfaite, il étendait son ombre sur le jardin de Gideon Fortsmann depuis qu'il l'avait planté en 1889 au coin de sa jolie maison de brique. Keith observait les centaines de décorations et de lumières multicolores accrochées par les enfants et pensait à toutes ces années où ses parents, sa sœur Rose et lui avaient décoré des sapins de Noël. Ils s'amusaient bien, à l'époque, plus qu'aujourd'hui. C'était si loin.

– Tu ne trouves pas ça magnifique? s'enquit Eve. C'est une si jolie ville, tout le monde fait les choses ensemble, un peu comme dans les chansons, tu sais, avec l'esprit de Noël, tout ça...

– Et l'endroit le plus ennuyeux de la terre, ajouta Keith. Les touristes viennent s'offrir du bon temps mais, quand on habite sur place, il n'y a rien à faire. C'est vrai, quoi, il ne se passe jamais rien. Pas d'affaires, rien. Je fous le camp dès que possible et je m'installe dans une ville digne de ce nom.

– Oh! s'écria Eve. Je ne savais pas! Emmène-moi! D'accord? S'il te plaît, Keith!

– Je croyais que tu te plaisais, ici. Une ville super, comme dans les chansons, l'esprit de Noël, et toutes ces conneries.

– Oui, mais je me disais... je veux dire, je ne savais pas que ça ne te plaisait pas.

Keith sourit.

– Mais si. Je me plais, ici. Je ne partirai jamais.

– Tu dis ça pour m'embrouiller. Tu m'emmèneras, hein, Keith? Je voudrais aller à New York. J'en rêve depuis toujours.

– Pas New York. Washington. A la capitale. C'est là que je vais.

– Ah ! Je ne sais rien sur Washington. Mais c'est sûrement très bien ; c'est une ville importante. Quand est-ce que tu... je veux dire, tu as une idée de la date ?

– Dès que possible.

C'était bien le problème : fixer une date. Il se retrouvait toujours coincé. Il n'avait pas peur de quitter la vallée ; il n'avait peur de rien. C'est plutôt qu'il ne voulait pas s'y retrouver seul une fois de plus. Il allait s'accrocher à quelqu'un ; c'est comme ça qu'on obtenait ce qu'on voulait. Etre dans le coup, dire aux gens ce qu'ils devaient faire, et être envié. On ne pouvait rester éternellement un gosse, mais le tout était de s'assurer qu'il y aurait toujours quelqu'un pour s'occuper de vous. C'était ça, le truc ; grandir, c'était vraiment la merde, mais il y avait moyen de rendre la chose agréable. C'est à cela qu'il travaillait.

Peut-être qu'il emmènerait Eve avec lui. Elle était vraiment mignonne dans le style poupée de porcelaine, et elle serait gentille avec lui ; il n'avait qu'à lever le petit doigt, elle faisait ce qu'il voulait. Il lui caressa la nuque.

– Je te tiendrai au courant quand je serai prêt à mettre les voiles. Quant à savoir si je t'emmène, je te promets d'y réfléchir. Tu ne trouves pas que cet arbre est superbe. Et la ville aussi ?

Eve acquiesça, essayant de s'accorder à ses sautes d'humeur.

– J'aimerais bien que les gens laissent tout allumé jusqu'en juin.

Stupide, se dit Keith, mais c'est ce qui rendait heureux des gens comme Eve, et les touristes, et tous ceux qui trouvaient ça romantique.

– Très joli, répéta Keith. Comme toi. On y va ?

– Où ça ?

Pas au lit, songea-t-il, encore que c'était son idée de départ. Mais il fallait attendre, sa moue le lui avait clairement notifié.

– On prend un pot chez Timothy puis on dîne chez Larch.

– Oh ! Keith, fit Eve, les yeux brillants. Parfois tu sais trouver les mots qu'il faut. Mais... Larch. C'est affreusement cher, non ?

– On arrose les vingt jours avant Noël, l'arbre illuminé de la maison des Fortsmann et les bons moments que nous passons ensemble. Qu'en dis-tu ?

– Et nous avons toute la nuit, fit-elle en serrant le bras de Keith.

Keith lui jeta un regard en coin tandis qu'ils déambulaient sur les trottoirs enneigés au milieu la foule vêtue de peaux retournées, de fourrures et de combinaisons bariolées. Elle portait un blouson matelassé rouge et noir et sa bouche était rouge et brillante. Plus de moue, cette fois. Keith sourit. Le romantisme ne mène à rien, pensa-t-il, mais l'idylle peut mener loin. Il trouva l'idée profonde et se trouva fort satisfait de lui-même.

Tout lui plut ce soir-là et, le lendemain, il s'éveilla en se sentant invincible, un brillant avenir devant lui. Il se débarrassa d'Eve dès qu'il put et appela Vince.

– Ecoute, j'ai réfléchi ; il y a des choses... oh, tu es occupé ?

– J'allais partir à une réunion. Quelles choses ?

– Je peux te rappeler si tu es pressé.

Vince se taisait. La voix de Keith trahissait une étrange jubilation ; qu'est-ce qu'il tramait ? Il se rassit et dit d'une voix posée :

– J'ai quelques minutes. Que se passe-t-il ?

– Eh bien, je me demandais combien de temps tu aurais encore besoin de moi ici. Tu sais, des rumeurs circulent en ville selon lesquelles la Tamarack Company serait bientôt vendue ; alors si tout change, je serai au chômage, quoi. Je perdrais mes deux boulots. Celui de responsable adjoint du domaine skiable et le job pour toi.

– Je n'ai entendu aucune rumeur.

– C'est dans l'air. Je veux dire, il y a ce type de Denver, Ray Beloit ; il raconte à tout le monde qu'il réparera tout une fois qu'il aura racheté. Quoi, il faut des néons aux magasins parce que les touristes y sont habitués, et il nous faut un vrai hôtel, tu sais, comme le Ritz ou le Sheraton, pour attirer beaucoup de congrès, et nous devrions avoir des apparts de luxe à Vail parce que c'est là qu'il y a le fric, et les quatre voies, et faire un parking là où il y a Grover Park, quoi... il a un débit, ce mec, c'est pas possible. Les gens sont furax ; il y a même eu un édito dans le journal. Il est fou, ce type ; s'il est sérieux, il ne fera jamais rien ici, même s'il finit par racheter.

Vince pianota sur son bureau. Beloit ne lui avait pas dit qu'il s'était rendu à Tamarack.

– Il a bien dit *quand* il rachèterait ?

– Exact. C'est pour ça que ça jase. Alors je me suis dit...

– Que dit William ? Et Marian et Fred ? Tu aurais pu leur téléphoner pour savoir ; tu es de la famille et tu habites sur place, ça n'aurait étonné personne que tu appelles.

– Ils viennent à Noël ; je leur en parlerai.

– Tous ? Ils ne viennent jamais à Noël, d'habitude. D'ailleurs, la plupart ne viennent jamais.

– Ben, ils sont tous venus, je te l'ai dit. Pour voir Anne. Et ils passent Noël.

– Et elle ?

– Anne ? Elle va et vient, quoi. Quand elle est là, je la vois tous les jours ; elle prend toujours la télécabine avec Leo quand il fait son inspection matinale. C'est un vrai rituel ; 9 heures précises, ils montent. Je l'ai vue hier soir, tu sais, quand on illumine l'arbre, avec Gail, Leo et les gosses. Elle avait l'air absente, quoi, tu sais, pas heureuse.

Il attendit, mais Vince ne dit rien.

– Bref, je me disais que je pourrais parler à oncle Charles et savoir s'il a vendu ou quoi. Ce serait plutôt bizarre si c'était le cas ; je veux dire, je ne vois pas pourquoi les autres voudraient vendre alors que tout s'arrange. Quoi, il y a beaucoup de skieurs en ville ; pourtant, c'est pas encore la pleine saison, mais il y a plein de neige. Et les gens qui avaient annulé à cause de l'eau reviennent, quoi, et alors c'en est d'autres, en tout cas les affaires marchent et les gens du coin frétillent de joie comme des gardons. Alors pourquoi est-ce qu'ils voudraient vendre maintenant alors qu'ils refusaient en septembre quand l'eau était nase ? C'est vrai quoi, ils ne me parlent pas, alors je ne sais pas, mais je me disais que peut-être ils ont plein d'ennuis et ils sont les seuls à le savoir. Ils ont dépensé un max à nettoyer la réserve d'eau, quoi, et ils continuent à claquer des fortunes en pub pour convaincre tout le monde que Tamarack est saine, et ça doit marcher parce qu'il y a déjà plein de gens et il y a toujours foule en février et mars, alors à moins qu'ils n'aient désespérément besoin de fric, je ne comprends pas. Bref, je me disais qu'avec tout ça il faut qu'on réfléchisse à ce que je ferai après...

– Je crois que je vais monter passer un jour ou deux, dit Vince. Ça fait longtemps que je n'y ai pas mis les pieds ; j'offrirai mes vœux à chacun en personne.

Il y eut un silence de dépit.

– Je m'étais dit que je pourrais venir à Washington, fit Keith. Je veux dire, je croyais que tu me faisais confiance pour te tenir au courant. C'est ce que tu voulais, quoi, et je pensais venir à Washington pour qu'on parle tous les deux parce que, quand ce mec ou un autre rachètera l'affaire, je dégage. J'ai bien une ou deux idées, mais je suis persuadé qu'on ne devrait pas en parler au téléphone...

– J'y serai... Vince feuilleta son agenda. Le mercredi 18 décembre, avec ma femme. Trouve-nous une chambre à Tamarack pour la nuit. Nous resterons tant que nécessaire puis nous prendrons l'avion pour Denver. Assure-toi qu'une voiture m'attend à l'aéroport. J'inviterai à dîner tous ceux qui sont là au restaurant de l'hôtel. C'est toujours bien ?

– Parfait. Ça et chez Larch, c'est les meilleurs...

– Tâche de savoir qui sera en ville et réserve pour le mercredi soir. Nous prendrons le petit déjeuner tous les deux jeudi matin à 7 heures. Si j'ai des choses à dire en particulier à certains membres de la famille, je le ferai jeudi et ne partirai à Denver que vendredi. S'il y a quoi que ce soit d'urgent pour moi avant le 18, téléphone ; sinon, on attend. Autre chose ?

– Non, répondit Keith dont la voix avait changé. Ça va, je m'occupe de tout. Je... ça me fera plaisir de te voir.

Dès que Vince eut raccroché, il appela Beloit.

– Quand es-tu allé à Tamarack ?

– La dernière fois ? Novembre. Thanksgiving, exactement. J'y suis bien allé six fois cette année ; tu me connais assez pour savoir que je n'achète pas chat en poche. Ton frère a encore refusé mon offre, tu sais. Tu crois que la troisième fois sera la bonne ? Je commence à avoir des fourmis dans les doigts de pied, Vince. Si ça m'avait pris autant de temps pour organiser ta campagne, tu serais pas dans la merde !

– Je monte dans une quinzaine de jours ; je devrais emballer le morceau. Entre-temps, reste à l'écart ; tu te mets tout le monde à dos avec tes histoires de néon et de conventions et Dieu sait quelle autre invention tu as été raconter.

– Je pensais qu'ils seraient contents. Ça dort, là-dedans, faut les réveiller. Il faut les secouer, carrément. Je n'ai rien contre le calme et l'atmosphère des petites villes, mais à quoi ça sert si ça rogne sur les marges bénéficiaires ? Faut avoir un peu de sens pratique, et crois-moi, les gens là-bas sont à des années-lumière de tout sens pratique.

– Ne remonte pas avant d'avoir de mes nouvelles, aux alentours de Noël.

Vince raccrocha et s'appuya contre son bureau. *Je commence à avoir des fourmis dans les doigts de pied, Vince. Si ça m'avait pris autant de temps pour organiser ta campagne, tu serais pas dans la merde!* Le salaud, oser le menacer de ralentir sa campagne. Il ne le menacerait plus longtemps. Le lendemain des primaires, Beloit serait viré. Il avait déjà duré trop longtemps, à traîner dans les parages et user de son influence parce qu'il avait trop de poids dans le parti pour qu'on le néglige. Mais, après les primaires, Vince était en bonne voie d'être réélu sans opposition sérieuse, et en bonne voie pour se retrouver à la Maison-Blanche; il serait facile de trouver d'autres figures puissantes au parti qui sauraient où était l'argent et comment attirer l'attention au bon moment, au bon endroit. Et Beloit, qui s'était accroché à ses basques pendant vingt-cinq ans, aurait dégagé, enfin.

Il enfila son veston, rajusta sa cravate et fourra dans sa serviette livres et papiers nécessaires à l'audience de la commission. C'était la première d'une série sur les pluies acides qui durerait des mois, jusqu'aux élections de novembre – excellent sujet de campagne électorale. Peu importait les témoignages, cela ferait la une des journaux et des actualités télévisées; or, Vince, désormais président de la commission, serait au centre : bel homme, respirant l'expérience et l'altruisme, il était l'humble serviteur de chaque électeur. Sénateur responsable, il ferait un président responsable.

*Si ça m'avait pris autant de temps pour organiser ta campagne, tu serais pas dans la merde!*

Il marcha d'un pas rapide jusqu'à sa porte. Encore quatre mois jusqu'aux primaires. C'était bien joli de vouloir se débarrasser de Beloit, mais pour l'instant il ne pouvait s'en passer. Beloit avait déjà réuni des banquiers et des assureurs qui n'avaient jamais soutenu Vince auparavant; il avait convaincu les instances locales de tout l'Etat d'organiser une « Journée du sénateur Vince Chatham » avec défilés et inscriptions à la liste de soutien quand Vince leur rendrait visite un mois avant les primaires; il avait obtenu que les journaux et les chaînes de télévision parlent de Vince trois ou quatre fois par semaine, mentionnant un fait ou un autre pour aboutir à un ouragan de publicité gratuite; et surtout, il avait éliminé un adversaire, le plus menaçant, en utilisant des renseignements que Vince tenait à ignorer. Beloit était inventif, infatigable, dénué de principes et discret : tous ingrédients indispensables à un bon directeur de campagne.

Vince prit sa serviette et quitta son bureau. Quatre mois jusqu'aux primaires. Quatre mois à ménager Beloit, le temps de faire passer la Tamarack Company dans les mains de Ray Beloit pour une poignée de cerises. Il était grand temps, se dit Vince, Beloit ou pas Beloit.

J'aurais dû m'en occuper moi-même dès le début, se dit-il. On ne peut jamais faire confiance à Charles, Dieu sait pourtant que c'est lui qui a hâte de vendre. Une fois que je serai sur place, ça ne va pas traîner ; un petit dîner en famille emportera le morceau. Après, je ficherai le camp. Nous ficherons le camp. Ahurissant qu'il ait tant de mal à se rappeler qu'il était marié.

Sa famille, elle, n'oubliait pas. Et, lorsqu'il arriva à Tamarack, tous semblaient satisfaits.

– Clara Chatham, dit Nina en avançant vers eux au restaurant pour embrasser Clara sur les deux joues. Ça sonne bien, ça fait très héroïne d'un roman du XIX^e^. Je suis ravie de vous connaître, Clara, et de constater que Vince croit toujours au mariage, ajouta-t-elle en tapotant le bras de son frère. Nous sommes optimistes dans la famille, vous verrez. Nous croyons qu'en attendant suffisamment il arrive des choses agréables.

Vince passa un bras autour des épaules de Nina et lui posa un baiser sur la joue.

– Nina croit à l'amour. C'est la meilleure sœur qu'on puisse avoir parce qu'elle nous aime tous, ce qui, bien sûr, explique notre optimisme. Un univers qui compte Nina ne peut être qu'un endroit agréable.

Les joues de Nina rosirent. Elle regarda Vince avec un mélange de bonheur et d'étonnement. Vince lui sourit, comme s'il ne voyait que son bonheur. Il savait que personne ne lui faisait véritablement confiance, mais il s'apprêtait à renverser la vapeur.

Le maître d'hôtel les conduisit dans un salon particulier. William et Marian, Gail et Leo étaient déjà là ; Vince les avait fait attendre précisément huit minutes et demie, le laps de temps idéal, avait-il remarqué, pour exacerber l'attente sans créer d'impatience.

– Tu es en retard, lança William.

Vince ne répondit pas. Il fit les présentations et nota avec amusement que tous approuvaient son choix. Clara était petite ; elle avait des yeux marron clair, une petite bouche, des cheveux châtains striés de blanc qui tombaient naturellement sur les épaules ; mais elle attirait l'attention. C'est pourquoi il l'avait épousée, évidemment, mais, même au bout d'un mois de mariage, il n'en revenait pas.

– Bonjour, oncle Vince, dit Gail avec froideur.

Ils se tenaient à une extrémité de la petite pièce meublée d'acajou où huit couverts de porcelaine et de cristal avaient été dressés. Il y avait aussi un petit bar. Gail laissa Vince l'embrasser.

– J'espère qu'il n'y a rien de grave ; Keith a laissé entendre que ce dîner était d'une importance capitale.

– La seule chose importante est de te voir, répondit Vince en souriant. Tu es ravissante, Gail. Je m'absente toujours trop longtemps et j'en oublie à quel point tu es belle. Marian dit que Robin et Ned sont adorables, mais j'ai honte d'avouer que je ne sais plus leur âge.

– Huit et dix, fit Gail, laconique.

– Oui, c'est à peu près ce que je pensais. J'ai quelque chose pour eux dans ma chambre ; je te le descendrai après le dîner. Je ne vous vois jamais, c'est dramatique. Washington est trop loin, et j'ai trop à faire pour m'échapper suffisamment longtemps, sans compter cette fichue campagne... et ça n'arrête pas, Gail ; on me demande toujours d'aller à droite, à gauche, comme si j'étais un pantin dont on tire les ficelles dans tout le pays. Tu n'as pas idée à quel point je hais la politique, parfois – évidemment, j'adore aussi ; c'est le problème. Et plus je vieillis, plus le temps m'échappe. Je me demande si tu éprouves la même chose ; tu es si jeune...

– Ça arrive.

Gail ne pouvait détacher ses yeux de Vince. Il était si beau, et son sourire lui donnait le sentiment d'être quelqu'un de spécial, qui retenait toute l'attention.

– Moi, c'est sans arrêt, dit Vince. J'ai l'impression de passer à côté de l'essentiel. J'admire ce que Leo et toi construisez ensemble – je dois avouer que je l'envie aussi –, c'est terrible pour moi de n'avoir pas réussi à y prendre part. J'ai le sentiment d'avoir perdu de précieuses années. J'aimerais réparer ça, si tu permets. Vous pourriez venir nous voir à Washington. Non ? Nous pourrions mieux nous connaître.

– Un jour, peut-être, fit Gail qui fronça les sourcils en s'entendant. Elle secoua la tête. C'est Vince, se dit-elle.

– Pourquoi Keith a-t-il dit que nous devions absolument être là ce soir ?

– Il a dit ça ? Il a une fâcheuse tendance à exagérer ; trop d'enthousiasme. Il est exact que je voulais te voir ; je ne saurais songer venir à Tamarack sans te voir, Gail. Tu es dure avec moi. Ne peut-on se voir sans avoir des tiers dans les pattes ?

– Anne, tu veux dire ? lança Gail, glaciale. Non, impossible. Je ne suis là que parce que Leo me l'a demandé. Désolée de ne pas être plus aimable ; je le suis, en général. Désolée.

Sur quoi elle planta Vince, qui arbora un petit sourire triste jusqu'à ce que Fred et Marian s'avancent vers lui.

– Toi ici, voilà une agréable surprise, dit Marian en posant un minuscule baiser sur sa joue. Je pensais qu'il y avait trop peu d'électeurs à Tamarack pour que ça vaille le déplacement.

Vince étouffa un petit rire et l'entoura de ses bras, la forçant à le serrer contre elle.

– Marian chérie, fit-il en la libérant. Tu m'as manqué, ajouta-t-il en serrant la main de Fred mais en s'adressant toujours à Marian. Dans le temps, tu avais l'air ailleurs, mais tu as maintenant le regard perçant. Qui l'aurait cru ? Je pourrais te prendre dans mon équipe électorale. En fait, tu pourrais diriger ma campagne; tu es plus rapide et plus futée que tous ceux que j'ai croisés dans ma carrière politique. C'est une bonne idée, non? Fred te laisserait ta liberté quelques mois? On ferait une excellente équipe, toi et moi. On irait droit à la Maison-Blanche.

– La main dans la main, répondit Marian sèchement, mais curieuse. C'est sérieux cette histoire de Maison-Blanche? Ça fait plusieurs personnes qui en parlent.

– Très sérieux. Il y a tant de choses à faire. Et ce n'est pas au Sénat que je le peux. Je le veux, Marian, et j'y arriverai.

– J'en suis persuadé, dit Fred.

D'ordinaire, comme il trouvait les familles assommantes, il laissait Marian s'exprimer à sa place, mais aujourd'hui il voulait que Vince ait conscience de sa présence.

– On serait avec toi. On trouverait des fonds, rédigerait les discours, tout ce que tu veux.

– Quelle aventure, dit Marian. Le président Vince Chatham. Pas mal, je dois dire. Tu es incroyable, Vince, à te prendre en main comme ça et aller si loin. Que je te dise, Vince, merci pour le compliment, mais nous savons l'un comme l'autre que je serais incapable de mener ta campagne. Je ne connais rien à la politique; je ferais un joli pigeon qui se verrait plumer de tous côtés. Mais un compliment est toujours agréable à entendre. Toi aussi tu m'as manqué. Tu es le plus intéressant de nous cinq...

– Toi et moi le sommes.

– Possible, mais tu es le plus retors. Tu es charmant quand tu sais te tenir. Et, bien sûr, j'admire ce que tu as fait de ta vie. J'ai souvent rêvé que nous pouvions revenir en arrière et faire des choses en famille; nous en serions tous plus heureux.

– Personne ne le souhaite plus que moi, dit Vince d'un air de regret. Je te dois des excuses, Marian; je ne t'ai jamais donné ma version des...

– Je ne veux pas l'entendre. Le passé est le passé. Pas la peine de ruminer, Vince; il faut aller de l'avant. Tu es mon frère et je ne te tournerai jamais le dos; j'ai toujours pensé que tu étais capable de devenir quelqu'un de bien. Quelles que soient les fautes que tu as pu commettre, c'est de l'histoire ancienne. Je suis fière que tu sois sénateur; Dieu sait que nous avons besoin d'honnêtes hommes en politique. Bon, je vais bavarder avec ta femme; si quelque chose doit me persuader que tu as mûri, c'est bien que tu aies épousé Clara.

Souriant, Vince regarda Marian passer la main sous le bras de Fred et s'éloigner. Il souriait toujours quand William s'approcha de lui.

– C'est la semaine du bon vieux temps, dit William. Dieu que c'est bon d'être tous réunis. Enfin, presque tous. Dommage que Charles n'ait pu se libérer, dit-il en acceptant une vodka-tonic de la main du barman. Il était si pris que ça?

– Je ne l'ai pas invité, répliqua Vince. Je compte parler de lui et il me semble préférable qu'il ne soit pas là.

William leva le sourcil gauche.

– Tu aurais pu lui laisser le soin d'en décider.

– Impossible. Il m'inquiète trop. Je pensais vraiment que ce serait mieux, William.

– Trop aimable, dit enfin William, à l'évidence sceptique devant un Vince altruiste. Tu sais qu'il sera là pour Noël. Tout le monde, d'ailleurs. On dîne chez Gail et Leo.

– Tous ? fit Vince, l'air surpris, ne voulant pas laisser entendre que Keith l'avait mis au courant. Mais personne ne vient jamais à Noël ; nous allions toujours à Lake Forest avant de partir chacun de son côté. Toi tu allais toujours quelque part au soleil.

– Eh bien, cette fois je suis là. Et tout le monde arrive d'un jour à l'autre. Nous serons dix-huit. Je m'en réjouis d'avance ; il y a longtemps que nous n'avons pas formé une aussi grande tablée. Tu sais, je n'y ai pas beaucoup réfléchi mais je suis persuadé que c'est à cause d'Anne.

Il s'arrêta un moment pour scruter le visage impassible de Vince, puis reprit :

– Tout le monde est curieux, et en plus tout le monde l'aime et a envie d'être près d'elle. Quand elle entre, c'est comme un déferlement, si tu vois ce que je veux dire. Elle n'aime pas qu'on s'approche trop près, mais il est clair que tout le monde est attiré. C'est sacrément fascinant : elle dégage un air de savoir les choses, comme si elle détenait quelque secret que les autres espèrent trouver. Quoi qu'il en soit, tout est plus intéressant grâce à elle, cela explique sans doute qu'on renonce à la plage ou à l'Europe. Et vous deux ? Je suis persuadé que Gail trouvera de la place pour Clara et toi.

– Non.

Vince finit son scotch à l'eau et fit un geste impatient au barman pour qu'il lui en serve un autre. En attendant, il pencha la tête, songeur. *Comme si elle détenait quelque secret.* Mais qu'est-ce qu'il se tramait ? William connaissait son secret ; quel jeu jouait-il donc ? *Tout est plus intéressant grâce à elle.* Elle avait quelque chose derrière la tête. Et William le sondait pour connaître ses réactions. Eh bien, il n'obtiendrait rien ; Vince était maître en l'art de ne rien dévoiler.

Mais il y avait anguille sous roche. Jusque-là il l'avait presque crue quand elle prétendait vouloir oublier et abandonner toute idée de vengeance. Mais il savait maintenant qu'il n'en était rien. Ç'aurait été trop simple, futée comme elle était. *Comme si elle détenait quelque secret.* La garce. Elle faisait des sous-entendus, laissait ses phrases en suspens, elle les préparait pour le jour où elle lâcherait sa bombe. Les petites salopes n'oublient jamais. Il le savait. Il n'oublierait pas non plus.

Il prit son whisky et revint à William.

– Non, désolé, c'est impossible. Nous devons rejoindre des amis en Floride. Dommage ; je m'aperçois brusquement à quel point vous m'avez manqué, et Noël en famille est toujours merveilleux. Peut-être l'an prochain ; voilà bien longtemps que nous n'avons pas entamé la nouvelle année ensemble. Elle n'est pas là ce week-end ?

– Anne, tu veux dire ? Non, logiquement. Elle passe cinq jours à Noël et ne peut s'absenter davantage. Tu sais qu'elle a un succès fou, elle est la meilleure dans son domaine – suis-je bête, tu es au courant pour Dora. A mon sens, elle travaille trop, elle se noie dans le droit et ne laisse place à rien d'autre, surtout ces dernières semaines, mais c'est une jeune femme remarquable. Je l'aime énormément. Nous tous, d'ailleurs. Ah, je voulais que tu me parles de Washington, mais je ne t'en ai pas laissé placer une et je meurs de faim. Quand vont-ils se décider à servir ?

– Dans l'instant. Nous parlerons de Washington après le dîner si tu veux ; j'ai des histoires à te faire dresser les cheveux sur la tête. Ça doit rester entre nous, bien sûr, mais tu vas te régaler à m'écouter.

– Il m'arrive de savoir écouter, dit William en riant.

Ils prirent place autour de la table et Vince, encore debout, proposa un toast.

– Aux Chatham, et à la mémoire d'Ethan. C'était un grand homme, qui avait le profond souci de chacun de nous. Buvons à l'esprit d'amour et d'altruisme que je n'ai pas pris suffisamment au sérieux dans ma jeunesse... Il s'interrompit et s'éclaircit la gorge à plusieurs reprises. Désolé, je m'en voudrais d'être larmoyant. J'ai rejeté bien des choses qui ont fait des Chatham une famille heureuse, et je l'ai toujours regretté ; je vous demande de me pardonner. J'espère que Clara et moi ferons autant partie de la famille que nous l'imaginions à l'époque où nous rêvions de la famille idéale.

Il y eut un long silence. Nina essuya une larme. Marian regarda Vince, ahurie et admirative.

– Eh bien, grommela William.

Leo observa Gail qui, de marbre, ne leva pas les yeux de son assiette.

Clara offrit à Vince un sourire plein d'amour et de bonheur. Peu après leur rencontre, il lui avait raconté toute l'histoire : comment il s'était rebellé contre l'autorité paternelle à la maison comme en affaires, comment, un jour, sur un coup de tête, il avait vendu ses actions, quitté la maison et perdu volontairement tout contact hormis avec Charles. Alors qu'il organisait ce dîner, elle avait doucement suggéré qu'il présente ses excuses. Clara comprenait Vince. Il avait besoin d'elle. Car aussi brillant et fin politicien qu'il fût, aussi soucieux du bien de la nation, Vince ne comprenait pas les gens. Clara le savait. C'était une étrange lacune chez cet homme parfait au demeurant. Mais il l'avait trouvée, et elle savait pouvoir l'amener à dire et faire des choses qui faciliteraient l'avenir. Elle serait son chien d'aveugle, elle le guiderait dans les buissons épineux des relations humaines. Telle était sa mission.

– En fait, j'aimerais parler de Charles, dit Vince une fois que le serveur eut passé le potage et quitté la pièce. Je m'inquiète terriblement à son sujet. Il vient régulièrement me voir à Washington et se montre aussi honnête avec moi qu'un frère peut l'être. Mais il est vraiment limité; c'est pour ça qu'il a des ennuis. Et je veux l'aider.

Il s'interrompit et repoussa son assiette.

– C'est mon frère, et le savoir confronté à de si graves problèmes me traumatise. Il est beaucoup plus vieux que moi mais nous avons toujours été très proches. Je l'aime énormément mais, soyons honnêtes, Charles est un faible. Et il a peur. Il est incapable de prendre une décision définitive – voire une décision tout court – parce qu'il est sûr que les conséquences seront néfastes, ce qui est souvent avéré, il faut bien le dire. Rien que cette année, pour prendre l'exemple le plus récent, ses grandes décisions ont conduit au désastre. Je fais allusion au projet Deerstream, à l'ouest de Chicago; tout dépendait d'une nationale qui n'a jamais vu le jour. Vous connaissez l'histoire.

Il regarda autour de la table. Personne ne mangeait, tous écoutaient.

– Les problèmes ont vraiment commencé quand papa s'est désintéressé de Chatham Development pour se concentrer sur Tamarack. Le pauvre Charles est resté à la traîne et, avouons-le, personne ne l'a aidé. Nous avions laissé papa développer l'affaire et n'étions pas prêts à cautionner Charles tandis qu'il la laissait aller à vau-l'eau. William aimait y travailler quelques heures par jour pour consacrer le reste de son temps à écrire. Nina essayait de trouver quelqu'un à aimer, qui l'aimerait autant qu'elle le mérite. Marian et Fred voulaient une grande entreprise et auraient su comment la diriger, mais ils n'étaient pas prêts à s'installer pour prendre le relais...

– Fred, si, intervint Marian.

– Dans de bonnes conditions, s'empressa d'ajouter Fred. Pas tout seul, évidemment; Walter aussi voulait déménager... le mari de ma fille Rose, fit-il à l'adresse de Clara. Nous étions navrés de voir l'affaire péricliter, mais nous ne pouvions tout de même pas pousser Charles dehors. C'est lui l'aîné, après tout, Walter et moi ne sommes que des pièces rapportées.

Vince balaya le fait qu'Ethan n'aimait pas Fred et l'avait tenu à l'écart.

– Quelles que fussent les raisons, dit-il, nous avons tous laissé tomber Charles. Ce n'est pas moi qui jetterais la première pierre – nous sommes tous très occupés et nous avons nos problèmes – mais le fait est là. Mon cœur saigne quand j'y pense. Quand il est venu à Washington il y a quinze jours, il m'a apporté le dernier rapport financier de Chatham Development. Vous l'avez tous lu, mais permettez-moi d'y revenir. Les banques exigent le paiement de dix millions de dollars d'intérêts sur les emprunts de la société; ils ne prêteront pas un sou de plus tant qu'ils ne l'auront pas obtenu; et il n'y a pas de trésorerie pour honorer ce règlement. Sans doute plus important encore, il n'y a pas de liquidités pour de nouveaux projets qui relanceraient l'affaire. Quant à ce pauvre Charles, il a essayé d'empêcher le bateau de couler en empruntant quarante millions de dollars sur ses biens propres. Il est sur la corde raide.

Vince but une gorgée d'eau.

– Bien. Si la Tamarack Company est vendue, Chatham Development se retrouverait avec trente à quarante millions en cash une fois payées les dettes de Tamarack. Charles pourrait régler les intérêts bancaires et rembourser une partie de ses emprunts; ce qui lui laisserait encore dix à vingt millions pour les nouveaux projets concoctés par Fred et lui. Ils sont au point. Ne manquent que les outils. Ne manque que l'argent.

Il regarda chacun d'entre eux.

– Voilà où nous en sommes. A Chicago, Charles se démène comme un beau diable pour que nous soyons fiers de lui, mais la société se réduit comme une peau de chagrin sous sa férule; et chaque fois que je le vois, il me fait davantage l'effet d'un homme brisé. C'est plus que je ne puis en supporter; je suis donc venu voir si nous pouvions nous réunir pour l'aider. C'est notre frère! Et ton père, Gail! Le laisserons-nous souffrir encore longtemps? Il a demandé une chose à sa famille: vendre la Tamarack Company afin de remettre Chatham Development en selle une fois réglé le passif. Je lui ai promis de l'aider dans la mesure du possible et je suis sûr – de toute mon âme – que vous ne le laisserez pas tomber non plus. Peut-être devrions-nous réfléchir à certaines modifications à l'intérieur de la société. Peut-être est-il temps que Fred prenne la relève; il ferait un excellent président, avec Walter à ses côtés, évidemment. Ainsi poursuivraient-ils l'héritage de papa mieux que personne. Je parie que Charles serait enchanté; il serait président du conseil d'administration et saurait qu'il n'est pas un raté.

Le serveur vint ôter les assiettes. Vince lui fit signe de se retirer.

– Je connais vos sentiments à propos de Tamarack, dit-il à Gail et à Leo. Mais tous les autres ont grandi avec Chatham Development; c'était le premier rêve de papa, celui auquel tout le monde a participé. J'ai abandonné ma part dans l'affaire parce que j'étais un jeune sot, mais je n'ai jamais cessé d'aimer cette entreprise ni de penser que j'en étais responsable. C'est vrai, c'est mon problème; vous n'avez nul besoin de m'aider à réparer mes erreurs. Mais je crois que nous aimons tous la société de papa et que nous nous sentons tous responsables.

Il se pencha en avant, son regard se fit chaud et confidentiel, sa voix se fit douce et pressante.

– Il faut agir! Nous devons sauver Charles et l'entreprise de papa; nous pouvons leur redonner vie. Quel meilleur cadeau de Noël pour Charles, pour nous, que de savoir que nous avons bien agi?

Sa voix mourut peu à peu. Il y eut un bref silence.

– Oh! là là! pauvre Charles, dit Nina. Comment pourrions-nous dire non? Il a besoin de nous.

Marian acquiesça lentement.

– J'aime Tamarack, dit-elle. Je ne voudrais pas qu'elle change.

– Pourquoi changerait-elle? demanda Vince. Ça fait longtemps que ça fonctionne à merveille; pourquoi s'amuserait-on à tout gâcher?

– Il y a un homme qui parcourt la ville en nous racontant comment il gâchera tout, intervint Gail, furieuse. Il parle comme si l'affaire lui appartenait déjà et veut tout chambouler. Il s'appelle Ray Beloit, c'est ton directeur de campagne et tu es certainement au courant de ses moindres faits et gestes.

Un ange passa, très vite.

– Ray veut acheter la Tamarack Company ? Il ne m'en a jamais parlé. Il a sûrement eu peur que je l'en dissuade parce qu'il est très pris par ma campagne, dit Vince, l'air pensif. Je peux lui en parler et voir ce qui se passe ; c'est sans doute le mieux. S'il a assez de garanties pour acheter, c'est peut-être ce qui peut nous arriver de mieux. Nous nous connaissons depuis près de vingt-cinq ans ; si nous avons des inquiétudes à formuler, il m'écoutera, il nous écoutera tous. Cela dit, si on met l'entreprise sur le marché, ça risque d'intéresser des tas de gens. Leo ? Qu'en penses-tu ?

– Nous serions de fieffés imbéciles si nous vendions, dit Leo sans ambages. Nous sortons d'une position plus que délicate ; des difficultés nous ont affaiblis, et si je soutenais cette vente, ce que je ne fais pas, je sais que nous n'obtiendrions pas le prix que nous pourrions en tirer une fois que nous serons parfaitement remis. Mais une chose est claire, il ne faut pas vendre du tout. L'affaire est saine et, quel que soit le point de vue, je trouve insensé de larguer une entreprise en bonne santé dans le faible espoir d'en sauver une qui sombre. Ecoutez, dit-il en soupirant, moi aussi je me fais du souci pour Charles. Il n'est pas facile de voir le père de Gail dans une telle situation, mais vendre la Tamarack ne le sauvera pas. Qui nous dit que Chatham Development retrouvera jamais sa force ? Cela exige bien autre chose que de l'argent ; il faut de l'énergie, un but, des idées, de l'imagination, et tout ça a disparu avec Ethan. Nous le savons tous. Nous devrions plutôt établir un plan qui rende l'affaire profitable au lieu de jeter le bébé avec l'eau du bain.

– Oh ! là là ! soupira Nina.

– Mais tu ne sais pas combien on pourrait tirer de Tamarack, protesta Marian. Si c'est beaucoup plus que nous ne le supposons – et je crois que tu exagères beaucoup les petits problèmes que tu as eus, Leo, l'eau, tout ça ; tu es trop dans le coup pour être objectif – cela pourrait suffire à tirer Charles d'affaire et redonner une santé à la société, et chacun s'en trouverait mieux. Nous n'avons pas la moindre idée de ce qui se passerait si on la mettait sur le marché.

– Nous aurions des offres très basses, dit Leo. Et il serait alors bien difficile de faire machine arrière ; l'argent vous danserait devant les yeux et ça vous ferait envie. Et à Charles aussi.

– Leo, sérieusement, il n'est pas stupide à ce point, le tança Marian. Charles sait ce dont il a besoin. Il ne nous ferait pas vendre si ça ne pouvait pas l'aider.

– Il voudrait le maximum, insista Leo. Il commencerait à se persuader qu'il peut accomplir des miracles avec ce qu'il en tirerait.

– Non, nous pouvons contrôler ça, intervint William. Le problème n'est pas là. C'est Charles, le problème; nous lui sommes redevables, ça ne me plaît pas, mais je pense que Marian a raison. Nous lui devons pour le moins de voir ce que nous pouvons obtenir.

– Mais nous n'avons parlé que de ça! s'écria Gail. Des autres façons de l'aider, des autres choses que nous pouvons faire...

– Nous le ferons aussi, dit William. Mais nous devons commencer par la Tamarack Company. Il faut saisir l'occasion. Un tien vaut mieux que deux tu l'auras!

Gail se mordit les lèvres. Leo mit sa main sur la sienne.

– Alors il faut fixer un bon prix et ne pas traiter en deçà.

– C'est un peu rigide, dit Vince avec douceur. Nous parlons de Charles, pas d'une quelconque agence immobilière.

– Evidemment, c'est pour Charles, dit Nina. Nous faisons ça pour lui. Pas besoin de nous en tenir au prix le plus élevé; ça découragerait les acquéreurs. Tout ce que nous pourrons obtenir l'aidera, ne pensez-vous pas?

– Nous obtiendrons un prix raisonnable, dit Marian. Inutile de demander la lune, mais nous nous en sortirons; il s'agit d'une affaire prestigieuse.

– Nous étudierons les offres, grommela William. Puis nous déciderons.

Personne n'eut un regard pour Leo et Gail. Tous connaissaient la répartition des actions: Charles, avec Marian et sa famille, contrôlaient quarante-deux pour cent; Gail et sa famille, treize pour cent. William ou Nina pouvaient s'allier avec Charles et Marian pour voter la vente, et c'en serait fini.

Le serveur entrebâilla la porte. Cette fois, Vince lui fit signe de débarrasser les assiettes et de servir la suite. Il était temps de profiter de ce repas de famille.

# 16.

Keith regarda Anne et Leo grimper dans la nacelle pour la promenade en haut de la montagne. Il vérifia l'heure à sa montre. Neuf heures moins une, pile. Il leva les yeux et arbora un grand sourire.

– Tu ne manques jamais un matin, dit-il à Leo en marchant au côté de la nacelle qui avançait lentement. Même le jour de Noël.

– Et toi, alors ? Je croyais t'avoir donné ta journée.

– Je voulais seulement m'assurer que tout allait bien. Je file dans une minute. La nacelle atteignit le bout de la gare et les portes automatiques se fermèrent. Amusez-vous bien, lança-t-il en leur faisant un signe de la main.

Il se détourna au moment où la télécabine prenait de la vitesse et de la hauteur.

– Qu'en dis-tu ? demanda Leo. Se pointer le matin de Noël pour faire un tour d'inspection. Keith réussit toujours à me surprendre.

Il se cala sur le dossier capitonné. La nacelle était conçue pour six, trois face à la montagne, trois face à la vallée. Anne et Leo étaient tournés vers la ville. Au-dessous, les rues étaient calmes en ce petit matin de Noël, les toits étaient lourds de neige, les parcs un entrelacs de traces de traîneaux et de pas. Des bonshommes de neige montaient la garde. Les pics entourant Tamarack avaient déjà pris la couleur rose et or du soleil levant, mais la ville était encore dans l'ombre et les éclairages de Noël faisaient autant de colliers autour des arbres et des maisons, redessinant les silhouettes et les porches des chalets.

Anne oublia Keith et le malaise qu'elle éprouvait immanquablement en sa présence. Elle aimait partager le spectacle de la montagne avec Leo. Il était amical, facile et simple, aussi proche que l'aurait été un frère. Elle eut une pensée fugitive pour Josh ; elle aurait aimé qu'il fût près d'elle, au-dessus de la terre, entre soleil et silence. Mais c'est impossible, songea-t-elle, et, respirant profondément, elle s'obligea à penser à Tamarack.

Après tant d'années, elle s'y sentait à nouveau chez elle, malgré ses visites trop courtes. De bien des façons, c'était toujours la ville qu'elle avait connue, y compris les habitants : une bande d'excentriques comme on en croise en Californie – obstinés, farouchement indépendants, accueillants et chaleureux avec ceux qui aimaient la montagne et voulaient la protéger, affichant un mépris glacial à l'égard de qui voulait utiliser Tamarack pour frimer. C'était plusieurs villes en une, se dit Anne ; et toutes coexistaient pour que chacun y trouve refuge et s'y sente bien, comme elle.

– Paix sur la terre, fit Leo avec un peu d'amertume tandis qu'il contemplait la ville s'éloigner. Qui croirait que des gens se battent pour ce petit lopin de terre, et que nous venons juste de perdre ?

Anne secoua la tête.

– Je refuse de l'admettre. Il y a sûrement quelque chose à faire.

– Nous ne voyons pas quoi. Ils nous ont passé sur le corps et ils ont la majorité. Le pire est qu'il y a quinze jours Josh nous a soumis une idée qui n'est pas si mauvaise – sans être enthousiasmante, ce serait toujours mieux que de vendre – mais de toute façon nous n'avons pas assez d'argent pour satisfaire Charles et Fred. Nom d'un chien, si tu savais combien d'argent a été englouti à Chicago ! Un vrai gouffre ; on n'en voit plus jamais la couleur.

– Quelle était l'idée de Josh ? s'enquit Anne.

– Vendre une partie de la Tamarack Company. Lors de son dernier séjour en Egypte, il a parlé à des investisseurs et à des responsables au gouvernement ; il se trouve que le gouvernement ne veut partager ses fouilles avec personne en Egypte. Je suppose que ça sera le plus grand tabac depuis Toutankhamon, alors ils veulent tous les droits sur les films et Dieu sait quoi. Résultat, les investisseurs privés cherchent autre chose ; Josh leur a donc suggéré Tamarack. Quand il m'en a parlé, j'ai refusé d'y croire ; pourquoi diable des Egyptiens s'intéresseraient-ils à une station de ski américaine ? Mais après tout, les Japonais s'y intéressent bien ; et les Hollandais et les Anglais possèdent des bouts de ce pays, alors pourquoi pas les Egyptiens ? Ça m'a bluffé que Josh y pense ; il tentait de réunir des fonds pour ce qui lui importe le plus au monde et il trouvait encore le moyen de penser à nous.

– Et alors ?

– Nous leur avons envoyé un monceau de documentation et de rapports financiers. Sans être prêt à accepter, je ne voulais rejeter aucune possibilité. J'ai appelé Fred pour lui demander quelle serait sa réaction si ce type d'offre survenait – me gardant bien de lui dire que ça intéressait quelqu'un –, il a répondu de laisser tomber ; il ne leur donnerait pas ce qu'ils voudraient. Bon sang, on devrait pouvoir trouver un compromis, mais comment traiter avec des rapaces ?

– Est-ce vraiment de la rapacité ?

– Peut-être pas, après tout. Charles cherche désespérément à compenser ses échecs, Fred est mû par la colère de n'avoir pu mener l'affaire à son idée, et chacun essaie de bien faire.

Anne fronça les sourcils.

– Pourquoi personne ne parle-t-il de vendre Chatham Development ?

– Dieux du ciel, ce serait comme vendre la reine mère. Cette entreprise, c'est leur vie ; ils n'ont jamais connu autre chose. Et à la vérité, ce serait inutile. Presque tous leurs biens sont hypothéqués, il leur resterait tout juste de quoi payer la prochaine échéance. Il leur faut bien davantage, surtout pour rembourser les dettes personnelles de Charles. Quand je pense à tout ce gâchis ; et aucune solution ne fait l'unanimité. Je voulais discuter la chose ce soir au dîner, mais Gail dit que je ne dois même pas aborder le sujet ; ça gâcherait le Noël de tout le monde. Comme si le nôtre ne l'était pas déjà.

Il demeura songeur tandis que la ville finissait de disparaître derrière la montagne. Au loin, la piste de l'aéroport déchirait de gris les champs immaculés ; une grange rougeoyait comme un phare au soleil ; collines enneigées et crêtes déchiquetées marquaient l'horizon.

– Tu sais, reprit Leo en pesant ses mots, ce n'est pas seulement mon travail, pas seulement la société. C'est chez nous, c'est un endroit que nous avons aidé à bâtir et à améliorer. Combien de gens peuvent en dire autant de leur activité quotidienne ? Tu devines à quel point il est ardu de faire d'une station de ski une véritable ville pour ceux qui y vivent, mais nous y œuvrons, et je veux continuer. Nous avons beaucoup d'influence ici, ajouta-t-il en riant, autant qu'on peut en avoir dans cette ville. Nous possédons suffisamment de biens pour avoir notre mot à dire, nous nous entendons bien avec le conseil municipal, nous pouvons faire beaucoup pour les écoles, l'hôpital, la bibliothèque, le musée, le centre de loisirs... oh, et puis à quoi bon ressasser tout ça, c'est fini, maintenant. Quelqu'un de l'acabit de ce salaud de Beloit achètera Tamarack et en fera un Coney Island, et adieu le rêve d'Ethan, et le nôtre. Dieu que nous étions bien, ici !

– Cette histoire ne tient pas debout, dit Anne. Il faut en reparler, et pas plus tard que ce soir. C'est arrivé trop vite, tu ne trouves pas ? Tu as dit que tout était réglé avant que vous ayez fini votre potage. Comment ont-ils pu réfléchir correctement ?

– Mais si. Vince leur en a donné le temps. Je dois admettre qu'il a été excellent. Il a joué en douceur sur la faiblesse de chacun, il s'est montré chaleureux, terriblement persuasif...

Il s'interrompit. Anne était raide, les mains agrippées sur ses genoux.

– Il a réussi à les convaincre, ajouta-t-il maladroitement.

Ils demeurèrent silencieux, les yeux rivés sur les impeccables pistes serpentant entre les conifères enneigés. Une fois en haut, la portière s'ouvrit, Anne et Leo sortirent et prirent leurs skis sur le toit.

– Prenons la dix, fit Leo tandis qu'ils mettaient les pieds dans les fixations.

Ils se tenaient dans le soleil, entourés de monts aux sommets blanc et or, aux pentes vert argenté, aux ombres bleu-gris. Anne se régala de tant de beauté.

– Passe devant, dit Leo.

Elle s'élança et la pente fut bientôt assez forte pour qu'elle pût se laisser glisser. Leo la suivit, admirant la fluidité de sa silhouette. Elle portait un fuseau noir et un anorak émeraude; ses cheveux noirs étaient retenus pas un serre-tête doré. C'était une skieuse magnifique, remarqua Leo, puissante, rapide, pas une faute de carre. Elle se mouvait avec grâce et concentration comme dans tout ce qu'elle faisait, métier compris. Elle coupa au plus court et se lança d'une façon telle qu'il fut clair qu'elle ne souffrirait nulle interférence, nul doute sur son choix.

Leo s'arrêta sur le flanc de la piste et regarda Anne arriver en bas et se retourner pour voir où il était. Elégante, maîtresse d'elle-même, songea-t-il; une des plus belles skieuses sur une piste qui attirait les meilleurs. Il s'élança pour la rejoindre.

Anne le vit et lui fit un signe avant de se mettre sur le côté, dans la poudreuse. Elle dévala la pente; derrière elle, la neige se soulevait pour retomber lentement sur le sol en étincelles blanches.

C'est en pareils moments qu'elle se sentait libre, comme si elle ne touchait plus terre, laissant parler sa jeunesse, la force de son corps, son énergie débordante. Elle ne pensait à rien. Il n'y avait ni passé, ni futur, ni peurs, ni pressions, ni regrets. Seuls l'enivrante vitesse, la beauté étincelante du paysage, la clarté de l'air froid qui lui emplissait les poumons, et le rythme de son corps.

La pente régulière fit place à un champ de bosses formées par les skieurs repoussant la neige de côté en freinant. Anne slaloma prestement puis retrouva une ligne plus régulière. Elle s'arrêta, respirant fortement, et sourit. Elle ne s'était jamais sentie aussi proche de la joie. Elle leva les yeux et son sourire s'agrandit en apercevant Leo qui la suivait. Il skiait en puissance, fonçant sur les bosses comme un char d'assaut.

Il s'arrêta à côté d'elle.

– Superbe, remarqua-t-il dans un sourire. Tu as un sacré style, pas comme moi. J'adore skier avec toi.

Il regarda son visage rayonnant à vous couper le souffle. C'était comme sa façon de skier : tout était harmonieux. Quel contrôle parfait, songea-t-il, et, comme par le passé, il éprouva de la pitié pour elle. C'était bien pour le ski, mais qu'est-ce que ça venait faire dans sa vie affective ?

– Que s'est-il passé entre Josh et toi ? demanda-t-il tandis qu'ils se dirigeaient vers le remonte-pente numéro dix.

– Nous ne nous voyons plus.

– Je le sais. Gail lui a demandé. Je suis navré; je croyais que vous vous entendiez bien.

– C'est toujours vrai. Cela nous a seulement semblé préférable d'arrêter. Il m'a appelée quand Gail l'a invité à dîner pour ce soir. Il voulait savoir si sa présence me contrarierait.

– Tu as dis non.

– Evidemment. Comment aurais-je pu lui demander de ne pas venir ?

Devant sa voix parfaitement calme et son visage impassible, Leo laissa tomber.

– Je n'en ai pas pour longtemps, dit-il en allant parler au responsable des remontées mécaniques.

Il revint bientôt, précisant que tout allait bien et qu'ils pouvaient monter.

Ils montèrent en télécabine jusqu'en haut où Leo vérifia tous les contrôles avec le responsable. Puis ils restèrent un moment à observer la foule des skieurs de Noël s'agglutiner autour d'eux. Ils arboraient toutes sortes de tenues, du sobre fuseau noir aux fluos agressifs qui transformaient la montagne blanc et vert en un véritable kaléidoscope. Tout près, un skieur fit une chute, abandonnant derrière lui skis, bâtons, bonnet et lunettes noires.

– Il est mûr pour ouvrir un stand aux puces, remarqua quelqu'un tandis que d'autres se précipitaient à son secours.

– Ça m'arrive encore à l'occasion, dit Leo en souriant. Ça remet les pendules à l'heure.

Ils skièrent d'une remontée à l'autre. Leo dit deux ou trois mots à chaque responsable ainsi qu'à la patrouille qu'ils croisèrent en chemin.

– Keith déteste me voir tout vérifier chaque jour, fit Leo une fois qu'Anne et lui se retrouvèrent à leur point de départ. Il prétend que c'est son boulot. Il a raison bien sûr, mais je préfère m'assurer qu'il est à la hauteur de son poste.

– Pourquoi l'avoir engagé ? s'enquit Anne tandis qu'ils portaient leurs skis jusqu'à la voiture de Leo.

– Vince me l'a demandé et Keith a vraiment insisté ; il affirmait qu'il voulait mettre de l'ordre dans sa vie. Comment faire la sourde oreille ? Je me suis dit qu'il progresserait et s'habituerait. Dans un sens, c'est ce qu'il a fait. Regarde, il est passé ce matin ; qui l'aurait cru ? Mais il y a quelque chose qui cloche chez lui ; je ne sais pas ce que c'est, mais ça me tracasse.

– Il est immature. On dirait qu'il n'a pas fini de grandir et ne finira peut-être jamais. Il a ce regard qu'ont les enfants au bord de la colère parce qu'ils sont sûrs de ne pas obtenir ce qu'ils veulent ou la considération qu'ils croient mériter.

Leo réfléchit.

– Plutôt dur, mais tu as sans doute raison. Je me demande combien de temps il gardera ce job.

– Tant qu'il en tirera ce qu'il veut.

Leo et Anne bouclèrent leurs skis sur la galerie et roulèrent en direction de la ville.

– Que veut-il, d'après toi ? ajouta Anne.

– Je ne sais que ce qu'il m'a dit : il veut mettre de l'ordre dans sa vie. On dirait qu'il y a réussi ; je parie qu'il ne se drogue pas et jamais je ne l'ai vu boire. Il a une petite amie, très jolie, qui paraît folle de lui. Il a une belle carrière devant lui ici si les nouveaux propriétaires le gardent. Ça devrait lui suffire.

– Je me le demande, remarqua Anne, songeuse. Il m'a l'air bien gourmand.

– D'argent, tu veux dire ?

Elle hésita.

– Je crois qu'il aime ce genre de pouvoir qu'on acquiert en faisant mal à autrui.

Leo lui lança un regard aigu.

– Alors il est dangereux.

– Possible.

Ils se retrouvèrent au milieu de la foule.

– Joyeux Noël, Leo ! dit quelqu'un.

Leo s'arrêta un instant pour bavarder. Beaucoup de touristes étaient demeurés en ville pour la journée. Ils faisaient du lèche-vitrines ou s'asseyaient au soleil, la tête en arrière et les paupières closes pour mieux profiter du soleil. A l'ombre, il faisait frais, mais au soleil les gens ouvraient leur anorak, ôtaient leurs gants et souriaient d'aise.

– Salut, Leo, bonnes vacances ! dit un homme grand et costaud.

Leo s'arrêta et le présenta à Anne.

– Alors ? Comment est l'eau ? demanda l'homme. Plus de problèmes ?

– Tout va bien, répondit Leo.

– Veille à ce que cela ne se reproduise plus, fit l'homme quand ils se séparèrent.

– Etait-ce un avertissement ? demanda Anne.

– Presque. Il vient ici tous les quinze jours avec son avion personnel et aime qu'on soit à sa botte, comme ses sociétés. Mais il est inoffensif, ou presque.

Ils atteignirent le bout du mail où un groupe chantait des cantiques de Noël sous un épicéa. Des enfants coururent, montrant du doigt leurs étonnants costumes et essayant leurs hauts-de-forme. Plus tard, les chanteurs sillonneraient la ville, s'arrêtant chez les malades et dans les hôpitaux pour donner la sérénade. Plus loin, un trompettiste solitaire jouait, son chien enroulé à ses pieds. Dans les restaurants, serveurs et serveuses plaçaient des fleurs sur les tables ; à la fabrique de George, des clients faisaient imprimer des T-shirts montagnards personnalisés comme cadeaux de dernière minute ; sur leur droite, des équipes damaient les pistes pour les courses de luge que les enfants feraient dans l'après-midi.

– Anne, Leo, Noël se passe bien ? demanda Timothy. Ça n'est pas la foule, si vous voulez le savoir.

– Ne me dis pas que c'est le désert à la taverne, lança Leo.

– Le désert, non, mais on n'est pas aussi débordé qu'on le voudrait. Je suis persuadé que les gens ont encore la trouille.

Leo secoua la tête.

– Regarde, personne n'a l'air inquiet.

– Ceux-là, d'accord, puisqu'ils sont venus. Moi je te parle de ceux qui ont annulé pour filer à Vail ou à Aspen. Ils ont lu les journaux, tu sais. Et ils y regardent à deux fois avant de venir chez nous.

– Ça va vraiment si mal, Tim ?
– Ne me fais pas dire ce que je n'ai pas dit. Mais les affaires sont moins bonnes, il n'y a pas de doute. Et les maisons ne se vendent plus comme avant, et quelques boutiques ont dû fermer.
– Quels sont les chiffres par rapport à l'an dernier ? demanda-t-elle.
Il haussa les épaules.
– Peut-être dix pour cent de moins. Pour l'instant ce n'est pas catastrophique, mais je dois avouer que j'ai peur que ça empire. Je crois qu'on ne nous fait plus confiance, tu comprends ? Une fois qu'ils se sont inquiétés, ils ne l'oublient pas facilement.
– Alors tiens ta langue, dit Leo. Tu ne sais jamais si un de tes joyeux touristes est reporter pour « Good Morning America » ou au *New York Times*.
Ils s'éloignaient que Leo fronçait toujours les sourcils.
– La pire publicité pour une ville, ce sont ses habitants. Mais comment le leur faire comprendre quand ils ont peur ? Ils mettent tous leurs œufs dans ce putain de panier de station de ski puis ils prient le bon Dieu pour qu'il y ait juste le temps qu'il faut et qu'on se passe le mot que c'est un endroit merveilleux. C'est le cas, d'ailleurs, mais ça ne fera pas venir les gens s'ils le croient pollué.
Chez Carver, Leo acheta ses journaux habituels et les boissons non alcoolisées que Gail lui avait demandé de rapporter. Puis ils revinrent à la voiture.
– En parleras-tu à table ? demanda Leo à Anne.
Elle hocha la tête.
– Je vais d'abord prévenir Gail, mais je crois que oui.
– Ça pourrait être gênant, surtout que Charles sera là.
– Eh bien, ce sera gênant, voilà tout.
Leo lui lança un coup d'œil en coin. Elle regardait droit devant elle, ne trahissant pas l'ombre d'une émotion. Tant de blessures si profondément enfouies, pensa-t-il. Et elle avait choisi : ce serait Gail et lui, leur avenir, leurs sentiments; tant pis pour son père.
Ce soir-là, il l'observa tandis qu'elle et Gail s'affairaient à la cuisine alors que la famille arrivait peu à peu. Les deux sœurs avaient choisi de longues jupes écossaises à franges; Gail portait un pull ras du cou vert foncé, celui d'Anne était lie-de-vin, agrémenté d'un collier indien en argent et de longues boucles d'oreilles assorties. Une fois de plus, Leo perçut à quel point Anne était plus belle et plus frappante que Gail. Il savait que chacun verrait d'abord Anne puis seulement remarquerait Gail. Et une fois de plus, il éprouva ce familier élan protecteur à l'égard de sa femme. Mais il savait qu'elle n'en avait pas besoin car elle n'éprouvait pour sa sœur qu'amour et pitié.
Anne leva les yeux et lui sourit. Leurs escapades matinales les avaient rapprochés et Leo pensait parfois que ce serait peut-être grâce à lui qu'elle se libérerait de tant de maîtrise, tant de rigidité. Mais non, ce devait être

quelqu'un capable de lui faire franchir un pas de plus, de lui donner une chance d'aimer. Il sut qu'il avait raison au moment où Josh entra; il vit Anne le regarder depuis l'autre bout de la pièce; il vit leurs regards se croiser. L'histoire n'est pas finie, se dit Leo. J'aimerais faire quelque chose pour eux. Mais cela aussi était impossible. Gail et lui n'avaient d'autre possibilité que de traîner dans le coin, prêts à donner un coup de main si Josh ou Anne, ou les deux, en avaient besoin.

– Joyeux Noël! dit Josh en se dirigeant vers Anne. Tu es ravissante et rayonnante.

– Merci.

Elle était rassurée. Curieux de se sentir rassurée de voir Josh, songea-t-elle. Et heureuse.

– Je suis contente de te voir.

Elle sourit en remarquant son pull rouge foncé, presque de la même couleur que le sien, sur une chemise blanche à col ouvert.

– Nous sommes habillés pour la saison, ajouta-t-elle.

– La couleur des plantes qui survivent à l'hiver, dit Josh. Cela rend l'espoir raisonnable. Dis-moi, comment vas-tu?

– Bien, merci. Et toi?

– Très bien. Tu m'as manqué.

Elle lui offrit un regard calme.

– Tu m'as manqué, dit-elle doucement, car elle était incapable de lui mentir. Est-ce que ton équipe a atteint la sépulture?

– Pas encore, mais Hosni pense que c'est pour bientôt.

Il voulait lui parler, lui dire qu'ils s'étaient peut-être manqué mais ne s'étaient pas vus pour autant. Hélas, ce n'était pas le moment : la famille s'assemblait autour d'eux.

– Je repars dans quelques jours. Je serais surpris qu'il y ait plus d'une centaine de mètres à creuser.

– Et ils arriveront à la porte.

Anne tenta d'imaginer la scène : le long couloir obscur que des lampes éclairaient avec soin; et, au bout, une porte scellée attendant que quelqu'un l'ouvre.

– Je t'envie de pénétrer dans un monde totalement neuf, si totalement différent du nôtre...

– Pas totalement. Les personnages et les intrigues se répètent de façon étonnante. Les pharaons se comportaient comme tous les rois de l'histoire, et les ouvriers étaient comme tous les ouvriers; ils faisaient même la grève. L'intérêt d'étudier le passé réside en partie dans la découverte de ce qu'il en reste aujourd'hui. Nous ne sommes pas uniques, même si nous aimons à le croire.

– Nous sommes tous uniques, dit Anne. Nos douleurs et nos plaisirs nous appartiennent en propre; personne d'autre ne peut les éprouver ni même les comprendre pleinement.

Josh la regarda d'un air sombre.

– Tu veux dire que nous sommes seuls au monde, sans la moindre chance de partager avec une autre personne, ou de l'effleurer, jamais ?

Stupéfiée, Anne plongea son regard dans le sien. Jamais elle n'y avait songé en des termes si absolus. Elle vit la tristesse dans ses yeux et, pour la première fois, comprit comme son monde à elle devait paraître solitaire aux autres. Mais je ne suis pas seule, se dit-elle ; je suis bien trop occupée pour ça. Et je n'ai nul besoin d'une épaule compatissante ; je vais très bien. Les paroles de Josh résonnaient comme un écho aux siennes : *Sans la moindre chance de partager, jamais.* Eh bien, c'est comme ça, songea-t-elle, sur la défensive. Ainsi va ma vie et je n'y peux rien. *Sans la moindre chance de l'effleurer, jamais.* La force de ces mots la balaya comme une lame de fond.

*Non !* hurla-t-elle intérieurement. *Ce n'est pas ce que je veux.*

Les yeux écarquillés, elle regardait Josh.

– Je ne sais pas, dit-elle d'une voix qui trahissait l'étonnement. Je ne sais pas si nous sommes seuls ou non.

– Anne, ma chérie, dit Charles, les mains tendues, alors qu'il avançait vers eux. Quel bonheur ! Il se pencha en avant, s'interrompit, puis prit maladroitement sa main dans les siennes. Ça me fait tellement plaisir que nous passions Noël ensemble. Bonjour, Josh, ça fait bien longtemps. Leo me dit que vous avez acheté quelque chose au-dessus. Heureux homme ; c'est un endroit magnifique. Je n'ai jamais eu le temps d'en faire autant – c'était le territoire de papa, le mien était Chicago – mais j'y songerai, un de ces jours. On dirait que brusquement tout le monde se retrouve ici ; sacré changement, vous savez.

Il est nerveux, se dit Anne, il parle trop et trop vite ; les yeux de Charles voletèrent rapidement au-dessus de la pièce et vinrent se poser à nouveau sur Anne et Josh. Elle se dit qu'il avait déjà vendu la Tamarack Company et qu'il s'armait de courage pour le dire aux autres. Non, c'est trop tôt, songea-t-elle. Mais ça ne saurait tarder et il se sent coupable. Elle le regarda échanger avec Josh des nouvelles d'amis communs à Chicago. Il paraissait plus mal à l'aise qu'en septembre ; il avait des poches sous les yeux et deux rides profondes encadraient sa bouche. Ses mains tremblaient. Pour la première fois, elle eut pitié de lui.

– Ulcère, disait-il à Josh. Pour autant que je sache, personne n'a jamais eu ça dans la famille, mais ça m'a vraiment mis K-O un bon bout de temps. De nos jours ça se traite, sans même un régime spécial ou tout le bataclan ; le gros problème est d'éviter le stress...

Fred Jax posa sa main sur l'épaule de Charles.

– Beloit a-t-il rappelé ? Anne, Josh, joyeux Noël ! Ça serait parfait pour Chatham Development, non ? As-tu des nouvelles, Charles ?

Charles avait l'air hagard.

– Je t'ai dit qu'il reprendrait contact après le 1er janvier.

– D'accord, mais il y tenait tellement, je me disais qu'il parlerait à son expert-comptable et nous rappellerait dès le lendemain. Tu pourrais demander à Vince ce qui se passe ; il est sûrement au courant.

– Vince n'a rien à voir là-dedans, fit Charles sèchement.

– Pourquoi serait-il au courant ? s'enquit Josh, curieux.

– Ils sont tout le temps ensemble, répondit Fred. Ils parlent forcément d'autre chose que de politique.

– Beloit est le directeur de campagne de Vince, expliqua Charles à l'adresse de Josh qui ne cachait pas son étonnement. Ils étaient associés à Denver. Mais ça n'a rien à voir avec nous. Rien n'est décidé, ajouta-t-il, furieux.

– Pour l'instant, dit Fred. Après tout, on peut attendre ; on sait qu'il y tient. Marian et moi nous sentons parfaitement bien là-dessus, Walter aussi. Chatham Development a de l'avenir ; tu verras, nous nous retrouverons en haut de l'affiche.

– Comment ? demanda Anne que cela intéressait.

Fred sourit.

– Rien qui puisse t'intéresser ; rien d'aussi prestigieux que le barreau et les célébrités en vogue qui défilent dans ton bureau. Mais tout de même de grands projets pour un promoteur ; exactement ce qu'il nous faut. Ça, un peu de capital, et c'est du tout cuit.

– Joyeux Noël, ma chérie ! fit Nina en se glissant dans le cercle formé près de la porte de la salle à manger. Quelle charmante soirée, n'est-ce pas ? Tout le monde est là. Dommage pour Vince, mais les sénateurs sont écrasés par leurs obligations. C'est ça que tu disais, Fred, à propos de se sentir bien ? C'est parce que nous nous retrouvons enfin tous ensemble ?

– Parce que nous vendons la Tamarack Company, intervint William juste derrière elle. Ça aide Fred et Marian à se sentir bien.

– Enfin, pas exactement, dit Marian qui se fraya un chemin entre Charles et Anne tandis que Keith n'en perdait pas une miette. Nous ne nous sentons pas bien – quelle étrange façon de s'exprimer, Fred, vraiment –, nous sommes navrés, et extrêmement contrariés.

– Je vais donner un coup de main à Gail, dit Charles. Pour le vin, ou Dieu sait quoi...

Gail, qui arrivait de la cuisine, entendit.

– Merci, nous allons passer à table.

Elle portait une pile d'assiettes à pain qu'Anne lui prit des mains.

– J'ai oublié mon travail, fit-elle en commençant à la placer.

Robin la rejoignit et posa un couteau à beurre sur chacune, Ned apporta une cruche d'eau. Leo remit des bûches dans l'âtre qui séparait la salle à manger du salon.

– Quelqu'un aimerait-il un autre verre ?

Une fois tout le monde installé, le silence se fit. Leo posa ses mains de chaque côté de son assiette, chacun prit celle de son voisin. Josh, qui avait réussi à s'asseoir à côté d'Anne alors qu'on l'avait placé à l'autre bout de la table, prit sa main délicatement ; Leo tenait fermement l'autre main d'Anne. Gail alluma les bougies qui ornaient le centre de la table au milieu d'une composition de houx, d'épicéa, de pommes de pin, de raisins, de poires rouges et jaunes ; puis elle s'installa à l'autre bout.

– Seigneur, commença Leo d'une voix posée, nous te remercions pour toutes les bonnes choses que tu nous as données en cette année qui prend fin, pour la chance que nous avons de vivre dans le confort, pour la santé et l'énergie qui nous aident à vivre pleinement, pour la curiosité qui rend le monde si intéressant et si passionnant, pour notre travail et le sentiment de devoir accompli qu'il nous procure. Mais surtout, nous te remercions pour notre famille. Elle nous protège et nous nourrit; grâce à elle, nous pouvons donner autant que nous recevons et, cette année, elle est enfin au complet. C'est le plus beau des cadeaux, et nous le tiendrons serré contre nous, quoi qu'il nous arrive, à nous et à nos rêves.

– Amen, grommela William. Excellent, Leo. Excellent.

Anne gardait les yeux fixés sur les baies rouges du milieu de table. Ma famille, songea-t-elle. *Partager... effleurer une autre personne.* Elle rejoignit Gail près de la desserte afin de remplir les bols de potage avant de les passer autour de la table à Josh, assis près de sa chaise vide à la droite de Leo, puis Robin et Ned, Marian et Nina. En face, à droite de Gail, Charles, Keith et son amie Eve, la petite Gretchen Holland, âgée de trois ans, et ses parents Walter et Rose. Je ne les aime pas tous, se dit-elle en donnant un bol de soupe aux clams à chacun; il y en a que je ne souhaite pas connaître davantage. Mais Josh excepté, ils sont ma famille. Elle s'interrompit dans ses pensées. *Josh excepté.* Mais il était assis à bavarder avec Robin et Ned, et faisait tant partie de la famille qu'on avait du mal à imaginer la table sans lui. Il lui avait manqué ces dernières semaines. Sa voix, son sourire, leur façon naturelle de partager des idées et de se comprendre à demi-mot. Tout cela lui avait manqué. Oh, ça suffit, se tança-t-elle, énervée; je pensais à la famille. Elle regarda à nouveau autour de la table. Ils l'avaient trahie, ils lui avaient fait beaucoup de mal, mais elle se sentait aujourd'hui l'envie d'avancer vers eux, d'avoir une place parmi eux. Je veux faire quelque chose pour eux, se dit-elle; les aider s'ils en ont besoin. Mais surtout, elle voulait aider Gail et Leo, qui n'avaient pris nulle part dans cette ancienne trahison et avaient été les premiers à lui ouvrir les bras.

Elle revint s'asseoir et Josh se leva pour tenir sa chaise.

– De tous les hommes de bien au monde, Leo est le meilleur, dit-il. Crois-tu qu'il se mette parfois en colère ou en veuille à quelqu'un?

– Pas depuis que je le connais.

Anne goûta le potage et regarda autour d'elle pour voir si les autres appréciaient.

– C'est parfait, commenta Josh. Est-ce toi qui l'as fait?

Elle acquiesça d'un signe.

– Une amie de New York m'a donné l'idée, il y a des années; elle passait tous ses étés en Nouvelle-Angleterre et cette recette est censée être authentique.

– Anne..., commença-t-il.

– C'est pas vrai! hurla Ned.

La conversation s'interrompit.

– Ned ? demanda Leo.

Ned piqua un fard.

– Hein que c'est pas vrai ? Oncle Fred dit qu'on vend la société.

– Ned, pas ce soir. Nous en parlerons un autre jour, s'empressa d'intervenir Gail.

– De quoi ? demanda Ned en fusillant Leo du regard. Tu as dit que tu ne vendrais pas, papa. Tu l'as dit !

– Ta maman a raison, murmura Charles. Nous ne devrions pas parler de...

– Si, alors ! Papa, hein que tu l'as dit ?

– Certainement pas, dit Marian d'une voix ferme. Mais ça ne dépend pas de lui. Nous détenons tous des actions de la société et nous avons décidé de savoir si nous pourrions en obtenir un bon prix. C'est tout.

– Et de vendre si nous obtenions un prix correct, ajouta Walter. On n'est pas là pour s'amuser, n'est-ce pas ? On cherche un bon prix et, si on le trouve correct, on y va, non ?

– Il doit être sérieusement supérieur à ça, dit Marian.

– Combien sérieusement ? demanda Walter en haussant le ton.

C'était déjà assez désagréable de toujours se sentir étouffé par la famille ; il ne supportait pas qu'ils y aillent de leurs discours comme s'il n'avait pas ouvert la bouche. Fred lui avait dit qu'ils dirigeraient la Chatham Development tous les deux et il leur faudrait bien écouter ce qu'il avait à dire.

– Je croyais l'affaire entendue ! Je croyais que tout était réglé à Chicago et que vous nous obtiendriez un paquet de fric pour qu'on puisse continuer.

– Ne t'inquiète pas, dit Fred précipitamment. Tout est réglé. C'est décidé. Tout va bien.

– Tout va mal, lança Gail. C'est terrible et vous le savez tous. Essayer de remonter une affaire dont le moins qu'on puisse dire est qu'elle bat de l'aile n'a aucun sens...

– Gail, ma chérie, tu parles de l'affaire de ton père, protesta Nina, horrifiée.

– L'heure n'est pas aux chamailleries, intervint William avec fermeté. C'est Noël et Leo a fait une prière qui parlait de famille, de nourriture et tout ça, et c'est à ça que nous devrions penser. Il y a mille sujets de conversation qui font l'unanimité.

Il regarda autour de lui, attendant que quelqu'un se lance.

– William, dit Anne, cela t'ennuierait-il que je pose une question ?

– Pourquoi cela m'ennuierait-il ? A quel propos ?

– La vente de la Tamarack Company. Je ne comprends pas.

– Tu ne comprends pas ? s'exclama Fred en se penchant en avant.

– Je suis peut-être longue à la détente pour ce genre de chose, fit Anne en s'excusant.

– Nom d'un chien, c'est bête comme chou, un enfant...

– Méfie-toi, murmura Marian à l'adresse de Fred, Anne est rapide comme l'éclair.

– C'est décidé, dit Walter, tout sera réglé après le 1er janvier. Pourquoi y revenir ?

– Tout sera réglé ? hurla Ned. Tu as dit que vous cherchiez..

– Ça n'est pas réglé, insista Marian. On est en phase d'exploration.

– Mais il a dit...

– Nous avons une offre, s'impatienta Walter. Pourquoi faut-il rabâcher tout ça ?

– J'aimerais qu'Anne pose ses questions, dit Rose.

Chacun la regarda, ahuri ; elle parlait rarement en famille, et jamais elle ne s'opposait à Walter.

– Soit, prononça William. Quel mal y a-t-il à poser quelques questions, à discuter un peu ? Ça va peut-être aérer le sujet. Anne n'assistait pas au repas de la semaine dernière où nous avons pris la décision de vendre ; elle a droit à autant d'informations que nous. Vas-y, Anne, que veux-tu savoir ?

Gail et Robin débarrassèrent et écoutèrent tout en remplissant les assiettes posées sur la desserte.

– Je suis navrée si tout me paraît confus dans cette affaire, dit Anne en regardant autour d'elle.

Charles croisa brièvement son regard puis contempla ses mains. Il avait les lèvres serrées de colère et de consternation. La tête en arrière, Keith semblait vouloir tout absorber. Les autres affichaient un air surpris ou intéressé. Seul Leo la regardait avec impatience.

– Mais c'est que je ne comprends pas ce qui se passe. Pourquoi vendez-vous la Tamarack Company ?

– Pour sauver Chatham Development, dit Marian avant que Fred n'explose. Et ton père. Je croyais que les finances n'avaient pas de secret pour toi, Anne ; Charles est dans une terrible situation et il lui faut au moins quarante millions de dollars pour s'en sortir. Après quoi, Fred, Walter et lui remettront la compagnie sur pied. Ils ont de nouveaux projets ; ils ont procédé à des licenciements ; il ne leur manque que le capital . Ça n'est pas gai, ma chérie ; nous sommes désolés de perdre Tamarack. Mais perdre Chatham Development serait pis encore.

– Pourquoi ?

– Parce que c'était l'œuvre de toute la vie de papa, explosa Charles. C'est un monument qui lui est dédié. C'était son œuvre, son rêve.

– Il s'en est lassé, dit Gail, et il s'est installé ici. Il a choisi de mourir ici ; il voulait que ses cendres soient répandues ici. S'il savait que vous l'aviez fait enterrer à Lake Forest, il vous dirait ce qu'il pense de vous. S'il avait su que vous vouliez vendre son affaire, il vous aurait haïs.

– C'en est trop, Gail, dit Marian. Mais il est exact qu'il en était venu à préférer Tamarack à Chicago ou à Lake Forest. Nous nous sommes tous sentis un peu abandonnés et, quand Charles s'est fourré dans le pétrin, il n'a pas paru s'inquiéter de ce qui se passait du moment qu'il avait Tamarack. Ça m'a fait de la peine ; à nous tous, d'ailleurs.

– Alors pourquoi Chatham Development est-il plus important ? demanda Anne.

– Parce que nous y sommes, lança Fred, hors de lui. Ton père, ta tante et ton oncle, ton cousin Walter et sa famille. Leo aime tant déblatérer sur la famille ; eh bien, la voilà, ta famille, et on a besoin d'argent et tu es assise dessus !

Anne hocha la tête, l'air songeur.

– Alors, si je comprends bien, vous ramènerez la Chatham Development à sa force et à sa réputation d'antan, c'est bien ça ?

– Mais d'où sors-tu ? s'exclama Walter. C'est exactement ce que Marian vient de dire.

– Oui, j'ai entendu.

Une ride apparut entre les yeux d'Anne. Josh la regardait, un léger sourire aux lèvres. Il avait déjà vu le phénomène dans son bureau, et il l'avait déjà entendu poser des questions d'une étonnante simplicité. Quel plaisir d'être de son côté, cette fois !

– Mais, si j'en crois ce qu'on m'a dit, reprit Anne, Chatham Development, y compris sa filiale la Tamarack Company, valait plus de trois cent cinquante millions de dollars et jouissait d'une notoriété internationale tant ses projets étaient brillants et novateurs. Aujourd'hui, sa valeur nette est de dix millions, et elle a la réputation de perdre de l'argent.

Du coin de l'œil, elle vit Charles tressaillir. Mais elle poursuivit :

– Et vous espérez tous trois redonner à l'affaire sa position première ?

– Nom de Dieu, tonna Fred, combien de fois faudra-t-il te répéter...

– Gail, ce faisan est un régal, dit Nina. Et je ne sais pas comment tu as préparé ton riz sauvage, mais c'est le meilleur que...

– Un instant, Fred, dit Marian, les yeux sur Anne. Je me rappelle que lorsque tu étais enfant tu posais toujours des questions qui semblaient idiotes puis, brusquement, elles n'étaient plus idiotes du tout. Où veux-tu en venir, Anne ?

– J'essaie de comprendre ce qui s'est passé. Quand Chatham Development a-t-il dégringolé de trois cent cinquante millions d'actif à dix millions ?

– Essentiellement au cours des dix, douze dernières années, répondit William d'une voix grave et lente. Quand papa est parti définitivement. Charles a trouvé les choses beaucoup plus difficiles qu'il ne l'imaginait. Et sache que nous ne l'avons pas aidé. Vince avait raison sur ce point. Nous n'y faisions guère attention, nous contentant de continuer comme si papa était toujours là. Seulement, c'était Charles.

– Mais il n'était pas seul, dit Anne. Fred, n'étais-tu pas vice-président ? Tu ne lui as pas tourné le dos, quand même.

– Bien sûr que non.

– Et Walter ? Tu y étais, n'est-ce pas ?
– Absolument. Tout le temps.
– Mais alors... Anne s'interrompit et regarda autour de la table. Vous étiez tous dans le coup pour Deerstream ?
Il y eut un silence. Marian laissa échapper un profond soupir.
– C'est Charles qui a monté Deerstream, s'empressa de répondre Fred.
– C'est nous tous, dit Charles. Tu le sais parfaitement, Fred. En réalité, c'est toi qui as entendu le premier parler de la nationale ; c'est pourquoi nous avons acquis le terrain.
– Je t'ai parlé de la nationale ? Possible ; je l'ai entendu de ta bouche. Mais même si c'était le cas...
– Tu y étais, intervint William. Walter et toi étiez avec Charles dès le début. Vous avez acheté le terrain, engagé des architectes, dressé des plans, tout ça pour vous apercevoir que le projet de la nationale était annulé. Mais nous sommes tous coupables ; nous n'avons pas posé de questions. Nous avons eu tort de vous laisser faire.
– Nous n'avons rien...
– Et le centre commercial de Barrington, l'interrompit Anne d'une voix claire. N'était-ce pas toi, Fred ?
– Quoi ?
– Le centre commercial de Barrington. Ai-je raison de penser que tu en étais le responsable ?
– Où vas-tu chercher tout ça ? lâcha Fred avec force. Qui te raconte pareilles conneries ?
– Moi, je n'ai jamais le droit de dire ces mots-là, se plaignit Ned.
– Merde, dit la petite Gretchen en battant la mesure sur la table avec sa cuiller. Merde, conneries, merde, conneries.
– Gretchen, ça suffit, ce sont de vilains mots, s'écria Rose. Oh, papa, regarde le résultat !
– Emmène-la se coucher ! hurla Fred. Elle n'a rien à faire avec les adultes, de toute façon !
– Elle fait partie de la famille ! s'écria Rose.
– Robin pourrait peut-être l'emmener jouer, suggéra Nina.
– C'est pas juste ; je veux écouter ! protesta Robin.
– Bien sûr que tu restes, dit Leo, rassurant. Gretchen aussi. C'est un repas de famille.
Il y eut un bref silence.
– Dans ma famille, on se dispute toujours aux vacances, lança Eve pour aider. Mais ça s'arrange toujours.
– Merci, ma chère, fit William avec solennité.
– Puis-je avoir encore un peu de vin ? demanda Keith.
– Qu'est-ce que c'était, ce centre commercial de Barrington ? demanda Leo en se levant pour servir le vin.
– Un centre commercial vertical que nous avons construit à Barring-

ton, près de Chicago, dit Charles. Ce fut une erreur; les centres commerciaux verticaux ne marchent pas en banlieue. Fred pensait que nous économiserions sur le terrain, ce fut le cas, parce qu'il en fallait beaucoup moins, mais l'idée n'a pas plu aux gens; sans compter que la conception était nulle; on ne voyait pas les boutiques depuis la dalle, alors personne n'y venait et nous avons eu un énorme taux de faillites. Tout était mal vu dans ce dossier.

– Combien avez-vous perdu là-dedans? demanda Anne.

– Vingt-cinq millions, répondit Charles après une hésitation.

Nina réprima un cri.

– Personne ne m'en a jamais parlé.

– Ça figurait dans le rapport annuel, dit Charles.

– Je ne lis pas ce genre de littérature, fit Nina piteusement. Je n'y comprends rien.

– Et la tour Chatham O'Hare? reprit Anne. N'était-ce pas toi, Walter?

– Nom de Dieu! s'exclama Fred, furieux.

– Ça se remplit peu à peu, intervint Walter, sur la défensive. Le marché est mou, en ce moment.

– Quel est le coefficient de remplissage? s'enquit Anne.

– Environ cinquante pour cent.

– A quand remonte la construction?

– Cinq ans, répondit-il sèchement. Le marché est mou.

– C'est le marché le plus porteur de l'Histoire, commenta William. Tu ne nous as jamais dit qu'il n'était loué qu'à la moitié.

– Quel doit être le coefficient de location pour que l'affaire soit rentable? demanda Anne.

– Soixante-dix pour cent, fit Marian. J'ai vérifié. La marge serait faible, mais je croyais que nous l'avions atteinte. Cinquante pour cent? Que s'est-il passé, Walter?

Il haussa les épaules avec rancœur.

– Trop de concurrence. Nous sommes arrivés au moment où tout le monde construisait...

– Un an trop tard, dit Charles.

S'il conservait son air étonné, il semblait soulagé de pouvoir s'exprimer librement; c'était presque comme s'il jouissait de pouvoir exposer les zones d'ombre de l'affaire après avoir prétendu si longtemps que tout allait bien.

– Nous discutions sur le montant à investir et sur la taille du projet, et quand nous avons commencé les fondations, les autres avaient une longueur d'avance.

– J'ai agi aussi vite que possible, lui balança Walter. Tu passais ton temps à t'amuser avec, tu voulais toujours ajouter quelque chose. Je n'arrivais pas à te faire prendre la moindre décision! J'aurais pu faire tourner ce bâtiment si on m'avait fichu la paix!

– Reste-t-il du faisan ? demanda Nina. Je me régale, ma chérie...

– Le meilleur que nous ayons jamais mangé, enchaîna William. Merci, Gail. J'en reprendrais volontiers également.

– Moi aussi, dit Keith. C'est un super-repas.

Gail croisa le regard de Leo

– On dirait que oui, dit-elle.

– As-tu d'autres questions, Anne ? s'enquit William.

Walter repoussa sa chaise.

– Ecoutez, on ne pourrait pas cesser cette parlote ? On ne pourrait pas vendre l'affaire, un point c'est tout ? Vendez, nom de Dieu, et donnez-nous l'argent ! C'est nous qui en avons besoin !

– J'en ai bientôt terminé, dit Anne. Leo, dans quel état est la Tamarack Company ?

Elle jeta un bref coup d'œil à Walter qui hésita entre se rasseoir et rester debout pour finir par s'asseoir.

– C'est sur le dernier bilan annuel, répondit Leo avec aisance. Nous progressons régulièrement depuis six ans.

– Depuis que tu as repris l'affaire, intervint Gail.

– Ethan y a été pour beaucoup, dit Leo. Nous avons travaillé côte à côte jusqu'à son attaque. Et je m'inspire toujours de ses plans. Nous avons acquis de nouveaux biens en ville et dans la vallée et en avons vendu d'autres ; nous avons amélioré l'équipement en montagne, le plus gros investissement étant la télécabine, et nous avons augmenté notre pourcentage de skieurs dans l'Etat ; nous avons construit l'hôtel Tamarack qui tourne à plein en saison et fait mieux que la moyenne le restant de l'année. Cette année, nous avons eu des problèmes avec l'EPA et l'approvisionnement en eau, et cela nous a causé tort si bien que les résultats du trimestre sont moins bons ; ce sera peut-être le cas pour les deux prochains trimestres, mais rien ne permet de penser que nous ne remonterons pas la pente ; notre entreprise est très saine.

– Combien d'entreprises du groupe affichent une progression six ans de suite ? demanda Anne dont les yeux passèrent de Fred à Charles, puis à Walter.

– Aucune, répondit Charles brièvement.

– Tamarack est donc la seule filiale rentable ?

Charles acquiesça d'un signe de tête.

– Et vous allez la vendre ?

– Il le faut ! hurla Walter.

– Pour quoi faire ? demanda Anne d'une voix tranchante. Pour mettre l'argent entre les mains de ceux mêmes qui ont échoué à Deerstream, Barrington et O'Hare ? Pour vous débarrasser de la seule filiale rentable qui reste une fois que toutes les autres ont été vendues ou ont cessé leur activité ? Pour ajouter encore aux sommes déversées dans Chatham Development en hypothéquant ses biens au point qu'il n'y ait plus rien pour payer les intérêts de vos prêts bancaires ? Pour tenter de remonter une société qui a touché le fond de l'abîme, avec la même équipe de direction, et rien de neuf à offrir à ses actionnaires ?

– Oh, mon Dieu, oh, mon Dieu, soupira Nina. Tout semblait si facile quand Vince nous a parlé la semaine dernière, et maintenant ça semble horrible ; c'est vrai, vous savez.

Charles était recroquevillé sur sa chaise, yeux fermés. Anne sentit la honte l'envahir à l'idée de ce qu'elle lui faisait. Elle éprouvait son agonie, sa honte et, pour la première fois depuis qu'elle avait quitté la maison, elle se dit qu'il souffrait et qu'il avait besoin d'aide. Mais elle aidait Gail et Leo ; ils passaient avant, du moins pour l'instant. Après venaient les autres, qui la regardaient, sourcils froncés, atterrés. Elle avait voulu les aider tous ; mais il était apparu qu'elle ne pouvait en aider que quelques-uns. A long terme, sauver Tamarack les aiderait tous, se dit-elle ; personne n'accepterait de gaieté de cœur de le perdre.

– Est-il raisonnable de tout miser sur une société ? demanda Anne. Pourquoi le faire à moins d'être absolument sûr de son coup ? Quel degré de confiance avez-vous envers Chatham Development ? Vous connaissez les chiffres, vous connaissez ceux de Tamarack sous la houlette de Leo. Où l'avenir vous semble-t-il le plus assuré ? Ne serait-il pas avisé de chercher d'autres moyens pour réaliser les plans, du moins en partie ? En période de troubles, ne devriez-vous pas vous concentrer sur vos points forts et non sur vos points faibles ?

– Absolument, dit William d'une voix forte. Nous ne saurions prétendre le contraire. Mais où cela nous mène-t-il ?

Fred frappa du poing sur la table.

– Au point de départ, nom d'un chien ! Nous vendons cette putain d'entreprise et nous continuons Chicago ! Il n'y a rien ici qui vaille la peine d'en parler ; ce n'est pas le paradis ; c'est une petite affaire dans une ville de bouseux dont tout le monde se fout sauf quand ils viennent une semaine pour se rincer le cerveau à skis avant de rentrer chez eux. Tout le monde s'en tape ; ce n'est pas une réalité, c'est un fantasme. Il y a des jobs en jeu, à Chicago, et une affaire qui existe depuis longtemps, et la semaine dernière vous avez voté pour qu'elle continue. Rien n'a changé depuis ; vous avez voté la vente...

– Non, dit Marian, je regrette. Nous avons décidé d'en envisager l'éventualité. Nous n'avons même pas procédé à un véritable vote.

– L'intention y était. Nous savions tous de quoi il retournait. Vince savait de quoi il retournait ; il était question de vendre dès que nous aurions une offre correcte. Et rien n'a changé depuis.

– Tu sais, Fred, ça doit être différent, parce que ça sonne différemment, fit Nina avec douceur. Bien sûr, tu connais les affaires, moi pas, mais il semblerait que Vince ne nous ait pas dressé un tableau complet de la situation. Et Anne, qui parle si bien, c'en est d'ailleurs impressionnant, Anne nous a donné une vue globale, avec l'arrière-plan, et les petits détails, les détails sont tellement importants, n'est-ce pas ? Il semblerait que Vince les ait laissés de côté – les hommes politiques ont horreur des détails ; ils passent leur temps à les négliger, avez-vous remarqué ? – et je crois que nous devrions procéder à un vrai vote maintenant, je le crois sincèrement. Je suis vraiment désolée, Charles, je t'aime beaucoup et je suis navrée que tu aies tant d'ennuis, mais je n'imagine pas vendre la Tamarack Company pour l'instant afin de te donner tout cet argent. Te rends-tu compte, si tu le perdais comme tu as perdu tout le reste ? Que nous resterait-il ?

Le silence s'installa, pesant. Que Nina, qui ne lisait même pas les bilans de Chatham Development, ait si finement embroché Vince et si précisément résumé les arguments contre la vente leur avait cloué le bec.

– Alors, que faire maintenant ? demanda Marian au bout d'un moment. Anne, qu'en penses-tu ? Nous voilà tous en position de faiblesse ; que suggères-tu, puisque c'est toi qui nous as mis dans cette situation ? J'ai conscience que tu as parlé affaires, et je le comprends, mais Charles, dans tout ça ?

Anne regarda Josh.

– Leo m'a parlé de ton idée. Je crois le moment venu d'en parler.

– Tu as raison, s'empressa de répondre Josh.

– Josh ? s'exclama Walter. D'abord Anne, et maintenant Josh ? Vous laissez des étrangers s'immiscer dans nos affaires ?

– Anne fait partie de la famille, fit Gail, glaciale. Et Josh est notre ami. Nous comptons beaucoup pour lui.

– Je suggère de vendre une partie de la Tamarack Company, dit Josh. Vous pourriez céder jusqu'à quarante-neuf pour cent et garder le contrôle. Si vous tiriez un bon prix par action, cela pourrait couvrir la prochaine échéance de dix millions de dollars, et Charles pourrait rembourser une partie de sa dette personnelle. Vous auriez encore la majorité dans les deux sociétés, et vous auriez acheté du temps pour trouver de quoi rembourser le reste de l'emprunt de Charles et entamer de nouveaux projets. Si vous preniez un nouveau président, extérieur à la société, vous pourriez prendre de nouvelles directions.

– Extérieur ? hurla Fred. Mais pour qui vous...

– La ferme, Fred, intervint Marian d'une voix lasse. L'idée de Josh me plaît. Nous trouvons un acquéreur pour quarante-neuf pour cent de la Tamarack Company. Quant à prendre un président... peut-être un vice-président extérieur, avec Fred comme président. Nous en reparlerons. Je suis navrée, Charles, mais je crois que tu dois te retirer. Nous n'avons jamais eu de président du conseil d'administration ; ça te tente peut-être. Gail, dès que nous aurons voté, je t'aiderai à faire la vaisselle. Tant de discours m'ont engourdie. Peut-être allons-nous maintenant pouvoir apprécier le dessert.

Anne eut l'impression que le nouveau silence était cette fois dû à l'épuisement.

– J'approuve la motion de Marian, dit William au bout d'un moment.

– Moi aussi, dit Rose, sans un regard pour Walter.

– Excellente idée, dit Nina en levant le doigt comme à l'école.

– Je vote la motion de Marian, dit Gail avec calme.

Tous se tournèrent vers Charles.

– Ça n'apportera pas suffisamment pour faire ce que nous avons prévu. Tu n'aurais pas dû, fit-il à Anne. Tu aurais dû être de mon côté. Ça aurait marché, cette fois. Nous savons ce qu'il faut faire.

– En es-tu certain ? dit-elle avec douceur. Ou sais-tu seulement ce qu'il ne faut pas faire tant ça a causé de dégâts la première fois ?

Ils se regardèrent longuement, et tous deux surent que Charles n'avait pas seulement à apprendre comment redonner du punch à une affaire chancelante ; il lui fallait apprendre son rôle de père.

C'est lui qui détourna les yeux. Ses épaules étaient affaissées.

– Continuez de voter ; je n'irai pas contre.

– C'est inutile, fit William. On dirait qu'il y a unanimité. Oh, Keith, et toi ?

– Je fais comme tout le monde. Aucun problème.

– Vote à l'unanimité, alors, commenta William.

Leo alla retrouver Gail à l'autre bout de la table, s'assit sur le bras du fauteuil et passa le bras autour de son épaule.

– Merci, dit-il aux autres. Je prends ce vote comme une marque de confiance et sachez que nous ferons tout pour que vous soyez fiers de nous.

– Ça y est ? s'écria Ned. On peut rester ?

– On peut rester ? répéta Robin.

– Alors maintenant c'est réglé, lança Ned, triomphant. Avant, ça ne l'était pas, mais maintenant c'est réglé !

– Ça suffit, Ned, le tança Gail. Quand on a la majorité, il faut se montrer élégant.

– Ne t'inquiète pas, la rassura William. C'est normal qu'il manifeste sa joie. Bien, puisque nous sommes unanimes, nous devrions penser à...

– Anne n'a pas voté, dit Gail avec brusquerie.

– Tout va bien, Gail, dit Anne vivement.

Josh la regardait ; il songeait pour la première fois qu'elle ne possédait aucune action de l'entreprise familiale.

– Tout va bien, répéta Anne. Je suis satisfaite. Laisse tomber. Je t'en prie.

– Non, ça ne va pas, insista Gail, têtue. Ce n'est pas parce que tu n'étais pas là quand grand-père a distribué ses actions... Elle croisa le regard d'Anne. Bon, d'accord, je n'insiste pas ; mais tu as tant fait aujourd'hui...

– Plus qu'assez pour la journée, enchaîna Anne avec fermeté. William, tu disais quelque chose ?

– Comment ? Ah oui ! Puisque nous sommes unanimes, j'allais parler de ce Ray Beloit. Charles, achètera-t-il quarante-neuf pour cent de la Tamarack Company ?

– Non, il veut la totalité.

– Alors nous devrons dénicher quelqu'un d'autre. Ça ne devrait pas être difficile. Je dois avouer que je suis content que nous en soyons arrivés là où nous en sommes. Je me sens mieux. Ce dîner, la semaine dernière, ça ne m'a guère plu ; je ne pouvais y repenser sans être tracassé. Je me sentirai encore mieux lorsque nous aurons trouvé acquéreur.

– J'ai déjà parlé à quelqu'un, dit Josh. Puis-je évoquer une réunion que j'ai eue au Caire voici quelques semaines ?

Anne se cala sur son fauteuil et observa chacun écouter avec attention, sauf Fred et Walter. Et Keith, nota Anne ; il n'avait participé en rien mais dévisagé intensément chaque interlocuteur. Son regard était avide, sa barbe éparse tremblait quand il souriait, il sembla très excité quand Josh décrivit les investisseurs égyptiens. Les autres le remarquaient à peine, trop absorbés par les explications de Josh. Et ils étaient ravis, se dit Anne, comme si, une fois encore, ils allaient pouvoir éviter tout désagrément. Elle eut un moment d'exaspération. Quand apprendraient-ils à prendre leurs problèmes à bras-le-corps au lieu de compter sur les autres ? Je leur ai rendu la tâche trop simple, songea-t-elle avec une pointe d'amertume ; je me suis sauvée. Je me demande ce qu'ils auraient fait si j'étais restée pour les obliger à m'affronter. Peut-être auraient-ils appris à le faire.

A quoi bon ? Prends-les comme ils sont, se dit-elle. Elle se détendit. Elle n'avait rien mangé et avait faim, mais elle se rattraperait pendant la vaisselle. Une fois que Gail, Robin et Marian eurent desservi, elle se laissa aller au plaisir qu'elle éprouvait toujours quand ses arguments emportaient le jury. Bien sûr, ce n'était pas un procès, mais ç'avait été sa véritable entrée dans la famille. Il y avait eu un moment pénible lorsque Gail avait mentionné le fait qu'elle ne possédât aucune action de la Chatham Development : elle avait brusquement senti la colère et l'amertume resurgir devant tout ce qu'elle avait perdu, son enfance, sa famille, grandir entourée d'amour et de confiance... et son héritage.

Mais c'était du passé. Inutile de s'appesantir. Tout n'était pas réparable.

Josh se tourna vers elle et leurs épaules s'effleurèrent.

– Accepterais-tu de dîner avec moi demain soir ? J'aimerais te montrer ma nouvelle maison ; elle est presque achevée. Et j'ai tant de choses à te dire avant de repartir pour l'Egypte.

Oui, pensa Anne. Oui, j'irai dîner chez toi, je visiterai ta nouvelle maison et je te parlerai avant ton départ. Elle croisa son regard chaleureux, tout proche. Elle était si contente qu'il eût assisté à la façon dont elle avait influé sur la décision familiale, allié, non plus adversaire. Oui, se dit-elle, j'aimerais te voir demain soir.

Elle s'imagina dans la nouvelle maison de Josh, déambulant dans les pièces vides, entourée du silence hivernal de la nuit ; elle s'imagina avec lui, debout devant la fenêtre, contemplant la vallée, ses pentes qu'éclairait le clair de lune comme des fleuves blancs entre les forêts sombres, puis elle sentit leurs corps se toucher, ses bras autour elle, sa bouche qui s'approchait...

Elle eut mal au cœur; sa gorge se noua de terreur.

– Non, fit-elle vivement. Non, je ne peux pas. Je suis désolée. Je ne peux pas. Excuse-moi.

Le visage de Josh s'altéra; il recula.

– Moi aussi, je suis désolé, dit-il froidement, ajoutant, comme s'il la renvoyait : Tu as été parfaite, ce soir; j'admire ton talent. Je suis sûr que c'est une bonne chose pour eux; j'ai hâte de savoir la suite. Si tu veux bien m'excuser...

Il se détournait comme Robin lui apportait une tasse de café et se lança dans une conversation avec William, assis en face de lui.

Anne ne broncha pas. C'était cruel, se dit-elle. Mais de quoi me plaindrais-je ? Je ne cesse de le rabrouer. Il mérite mieux. En tout cas, il mérite au moins une explication. Mais elle en était incapable. Si elle devait choisir entre évoquer le passé ou fermer la porte sur l'amitié de Josh Durant, elle fermerait la porte.

Peu importe, songea-t-elle. J'ai tant de choses déjà. Tout le monde semblait amical, ce soir. Même Walter et Fred buvaient tranquillement leur café et bavardaient avec les autres comme si tout pouvait encore s'arranger. Penché sur Gail, Charles ne souriait pas, mais il n'avait plus son regard apeuré. La tempête était apaisée.

J'ai réussi, se dit Anne, exaltée comme après chaque victoire. C'était tout ce dont elle avait besoin. Marian plaça devant elle une assiette avec une part de tarte au potiron saupoudrée de gingembre confit.

– Merci, Anne chérie, murmura Marian à voix basse. Tu as été merveilleuse et tu nous as empêchés de faire une chose terrible.

Anne regarda la tarte. Gail et elle l'avaient faite ensemble; c'était le symbole de sa place dans la famille. Quelle importance si elle n'était pas actionnaire et ne pouvait participer aux décisions par son vote ou si Josh s'était détourné d'elle? Tout allait bien. Il n'y avait rien à regretter.

# 17.

– C'était dingue, dit Keith. Le téléphone coincé entre son oreille et son épaule, les pieds sur son bureau, il se curait les ongles avec une petite lime. Tu te rends compte, elle y est allée de son petit baratin et elle a retourné tout le monde comme une crêpe ; bordel, je n'arrive pas à le croire ; on le voyait venir, quoi.

– Mais qu'a-t-elle pu leur raconter ?

– Pas grand-chose, c'est ça qui est dingue. C'est vrai, quoi, je veux dire, elle leur a juste posé un tas de questions. Quoi, ils se sont tortillés, ils ont esquivé, ils ont crié un peu et ils ont voté autrement, quoi. Enfin, ils n'ont pas vraiment voté, ils ont juste dit ce qu'ils pensaient, tu vois, qu'ils ne voulaient pas vraiment vendre, quoi, comme je t'ai dit, qu'ils céderaient une partie de l'affaire à des mecs d'Egypte. Elle a posé des questions et ils ont parlé et Nina a dit : « Oh, mon Dieu », tu la connais, et tout d'un coup elle est devenue sacrément dure... je veux dire, tu as déjà vu Nina jouer les dures, et elle a foncé dans le tas, quoi, et alors tu vois, tout le monde en a fait autant. Et voilà. C'était fini. Unanimité. Quel coup ! C'est elle, tout ça, Anne. Putain, elle est incroyable, tu sais.

Il y eut un long silence. Keith s'attaquait maintenant à la main droite. Il était seul dans le bureau ; 7 h 30 du matin le lendemain de Noël, il fallait être fou pour sortir du lit. Mais il était 9 h 30 en Floride, où Vince passait ses vacances avec de vagues hommes politiques ; et il lui avait dit d'appeler de bonne heure.

– Tu es toujours là ? demanda Keith.

– Oui.

Vince était étendu sur une chaise longue au bord de la piscine, le soleil jouait sur ses jambes et sa poitrine nues, et il tentait d'imaginer Tamarack sous la neige ; la haine le submergea. Il détestait cette ville, ses habitants, ses touristes, ses parents qui y avaient une résidence. Et, plus que tout, il haïssait cette garce.

Il ne s'était pas trompé quand il l'avait vue dans la chapelle, en juillet dernier. Il reniflait d'instinct les gens qui s'apprêtaient à lui nuire. Et pour quelle autre raison serait-elle revenue ? C'était toujours comme ça avec les femmes : une fois persuadées qu'on leur avait fait du mal, elles s'en tenaient à cette idée et la nourrissaient jusqu'à ce que, des années après, elles se mettent à l'œuvre, toute colère dehors. Les hommes, eux, balayaient le passé sans un regard. Les femmes n'étaient que des vautours dont les serres emprisonnaient les souvenirs.

Alors, comme ça, elle était à Tamarack, distillant son venin contre lui. Si Keith avait vu juste, elle avait en un soir réduit à néant son travail de la semaine dernière. Pis encore, elle s'était accrochée à ce salopard de Josh Durant qui avait failli foutre en l'air sa carrière politique en lui faisant un sordide procès qui aurait pu faire la une des journaux nationaux. Puis elle l'avait poussé à trouver des investisseurs s'intéressant à la société... le seul scénario que Vince n'avait pas envisagé.

Quand il pensait à elle, il ne voyait plus la petite fille aux grands yeux vides et aux petits seins qui se penchait au-dessus de lui sur le lit ; il voyait une géante qui se mettait en travers de son chemin, la bouche haineuse. Il regarda le plateau de boissons qui flottait sur la piscine – champagne et jus de fruits pour se remettre plus vite des agapes de Noël – et sa femme et leurs invités qui se glissaient dans l'eau. Tout dans sa vie aurait dû être aussi facile que leurs gestes. Sa réélection était assurée, l'argent affluait de gens qui parlaient gros sous en ce début de la course à la Maison-Blanche. Il s'était fait une solide réputation de défenseur de l'environnement qui avait aussi un pied dans le big business et, au cours des derniers mois, il avait commencé à devenir expert en finances et en politique étrangère. Tout le monde était sous le charme de sa femme. Elle aussi aimait la politique, et elle aimait Vince. Elle était parfaite. C'était la femme la plus ennuyeuse que Vince eût jamais connue, mais l'épouser avait été sa meilleure affaire.

Et la pire des choses était de laisser cette garce en prendre à son aise. Il y a longtemps, elle l'avait fait virer de la famille ; elle était maintenant décidée à le virer de son avenir. Il aurait dû s'en débarrasser le jour de l'enterrement d'Ethan.

– Un jour, je t'ai demandé de m'en débarrasser, dit-il à Keith.

– Ouais, mais je n'ai pas compris ce que tu voulais exactement. De toute façon, on était en juillet ; on est en décembre, et je continue de rapporter tout ce que je sais sur elle, quoi, et tu n'as toujours rien dit...

– Débarrasse-t'en. Bien dommage que tu ne puisses aussi te débarrasser de Leo ; quel emmerdeur, celui-là ! Mais c'est du menu fretin ; occupe-toi d'elle et ça ira.

Il y eut une pause.

– As-tu une idée particulière ?

Les nageurs pataugeaient, bavardaient et buvaient ; ils firent signe à Vince en venant à sa rencontre. Il se demandait s'ils parlaient de lui. On ne peut vraiment faire confiance à personne, songea-t-il ; on ne sait jamais ce qu'ils vont faire une heure après vous avoir dit qu'ils étaient de votre côté. Mais il fallait bien faire confiance à Keith; du moins pour le moment. Il détestait sa voix de petit malin et sa façon d'être plus perspicace que les gens le croyaient – mais il était l'homme de main de Vince et il était sur place. Il ferait ce qu'il avait à faire, et Vince s'occuperait de lui après. Il faut prendre les choses dans l'ordre, pensa-t-il en rendant leur salut aux nageurs.

– Je croyais que tu avais une idée, répondit-il comme distraitement. Ne m'as-tu pas raconté un jour que Leo économiserait sur la maintenance s'il fallait serrer les cordons de la bourse?

Keith émit un grognement. Il ne supportait pas qu'on se rappelle la moindre de ses paroles et qu'on le cite.

– Je n'ai pas bien saisi, fit Vince. Tu m'entends?

– Ouais. Sûr. Je vais y réfléchir.

– Pas trop longtemps; je veux régler ça rapidement. Appelle-moi dès que tu auras fait quelque chose. Aucun détail au téléphone; juste si ça va comme tu veux. Je ne bouge pas de la semaine.

Il raccrocha. Il ôta ses lunettes de soleil et se leva pour plonger dans la piscine. L'eau fraîche l'enroba comme l'étreinte d'une femme inconnue. Tout près, les jambes de sa femme et de leurs convives remuaient dans l'eau; il entendait leurs voix. Il se sentit soudain exalté. Réglé. Plus rien n'entravait sa route. Il était proche du but. Il émergea puissamment de l'eau, repoussa ses cheveux blonds et offrit un sourire d'enfant.

– Je suis en pleine forme, dit-il, souriant plus encore en voyant leurs regards pleins d'admiration.

Anne et Leo grimpèrent dans la télécabine, derrière Robin et Ned. Il était 9 heures moins une. Quatre jours après Noël; c'était un matin clair et froid, le soleil caressait le sommet des montagnes qui se détachaient sur un ciel sans nuage. A l'extérieur du bâtiment, des centaines de skieurs attendaient l'ouverture, à 9 heures; avec leurs skis dressés, on aurait dit une armée médiévale en campagne.

– Beaucoup de monde, remarqua Leo. En fait, la semaine a été bonne. Tout est manifestement rentré dans l'ordre; ce sera un bon hiver. Pas de Keith en vue ce matin, ajouta-t-il tandis que la première nacelle s'avançait. Je suis tellement habitué à le trouver là!

– C'est bizarre que Josh ne soit pas là, fit Ned en s'asseyant face à la ville à côté de Robin. Il est venu avec nous tous les jours.

– Il doit faire ses bagages, répondit Leo tout en observant les machinistes ouvrir le bâtiment aux skieurs. Il doit partir pour l'Egypte dans une demi-heure environ.

– Je voudrais bien qu'il m'emmène, dit Ned avec regret. Ça fait quarante-douze mille fois que je vois les montagnes de Tamarack; je préférerais les momies.

– Moi je préfère être ici, dit Robin. J'aime quand l'école est finie et qu'on se lève de bonne heure. Ça me plaît d'être là avant les autres gens.

– Ouais, c'est vrai que c'est bien, admit Ned. J'ai horreur de faire la queue.

– Et toi, tante Anne, qu'est-ce que tu aimes ?

– Etre avec vous, en route pour des endroits mystérieux, répondit Anne dans un sourire.

– On va seulement en haut de la montagne du Tamarack, protesta Ned.

– En es-tu absolument sûr ? Qui te dit que nous n'allons pas décoller comme une soucoupe volante et finir sur une autre planète ?

– Impossible, nous sommes fixés au câble, remarqua Ned avec son sens pratique. Pas d'autre solution que de grimper dans la montagne.

– Tu as sans doute raison, soupira Anne. Mais ça serait amusant si on décollait.

Leo sourit. Anne et ses enfants offraient un spectacle réjouissant ; c'étaient les seuls moments où elle s'autorisait détente et imagination. Même maintenant, alors qu'il la connaissait depuis des mois, elle gardait ses distances avec tous les autres. Gail et lui en parlaient souvent, une fois couchés, se demandant que faire pour l'aider à se sentir suffisamment en sécurité, suffisamment aimée pour se laisser aller, jouir de la vie sans contrôler le moindre geste, la moindre parole. Et puis il y avait Josh. Il s'était passé quelque chose entre eux à Noël, mais comment savoir ? Avec Anne, ils avaient beau faire, venait toujours un moment où la porte se refermait sur eux.

Ils arrivèrent au bout de la gare, les portes se fermèrent et la télécabine passa de la glissière au câble. Elle se lança immédiatement en avant et prit de la vitesse en entamant son ascension. Derrière, les autres nacelles étaient remplies de skieurs ; il y avait tellement de monde que chacune faisait le plein ; on aurait dit un collier de perles rouges.

Leo regardait Anne parler à ses enfants. Si seulement elle traitait Josh et nous de la même façon, elle serait bien plus heureuse, songea-t-il avec une ironie désabusée. Il va falloir que je le lui suggère ; elle pourrait trouver l'idée assez amusante pour tenter le...

La nacelle tressauta.

– Qu'est-ce qui se passe ? demanda Robin, les yeux écarquillés.

Leo s'empara de sa CB. Il aurait juré que la nacelle avait glissé, encore qu'il ne voyait aucune raison pour que...

– Je ne sais pas. Peut-être une rafale de vent.

Anne et Leo se regardèrent. Il n'y avait pas de vent.

– Patrouille, dit Leo dans la radio, tentant d'atteindre le centre de communication des patrouilles à skis.

– Nous avons glissé, je l'ai senti, fit Ned d'une voix rauque.

Robin et lui s'agrippaient au poteau central ; leurs gants de ski se ridaient tant ils serraient fort.

– Patrouille, cria Leo. Pas de réponse. Ici Leo, reprit-il ; coupez tout ! Patrouille !

Ils franchirent le pilier numéro quatre et commencèrent à monter raide, vingt-cinq mètres au-dessus de la longue pente de difficulté moyenne que Leo avait baptisée la Piste d'Ethan. Puis la nacelle s'arrêta. Ils se balancèrent dans le vide.

– Papa! hurla Robin.

Un grincement assourdissant déchira l'air; le câble fonctionnait toujours.

– On est détachés! hurla Ned.

– Patrouille! s'écria Leo dans sa CB. Stoppez tout! Nous ne sommes plus fixés au câble...

– Papa! hurla Ned. Ils vont nous rentrer dedans.

Leo et Anne se retournèrent et virent la nacelle suivante s'approcher avec rapidité; les skieurs gesticulaient, leurs bouches grandes ouvertes émettaient des sons couverts par le crissement du câble.

Anne rampa à genoux jusqu'au siège des enfants qu'elle prit dans ses bras. Ils ne pouvaient quitter des yeux la nacelle qui se rapprochait.

– Tournez-vous, ordonna-t-elle.

Ils obéirent, terrifiés. Elle les attira comme elle put de l'autre côté, leur abaissant la tête pour les protéger de ses bras.

Le craquement fut assourdissant; les cris des enfants étaient étouffés contre l'épaule d'Anne quand ils s'écrasèrent contre la nacelle, faisant voler plastique et acier. La collision fut trop forte; l'autre nacelle se détacha du câble et tomba vingt-cinq mètres plus bas. Elle atterrit sur la poudreuse et glissa sur une dizaine de mètres avant de se heurter à un bouquet de sapins. L'impact fit tomber une pluie de flocons sur la benne au rouge éclatant qui ne bougeait plus tandis que le fracas disparaissait.

La télécabine s'arrêta brusquement. Les nacelles se balançaient en silence. Au loin, on entendait les cris étouffés des skieurs dans la nacelle écrasée au sol et le martèlement de leurs poings sur les portes qu'ils tentaient d'ouvrir.

– Anne! appela Leo d'une voix rauque. Robin! Ned!

Il était par terre, projeté par la violence du choc, coincé entre le siège et l'avant de la nacelle.

– Nous sommes là, répondit Anne.

Elle était à genoux sur le siège, n'osant bouger, dos contre lui, tenant vigoureusement Robin et Ned. Elle tremblait de terreur après la collision et sentait leur nacelle se balancer fortement. Elle se stabilisa, mais Anne s'aperçut qu'elle penchait vers l'avant; elle s'agrippa aux enfants qui sanglotaient afin de les empêcher de tomber.

– Je crois que tout va bien, dit-elle en s'efforçant de maîtriser sa voix.

– Attends, gronda Leo en essayant de bouger.

– Ne bouge pas, Leo! fit Anne avec force.

– Pourquoi? Qu'est-ce que...

– On pourrait tomber.

– Tomber?

Leo essaya de comprendre la situation. Il ouvrit les yeux mais, aveuglé par le soleil, il les referma aussitôt. Il avait affreusement mal à la tête; et la douleur semblait s'étendre.

– Pourquoi ?

– Nous... nous sommes suspendus dans le vide.

Anne parlait sèchement tant elle voulait ne pas laisser transparaître sa peur. Elle essaya de se retourner pour voir Leo mais elle craignit de lâcher les enfants.

– Leo ? Tu es blessé ?

– Non, mentit-il par réflexe en entendant ses enfants pleurer. Attends.

Avec effort, il releva la tête. La nacelle dansait sur le câble et se balançait au moindre de leurs gestes.

– Mon Dieu, murmura-t-il.

Il ferma les yeux, tentant de réfléchir. Les sanglots de Robin s'apaisèrent peu à peu et Anne relâcha son étreinte.

– Non, tante Anne, ne me lâche pas! J'ai mal à la jambe. Ne me lâche pas!

– Moi aussi, ma jambe me fait mal, gémit Ned. Elle ne bouge plus! s'écria-t-il d'une voix plus forte. Je n'arrive pas à la bouger! Papa, qu'est-ce qu'on va faire ?

– Tout va bien, je suis là, murmura Leo. Je vais essayer de...

Il banda ses muscles et se redressa péniblement. La nacelle trembla. Il se déplaça lentement, luttant contre sa douleur à la tête, et réussit à se mettre à genoux, la tête sur le siège.

Ned regarda par-dessus l'épaule d'Anne.

– Papa! hurla-t-il. Tu as plein de sang sur la tête!

Robin hurla à son tour et enfouit sa tête dans l'épaule d'Anne.

– Leo ? appela Anne.

Leo porta sa main à son crâne. Il sentit le sang chaud et poissant sur ses cheveux.

– Rien de grave, dit-il en essayant de sourire à son fils. Il en faut plus que ça pour terrasser un Calder. Il s'arrêta pour reprendre son souffle et trouver la force de parler. Ned, c'était quoi ce craquement ? Tu vois quelque chose ?

Ned se tourna pour regarder en bas de la montagne et hurla en s'accrochant à sa tante.

– C'est tout ouvert!

Leo s'efforça de regarder derrière Anne. Tout l'arrière était arraché.

– Mon Dieu, murmura-t-il.

Puis il ferma les yeux tant la douleur le submergeait.

– Je ne peux pas bouger, geignait Robin. Tante Anne, je ne peux pas bouger!

– Ils sont là! hurla Ned avec excitation.

Leo regarda à nouveau à l'arrière de la nacelle. En contrebas, des skieurs dans une autre nacelle désignaient le trou béant. On n'entendait pas ce qu'ils disaient.

– Ils sont là ! répéta Ned.

Leo regarda en bas et vit la nacelle écrasée. Non ! se dit-il ; c'est impossible... nous avons tant de protections... elle n'a pas pu tomber... Mais il y avait comme une grosse boule de Noël tombée de l'arbre. Puis Leo vit la patrouille s'approcher et ouvrir les portes. La voix des patrouilleurs monta jusqu'à eux.

– Ouvrez le toit !

– D'accord mais le plancher...

– Attention, elle est allongée contre la porte !

– Tenez-la éloignée !

– On a réussi à ouvrir mais il y a un gars coincé...

Un patrouilleur en autoneige arriva, on aurait dit un scarabée sur un tapis blanc ; d'autres suivaient ; le bruit des moteurs envahissait la montagne.

– Leo ! s'écria le premier patrouilleur juste en dessous. Il y a des blessés ?

– Ça peut aller, fit Leo d'une voix faible.

– Il est blessé, cria Anne. Et les deux enfants ont peut-être une jambe cassée. Combien de temps pour arriver jusqu'à nous ?

– On est parti. Ça pourrait prendre un moment. En attendant, utilisez la radio de Leo pour parler à la patrouille ou au bureau de la télécabine ; ils ont un médecin, là-bas.

– Leo, dit Anne par-dessus son épaule, tu peux me passer ta radio ?

Il ne répondit pas.

– Ta radio, Leo !

Il ouvrit les yeux.

– Quoi ?

– Ta radio ! J'en ai besoin.

Il hocha la tête et gémit sous la douleur.

– Il faut que je la trouve.

Il regarda autour de lui en vain puis tâta le plancher. Bientôt, sa main la trouva, écrasée sous le siège par l'acier qui s'était plié sous le choc.

– Merde, murmura-t-il. Inutile, Anne. Bousillée. Merde, fit-il, malade d'impuissance.

– Il faut un médecin sur place, dit un patrouilleur près de la nacelle tombée. Pas question de les remuer avant de savoir...

– Il est en route. On a envoyé un message radio.

Après un long silence, les voix reprirent.

– Bon, vous pouvez emmener celle-là. Doucement ! Soulevez-la comme ça !

– Ted, fit une autre voix, tu peux jeter un œil à celui-là ?

– Une minute, j'arrive...

Leo entendait les voix et imaginait les passagers choqués qu'on emmenait. Pas morts, je vous en supplie, mon Dieu, pas morts. Il tenta de relever la tête Dieu que j'ai mal, se dit-il. Il aurait voulu qu'Anne le prît dans ses bras, comme Ned et Robin. Il avait sommeil. Il était brûlant. Enlever son anorak, respirer, tout était pénible.

– Anne, murmura-t-il.

Elle ne l'entendit pas. Dans un grand effort, il leva la tête, força sa voix malgré sa tête qui battait.

– Anne.

– Oui.

Elle se tourna autant que possible mais ne put le voir.

– Tout ira bien.

– Je sais.

Leo était ahuri de tant de calme dans sa voix.

– Reste tranquille, Leo; j'aimerais pouvoir t'aider.

– Non. Les enfants. Plus important. Je vais attendre. Ils vont venir.

– Je sais, répéta Anne. Tout ira bien. Surtout ne bouge pas et ne t'inquiète pas. Nous allons bien.

Leo respira profondément. Anne s'occuperait de tout; elle était assez forte pour tous. Il perçut la voix du médecin et des patrouilleurs en bas, confiante, professionnelle. Ils savaient ce qu'ils avaient à faire. Tous, d'ailleurs. Il avait fait appel à la meilleure équipe du monde. Chacun coopérait; ils n'avaient pas besoin de lui. Sa tête tomba en avant et sa respiration se ralentit.

– Papa ? appela Ned. Ils sortent les gens. Il y en a un qui a l'air mort.

– Ou évanoui, fit Anne avec fermeté. D'ici, c'est tout ce qu'on peut dire.

– Peut-être, fit Ned, l'air dubitatif. Papa ? Tu ne trouves pas qu'il a l'air mort ? demanda-t-il en regardant par-dessus le siège. Papa ! Papa !

– Je crois qu'il dort, dit Anne. Il ne faut pas le réveiller; je crois qu'il a très mal à la tête et le sommeil lui fait le plus grand bien en attendant qu'on vienne à la rescousse.

– Eh, là-haut, et cette radio ? lança un des patrouilleurs.

– Ned, parle-lui donc, suggéra Anne. Tu as du coffre.

– Ouais, fit Ned en se penchant. Aïe ! Oh, zut, ça fait mal, tante Anne...

– Laisse, je vais lui parler...

– Non ! C'est moi !

Le bras d'Anne autour de sa taille, la main fermement agrippée au poteau, il respira à fond et se pencha, éprouvant la joie parfaite du danger. Ouaouh, se dit-il, je rêve. Le soleil lui chauffait la tête; l'air était frais sur son visage. Les patrouilleurs arrivaient avec de longues luges. Ils allongeaient les gens dessus et les sanglaient puis descendaient la montagne en chasse-neige pour ne pas aller trop vite; d'autres skiaient de chaque côté des brancards pour veiller sur les blessés. D'autres encore apportaient des cordes et des poulies sur des autoneiges, se préparant à évacuer la nacelle. C'était la chose la plus passionnante que Ned ait vue de toute sa vie; il n'en perdait pas une goutte, oubliant sa jambe, son père et la nacelle qui se balançait dans le vide.

– Moi aussi, fit Robin en se tenant au poteau avant de se pencher à côté de son frère.

Anne sentait leur poids sur ses bras; doucement, elle relâcha un peu sa prise, bougeant les poignets et les avant-bras, respirant profondément, tentant de se détendre. La terreur avait disparu; à la place une peur croissante – pour Leo, pour leur sécurité tant qu'on ne les aurait pas secourus, pour les gens qui s'étaient écrasés, ceux des autres nacelles, Tamarack, sa famille. Elle plia à nouveau ses bras; ils étaient engourdis d'avoir maintenu les enfants pendant... combien de temps? Elle consulta sa montre, incrédule. Elle devait se tromper. Cela faisait seulement vingt minutes qu'ils étaient grimpés dans la télécabine et seulement quinze que la nacelle avait glissé sur le câble. Tout était si atrocement ralenti.

– Eh! là-haut! s'écria quelqu'un en dessous. Ça va?

– Je crois que j'ai la jambe cassée, cria Ned gaiement, pensant qu'il se régalerait à raconter cette histoire sans arrêt. Peut-être que ma sœur aussi. Et mon papa dort. Sa tête est pleine de sang, ajouta-t-il d'une voix tremblante; ça n'a pas l'air d'aller.

– Qui d'autre est avec toi?

– Ma tante. Elle va bien.

– Où est votre radio?

– Elle est cassée.

– Merde. Bon, on arrive aussi vite que possible; seulement on ne peut pas te parler pendant qu'on travaille. Mais tu connais le topo, n'est-ce pas?

– Sûr, papa me l'a expliqué. Mais on est suspendus dans le vide, là-haut; vous le savez?

– Comment ça?

– Dans le vide. On pourrait tomber. Le truc qui accroche, vous savez, en forme de J, qui nous tient au câble... il ne serre presque plus, il ne tient plus comme il faudrait, ou je ne sais pas quoi... en tout cas, ça secoue drôlement, là-haut.

– Je vais leur dire, répondit le patrouilleur. Ils savent quoi faire. Relaxe, Ned; on va vous tirer de là en moins de deux.

– OK. Eh? Qui va venir nous chercher?

– Je ne sais pas. Peter, sans doute. Ça te va?

– Oh oui! il est super; il m'a appris à skier.

– Il faut que j'y aille, Ned. Tenez le coup, on arrive.

– OK, murmura le gosse.

Il resta ainsi suspendu, l'excitation disparaissant peu à peu. La plupart des patrouilleurs étaient partis, ainsi que les autoneiges. Dans toutes les directions, les longues pistes sillonnant la forêt étaient vides, scintillant au soleil ou tapies dans l'ombre, silencieuses, attentives, comme une maison abandonnée, comme une montagne hantée.

– Personne n'a pris la remontée numéro un, remarqua Anne.

– Ils ont sans doute fermé la montagne, observa Ned, qui savait de quoi il parlait. Quand il y a un accident, on n'aime pas que tous les curieux débarquent. C'est des enquiquineurs de première. Surtout si quelqu'un... meurt.

Sans pouvoir s'en empêcher, il eut un regard pour Leo. Ses yeux s'embuèrent de larmes. C'est trop calme, se dit-il; on dirait que tout le monde est rentré chez soi et qu'on nous a abandonnés.

– Ça va toujours, là-haut ? lança un patrouilleur.

Il était assis sur la pente, resté là pour qu'ils ne se sentent pas seuls.

– Super ! hurla Ned avec colère. Alors ils arrivent quand ?

– Ça ne saurait tarder, mon gars; garde ton calme; il faut du temps pour tout organiser.

– Bon, bon, murmura-t-il.

Même avec ce type en bas, ils étaient rudement seuls là-haut, et personne ne savait pour combien de temps, et ils pouvaient tomber d'une minute à l'autre... Il sentit les larmes lui brûler les yeux et les refoula. Pas question de pleurer; son papa était K-O et c'était lui le seul homme éveillé. Il s'installa au creux de l'épaule d'Anne.

– Je suppose que tout va bien, fit-il, tentant d'avoir l'air naturel. Je veux dire, on n'est pas tombés ou quoi.

– Et il ne neige pas, ajouta Robin. Ce serait affreux s'il neigeait.

– Et de toute façon ils ne vont plus tarder. Encore cinq ou dix minutes.

– Ou une heure, dit Robin.

Au creux de leurs voix, Anne perçut la peur, le sentiment d'abandon, l'effort de prétendre que tout allait bien. Elle savait ce qu'était être un enfant et sentir son monde familier en danger.

– Et si, commença-t-elle, songeuse, de cette voix particulière qu'elle prenait pour raconter les histoires et que les enfants reconnurent au premier mot. Et si on tendait un immense filet au-dessous, je pourrais vous laisser tomber dedans. Vous feriez quelques rebonds, peut-être même un ou deux sauts périlleux, puis vous atterririez finalement sur un autoneige, et je parie que votre maman vous attend déjà dans la gare.

– Débile, murmura Ned. Ils n'ont même pas de filet.

– Peut-être des amis de l'école vont-ils nous aider, suggéra Anne d'une voix calme et apaisante. Et ton équipe de foot, Ned ? Ils pourraient nous lancer une échelle de corde pour qu'on puisse descendre.

– Elle serait trop lourde, fit Ned. Elle devrait être énorme et peser une tonne toute pliée; personne ne pourrait la lancer, même quelqu'un des Broncos.

– On pourrait nouer nos vêtements ensemble, dit Robin, comme les gens qui s'échappent de prison; on n'aurait plus qu'à se laisser glisser.

– C'est encore plus nul que le filet, grommela Ned.

Mais la peur l'avait quitté. Anne menait la danse, évoquant les techniques de secours, tissant des histoires de sa voix douce sans perdre des yeux la piste au-dessous. La nacelle oscillait lentement sous le ciel d'un bleu intense. Des oiseaux volaient d'arbre en arbre, canaris des montagnes, geais gris, geais d'un bleu éclatant, mésanges. Dans le lointain, un faucon dessinait de grands cercles, ses immenses ailes déployées, immobiles à l'exception d'un léger tremblement occasionnel pour ajuster sa position. Tamarack était nichée au creux de la vallée, enneigée, ensoleillée. Robin et Ned attendaient au creux de ses bras, le regard vide. Assise dans la nacelle, elle écoutait le silence. Quelle étrange sensation d'être ensemble au milieu de tant de beauté, d'un tel danger de la mort, peut-être. Peut-être est-ce une vérité universelle : le danger et la mort ne sont jamais loin. Mais nous n'en sentons la présence que lorsqu'il se passe quelque chose et qu'on lève les yeux...

Elle se revit allongée dans la forêt, en train de lutter. *Tu le veux. Ne mens pas. Je sais ce que tu veux!*

Elle se recroquevilla intérieurement et serra les bras pour se défendre.

– Tu me fais mal! cria Robin.

– Eh! fit Ned.

Oh, mon Dieu, ça ne finira donc jamais, se dit Anne.

– Je suis désolée. Je ne l'ai pas fait exprès.

– Mais qu'est-ce qui t'a pris?

– Je pensais à quelqu'un que je n'aime pas.

– Eh ben, je n'aimerais pas être le mec, fit Ned.

– Tu dois vraiment le détester, dit Robin en regardant Anne sous un nouveau jour. Je ne savais pas qu'il y avait des gens que tu détestais.

Ned regardait le patrouilleur en bas. Il avait trouvé un morceau de bois et battait du jazz en rythme sur ses chaussures de ski.

– Il ne se passe rien, fit-il. Il n'y a personne. Sa main effleura sa jambe et il hurla en la retirant vivement. C'est tout enflé. Je vais peut-être devenir infirme, dit-il en regardant sa tante de ses grands yeux. Je ne pourrai plus jamais faire de ski ou faire du vélo ou du base-ball...

– Tu feras tout comme avant, fit Anne gaiement. Et Robin aussi, j'en suis convaincue.

– Eh, Ned, ils arrivent! appela le patrouilleur.

– Par où? fit-il en se retournant brusquement.

La nacelle trembla violemment.

– Tante Anne! Je ne voulais pas nous faire tomber, fit-il en s'accrochant à elle.

– Ne t'inquiète pas.

Mais la peur l'étreignait. Robin pleurnichait doucement. Anne les tenait contre elle. Pourvu que ce ne soit pas grave, pria-t-elle. Que Leo aille bien, mon Dieu; prends soin d'eux. Et que personne ne soit mort; que tout s'arrange; je vous en prie, mon Dieu.

– Eh, Ned, c'est Peter. Tu m'attendais ?

La tête de Ned apparut vivement.

– Peter !

Des cheveux roux, un immense sourire apparurent à travers la fenêtre de la nacelle dans le sens de la montée. Il vit Leo et son sourire disparut.

– Oh, zut. Il est... Il dort ou quoi ?

– Il dort, dit Anne par-dessus son épaule. Que devons-nous faire ?

– Bon. Il faut commencer par Leo, mais je vais d'abord passer un filin autour de la nacelle, autrement vous pourriez vous retrouver en bas quand j'ajouterai mon poids dessus. Alors tout le monde assis sans bouger ; une chose à la fois.

Ils regardèrent Peter fixer un filin entre le toit de la nacelle et le câble du téléphérique. Puis, lentement, il grimpa sur le toit. La nacelle frémit sous le surcroît de poids puis glissa le long du câble. Robin hurla quand ils chutèrent d'une trentaine de centimètres pour s'arrêter en une secousse, suspendus au filin posé par Peter.

– Et à la une, et à la deux ! fit Peter.

Ils l'entendaient sans le voir ; il resta allongé sur le toit en attendant que le balancement cesse.

– Bien, étape suivante. Ned, je ne peux pas entrer tant que vous êtes dans le chemin. Que dirais-tu de te glisser sur le siège ?

Ned leva les yeux.

– Tu es sûr que ça va tenir ? Chaque fois qu'on bouge, ça...

– Pas de problème. Tu as ma parole. Vas-y, mon grand. Crapahute.

Anne lâcha prise et Ned se glissa sur le siège, la tête la première, se mordant les lèvres tant sa jambe lui faisait mal. Il se tassa dans le coin et toucha doucement la tête de Leo reposée sur son bras replié.

– Salut, papa. Peter est là ; on va s'occuper de toi.

Peter pénétra dans la nacelle près d'Anne et de Robin.

– Parfait, Ned, tu vas m'aider.

– OK, fit le gosse fièrement.

– Voici le harnais. Tu sais comment ça marche ; on sangle ton père...

Anne se retourna pour voir si elle pouvait donner un coup de main. Elle lâcha Robin pour la première fois et regarda vers la montagne comme au départ. Ses jambes ne répondaient plus car elle était restée assise dessus trop longtemps ; quand la circulation se refit, elle eut mal.

– Il faut que tu le relèves, dit Ned. Ça passe par-dessus sa tête.

Anne souleva la tête de Leo, Peter et Ned glissèrent le harnais et le sanglèrent solidement.

– Merci, mon pote.

Peter prit la corde attachée au harnais et retourna sur le toit où il l'attacha à un anneau d'acier à l'aide d'un mousqueton. Anne s'aperçut qu'il y avait maintenant une douzaine de patrouilleurs qui observaient Peter en se protégeant les yeux.

– Ça vient ! appela Peter.

Il fit signe et lança la corde loin de la nacelle. Elle tomba en spirale. Peter revint à l'intérieur.

– Il faut le soulever, dit-il à Anne. Les enfants, tassez-vous au maximum. Il nous faut de la place.

Ils s'aplatirent contre la paroi. Anne respira profondément. Ça la picotait tant qu'elle pouvait à peine bouger, mais elle se pencha et souleva les jambes de Leo, poussant doucement tandis que Peter guidait le corps par l'ouverture déchiquetée.

– Quoi ? lança Leo, ouvrant soudain les yeux. Oh, ma tête. Je ne vois rien... Gail ? Que se passe-t-il ?

– Papa ! cria Ned. On est là.

– Eh, Leo, dit Peter. On a un petit problème ; laisse-nous donc régler ça, veux-tu ?

– Peter ? fit Leo

– Exact. Tout va bien, mais ne résiste pas. D'accord ?

– Accident, murmura Leo.

– Tu as tout compris. Mais ça va. On te fait glisser au sol, tu connais la technique ; tu l'as fait avec nous en secourisme. On va te balancer dehors...

Pendant qu'il parlait, Leo ferma les yeux. Son corps gisait contre le dossier du siège.

– Une minute, dit soudain Peter. Anne s'arrêta, respirant fortement. Ned, tiens ton papa comme ça, d'accord ?

– Je veux aider ! s'exclama Robin.

– Pas de problème.

Peter bougea Leo pour qu'il repose sur les bras tendus de ses enfants. Il se pencha pour faire signe aux patrouilleurs.

– On y va !

En contrebas, deux hommes commencèrent à tirer régulièrement sur la corde. Avec l'aide des enfants, Anne et Peter maintenaient Leo au-dessus du siège. Bientôt, le harnais se détacha de la nacelle.

– Au revoir, papa, murmura Robin.

Elle était en pleurs. Leo flotta un moment dans l'air puis les hommes contrôlèrent bientôt la descente en agissant sur la corde à travers l'anneau.

Anne fixait des yeux la silhouette immobile de Leo qui tournoyait lentement. Il semblait si frêle, si désarmé. Nous sommes tous désarmés à un moment de notre vie, se dit-elle, mais si nous savons que quelqu'un est là pour nous attraper...

Elle pensa à Josh, avec son regard assombri et sa voix grave le soir de Noël. *Tu veux dire que nous sommes seuls au monde sans la moindre chance de partager avec une autre personne ou de l'effleurer, jamais ?* Et elle se souvint du cri qu'elle avait poussé intérieurement. *Ce n'est pas ce que je veux !*

– On l'a !

Peter souffla et Anne s'aperçut que les patrouilleurs tenaient Leo dans leurs bras tandis qu'un homme dénouait le harnais. Cela fait, un des hommes dit à Peter qu'il pouvait tirer tandis que d'autres installaient Leo sur une luge et entreprenaient de le sangler.

Anne soupira longuement, elle aussi. Ils vont l'emmener à l'hôpital, tout ira bien. La peur s'était éloignée dès que le travail avait commencé pour libérer les occupants de la cabine. On pouvait raisonnablement penser que tout irait bien.

– Alors, qu'en dites-vous ? demanda-t-elle aux enfants avec un grand sourire. Il s'en sortira, et nous aussi, dit-elle en les serrant contre elle.

Peter apporta la corde et le harnais.

– Au suivant.

– Tante Anne, annonça Ned.

– Pas question. Robin d'abord, Ned ensuite.

– Non, hurla Ned. Les femmes et les enfants d'abord. Les hommes, après !

– Sauf s'ils sont blessés, répondit Anne avec calme. Je ne le suis pas, toi si, et plus tôt le médecin soignera ta jambe et celle de Robin, mieux ça vaudra. C'est ainsi qu'on doit procéder, et tu le sais.

– Elle a raison, Ned. J'ai besoin de toi pour soulever Robin, d'accord ? fit-il en plaçant le harnais par-dessus la tête de la petite fille.

– Bon, d'accord, murmura Ned.

Il travailla tranquillement et bientôt Robin descendait. Quelques minutes plus tard, ce fut son tour. Il bouillonnait d'excitation. Il l'avait déjà fait une fois en secourisme avec son père, mais jamais pour de bon.

– Tante Anne, fit-il en levant les yeux, tu verras quand ce sera ton tout ! C'est super !

Mais il pensait surtout à ce qu'il allait raconter à ses copains de l'école.

Peter retourna au toit vérifier la corde et Anne attendit. *Je ne sais pas si nous sommes seuls ou non.* C'est ce qu'elle avait dit à Josh. Un moment, il lui avait souri avec tant de chaleur qu'elle avait voulu tendre la main, lui dire...

Lui dire quoi ? Elle regarda le faucon qui planait, infatigable, seul, fort, indépendant. Il devint flou. Elle s'aperçut que ses yeux étaient remplis de larmes. Je ne sais pas comment ne plus être seule, pleura-t-elle en silence.

– Anne, à votre tour, fit Peter en entrant pour la dernière fois.

Une fois harnachée, ils se serrèrent la main.

– C'est un bonheur de traiter avec vous, dit-il, solennel.

– Merci, Peter. Pour nous tous. J'espère vous voir en ville. J'aimerais faire quelque chose pour vous.

– Offrez-moi un verre chez Timothy, fit-il avec un sourire et il la libéra.

Malgré leurs précautions, il y avait des soubresauts. Tout de même, Anne trouvait merveilleux de redescendre sur terre. Elle ne pouvait s'empêcher de tournoyer, mais cela lui offrait une vue magnifique dans toutes les directions et elle se sentit bondir de joie en arrivant dans un cercle de bras costauds. Je ne suis plus seule, se dit-elle tandis qu'on la tenait solidement, plus seule.

– Ça va ? s'enquit un des hommes en débouclant son harnais.

– Parfaitement. Merci. Merci à tous, du fond du cœur. Les enfants vont bien ?

– Oui. Quels gosses merveilleux !

– Et Leo ?

– Pas de problème. Il est déjà à l'hôpital. A votre tour. Vous prenez une luge ?

– Ned m'a dit de demander une autoneige.

– Il est malin, ce gosse. C'est parti. Tenez-vous bien.

Je ne suis plus seule, se dit Anne en dévalant la montagne. Ses bras encerclaient la taille du patrouilleur. La neige voletait autour d'eux, le soleil brillait, et la ville attendait, en bas, gaie, sereine, accueillante. Je ne suis plus seule.

Une fois arrivée, une fois qu'elle sut que Leo et les enfants se portaient bien, que tout était retourné à la normale, elle se dit qu'elle devait comprendre ce que tout cela signifiait.

# 18.

Le couloir mesurait cent mètres de long et plongeait à trente mètres sous terre, ainsi protégé de la chaleur torride du désert. Les marches grossières s'enfonçaient peu à peu dans l'obscurité, entrecoupées de paliers de pierre. Une torche puissante à la main, Josh et Hosni suivirent les ouvriers le long de l'espace étroit, traversant de fausses portes et de faux corridors construits par les équipes du pharaon pour égarer les pilleurs de tombeaux et arrivèrent enfin à une porte de pierre parfaitement ajustée au chambranle. On y avait peint deux serpents aux couleurs vives qui sifflaient, prêts à attaquer tout intrus.

– Merci de nous prévenir, fit Hosni dans un sourire. Mais je crois que nous allons tout de même entrer. Nous avons dégagé la porte, Josh, mais personne ne l'a ouverte.

Josh posa la main dessus. La pierre était chaude.

– Allons-y.

Il avait la voix tendue par l'impatience. Au bout de tant d'années, ils étaient enfin là, et peut-être découvriraient-ils que le tombeau avait été pillé une ou plusieurs fois au cours des siècles précédents, n'offrant que des fragments et peut-être la momie dépouillée et mutilée de Tenkaure. Josh pria en silence devant la porte close.

Avant son arrivée, les ouvriers avaient minutieusement taillé autour du camouflage en plâtre pour en exposer les arêtes. Sous les directives de Hosni, ils entreprirent de la dégager complètement, glissant des morceaux de bois dans les fissures qu'ils pratiquaient tout autour. Quand ils sentirent que ça bougeait, ils s'acharnèrent sur un côté. Lentement, presque à regret, la porte commença à pivoter. Les hommes poussèrent sur la porte jusqu'à ce qu'on pût la franchir. Josh, suivi de Hosni, se tenait devant l'entrée et faisait jouer sa torche. Elle illuminait une pièce si grande qu'on n'en distinguait pas les coins. Mais il ne regardait pas la chambre. Sur le mur tout près de l'encadrement, un cartouche ciselé, au sceau du pharaon. Il l'éclaira et lut les hiéroglyphes gravés sur l'ovale.

– Tenkaure, murmura-t-il avant de se tourner vers Hosni. Tenkaure!

Cette fois, il hurla de joie et tous deux s'étreignirent, déchaînés.

– C'est notre première! expliqua Hosni, et ils entrèrent dans la pièce braquant leurs torches sur les murs, le plafond et les piliers carrés magnifiquement peints.

– Nous sommes les premiers, murmura Hosni, les premiers!

Cachée sous les pentes de pierre lisse, comme celle de Toutankhamon, la sépulture de Tenkaure avait échappé aux pilleurs qui avaient ratissé la Vallée des Rois au fil des ans; elle était demeurée intacte, attendant que des chercheurs du XXe siècle la dévoilent au monde moderne.

Ils avancèrent jusqu'au centre de la pièce, les ouvriers à leur suite. Marchant sur les décombres émanant du tremblement de terre qui avait entraîné le glissement de terrain au-dessus d'eux, ils maintenaient leurs lampes en l'air. En un instant, tout ce qui avait dormi pendant des siècles se réveilla.

– Mon Dieu, souffla Hosni.

Derrière lui, les ouvriers émirent un sifflement qui résonna sur les murs de pierre. Ils étaient entourés d'or étincelant. Meubles, statues, coupes, joyaux – tout était en or, jaillissant des décombres ou entassé sur des étagères. Il y avait aussi des jarres d'un albâtre si délicat qu'il était presque transparent, des bijoux scintillants, des coupes de bois emplies d'herbes et de graines, des planches de jeu ressemblant à des échiquiers, des modèles réduits de bateaux funéraires, la tête d'Hathor peinte à la feuille d'or, et de minuscules figurines de bois aux couleurs gaies appelées *shabti*, destinées à servir le pharaon dans cette autre vie.

Tout autour, là où la pierre à chaux ne s'était pas écaillée, chaque millimètre de plafond, mur ou pilier était recouvert de peintures brillantes représentant la vie quotidienne il y a trois mille cinq cents ans. Protégées par l'obscurité, les fresques offraient le même éclat qu'au premier jour et les personnages semblaient bouger : hommes chassant le rhinocéros, pêcheurs debout dans des bateaux de papyrus pour jeter leur filet, vendangeurs, femmes en train de tisser, paysans tuant du bétail, chars se rendant furieusement à la guerre derrière un attelage de chevaux, esclaves enchaînés. Josh et Hosni allaient de pièce en pièce, franchissant des portes dissimulées par les ailes protectrices d'immenses oiseaux peints. Ils observaient les scènes funéraires, les portraits grandeur nature de Tenkaure et de sa femme accueillant dieux et déesses, et les murs entièrement recouverts de textes et d'illustrations du *Livre des vivants* et du *Livre des morts*.

– Incroyable, murmura Hosni. Incroyable.

Puis, enfin, ils arrivèrent à la chambre mortuaire, pièce carrée aux murs recouverts de fresques représentant la vie de Tenkaure, et, au centre de la pièce, un sarcophage de pierre avec le cartouche de Tenkaure et des peintures à la feuille d'or. Josh émit un long sifflement. Le couvercle était intact. La momie était sûrement à l'intérieur.

– Tu as réussi ! explosa Hosni. Tu as réussi ! Nom d'un chien, tu es un sacré mec !

Josh était comme dans un rêve. La tête lui tournait légèrement. Sa vie entière avait conduit à cet instant ; rien ne l'avait tant guidé que cette quête. Il restait là, debout au milieu des splendeurs de ces pièces, de ces milliers d'objets apportés avec révérence ; tant de richesse, tant de variété, tant d'éclat dans les fresques. Les sept chambres du tombeau de Tenkaure contenaient plus de trésors que la plupart des chercheurs n'en avaient manipulé dans toute leur vie. Josh pivota lentement sur lui-même et tendit les mains, comme s'il allait tout embrasser. Tout chercheur rêve de vivre ça. Seule une poignée y parvient.

Hosni était déjà à genoux, bloc-notes à la main, à faire un croquis de la tombe et de l'emplacement exact des objets principaux. Plus tard viendrait l'heure de décider quels trésors seraient autorisés à prendre place au musée de Josh, à Los Angeles ; la majorité demeurerait au Caire.

– Il nous faudra une section entière rien que pour ça, remarqua Hosni avec ravissement. Comme pour Toutankhamon. Il a ses appartements spéciaux au musée ; nous aurons les nôtres pour Tenkaure. Et une salle spéciale pour la momie. Mon Dieu, Josh, à ton avis, quand aurons-nous la momie ?

Il avait conscience qu'elle ressemblait en bien des façons aux momies des autres pharaons. Pendant des siècles, les embaumeurs avaient utilisé la même formule. Ils soulèveraient le couvercle de pierre – cela nécessiterait une équipe entière ainsi qu'un échafaudage et un treuil – et contempleraient à l'intérieur le cercueil d'or et de joyaux, à forme humaine, puis un autre cercueil, un autre encore, chacun incrusté à profusion de lapis-lazuli et autres pierres précieuses serties dans une épaisse feuille d'or et, à l'intérieur de l'ultime cercueil, la momie, entourée de centaines de mètres de bandelettes de lin. Grâce aux rayons X et au scanner, ils verraient enfin Tenkaure, tête en arrière, menton relevé, bras croisés sur la poitrine, peau et cheveux encore intacts, traits reconnaissables malgré les milliers d'années.

Pour beaucoup, ce serait la découverte la plus spectaculaire. Pour Josh, les inscriptions qui raconteraient la véritable histoire de Tenkaure et de son fils avaient beaucoup plus d'intérêt, ainsi que les ustensiles de cuisine, les jeux de société et les meubles, car ils le ramenaient à la vie quotidienne de l'époque et lui donnaient l'art et les artefacts avec lesquels construire des expositions grandeur nature dans son musée, au bénéfice de ceux de son temps. Tel était le but de son existence : réunir les siècles et tisser ensemble passé et présent afin que chacun éclaire l'autre de sa lumière.

Il respira profondément l'air confiné. C'était l'instant le plus glorieux de sa vie. Ç'aurait dû être parfait. Curieusement, ce n'était pas le cas : il voulait Anne à ses côtés. Nous devrions partager pareil moment, songea-t-il, car il ne se reproduira jamais.

Il savait parfaitement qu'elle s'était dérobée à toutes ses tentatives d'incursion dans son passé, mais elle devait pouvoir comprendre ce que le passé signifiait pour lui. Elle pouvait éviter d'affronter son passé à elle si elle le souhaitait, encore qu'il trouvât cela une erreur, mais elle saisissait forcément comment un homme comme lui pouvait passer son temps et son énergie à déchiffrer les autres âges, pour ce qu'ils nous apprenaient du nôtre, de notre place dans la longue lignée des peuples, et aussi pour la pure joie d'apprendre. Anne aimait apprendre; elle pouvait comprendre sa passion et la partager. Peut-être alors réussirait-elle à briser la coquille dans laquelle une partie d'elle-même semblait dormir. Ou peut-être lui permettrait-elle d'être celui qui briserait cette coquille. Et la réveillerait.

Il hocha la tête et souriait avec regret. La sépulture le faisait délirer; voilà qu'il fantasmait comme un collégien. Il regarda vers la porte par laquelle ils étaient arrivés.

– Un an, à vue de nez, pour que tout soit répertorié et sorti de là. Qu'en penses-tu ?

– Minimum, approuva Hosni. Pourquoi se bousculer et risquer de tout abîmer ?

– Nous aurons besoin de gardes supplémentaires. Combien en as-tu pour le moment ?

– Trois. Il nous faut une véritable armée. Je vais faire appel à la police de Louxor; ils nous dépanneront en attendant que Le Caire envoie des renforts. Veux-tu réfléchir tout de suite au planning ?

– Pas seul; nous devons appeler notre patron au ministère du Tourisme et des Antiquités. Si on ne caresse pas tout ce petit monde dans le sens du poil, j'ai idée que mon musée sera poliment laissé pour compte. Tout cela est si colossal que l'Egypte va vouloir tout garder, ce que je comprends, mais j'ai l'intention de nous réserver quelques miettes.

– C'est la moindre des choses. Après tout, c'est toi qui as fait le boulot, qui as trouvé les fonds...

– Mais c'est l'héritage de l'Egypte, l'essentiel reste donc ici. Ce n'est pas un problème pour moi; je ne veux pas demeurer à l'écart, c'est tout. Bon, si tu rentrais à Louxor pour nous trouver trois équipes de gardes ? Je vais téléphoner au Caire; ils enverront des gens dès ce soir. Il ne faut sans doute pas plus de huit à quinze jours pour réunir les équipes et le matériel; dès lors, nous commencerons à tout sortir.

Une fois Hosni parti et les ouvriers retournés en surface pour déjeuner à l'ombre des voitures, Josh déambula seul à travers les chambres. Il bouillait d'excitation, mais ses gestes étaient précis et attentifs tandis qu'il photographiait chaque pièce pour illustrer les articles qui en feraient la description. Il n'y avait plus que sa lampe et, tandis qu'il la portait ou la posait, des ombres fantastiques se projetaient sur les murs faisant bouger les fresques; on aurait dit que tout était vivant. Il posa sa lampe sur les tas de décombres et utilisa son flash pour photographier chaque pièce sous tous les angles. Le silence était total; calme, apaisant, indifférent au monde. Etonnante association, se dit Josh. En ce lieu de mort, la beauté et la sérénité régnaient en maîtres.

Il s'aperçut, en faisant des gros plans d'objets, qu'il photographiait autant pour Anne que pour ses articles. Il prévoyait déjà le commentaire de chaque diapositive éclairant le mur de son appartement, racontant à Anne la mythologie égyptienne.

Si jamais nous refaisons quoi que ce soit ensemble, songea-t-il. Mais cela ne l'empêcha nullement de penser à elle en déambulant de salle en salle; bientôt ce fut comme si elle marchait à son côté, les yeux écarquillés devant les splendeurs qu'il photographiait, sa voix répondant à la sienne, ses mains effleurant délicatement les statues en or et les vases d'albâtre, laissant tout exactement en place jusqu'à l'arrivée des experts. Quand Josh se retrouva finalement en train de grimper l'escalier aux pierres mal taillées, la présence d'Anne était si réelle, sa place près de lui si naturelle, qu'il sut qu'il trouverait le moyen de la ramener à lui.

Cette nuit-là, de son hôtel à Louxor, il lui téléphona à Los Angeles. Avec le décalage, il y a dix heures de moins, calcula-t-il en commençant de donner à la standardiste le numéro du bureau avant de se rappeler que c'était dimanche. Mais, quand il demanda son appartement, personne ne répondit. Il s'affala dans son fauteuil et regarda les bateaux sur le Nil. Dans quatre jours, ce serait Noël; elle était peut-être toujours à Tamarack. Soudain, il hésitait. Que dirait-il ? *Viens; c'est le moment le plus extraordinaire de ma vie et je veux le partager avec toi.*

Il y aurait un silence à l'autre bout; il la sentirait reculer même au téléphone, même à seize mille kilomètres. *Pourquoi, Josh ? Pourquoi veux-tu que je vienne ?*

L'esprit ailleurs, il regarda les gens sur la passerelle des bateaux de tourisme. Tous étaient en tenue de soirée et portaient un chandail léger car le soleil s'était couché; des serviteurs en veste blanche et gants impeccables leur proposaient des amuse-gueule. Il entendait leurs voix et leurs rires en cascade. Assis, seul dans sa chambre d'hôtel, il songea qu'il avait vu beaucoup de choses en ce monde sans y prendre part. *Parce que cette expérience extraordinaire ne me suffit pas : je veux la partager avec toi. Parce que, désormais, je veux tout partager avec toi. Parce que je t'aime.*

Il se dit qu'il l'aimait depuis longtemps, peut-être depuis leur marche jusqu'au lac du Défi. Avant, elle l'avait impressionné par sa dureté et son talent hors du commun. Mais, en se promenant avec elle, il avait cerné, sous le visage impassible qu'elle offrait au monde, la ferveur qui la faisait avancer et réagir à la splendeur. C'est ça qu'il aimait. Il s'était certainement passé quelque chose qui avait inhibé ses émotions, mais elle avait survécu et, en bien des façons, elle avait vaincu, sa finesse et son esprit remarquable intacts, même si elle semblait, pour le moment du moins, incapable d'aimer.

Il voulait lui dire. Mais pas au téléphone.

Les passerelles se vidaient; tout le monde descendait dîner. Il fallait qu'il parle à quelqu'un, un ami. S'emparant à nouveau du combiné, il appela Gail et Leo.

Il laissa sonner longtemps quand une voix inconnue répondit enfin.

– Bonjour, ici la résidence de Mr. et Mrs. Calder.

– Qui est à l'appareil ? fit Josh, surpris.

– Lena, la femme de ménage. Il n'y a personne ; ils sont à Albuquerque. Puis-je prendre un message ?

Déçu, impatient de s'épancher, il saisit un crayon.

– A quel numéro puis-je les joindre ?

– Euh, attendez que je trouve le numéro de l'hôpital...

– L'hôpital ! Pourquoi ?

– Ben, l'accident. Vous savez bien. Tout le monde est au courant et...

Josh crut que son cœur cessait de battre.

– Quoi ! Quel accident ?

– La télécabine. Comment vous avez fait pour rater ça ? C'est passé à la télé et tout. Il est tombé. Pas tout, quoi, juste une des nacelles, mais une autre a été écrasée et dedans il y avait Leo. Il n'y a pas eu de morts ; c'était tôt le matin, alors il n'y avait encore personne dans la montagne.

Tôt le matin. *« Josh, Anne et moi montons tôt demain matin : tu nous accompagnes ? – Impossible ; je pars de bonne heure pour l'Egypte. La prochaine fois. »*

– Qui d'autre est blessé ? s'enquit Josh, inquiet.

– Robin et Ned. Ils ont une jambe cassée. La sœur de Gail y était aussi mais elle n'a rien. On dit qu'elle a sauvé les enfants, elle les a tenus pour qu'ils ne tombent pas. Ça remue ici ; quelle histoire...

*Elle va bien. Elle va bien.* Ses mains tremblaient et il s'obligea à ne pas tant serrer le combiné. Il faut que je sois avec elle, se dit-il. Il voulait être avec eux.

– ... trouvé le numéro, dit Lena avant de le lui donner. Ils sont chambre 15. Vous pouvez les joindre là-bas.

– Merci.

Il téléphona immédiatement. Quand il eut enfin Gail, elle semblait épuisée.

– Oh, Josh, comme ça fait plaisir de t'entendre. Nous ne savons pas grand-chose pour l'instant ; il a une fracture du crâne et peut-être un hématome épidural ; nous sommes ici au cas où il faudrait l'opérer. Anne est avec Robin et Ned à l'hôpital de Tamarack ; ils ont une jambe cassée mais ça va. Et si tu les appelais ?

Il téléphona alors à l'hôpital de Tamarack puis entendit la voix posée d'Anne, si proche qu'il avait l'impression de la toucher.

– Tu vas bien, c'est sûr ? Je voudrais venir mais je suis encore coincé pour quelques jours.

– Nous allons bien ; c'est surtout Leo qui nous inquiète. C'est gentil à toi, Josh, mais inutile de te bousculer ; nous n'avons besoin de rien.

– Moi si. Je veux être avec toi. Avec vous tous.

– Merci, fit-elle d'une voix basse et tendue. Ça tombe plutôt mal, Josh. Tous ces blessés – personne n'a été tué, Dieu merci, mais quelqu'un a le dos brisé et d'autres ont des fractures et bien sûr ils sont commotionnés, furieux, encore affolés – et la colère gronde en ville, maintenant ; les gens parlent de négligence. Les touristes s'en vont. On croirait un exode ; ils se rendent à l'aéroport et attendent qu'il y ait de la place dans un avion.

– Pourquoi ? Que craignent-ils ?

– Le diable, je suppose.

Anne semblait désabusée. Josh comprit qu'il était le premier à qui elle pouvait parler sans se montrer volontairement confiante et rassurante.

– C'est comme si nous étions possédés par quelque chose de malfaisant. Les journaux et la télévision ressassent les autres problèmes que nous avons eus, et l'enquête de l'EPA est au point mort parce qu'ils ne nous envoient pas les documents que nous réclamons ; résultat, nous ne pouvons rien faire pour clore le dossier. Alors, bien sûr, les gens s'en vont. Et ça fait du tort aux locaux qui mettent ça sur le compte de la société.

– Qu'est-il arrivé à la nacelle ?

– Personne ne sait. Les enquêteurs d'Etat sont déjà sur place. Ils ont dit qu'un boulon manquait, mais il ne faisait pas partie de la mâchoire de fixation au câble. Personne ne sait pourquoi notre nacelle a glissé.

– A quoi sert ce boulon ?

– Il fait partie du mécanisme de sécurité. Si le crochet est déficient sur une nacelle, il y a un système de détection et d'arrêt. Ça n'a pas fonctionné sur notre nacelle parce que l'écrou manquait, alors nous sommes montés et, une fois arrivés à la partie raide, le câble a continué à bouger mais pas nous, et la nacelle derrière nous, bien arrimée au câble, nous est rentrée dedans. J'ai du mal à croire que deux choses se soient détraquées en même temps – un crochet déficient et un boulon qui tombe – mais, pour l'instant, c'est tout ce qu'ils ont trouvé.

– Et les enfants ?

– Ils vont très bien. Là, je suis dans la chambre de Robin ; elle regarde la télévision. Ned est en face, au téléphone. Cet accident les a tellement excités qu'ils ne cessent d'en parler. Je crois que toute l'école va débarquer dès demain ; les téléphones sonnent sans arrêt. Ces enfants réagissent à merveille ; je les envie. Ils ont bâti un véritable scénario. Ned appelle leur film *Traquenard dans la télécabine*, ce qui risque de déplaire à ses parents, et Robin l'a baptisé *Du sang dans la neige*, ce qui ne vaut guère mieux. Ils sont les producteurs et les vedettes, tu t'en doutes. Je crois qu'on entendra cette histoire pendant une bonne cinquantaine d'années.

– Et toi ?

– Je ne suis pas blessée. C'est ahurissant, en fait ; sur dix, je suis la seule à ne pas avoir la moindre égratignure.

– Ce n'est pas ce que je voulais dire.

– Je sais... Tu es le premier à me le demander.

Sa voix avait changé ; elle se détendait. A cet instant, il n'y eut plus d'hôtel en Egypte, plus d'hôpital dans le Colorado, rien que leurs voix qui se touchaient, sans contrainte. Jamais ils n'avaient été aussi proches.

– Dis-moi ?

– J'y ai à peine réfléchi. Je ne sais pas vraiment comment je me sens. Soulagée, bien sûr, mais bizarrement j'ai encore peur. Je ne cesse de nous sentir balancés en l'air, de me demander si nous allons tomber. Je ne savais pas quelle était la gravité de la blessure de Leo, ni s'il y avait des morts dans l'autre nacelle, et j'avais conscience de ne pouvoir protéger les enfants si nous nous détachions... je suppose que j'ai engrangé beaucoup d'angoisse et que ça ne s'évacue pas d'un coup.

– C'est vrai. La terreur s'attarde toujours, n'est-ce pas ?

Anne se taisait.

– Mais c'est plus facile quand on a des amis. Anne, j'espère être là-bas mercredi.

– Je... je serai heureuse de te voir.

Elle voulait lui dire combien sa voix lui faisait du bien, combien elle était heureuse qu'il ait appelé, comme elle avait cessé de respirer quand il lui avait promis d'être là dans trois jours. Elle voulait lui dire qu'elle avait pensé à lui en attendant du secours. Mais ne vinrent que des phrases banales.

– Très heureuse, ajouta-t-elle pour se rattraper. Parle-moi de tes fouilles. Es-tu arrivé à la sépulture ? Tout y est ?

– Oui, et encore oui.

Anne perçut le sourire dans sa voix.

– Mais tu n'as certainement pas envie que je te raconte maintenant...

– Mais si, au contraire. Raconte tout. C'est merveilleux pour toi, Josh. Tu l'as espéré si longtemps. C'était bien Tenkaure ?

– Oui, son sceau était marqué juste à l'intérieur de la porte.

– Alors c'est la première chose que tu as vue. Quelle sensation étonnante tu as dû éprouver ! Etais-tu le premier ?

– Oui. Rien n'avait été touché. Un peu chamboulé par les tremblements de terre mais, curieusement, très peu de choses brisées ; même les albâtres semblent presque tous intacts. Anne, il faut que tu voies ça. Tu n'imagines pas la beauté, et la profusion ; depuis les louches jusqu'aux trônes en or.

– Et Tenkaure ?

– Il y est. Nous n'arriverons pas à lui avant un certain temps ; il faut d'abord déblayer les autres salles et le couloir. Mais, depuis le temps qu'il attend, il peut se montrer patient.

Elle eut un rire profond.

– C'est un vrai conte de fées. Combien de personnes au monde peuvent vivre ça ? Je suis si heureuse pour toi. Comment peux-tu être si calme ?

– En fait, je ne le suis pas. Je me sens comme un gosse. Ç'a été une journée extraordinaire, dès l'instant que nous avons franchi la porte.

Il parlait tellement vite qu'Anne eut l'impression qu'il avait engrangé les mots jusqu'à ce qu'il puisse tout lui raconter.

– Tu te rappelles l'escalier. Imagine-le descendre jusque dans...

Elle l'écoutait, voyant les salles grâce à ses descriptions si vivantes, sentant le froid de l'albâtre et la chaleur de l'or; respirant l'air chaud et immobile. Il avait déambulé dans ces salles, faisant mille découvertes, tandis qu'elle attendait à l'hôpital qu'on plâtre Ned et Robin, que Gail téléphone des nouvelles d'Albuquerque, qu'on ait du nouveau sur l'enquête.

Elle songeait à ces deux endroits : une sépulture de pharaon et Tamarack. Et elle se rappela qu'un des docteurs avait dit que, ce matin, la ville était un vrai tombeau. Finalement, nous n'étions pas si séparés que ça, Josh, songea-t-elle avec tristesse.

– J'aurai des diapos quelques jours après mon retour, dit Josh. Si tu veux, nous ferons une nouvelle séance; ça n'est pas comme être sur place, mais je n'ai pas mieux à offrir pour l'instant.

– Avec plaisir, répondit Anne simplement.

Il y eut une pause et Anne sut qu'il s'était préparé à un refus, comme quelques jours plus tôt.

– Et j'aimerais te parler de l'accident, reprit-elle. Il s'est passé tant de choses, et j'étais débordée après... Je n'ai pas encore fait le tri dans mon esprit.

– Nous aurons tout le temps de parler, fit Josh avec une pointe d'enthousiasme. Je t'appellerai de New York dès que j'aurai passé la douane; à ce moment-là je saurai sûrement quand je pourrai venir à Tamarack. Tu y seras, n'est-ce pas? Quand rentres-tu à Los Angeles?

– J'attends le retour de Gail; pas question de laisser Ned et Robin. Je m'installerai dans le bureau de Leo pour travailler; ma secrétaire peut m'envoyer presque tout ce dont j'ai besoin.

– Gail ne risque pas de rentrer avant trois jours?

– J'en doute. Mais, de toute façon, je t'attends.

Ces mots chantèrent dans les fils téléphoniques. Anne écouta leur résonance et attendit que Josh réponde, craignant qu'il ne la pousse davantage.

– A mercredi, fit-il enfin, très calmement, le plus tôt possible.

Quand ils raccrochèrent, Anne se cala sur le divan où elle avait passé la nuit. Robin était au lit et regardait un film, écouteurs sur les oreilles. Anne regarda par la fenêtre. Un épais nuage obscurcit la vallée et les montagnes; des flocons voletèrent dans le ciel gris, annonciateurs du blizzard prévu. Anne songea qu'il y avait aussi un nuage au-dessus de Tamarack; l'ivresse du bon début de saison avait disparu avec l'accident. Depuis qu'on les avait secourus, elle sentait les nuages s'amonceler. On murmurait dans les couloirs de l'hôpital, et en ville; chacun spéculait sur ce qui était arrivé... et arriverait après.

Mais, pour l'instant, Anne se sentait bien et détendue.

*A mercredi, le plus tôt possible.*

– Tante Anne! appela Ned depuis sa chambre.

– J'arrive.

Anne se leva. Elle ne savait pas ce qui arriverait après, ni même ce qu'elle voulait exactement, mais elle traversa le couloir d'un pas léger.

*Nous aurons tout le temps de parler.*

*Je t'attends.*

Vince apprit l'accident au journal télévisé tandis qu'il s'habillait pour le dîner. Debout au milieu de la chambre, chemise ouverte, cravate à la main, il regardait les images du matin, la nacelle tombée sur la piste, celle du dessus dansant sur son câble, et la montagne déserte.

« La peur est entrée dans la ville, proclamait le reporter. Peur que le succès ne soit monté à la tête des responsables de Tamarack, station élégante s'il en est, et qu'ils ne se soient montrés négligents; peur qu'ils ne soient dépassés par les problèmes qu'ils ont eu à affronter ces derniers mois. » Il regardait Timothy froncer gravement les sourcils et désigner les gens sur le mail. « Les vacanciers s'en vont; les annulations s'en viennent. Comme m'a dit un skieur aujourd'hui, " je peux contrôler ma façon de skier, mais pas les gars censés assurer la maintenance ". Il est parti cet après-midi. Pour Aspen. »

Vince changea de chaîne avec sa commande à distance.

« ... aucun mort, ce qui est un miracle, disent les instances officielles. Les occupants de la nacelle tombée souffrent de blessures graves, mais tous s'en sortiront. Leo Calder, président de la Tamarack Company, était dans la nacelle au-dessus; il a été évacué à l'hôpital d'Albuquerque avec une fracture du crâne. Ses deux enfants, qui étaient avec lui, ont une jambe cassée. La quatrième personne, Anne Garnett, la célèbre avocate en divorce de Los Angeles, est indemne. La patrouille de ski raconte qu'elle a sauvé la vie des deux enfants en les tenant quand les nacelles sont entrées en collision et que l'arrière de la leur a été arraché... »

Vince zappa avec rage.

« ... essayé d'interviewer Miss Garnett, mais elle est restée introuvable. Quant aux blessés des deux nacelles, ils sont dans des hôpitaux à Tamarack et Durango, et nous n'avons pu leur parler non plus. Mais j'ai pu approcher Keith Jax, responsable adjoint du domaine skiable de Tamarack Mountain. »

Keith apparut à l'écran, tout souriant devant les caméras.

« Nous n'avons jamais eu le moindre problème avec la télécabine; il y a un système de sécurité intégré, quoi, partout. Quoi, je veux dire, nous emmenons des milliers de personnes chaque jour en haut de la montagne, et, quoi, personne n'a jamais été blessé. Quelqu'un aurait pu y accéder, mais je ne sais pas qui ou pourquoi ils auraient fait ça; c'est horrible de faire ça à la ville, d'effrayer les gens, quoi, et puis ils parlent de l'eau, je veux dire, empoisonnée l'automne dernier, mais c'est fini et, quoi, je trouve que c'est nul d'accuser la ville parce que nous avons eu des problèmes. Je veux dire, ça pourrait arriver partout. »

Vince coupa l'appareil. Un peu trop malin, se dit-il. Il serra violemment la télécommande. Encore là, encore là. Qu'allait-il en faire, bon Dieu ?

Elle était suspendue au-dessus de lui comme une épée. Elle n'avait pas déballé son histoire à la presse, elle ne montrait pas le moindre signe de vouloir le faire, mais elle était là, lovée, prête à bondir... quand il serait proche du sommet, près de le toucher...

Elle le titillait depuis des mois, allant dans la famille, les manipulant, lui montrant qu'elle pouvait l'attaquer petit à petit, de loin, avant d'utiliser l'arme qui le détruirait enfin. Et il avait été si occupé qu'il s'en était remis à ce minable homme de main à la petite semaine. Il aurait dû s'occuper d'elle lui-même. Il devait le faire tout de suite. Il pouvait être à Tamarack dans quelques jours, dès qu'il pourrait mettre un terme à sa visite en Floride. Il y passerait un jour ou deux, puis ferait un saut à Denver pour un tour d'horizon avec ses gars sur place et serait rentré à temps pour la session du Congrès fin janvier. Il était connu pour son record de présence ; pas question de gâcher ça.

Mais, en y réfléchissant, cela lui parut moins urgent. Elle était hors de sa vue pour le moment ; et avec Leo et les enfants à l'hôpital, elle avait de quoi s'occuper. Et à la vérité, Keith ne s'était pas si mal débrouillé. Les deux jours suivants, plus Vince y pensa, plus il fut satisfait. Il y avait beaucoup à tirer de tout ça ; il en saurait plus une fois qu'il parlerait avec Keith à Tamarack.

– Comment t'y es-tu pris ? demanda-t-il quand ils se retrouvèrent dans sa suite au Tamarack Hotel.

Il versa du scotch dans deux verres, ajouta des glaçons et se rassit, regardant les montagnes derrière Keith. Quelques skieurs descendaient et s'arrêtaient net devant la gare des télécabines pour descendre par l'autre versant où le télésiège fonctionnait. Ils longeaient le câble vide pour disparaître au loin ; les nacelles avaient été ôtées et rangées dans un abri jusqu'à la fin de l'enquête et des réparations.

Devant cette vision, Vince songea à l'aspect de la ville à sa descente d'avion. Par la vitre du taxi, il avait observé les rues, larges, silencieuses, les maisons et les pelouses enfouies sous dix centimètres de neige fraîche, les trottoirs balayés, attendant une foule qui ne venait pas. On aurait dit une ville fantôme. C'était le nouvel an, et en principe les rues et le mail auraient dû grouiller de monde. Mais, cette année, tous étaient partis plus tôt ; ceux qui étaient restés essayaient tant bien que mal d'avoir l'air joyeux pour en avoir pour leur argent. Oui, une ville fantôme, pensa Vince en souriant.

– Alors, comment t'y es-tu pris ?

– Ça serait peut-être mieux, quoi, si tu ne savais pas. Je veux dire, si on te demande, tu pourrais dire... tu sais.

Vince trouva soudain que Keith ressemblait à une belette. Cheveux sable, visage en triangle au-dessus d'une barbe éparse, les yeux qui se rétrécissaient quand il parlait, l'air fuyant et sournois. Vince se souvint alors qu'il lui avait fait confiance parce qu'il n'y avait personne d'autre.

– Je t'ai posé une question.

Keith haussa les épaules.

– Quoi, c'est difficile à expliquer si tu ne connais pas le fonctionnement d'une télécabine, mais en gros, j'ai coincé le boulon de serrage pour qu'il ne tienne pas le...

– Avec quoi ?

– Un bout de bois.

– Où est-il ?

– Tombé quelque part. Qu'est-ce que ça fait ? Je veux dire, il n'y était pas quand les enquêteurs ont vérifié, quoi, alors le serrage leur a paru sans problème. Tu veux que je continue ?

Vince acquiesça d'un signe.

– Bon, là-haut, il y a une sécurité ; c'est comme un bouton qui stoppe la cabine si la mâchoire ne la maintient pas correctement. Alors je me suis aussi occupé de ça ; il y a un écrou qui tient une partie du commutateur et, quoi, je l'ai enlevé, c'est tout.

– L'écrou ?

– Exact. Si bien que le système d'accrochage était fichu, mais le commutateur ne recevait aucun signal, alors il ne pouvait pas stopper le mécanisme. Ça a continué à avancer, quoi, et quand ils sont arrivés à la partie raide, ça ne pouvait lutter contre la gravité et ça a fait un carambolage avec la suivante. Je veux dire, le câble a continué à bouger et la nacelle suivante leur est rentrée dedans. T'aurais dû entendre. Simple comme bonjour, en fait.

– Où est l'écrou ?

– Je l'ai caché, répondit Keith en souriant.

Vince attendit.

Keith finit son verre d'un trait et se resservit. Sans demander, il versa aussi un autre scotch à Vince.

– Ecoute, Vince, c'est simple. Il faut que je me tire d'ici. Je veux dire, j'en ai ma claque de Leo, sa société, la station de ski, et tout le bazar. Ras le bol. Je peux faire un tas de choses ; je veux dire, j'ai des dispositions, mais comment être créatif dans un trou pareil ? Et j'ai promis à une petite de l'emmener avec moi quand je partirai.

– Personne ne t'en empêche. Qu'est-ce qui te plairait ? Denver ? Chicago ? Je peux passer deux ou trois coups de fil si c'est ce que tu veux. Tu allais me dire où était caché l'écrou.

– Non, pas encore. C'est gentil à toi de dire que tu vas m'aider, quoi, mais cette jeune dame veut aller à Washington, et ça me paraît une excellente idée. Je veux dire, je t'en ai déjà parlé, tu te rappelles ? Je t'ai demandé si tu m'emmènerais.

– Non, je ne me rappelle pas. Tout le monde veut aller à Washington, et gratis.

– Pas moi, s'empressa de dire Keith. Au contraire. Je suis prêt à travailler. Tu l'as reconnu toi-même, je suis un bon, et je peux faire beaucoup de choses. Quoi, j'ai plein de talents et je ne les utiliserai jamais sans toi. Alors j'ai pensé qu'on n'avait qu'à passer un marché maintenant, et bientôt, quoi, quand les choses se seront tassées – ce ne serait pas malin que je file tout de suite – mais dans quelques mois, je te rejoindrai à Washington et, quoi, nous serions associés, je veux dire, tu serais président et moi ton assistant. Assistant en chef. Tu l'as dit, tu te rappelles ? Je t'ai dit que je pourrais venir avec toi quand tu serais président et tu as répondu : pourquoi pas ?

– Je ne m'en souviens pas. Mais je ne suis pas encore président, loin s'en faut. Quand ça arrivera, reparle-m'en. Si tu ne peux attendre jusque-là pour quitter Tamarack, mes amis de New York ou de Chicago trouveront le moyen d'utiliser tes talents. Si tu essaies de m'impressionner, Keith, tu t'y prends très mal. Je t'ai demandé de me faire un rapport et j'attends que tu l'achèves.

– Autre chose, on a appelé au bureau ce matin. Tu sais, les mecs d'Egypte, ils laissent tomber. Quoi, ils ont lu des articles sur l'accident et ils ont pensé que ce n'était pas une aussi bonne affaire. J'ouvre l'œil et l'oreille, Vince ; tu vois, tu as vraiment besoin de moi. Je voulais simplement une promesse.

Le jour baissait et Vince tendit la main derrière lui pour allumer. Il observa plus nettement le mince visage de Keith, ses joues qui semblaient plus creuses, sa pomme d'Adam plus saillante. Il avait allongé ses jambes sur un coussin, chevilles croisées, et semblait gai et détendu, mais il regardait Vince avec intensité et le coin de sa bouche tremblait : tout cela trahissait l'importance que cela avait pour lui. Assez pour essayer de le faire chanter.

Merde, il a raison, j'ai vraiment besoin de lui, se dit Vince. Et pendant encore un temps. Après, je pourrai acheter son silence et l'envoyer se faire pendre ailleurs. Ce ne sera pas difficile ; il se dégonflera comme une baudruche au premier coup d'épingle. De moi ou d'un autre. On trouve toujours des exécuteurs de basse besogne.

– Bien sûr que je te le promets, s'empressa de dire Vince. Je ne me rendais pas compte que ça signifiait tant pour toi. Tu es un membre précieux de mon équipe, Keith ; je n'ai pas envie de te perdre. Au gouvernement, on a peu de véritables amis, tu sais ; des gens sur qui compter. C'est à ça que je pensais en faisant allusion à ceux qui veulent voyager gratis. Mais tu es différent ; tu fais du bon travail, tu n'hésites pas à te salir les mains, et tu es fier de ce que tu fais. Nous nous ressemblons beaucoup tous les deux. Tu as raison : nous formons une sacrée équipe.

Keith cligna de l'œil sous la lampe.

– Merci, dit-il sans rien trahir. Je vais dire à ma petite amie que nous déménageons. Quoi, avril ? Ça fait quatre mois. Tout le temps pour que les choses se calment.

Vince se sentit coincé et la fureur s'empara de lui. Il sourit avec douceur.

– C'est peut-être un peu tôt pour moi. Avril, c'est au Sénat ; tu verras, quand tu y travailleras avec moi. Juin, plutôt, c'est le début des vacances parlementaires. J'aurai du temps pour te trimballer avec ta petite amie, vous aider à trouver un appartement, à vous installer confortablement. Keith, désolé de te bousculer, mais j'ai un travail monstre et ça m'arrangerait que tu finisses ton rapport. Tu as fait du bon boulot avec la nacelle – ce dont je ne doutais pas – et ta prestation télévisée a été remarquable. Tu as dit : « Quelqu'un aurait pu y accéder. » T'a-t-on demandé ce que tu entendais par là ?

– Ils n'ont pas pu ; je suis parti tout de suite après. Quoi, je suis parti à Durango faire des courses ; je me disais que je devais te parler d'abord.

Il avait pensé à tout, songea Vince. Dommage qu'il fût une fouine ; il était vraiment malin.

– Excellent, dit Vince.

Et il attendit.

– Ah oui, l'écrou, fit Keith en souriant. Je l'ai caché devant un garage. Des ouvriers finissent de retaper la maison, il y a de tout dans des grosses bennes, je l'ai jeté dedans. Cet écrou n'a rien à voir avec les débris ; si on sait où chercher, on ne peut pas le rater.

– Le garage de qui ?

– De Josh Durant, fit Keith, hilare.

Vince jaillit de son fauteuil et commença à faire les cent pas, excité.

– C'est ce que tu voulais dire à propos d'accéder à la télécabine ?

– Possible. Je veux dire, je ne me rappelle pas exactement à quoi je pensais.

– Ils vont te poser la question. Il te faudra une meilleure réponse que ça.

Keith haussa les épaules.

– C'est tout ce que je sais. Quoi, quelqu'un aurait pu. Ça n'est pas gardé, ou quoi ; les gens traversent comme ils veulent. Je veux dire, Josh aussi. Leo l'a emmené et, quoi, lui a tout expliqué. Et il traînait dans le coin...

– Qui ?

– Josh, je viens de te le dire. Chaque fois qu'il était en ville, il montait le matin avec Leo et Anne. Sauf ce jour-là. J'ai entendu dire qu'il était parti.

Vince accélérait le pas, il pensait à toute vitesse. Il savait ce qu'il ferait et comment ; le scénario se dessinait, sans la moindre faille. Keith avait fait beaucoup mieux qu'il ne le pensait.

– Qui est chargé de l'enquête ? demanda-t-il à Keith en se plantant devant son fauteuil, seule façon de le dominer.

– Un certain Halloran, répondit Keith en levant les yeux. Irving, Kevin, ou quelque chose de ce genre. Il s'est installé à l'hôtel. Tu veux que je te l'appelle ?

– Je m'en occupe, dit Vince en se dirigeant vers la porte. Je te téléphone demain ou après-demain, avant de repartir. Et, dès mon retour à Washington, on reprend contact.

Keith se leva de son fauteuil à contrecœur.

– Je préfère t'appeler. Demain. Quoi, nous avons un tas de choses à voir, et quoi, je suis au milieu de tout ça, et on me pose des questions et Leo va revenir dans quelques jours et ça ne me plaît pas trop de rester ici...

– Keith, tu as toute ma confiance, dit Vince avec chaleur en le prenant par les épaules. Tu peux régler tout ça. Tu m'as beaucoup aidé, tu es un véritable ami. Je ne me fais pas de souci pour toi, Keith, tu es le seul à qui je fasse confiance pour faire les choses comme il convient. Tu peux m'appeler quand tu veux, ajouta-t-il en le poussant doucement dehors, tu le sais. Je te passe un coup de fil avant de partir. Promis.

Dès qu'il fut parti, debout devant son bureau, Vince appela Beloit à Denver.

– C'est à toi. Appelle Charles demain matin ; ils te paieront peut-être pour s'en débarrasser.

– Et les Egyptiens ?

– Terminé. Ils ont changé d'avis. Je te le dis, Ray, c'est à toi. Et tu décideras du prix.

– Merde ! T'es un sacré pote, Vince. Et nous allons mener une sacrée campagne. Quand viens-tu à Denver, qu'on arrose ça ?

– Demain. Je te téléphone en arrivant.

Il demanda au standard de lui passer la chambre d'Irving ou Erwin Halloran.

– Arvin Halloran, bien, monsieur, dit la standardiste.

Une heure plus tard, Halloran était dans la suite de Vince qui avait fait monter à boire.

Ils étaient installés près de la fenêtre. Les monts Tamarack étaient noyés dans l'obscurité mais ça et là, brillant comme des étoiles, les ratracks travaillaient par deux à préparer les pistes pour le lendemain. Vince remplit deux verres et posa sur la table basse le plateau de fromage, les paniers de crackers et de noix.

– C'est très aimable à vous. Je ne saurais trop vous remercier de me consacrer un peu de votre temps.

– Nous ne donnons jamais d'informations, sénateur, fit Halloran en prenant des noix à pleine poignée. Mais c'est un honneur de vous rencontrer. Vous avez beaucoup d'admirateurs dans le coin ; je tiens à vous dire que nous sommes fiers de vous.

C'était un grand gaillard aux cheveux en broussaille avec des lunettes cerclées de métal qui agrandissaient ses yeux noisette.

– Merci, dit Vince. C'est justement ce que j'ai besoin d'entendre. Nous, au gouvernement, avons besoin de savoir que les gens comprennent ce que nous essayons de faire. Autrement, c'est plutôt décourageant. Il but une gorgée. Tamarack aussi est décourageant. C'est très mauvais, ce qui arrive à cette ville. Et à ma famille, bien sûr. Je crois que vous nous connaissez presque tous, maintenant.

– Oui. Ce sont des gens bien, sénateur. Vous avez de la chance d'appartenir à une famille si unie. Dommage qu'elle ait tant de malchance.

– Est-ce bien de la malchance ? Je ne sais où vous en êtes de votre enquête.

– Nous n'en parlons pas, vous savez. Mais ça ne me gêne pas avec vous, sénateur. Ce n'est pas vous qui allez bavarder. Nous avons parlé à tous les occupants des deux nacelles en état de le faire, et manifestement la mâchoire était défaillante. Vous ne savez sans doute pas ce que c'est. Vince le laissa expliquer sans l'interrompre. Ça semble fonctionner, maintenant, et on ne trouve aucune trace de négligence ou de manipulation intempestive, mais nous devons attendre le résultat des tests de laboratoire pour en être certains ; la collision a causé des dégâts. Mais nous ne savons pas pourquoi le mécanisme ne s'est pas arrêté comme il aurait dû ; il manque un écrou à la suspension du système de sécurité, si bien qu'il a glissé de sa position.

Vince fronça les sourcils.

– Un écrou manquant ? Il est tombé ?

– Nous ne savons pas. Il a pu se desserrer avec les vibrations et être balayé par l'équipe de nettoyage, encore qu'ils disent n'avoir rien remarqué – c'est gros, vous savez, et de forme spéciale ; ils l'auraient vu, à mon avis. Cinq jours avant l'accident, ils ont vérifié le mécanisme d'accrochage de A à Z ; l'écrou manque depuis ce temps-là maximum ; impossible de s'en apercevoir tant que la mâchoire serre correctement. Bref, nous avons cherché cet écrou et je parierais ma paye qu'il n'est pas là-bas. Soit il a été balayé et jeté avec les ordures, soit... quelqu'un l'a ôté et emmené.

Vince eut un regard inquisiteur.

– Pourquoi dites-vous ça ?

– Eh bien, le responsable adjoint du domaine skiable, Keith Jax, a laissé entendre que c'est ce qui est arrivé. Bizarre, ce garçon... oh, excusez-moi, c'est un parent à vous, je crois ?

– Mon neveu. Un peu étrange, je suis d'accord, mais fiable dans l'ensemble. Qu'a-t-il dit ?

– Que quelqu'un aurait pu le faire. Nous cherchons dans cette direction, mais en fait, ça concerne le shérif ; nous sommes censés nous en tenir à la maintenance. Et ça a l'air d'aller. Leo Calder... il a épousé votre nièce, c'est bien ça ? A propos, nous lui avons parlé à l'hôpital d'Albuquerque ; il s'en sort bien ; je crois qu'on évitera l'intervention. Quoi qu'il en soit, lui et son équipe sont irréprochables ; ils pratiquent très régulièrement des tests et des inspections et il n'y a pas meilleure maintenance que la leur. Mais là, on dirait qu'ils sont passés à travers quelque chose. Ou alors quelqu'un a saboté le système, mais je me demande bien pourquoi. Il en ressort que nous recommanderons que tous les boulons de sécurité soient bloqués par un système ne leur permettant plus de se desserrer ; nous recommanderons également que tout le système soit testé quotidiennement pendant quinze jours avant la remise en circuit. J'aimerais pouvoir vous délivrer un excellent bulletin de santé, sénateur – je sais que cette histoire va réduire les affaires –, mais c'est impossible. Pas tout de suite, en tout cas.

– Dieux du ciel, Arvin, ça pourrait carrément les ruiner. Ils se donnent tant de mal pour que ce soit un succès, dit Vince, pouces dans la ceinture, l'air affligé, et réfléchissant calmement. Bon, je suppose que nous n'avons pas le choix. Et si vous trouviez l'écrou, Arvin ?

– Alors nous tenterions de savoir ce qui s'est passé. Ecrou défectueux, sabotage, que sais-je ? Est-ce pour ça que je suis ici ce soir, sénateur ? demanda-t-il, une poignée de noix à la main.

– Je le crains, fit Vince tristement avant de se rasseoir pour remplir leurs verres. C'est une histoire sordide. Ma seule consolation est de savoir que ma famille n'a rien à y voir.

Vince laissa un bref silence s'installer.

– Eh bien, il y a quelqu'un, qui s'appelle Josh Durant. Il habite Los Angeles, il est archéologue et je crois professeur à l'université. Ma fille et lui sont sortis ensemble à un moment, c'est ainsi que je l'ai connu, encore que pas très bien. C'est un personnage dur, froid, mauvais, avec qui il est difficile de se lier d'amitié. Il passe pas mal de temps ici ; j'ai entendu dire qu'il avait acheté une nouvelle maison à Riverwood. Il vient depuis des années et n'a jamais prêté plus d'attention à cet endroit ou à la société que n'importe quel touriste. Mais, il y a quelques mois, il a commencé à se montrer partout, à parler aux gens de la compagnie, des problèmes qu'elle avait – vous savez, cette histoire de pollution d'eau ; malheureusement, les médias en ont fait leurs choux gras – et il s'est mis à passer beaucoup de temps avec Leo Calder et les siens ; il s'est même fait inviter aux repas de famille. Puis il a demandé à Leo de lui montrer la télécabine, le fonctionnement, les systèmes de sécurité, et j'en passe.

Halloran se pencha en avant.

– Vous allez comprendre à quel point ça nous a paru étrange, reprit Vince d'un ton confidentiel. Certains d'entre nous ont commencé à se demander s'il n'envisageait pas d'acheter la Tamarack Company. Dieu sait pourquoi ; peut-être en avait-il assez des momies et cherchait-il un peu d'action. Vince et Halloran échangèrent un sourire. Quoi qu'il en soit, c'est ce qu'il nous a semblé. Evidemment, ma famille n'avait pas la moindre intention de vendre et en fait, pour autant que je sache, il n'en a jamais parlé directement. Mais à Noël – je n'y étais pas ; fichue politique qui me coince sur la côte est – ce Durant s'est fait inviter à dîner et mon neveu Keith m'a raconté qu'il avait sorti de son chapeau des investisseurs égyptiens pour acheter la société. Il les avait en vue ! Vous vous rendez compte ! Qu'est-ce qu'il tramait ? Parcourait-il le désert pour demander à tous les cheikhs qui passaient s'ils voulaient acheter la Tamarack Company ? Laissez-moi vous dire que ça sonnait faux à nos oreilles et que ça m'a rudement inquiété. Vous aimez votre famille, Arvin, n'est-ce pas ?

Halloran fit un signe de tête.

– Quatre enfants, deux petits-enfants, un troisième en route.

– Alors vous savez de quoi je parle. La famille. Au fond, c'est la seule chose qui compte. Et je parie que la vôtre est à Denver, près de vous.

– A Aurora. C'est pareil. Oui, nous avons de la chance, ils sont restés dans le coin.

– C'est plus qu'une chance, c'est une bénédiction. Moi, je suis bloqué à Washington ; comment faire pour les aider ? Non que je n'aime pas être sénateur ; travailler pour mon Etat et ma patrie est devenu une vraie passion. Mais quand je vois ce salopard profiter de ma famille, je vous le dis tout net, ça me rend fou. Enfin, de toute façon, je crois qu'il a dit que ses prétendus amis, des étrangers, ne voulaient pas être majoritaires dans l'affaire. Mais qui sait ce qu'il avait derrière la tête ? Il pensait sûrement à ce moment-là que les miens avaient besoin d'un coup de main. Il croyait peut-être même qu'ils avaient hâte de vendre. Mais Leo et sa femme ne le voulaient pas et l'ont dit haut et fort. J'imagine qu'il a dû y avoir un sacré débat à Noël, et tout ce que Durant a pu en tirer c'est leur accord pour parler aux Egyptiens s'ils se pointaient. Ces deux derniers jours, il est venu à l'esprit de certains d'entre nous... que Durant avait pu réfléchir au moyen de les convaincre de vendre à un prix dérisoire.

– Les convaincre de vendre, répété Halloran. En provoquant un accident qui rendrait l'affaire moins séduisante.

Vince ouvrit les mains.

– Je ne l'accuse pas. J'aimerais juste vous raconter les morceaux du puzzle que j'ai réunis. Il nous est apparu à tous que Durant n'avait jamais pardonné à ma fille d'avoir rompu avec lui ; nous pensons que depuis ce temps il nous en veut. Mais le voilà qui s'accroche et achète une maison tout près. Et une façon de s'approcher d'eux, et qui sait, de la remontée mécanique, était de suivre Leo dans ses tournées d'inspection. Leo partait chaque matin à 9 heures moins une ; on pouvait régler sa montre dessus. Et Durant l'accompagnait chaque fois qu'il était là. Ils prenaient la télécabine, skiaient dans la montagne pour faire le point avec les employés, parler à quelques touristes puis redescendre. Le seul jour où Durant n'est pas venu est celui de l'accident. Il a quitté la ville le matin même. Pour l'Egypte. Ça fait une trotte. Une équipe fait des fouilles pour lui depuis des mois ; il cherche un tombeau, si j'ai bien compris, mais c'est devenu brusquement urgent de filer ce matin-là.

Ils burent, songeurs, et Vince emplit les verres à nouveau.

– Vous dites qu'il a acheté une maison ici ? fit Halloran.

– A Riverwood. Juste au pied de chez les Calder. Il fait des travaux énormes.

– Il serait idiot de jeter l'écrou chez lui, réfléchit Halloran à voix haute.

Vince haussa les épaules.

– Il n'a aucune raison de penser qu'on viendrait le chercher là. Ou peut-être croit-il que tous les écrous se valent et les bennes devant chez lui sont remplies de gravats. Je ne vois pas de meilleure cachette.

– Ça ne ressemble pas du tout à un écrou ordinaire.

– Vous l'avez fait remarquer. Mais un archéologue n'en a sans doute pas la moindre idée.

Halloran fit tournoyer son verre.

– Est-il toujours en Egypte ?

– Je ne le fais pas suivre, mais je crois que oui.

Halloran finit son verre et se leva.

– Puis-je utiliser votre téléphone ? Je vais appeler le shérif.

– Naturellement. Je vous laisse.

– Je n'ai pas de secret pour vous, sénateur. En fait, vous avez plus que quiconque le droit d'écouter, surtout si ça débouche quelque part.

Vince alla à la fenêtre et regarda les ratracks préparer les pistes semblables à des étoiles. Les étoiles du bonheur, qui ôtent le moindre caillou sur mon passage. Beloit est content ; Leo et sa famille se retrouveront à la rue ; on s'occupe de Durant. Puis viendra le tour d'Anne.

*On obtient toujours ce qu'on veut,* se dit-il. *Il suffit d'être patient.*

Le lendemain, accompagné de deux hommes, le shérif du comté de Tamarack passa au tamis les débris de la benne devant le garage de Josh Durant. Arrivé à la moitié, entre deux morceaux de cloison et de vieux parquet, ils trouvèrent l'écrou scintillant au soleil.

Le mercredi soir, tandis que Josh descendait de l'avion et levait la main pour saluer Anne, le shérif l'empêcha de passer et lui signifia qu'il était en état d'arrestation.

# 19.

Tout se passa dans le calme; personne ne s'aperçut de rien. Mais Anne vit la main de Tyler Schofield sur le bras de Josh et la colère soudaine sur le visage de Josh. Ils se tenaient au pied de la passerelle, et tandis que les autres passagers franchissaient à pied la courte distance qui les séparait du terminal, Anne se glissa à la rencontre de Josh. Elle ne l'avait jamais vu aussi furieux.

– Que me chantez-vous là? Auriez-vous perdu l'esprit?

– Je ne peux rien vous dire pour l'instant, Josh, murmura Tyler. Il faut seulement que vous m'accomp...

– Vous ne pouvez rien me dire! C'est ce qui vous trompe. Je ne vous suivrai nulle part tant que vous ne m'aurez pas expliqué.

– Bon sang, Josh, tout le monde vous regarde.

– Et alors? Je n'ai rien à cacher; c'est vous qui jouez aux devinettes.

– Pas moi, je vous assure. Ecoutez, monsieur, vous avez de sérieux ennuis et vous feriez mieux de...

– Bonjour, Tyler, dit Anne. Bienvenue, ajouta-t-elle pour Josh.

Leurs mains se serrèrent, longtemps.

– Ai-je interrompu quelque chose? demanda-t-elle.

– Oui, répondit sèchement Tyler.

– Je suis heureux de te voir, fit Josh, qui perçut le trouble et la colère dans sa propre voix et se demanda si son visage trahissait son désarroi. Je ne sais pas ce qui se passe, mais Tyler prétend que je suis arrêté pour l'accident de la télécabine.

Anne regarda Tyler, incrédule.

– Josh? C'est grotesque, voyons. Il n'est au courant de rien. Il n'était même pas à Tamarack quand c'est arrivé.

– Ecoutez-moi bien, commença Tyler, exaspéré.

Il regarda autour de lui en direction de la piste et du terminal. Il n'y avait pas grand monde à cause des nombreuses annulations, mais suffisamment de gens pour l'inquiéter; quelques touristes regardaient Josh et lui avec curiosité.

– On ne peut pas parler ici, reprit-il. Réglons ça tout de suite et...

– Pourquoi l'arrêter, d'abord? demanda Anne. Normalement, vous devriez juste l'emmener pour l'interroger.

– Les enjeux sont trop gros! Oh, nom de Dieu! fit Tyler en baissant la voix. Ecoutez, Anne, vous n'avez rien à voir dans toute cette histoire. Je ne devrais même pas vous parler. Maintenant, rentrez chez vous et...

– Elle a tout à y voir, au contraire. C'est mon avocat, intervint Josh avec fermeté.

Un éclair passa entre eux. Ravie, elle lâcha la main de Josh et recula, distante, professionnelle. Elle aurait pu porter un costume à rayures tennis au lieu de son fuseau noir et de son anorak bleu et noir.

– Vous voyez, pas question que je rentre chez moi, dit Anne à Tyler. Vous ne voudriez tout de même pas vous retrouver dans la position d'avoir refusé à Mr. Durant la présence de son avocat.

– Eh, oh, fit Tyler. Nous sommes entre amis, Anne. Nous sommes dans un sacré bordel; les journaux et la télévision nous harcèlent; nous devons leur montrer qu'on est sur une piste... oh, merde, je n'aurais pas dû dire ça.

Ainsi, ils paniquent et doivent arrêter quelqu'un au plus vite, se dit Anne. Mais pourquoi Josh?

– Vous nous raconterez ça en route, dit-elle.

Dès lors, Anne et Josh écoutèrent; elle ne le laissa pas prononcer le moindre mot jusqu'à ce qu'il fût officiellement inculpé, puis libéré sous caution grâce à des fonds câblés depuis sa banque à Los Angeles.

– Resterez-vous dans le coin? s'enquit le juge.

– Je commence mes cours à Los Angeles dans quinze jours, dit Josh.

Le juge l'observa longuement.

– Nous nous connaissons tous ici; j'aurais du mal à convaincre quiconque que vous constituez une menace ou que vous vous échapperez. Allez et venez tant que vous voudrez, Josh, mais prévenez-moi. Je ne veux pas de surprises; nous avons eu notre compte, ces derniers mois.

Dehors, dans le calme de la grand-rue, la neige avait commencé de tomber; un rideau de flocons les entourait tandis qu'ils marchaient jusqu'à la voiture.

– On dirait la voiture de Gail, remarqua Josh.

– C'est exact, dit Anne en prenant la place du conducteur. Je m'en sers tant qu'ils ne sont pas là.

– Comment va Leo? Je n'ai même pas eu le temps de prendre de ses nouvelles.

– Il va s'en sortir; on ne l'opère pas, finalement. Nous avons eu de la chance. Ils rentrent demain matin. As-tu dîné?

– Non. Complètement oublié. Je crois me souvenir que nous avions prévu de sortir tous les deux après mon arrivée.

Elle sourit.

– Oui. Préfères-tu aller au restaurant ou que nous dînions tranquillement chez Leo et Gail ?

– J'aimerais autant ne pas sortir.

– Moi non plus.

Ils roulèrent dans la grand-rue. Les flocons se précipitaient dans la lumière des phares comme si la voiture plongeait dans un cône illuminé. La rue était presque vide. Ils se taisaient.

– L'écrou n'est pas arrivé tout seul dans la benne, dit Anne, exprimant enfin sa pensée.

– Quelqu'un l'y a mis exprès. On ne se promène pas à Riverwood au cœur de l'hiver.

Leurs pensées et leurs voix ne faisaient qu'une.

– Ce n'était peut-être pas aussi délibéré. Un ouvrier a pu l'apporter avec lui.

– Pourquoi un ouvrier saboterait-il une remontée mécanique ?

– Et toi ?

Il y eut un silence.

– Personne n'a la moindre raison, de toute façon, dit Josh. C'est de la folie. Risquer tant de vies... Aucun motif n'est assez fort pour une chose pareille.

– La haine, fit Anne. La cupidité, l'envie, la peur. Peut-être tout ça à la fois. Je m'étonne encore de la cruauté que ça inspire, dit-elle en prenant le chemin de Riverwood. J'ai admiré le calme avec lequel tu as encaissé, ce soir.

Il eut un sourire triste.

– C'est ce que je me disais en parlant de mes cours au juge. L'infinie souplesse de l'esprit humain. J'ai déjà appris à vivre avec cette folie et je faisais des plans en la prenant en compte. Je suppose qu'on s'adapte à tout ; il suffit de s'ajuster en permanence.

– Oui, dit Anne tranquillement.

Quelques minutes plus tard, ils atteignaient la maison et roulaient dans le garage. Une fois l'un près de l'autre au milieu des deux voitures, de l'établi de Leo, des outils de jardinage de Gail, des skis sur les rails et des quatres bicyclettes accrochées au plafond, le sentiment d'intimité les fit hésiter.

– Nous avons beaucoup à nous dire, fit enfin Anne sans regarder Josh. Et la première chose, ajouta-t-elle en ôtant ses après-skis dans l'entrée, est le fait que je ne suis pas autorisée à plaider dans l'Etat du Colorado.

Josh réfléchit en accrochant son blouson.

– Je n'y avais pas pensé. Tu ne peux plaider qu'en Californie ?

– Et dans l'Etat de New York. Il va te falloir quelqu'un ici. Je peux te recommander une ou deux personnes ; Kevin Yarborough, en particulier.

– Mais tu travailleras avec lui.

– Si tu le désires. Et pour autant que je le puisse. Je rentre à Los Angeles demain, Josh ; j'ai beaucoup de dossiers en retard.

Il sourit tristement comme ils allaient dans la cuisine.

– Est-ce que tous tes clients se comportent comme si tu n'avais qu'eux ?

– Tous. J'en ferais autant à leur place, répondit-elle en fouillant dans le réfrigérateur. Je crois que je vais demander à Kevin de passer ce soir ; il faut que vous fassiez connaissance le plus tôt possible. Et nous pourrons élaborer notre stratégie. J'aimerais pouvoir rester. Je pourrai peut-être revenir dans une semaine ou deux, au moins pour une journée ; je te tiendrai au courant.

Elle sortit trois boîtes qu'elle posa sur la table et se tourna vers Josh. Il prit ses mains dans la sienne : ses doigts longs et froids se réchauffaient à son contact. En chaussettes, elle lui sembla plus petite.

– Anne, écoute-moi un instant. Je voulais te dire tant de choses ce soir, combien j'ai pensé à toi ces derniers jours, et que ces moments miraculeux m'ont déçu parce que tu n'étais pas là.

Il regarda ses grands yeux étonnés. Elle n'avait pas peur, cette fois. Il se sentit terriblement heureux. Mais affolé, désemparé devant ce qui l'attendait.

– Pardonne-moi ; j'essaie de tout contrôler. Je voudrais ne penser qu'à toi, mais d'autres choses se mettent en travers.

– Justement, il faut qu'on parle de ce que nous allons faire.

Elle s'affaira avec l'aide de Josh. Il mit un gâteau sur une assiette puis plaça le pain dans le micro-ondes. Anne l'entendait ouvrir tiroirs et placards. Elle avait tellement pensé à lui après l'accident !

Dehors, les lourds flocons tourbillonnaient en bourrasque. La cuisine était chaude et calme, avec ses placards de pin et ses meubles dorés sous la lumière. Anne se sentait en paix, toute angoisse oubliée. Elle n'avait plus peur de sentir Josh tout proche. Oubliée aussi la tension de l'inexplicable arrestation de Josh. Ils allaient et venaient tous deux dans la cuisine ; et ce n'était ni inquiétant ni excitant ; c'était bien. Comme c'est étrange, songea-t-elle. Jamais elle n'avait éprouvé cela, hormis dans son travail.

Elle leva les yeux et croisa son regard ; ils échangèrent un sourire. Elle ne chercha pas à comprendre ce qu'il se passait ; elle sourit, simplement. Elle avait confiance en Josh ; c'était bien d'être ensemble, dans ce havre, tandis que la tempête faisait rage au-dehors.

– On est bien ici, fit Josh en disposant les assiettes et les verres sur un plateau. On oublierait facilement qu'on a de sérieux ennuis, comme dit Tyler. Les yeux sur l'argenterie, il poursuivit : Mais je n'y arrive pas. Tu as raison, je dois réfléchir à l'étape suivante. Et ce n'est pas tout, fit-il en pliant les serviettes. Il y a ce qu'on doit faire pour Leo et Gail. Et la ville. Je crois que tout le monde va avoir pas mal de problèmes au cours des semaines à venir. A moins que nous ne nous apercevions qu'un de mes ouvriers en veut à Leo ou à la compagnie – ce dont je doute, mais...

– Je n'y crois pas non plus.

Anne tourna la sauce des spaghetti avec une longue cuiller en bois. Des volutes de vapeur s'enroulaient autour de son pull blanc et de son visage rosi. Josh ne l'avait jamais vue aussi détendue. Elle était extraordinairement belle et son visage était si serein qu'il eut une folle envie de la prendre dans ses bras.

– Il y a vraiment quelque chose qui cloche dans cette histoire. Mettre cet écrou dans ta benne n'est pas logique, ni pour un ouvrier ni pour quiconque. Il y a des poubelles dans toute la ville entre la télécabine et Riverwood; il n'existe donc aucune raison de choisir la maison de quelqu'un à moins que...

– On ne s'arrange pour qu'on y trouve l'écrou, acheva Josh d'une voix tranquille.

– Ce qui est arrivé.

Ils portèrent tout sur la table basse du salon.

– Et il n'y a qu'une explication possible, reprit Anne. Il n'y a pas eu de fouille générale; il aurait fallu une armée pour passer au crible toutes les bennes et toutes les poubelles de Tamarack, et des semaines avant d'arriver à Riverwood.

– Quelqu'un leur aura donc dit où chercher.

– Exactement.

Josh allumait le feu dans l'âtre. Assis sur un talon, il regardait les petites flammes.

– Je me demande qui peut me haïr à ce point.

– Peut-être quelqu'un qui trouve pratique que tu aies quitté la ville ce jour précis.

Il secoua la tête.

– Cela n'a quand même pas de sens. Je n'ai pas la moindre raison de saboter la remontée.

– Ou Tamarack?

Il se tourna brusquement vers elle.

– Tu sais bien que ce n'est pas moi.

– Mets-toi à la place de Tyler. Quelqu'un t'appelle pour te dire que l'écrou manquant est chez Josh Durant et il y est bien. Que fais-tu de Josh Durant? Il est quasi certain que tu es au courant des rondes en télécabine; tu m'as dit avoir parlé à plusieurs personnes quand tu y allais. Et de toute façon ce n'était pas un secret. Et beaucoup de gens savent que tu es parti le matin de l'accident. Ajoute à cela cette histoire d'investisseurs égyptiens.

– Tyler n'est pas au courant.

– Pas sûr. Ça non plus n'était pas secret, et ceux qui étaient présents au dîner de Noël ont pu en parler.

Josh s'assit à côté d'elle sur le canapé, devant le feu.

– Et après? Je les ai trouvés, c'est tout; je n'ai rien à voir dans l'achat de la société. A moins que Tyler ne pense que je me sers d'eux, ajouta-t-il après une pause. Et que je sois l'acquéreur réel. Mais ça aussi c'est grotesque. Il n'a aucune preuve, pas même une raison de l'imaginer.

– Non. A moins... à moins qu'on ne le lui ait suggéré.

– Mais pourquoi voudrait-on... ? En fait, si nous admettons que quelqu'un a conduit Tyler chez moi pour y trouver l'écrou, on peut en conclure que ce quelqu'un pourrait lui suggérer n'importe quoi. Mais qu'en ferait-il ? Pourquoi saboterais-je la télécabine pour faire fuir tous les touristes ? Personne ne se précipite pour acheter une affaire en déroute – à ceci près qu'elle serait meilleur marché.

– Oui. Mais je n'y crois pas, ajouta Anne après un silence. L'argument est trop faible. Aucun procureur n'accepterait de poursuivre là-dessus.

– Si c'est tout ce qu'ils ont ?

– Peux-tu songer à autre chose ?

– Non, mais je n'aurais pas non plus songé à réunir ces éléments pour aboutir à pareille conclusion.

– Je vais appeler Kevin, dit Anne. Je ne pense pas qu'ils aient de quoi t'inculper mais peut-être voit-il des choses qui m'échappent. De toute façon, il est dans le coup. Il peut nous rejoindre pour le café.

Mais, quand elle revint au salon, elle annonça à Josh qu'il avait rendez-vous le lendemain matin dans le bureau de Kevin.

– Il ne veut pas sortir ; il dit qu'il y a déjà vingt centimètres de neige et qu'on en prévoit trois fois plus.

Josh ouvrait la bouteille de vin qu'il avait remontée de la cave.

– Il faudra que j'emprunte les chaussures de ski de Leo pour rentrer, murmura-t-il d'une voix absente.

Anne se dirigea vers la porte d'entrée qu'elle ouvrit. Le vent fit tourbillonner la neige autour de ses pieds. De lourds flocons dessinaient des traînées blanc et or autour des lanternes flanquant la porte.

– Je crois que tu ne devrais aller nulle part, avec ou sans chaussures de ski, dit Anne. Kevin a raison : c'est un temps à rester chez soi.

Sur quoi elle claqua la porte au vent et la ferma à clef.

Josh la regarda.

– Je resterais volontiers, si ça ne t'ennuie pas. D'autant que les chambres d'ami ne manquent pas, me semble-t-il.

Anne fut enchantée de tant de simplicité. Ils auraient une nuit digne d'un roman du XIXe siècle. Elle se demanda si c'était plus facile pour Josh que pour les autres hommes, lui qui consacrait tant de temps au passé. Elle sourit intérieurement. Un jour, je lui demanderai.

– Trois, dit-elle avec naturel. J'en occupe une ; tu peux choisir entre les deux autres. Gail tient à ce qu'elles soient toujours prêtes ; ils reçoivent beaucoup à l'improviste.

– Parfait. Je ferai part à Kevin de ce que nous déciderons ce soir.

Anne sourit faiblement.

– Tu sais, Josh, ce n'est pas ma spécialité. Je ne voudrais pas que tu me croies aussi bonne que pour les divorces.

– J'aime ta façon de travailler, fit-il en versant un peu de Barolo rouge dans son verre pour le goûter. Et j'apprécie la cave de Leo. Décidément, je trouve sans arrêt de nouvelles raisons de goûter son voisinage.

– S'il reste. Je me demande ce qui va arriver à son affaire.

Josh remplit les verres.

– A table, dit-il en lui tendant une assiette.

– Merci. Je n'en reviens pas, mais malgré tout ce qui se passe je meurs de faim.

Josh leva son verre. Ils étaient assis côte à côte; quand Anne leva le sien, leurs mains s'effleurèrent.

– A mon avocate!

– A mon client! répondit Anne, parfaitement détendue.

Ils se servirent et mangèrent tranquillement pendant quelques minutes devant le spectacle des flammes qui jouaient entre les bûches.

– Ça va devenir une habitude, remarqua Josh, pensif. La première fois que nous avons décidé d'aller au restaurant, ça s'est terminé par une dînette dans mon appartement.

– En septembre dernier, murmura Anne.

– Le 18. Nous avons fait une razzia dans le réfrigérateur, comme ce soir. Tu portais de la soie rouge. Et nous avons écouté Mozart et Beethoven.

Anne s'en souvenait. La soirée avait été simple et chaleureuse; plus agréable qu'elle ne l'avait imaginé. Pourtant, ce soir-là et chaque fois qu'ils s'étaient vus par la suite, il y avait eu sa méfiance, ses reculs instinctifs, ses peurs. Elle se demandait ce qui avait changé pour que tout semble bien ce soir. Le temps, se dit-elle. Peu à peu, Josh faisait partie de sa vie, naturellement, sans pression. Et autre chose. Pour la première fois ce soir, elle n'avait plus l'impression qu'il était sur son indestructible piédestal de triomphes tandis qu'elle gardait péniblement l'équilibre sur sa planche faite de défenses. Elle avait toujours su aider les étrangers; elle pouvait désormais aider quelqu'un qui lui était proche. Cela lui conférait un nouveau sentiment de force et d'aisance.

Elle repoussa son assiette.

– Il faut s'organiser.

Josh approuva d'un signe de tête.

– Oui. Mais je dois te demander une faveur. Nous avons toute la nuit et demain matin pour ça. Si je suis victime d'un coup monté, quelques heures n'y changeront rien et j'ai brusquement l'impression que les choses ne sont pas si graves. Le vin et le feu, je suppose, et ta présence; je suis tout bonnement incapable d'éprouver un sentiment d'urgence pour l'instant. J'aimerais te parler de mon voyage. En fait, j'attends ça depuis que j'ai posé le pied dans la sépulture. On dirait que ça fait des lustres, ajouta-t-il en secouant la tête. C'est tellement frustrant; j'étais au septième ciel; j'ai trouvé Tenkaure, je savais que tu m'attendais... Et Tyler se pointe et fiche tout par terre.

Anne le dévisageait, l'air sombre. Elle n'offrit aucune parole de réconfort, préférant attendre qu'il fasse le tri dans ses idées.

– Laissons cela pour demain, dit Josh. Ce soir, je veux retrouver le merveilleux de mes découvertes, avec toi. Un jour, quand tout cela sera fini, je t'emmènerai, mais en attendant il faut que je te raconte comme si tu y étais. Ça te va ?

– Oui. Parfaitement.

Il emplit à nouveau les verres de vin et se tourna pour éteindre la lumière ; seule la flambée éclairait la pièce. Le visage d'Anne se colorait sous la lumière des flammes et il se demanda si lui aussi semblait calme, lumineux, apaisé. Il se dit qu'ils pourraient demeurer ainsi toute la nuit, avec la tempête au-dehors et la chaleur du feu dans le salon ; ces heures étaient à eux. Ils se retrouveraient bien assez tôt replongés dans le tourbillon.

– Je n'ai ni photos ni diapos. Pas eu le temps de les faire développer. Me restent les mots...

– Et la passion, fit Anne avec douceur. J'ai envie de partager cela avec toi. Par tes mots et ta voix.

Josh sentit le bonheur s'emparer de lui. Il tendit instinctivement la main pour prendre celle d'Anne mais s'interrompit. Pas encore, pas ce soir ; chaque chose en son temps.

– La porte avait été recouverte de plâtre, commença-t-il.

Sa voix emplit le salon et l'imagination d'Anne.

« LE NOUVEAU TOUTANKHAMON », claironnèrent les journaux et les commentateurs de télévision le lendemain dès que le gouvernement égyptien et le musée de l'Antiquité de Los Angeles annoncèrent conjointement la découverte du tombeau de Tenkaure. « UN PROFESSEUR DE L'UNIVERSITÉ DE LOS ANGELES DÉCOUVRE LA TOMBE DE TENKAURE ! » « SÉPULTURE INTACTE, REMPLIE DE FABULEUSES RICHESSES ! » « TENKAURE PREMIER AU HIT-PARADE DES RICHESSES ; TOUTANKHAMON EST BATTU ! »

Journalistes et reporters se ruèrent à Los Angeles. Quand ils apprirent que Josh n'y était pas, ils prirent d'assaut les avions pour Tamarack. Pour certains, c'était la seconde visite de la semaine ; ils étaient déjà venus couvrir l'accident. Pour les journalistes scientifiques, c'était la première fois ; ils profitèrent du vol pour parcourir à la hâte des histoires de l'Egypte, particulièrement l'époque tumultueuse du milieu de la XVIII^e^ dynastie.

Une fois à Tamarack, ils louèrent des voitures, achetèrent un plan de la ville ; quelques-uns se procurèrent les journaux locaux et découvrirent que Josh Durant, le célèbre archéologue, avait été inculpé dans l'affaire de la télécabine et avait été libéré sous caution.

C'était le rêve : deux papiers dignes de la une, avec un méchant qui était aussi un héros, ou vice versa. « APRÈS LE TOMBEAU, LA CELLULE ? » titra *USA Today* ; le *New York Daily News* opta pour « LE PROF DÉCOUVREUR DE PHARAON SE FAIT PINCER DANS L'ACCIDENT DE LA TÉLÉCABINE ». Les titres furent repris par la presse nationale et les émissions télévisées ne parlaient plus que de cela. Le seul à se montrer discret fut le *Los Angeles Times*, car Josh y contribuait.

Les journalistes firent le siège de sa maison, garant leur voiture le long de l'étroit chemin tortueux qui le séparait de chez Gail et Leo. Quand ils revinrent d'Albuquerque, c'est la première chose qu'ils remarquèrent. Leo regardait les voitures avec ahurissement, tandis que Gail prenait la route qui menait chez eux, conduisant entre les congères laissées par le chasse-neige tôt le matin après la tempête. Ils s'étaient rendus directement de l'aéroport à l'hôpital de Tamarack pour passer l'après-midi avec Robin et Ned. Il faisait presque nuit et les nuages étaient toujours bas; on annonçait de nouvelles chutes de neige. Leo essaya de voir jusqu'où allaient les voitures.

– Que se passe-t-il ? Personne ne fait de soirée à 4 heures de l'après-midi.

– Ce doit être les journalistes, à cause de Josh, répondit Gail. Ils ne pourraient pas le laisser tranquille, non ? Pourquoi la tempête s'est-elle calmée ? Ils seraient restés chez eux autrement. Et, de toute façon, comment ont-ils su qu'il était là ? Quelqu'un à Los Angeles a dû le leur dire. Les gens sont donc incapables de se taire ?

– Tu penses. L'occasion est trop belle, dit Leo en sortant de la voiture avec précaution afin de ménager ses os et son crâne douloureux. Cela explique sans doute pourquoi je n'ai pas réussi à le joindre au téléphone ce matin; il a dû débrancher. Allons-y; il est pratiquement assiégé.

– Rappelle si tu veux, mais je t'interdis d'y mettre les pieds, fit Gail avec fermeté. Tu sais ce qu'a dit le doc...

– Je sais, je sais. Mais je dois être au bureau demain, Gail. Conduis-moi et j'irai bien.

– Soit, dit-elle en entrant derrière lui. Je n'en dirais pas autant de Tamarack. Ni de nous.

– Ils arrivent tous ce soir, c'est ça ? s'enquit Leo, abrupt.

– Tout le monde sauf Vince; il a dit à William qu'il était retenu à Denver. J'ai essayé de les faire attendre quelques jours, mais ils ont peur. Ils veulent vendre tout de suite, au premier qui fait une offre raisonnable.

– Ils ont promis d'attendre les Egyptiens. Qu'est-ce qui leur prend ?

– Je ne t'ai rien dit à l'hôpital, mais les Egyptiens ont changé d'avis.

Leo jura doucement.

– Heureusement que les enfants ne sont pas rentrés, remarqua-t-il en se rendant d'un pas lent du salon à son bureau.

– On dîne dans une heure, comme ça on sera débarrassés quand ils arriveront, fit Gail en allant dans la cuisine.

Elle était aussi impeccable qu'on pouvait s'y attendre; la présence d'Anne ne se trahissait que par une tarte aux pommes sur le plan de travail et un petit mot. « On sait depuis les temps les plus reculés que les pommes et la cannelle font merveille sur les fractures du crâne; voici donc ma contribution à la guérison de Leo. Désolée de vous manquer; je dois impérativement prendre le premier avion. Je vous appelle de Los Angeles et j'essaie de revenir dans huit ou quinze jours. Bienvenue ! »

Gail déambula dans la maison. Aucune trace, se dit-elle. Les draps de la chambre d'ami avaient été lavés et le lit refait au carré; les coussins du salon avaient été bien remis en place. Mais on avait fait du feu dans la cheminée la nuit dernière, remarqua-t-elle; les cendres étaient encore chaudes. Elle eut soudain beaucoup de peine en pensant qu'Anne avait passé la soirée seule devant le feu tandis qu'il neigeait au-dehors.

Elle arrangea le feu, disposant petit bois et bûches sur les chenets. Peut-être qu'une bonne flambée ce soir apaiserait les esprits. Puis il y avait la tarte d'Anne. Chaleur du feu, de la tarte et, qui sait, des cœurs?

Mais ce soir-là, quand la famille s'installa dans le salon, ils étaient tendus et nerveux, n'ayant que faire de la tarte ou de la magnifique flambée, ne songeant qu'à se sauver vite fait.

– Je suis désolée, Gail, vraiment désolée. Mais que faire d'autre?

– Nous pouvons attendre, dit Leo avec colère, assis près de Gail sur le canapé face à l'âtre. Vous savez parfaitement que cette télécabine n'est pas tombée toute seule; Gail vous a appelé pour vous dire où en était l'enquête; quelqu'un l'a sabotée!

– C'est Josh qui l'a fait, hurla Fred. Qu'est-ce que ça change, de toute... ?

– Ça n'est pas lui! s'écria Gail. Nul être sensé ne croirait...

– Sans doute, intervint Marian. Mais ils doivent avoir quelque chose, sinon, ils ne l'auraient pas inculpé...

– Pauvre Josh, fit Nina. Je l'aimais beaucoup. Qu'est-ce qui lui a pris...

– Personne ne sait ce qui s'est passé, intervint Leo avec force. Ecoutez; j'aimerais autant ne pas crier; ça me fait un mal de chien. Ne pourrions-nous parler calmement au lieu de faire une compétition de hurlements ? Que les choses soient bien claires. On ne nous reproche rien. Cet Halloran est venu à Albuquerque et a dit à Gail que notre maintenance était exceptionnellement bonne...

– On s'en tape de Halloran, coupa Fred. Il n'achète pas de tickets de remonte-pente; les touristes, si. Et les touristes, les journaux, la télé, tout le monde nous accuse. Regarde autour de toi, bordel, c'est une ville morte.

– Quoi, fit Keith en s'adressant à tous. C'est comme un albatros. Je veux dire, on peut en faire un éléphant blanc, quoi.

Marian dédaigna son fils, qui était désormais à ses yeux une version ridicule de Fred.

– Je ne vois pas ce qu'il y a de bon à attendre, dit-elle à Leo.

Il se pencha en avant, trop vite, et grimaça de douleur.

– Une fois établi que nous n'avons pas fait preuve de négligence, les gens reviendront, Marian, je le sais! Ce n'est pas comme si nous étions un petit village reculé; nous sommes l'une des stations de ski les meilleures du monde! Les gens reviennent, d'année en année...

– Leo, inutile de nous vendre ta salade, observa Marian tristement.

– Il le faut pourtant. Vous avez apparemment tout oublié sur cet endroit. Ce n'est pas une ville ordinaire; elle a une histoire, une vie en propre, et c'est ce qu'aiment les touristes. Et les skieurs du monde entier connaissent notre montagne. Rien de cela n'a changé...

– Tout a changé, intervint William. Et je vais te dire pourquoi. Précisément à cause de ce que tu as dit, Leo. Ce n'est pas une ville ordinaire : elle vit ou meurt au gré des visiteurs qui viennent passer de bons moments. Ce qui leur sera impossible s'ils ne se sentent pas en sécurité. Et ils ne s'y sentiront pas s'ils ont l'impression que tu n'es pas maître chez toi. C'est aussi simple que cela. Ça leur est bien égal que nous nous soyons montrés négligents ou que nous ayons été victimes d'un sabotage; une chose compte : la télécabine s'est écrasée et il y a eu des blessés. Ils ne l'oublient pas. Et c'est notre mort.

– Ils l'oublieront s'ils pensent que ça ne se reproduira pas, fit Leo, désespéré.

– Personne ne peut l'affirmer, dit Marian avec fermeté. Il arrive toujours des catastrophes ces derniers temps, c'est bizarre – et on a de plus en plus de mal à vendre.

– On n'a pas besoin de vendre! Ecoutez, Vail a eu un accident similaire il y a quelques années, et ils ont continué leur expansion! Je ne vois pas pourquoi les choses en iraient autrement pour nous.

Fred haussa les épaules.

– Vail, c'est une autre histoire. Sans compter qu'ils n'ont pas eu d'autres ennuis, eux.

– Ça ne...

– Leo, intervint Marian, nous t'avons suivi la dernière fois, mais ça ne peut durer éternellement. Il s'est passé trop de choses. Je ne vois d'autre solution que la vente tant que c'est encore possible.

William grommela.

– Tu auras ton argent, Charles, tu devrais être satisfait.

– Ça va m'aider, dit-il en regardant Gail pleurer tandis que Leo avait passé son bras autour d'elle. Marian a raison. Nous ne pouvons nous accrocher.

– As-tu parlé à Beloit? s'enquit Fred.

Charles hocha la tête.

– Six millions cash si nous faisons l'offre ce soir.

– Mais ça vaut au moins le double! explosa Fred en même temps que Marian.

– Que voulez-vous que j'y fasse? reprit Charles, têtu. Rappeler les Egyptiens? Téléphoner à Matsushita? A Sony? Quoi, alors?

– Vends, dit Walter, assis avec Rose sur un grand pouf près du feu; il était le seul à n'avoir par mangé sa tarte. Prends les six millions et tire-toi. J'en ai ma claque de ces bavardages incessants; j'en ai ras le bol de m'inquiéter. Que quelqu'un prenne le relais, pour une fois.

– Je suis tellement désolée, dit Nina à Gail et Leo.

– Ça n'amuse personne, grommela William.

– C'est très triste, dit Marian. Mais je ne vois vraiment aucune autre solution.

– Oui, dit Fred avec emphase. Je vote oui.

Il y eut un silence.

– Oui, murmura Nina.

Un par un, les autres firent chœur. Gail et Leo ne soufflaient mot. Le feu brûlait.

Le bruissement des flammes seul animait la pièce.

– J'appelle Beloit, dit enfin Charles. Il va vouloir une promesse de vente.

– Rédige-la, suggéra William. Nous la signerons tous deux en tant qu'administrateurs de Chatham Development.

Charles prit une feuille pliée et un stylo de la poche intérieure de sa veste en tweed et les tendit à William.

– Ça alors! s'exclama Fred, admiratif.

William se pencha sur la table basse et lut la lettre. La signature de Charles y était déjà apposée. William contresigna et la lui rendit.

– Nous devons rentrer à l'hôtel, dit Rose en se levant. Nous reprenons le premier avion demain matin.

– Oui, enchaîna William. Nous ferions mieux d'y aller.

– Il continue de neiger, observa Nina. Ça ne va pas être facile de descendre la route de Riverwood en voiture. Oh, Seigneur, lança-t-elle, tout est si compliqué!

Marian l'entoura de son bras.

– Nous conduirons doucement.

– Je parlais d'autre chose...

– Je sais. Viens, allons récupérer nos manteaux.

Tous embrassèrent Gail et Leo et partirent. Chaque fois que la porte s'ouvrait, la neige s'engouffrait. Quand elle fut définitivement refermée, Leo prit Gail dans ses bras et la serra contre lui. Tous deux pleuraient. Ils restèrent assis longtemps à regarder le feu brûler, puis ils sortirent.

Josh vint les voir le lendemain matin, bien avant le passage du chasse-neige. Les routes, qui n'étaient pas encore dégagées, tenaient les journalistes à l'écart; le chemin lui appartenait. Le soleil perçait à travers les nuages, éclairant la neige lissée par le vent; quand les nuages se resserrèrent, il traversa un paysage de pins noirs et d'épicéas blancs. Les seules touches de couleur étaient son pantalon et son anorak bleus et son visage rougi par le froid vif. Quand il arriva chez Gail et Leo, il courait presque.

– Tu arrives pile pour le petit déjeuner, dit Gail en lui ouvrant. Nous sommes dans la cuisine.

Il se précipita à l'intérieur.

– Merci, souffla-t-il en ôtant ses chaussures.

Le temps d'accrocher son anorak au perroquet encombré, il respirait plus calmement. Il se rendit à la cuisine en chaussettes en pensant à Anne. Il y a seulement deux nuits, ils étaient là ensemble.

– Tu m'as l'air en pleine forme, gronda Leo.

– Et toi, tu me bats à la course dans quinze jours. Je suis heureux de te voir recollé.

Ils se firent une accolade pleine de chaleur.

– J'ai eu de la chance. Et j'avais Anne. Elle a empêché les enfants de tomber de cette putain de nacelle, elle les a distraits en attendant l'arrivée de la patrouille et elle est restée près d'eux à l'hôpital pendant que nous étions à Albuquerque. Quelle femme ! Je l'adore. Assieds-toi, Josh ; et sers-toi. Il faut qu'on parle de toi.

Gail apporta du jus d'orange et des *pancakes* tandis que Leo versait le café.

– C'est absolument dément ! Imaginer que tu sois impliqué là-dedans, songer seulement que tu pourrais être un criminel...

Josh perçut la tension dans sa voix haut perchée, comme un cri étouffé.

– Que s'est-il passé ? s'enquit-il. Encore une catastrophe ? Allez, nous parlerons de moi quand je saurai de quoi il retourne.

– On vend, dit Leo. Ils ont voté hier soir en dix minutes. Ce Beloit s'est pointé avec une offre qu'aucun homme d'affaires digne de ce nom n'aurait envisagée sérieusement, et ils se sont jetés dessus. Ils étaient affolés, et voilà. Aussi simple que cela.

– Je suis désolé. Ils auraient dû attendre. La ville redeviendra comme avant ; c'est juste une question de temps.

– Je me tue à le leur répéter, mais ils ne veulent rien entendre.

– Du coup, je me demande en quoi on peut t'aider, Josh, dit Gail, toujours à cran. Il ne nous reste plus beaucoup d'atouts dans le coin, hélas.

– Ne t'inquiète pas pour moi, fit Josh. J'ai un excellent avocat. Ce qui me fait penser : ton Barolo est remarquable, Leo. On s'en est tenus à une bouteille, et, crois-moi, ça n'a pas été facile.

– Qui ça, on ? demandèrent-ils, ahuris.

– Anne et moi. Elle ne vous a rien dit ?

– Nous ne l'avons pas vue ; elle a seulement laissé un mot. Vous avez dîné ici ? Quand ça ?

– Avant-hier. Elle est venue me chercher à l'aéroport.

– Oh, dirent-ils, un moment oublieux de la réunion de famille. Vous avez fait du feu dans la cheminée.

– Nous avons même dîné devant. Et j'ai occupé une chambre d'ami à cause de la tempête.

– Quelle bonne nouvelle ! Je me sentais si triste de la savoir seule. Et en plus elle était avec toi.

– Qui assure ta défense ? demanda Leo.

– Anne.

– Oh ! Euh, bien, parfait, mais comment... ?

– Elle travaille avec Kevin Yarborough à Tamarack. Je l'ai vu hier matin ; il est d'accord pour faire tout ce qu'elle veut. Il la trouve géniale, lui aussi.

– Comment t'en es-tu tiré avec les journalistes ?
– Je leur ai promis une interview à mon retour.
– Et ?
– Je m'y suis tenu. Mais rien sur moi ; tout sur la tombe – c'est vrai que je n'ai pas eu l'occasion de vous raconter...
– Nous l'avons appris hier à l'hôpital ; Ned avait allumé la télévision, dit Leo. L'ennui, c'est qu'il y avait deux histoires – l'Egypte et la télécabine – et aucune n'était limpide.
– Dis-nous tout, Josh, demanda Gail, en commençant par la télécabine. Tyler n'a rien, en réalité, n'est-ce pas ?

Josh se cala sur le dossier, son café à la main. Le soleil baignait maintenant la cuisine et il s'y sentait aussi bien qu'avec Anne. C'était devenu sa famille, sa maison. En partie à cause d'Anne, se dit-il ; comme elle avait pris de plus en plus de place dans la vie de ses amis, il avait envie de partager cela avec elle. Mais aussi à cause de Gail et Leo. Leur amour le rendait heureux, leur confiance l'un envers l'autre, la stabilité de leur vie avec leurs enfants. Le contraste avec sa propre vie, avec Dora et les autres avant, était si violent que Josh était attiré vers eux comme un homme dans les ténèbres est attiré par la lumière.

Ce matin-là, ils parlèrent longuement, jusqu'au moment où Gail et Leo durent aller chercher Ned et Robin à l'hôpital.
– Que vas-tu faire maintenant ? s'enquit Gail. Tu repars en Egypte ?
– Pas tant que cette affaire ne sera pas réglée. De toute façon, je ne comptais pas y retourner dans l'immédiat ; je donne des cours ce semestre. J'ai largement de quoi m'occuper ici ; je dois lire tous les murs de Tenkaure.
– Tu parles de tes photographies ? demanda Leo. Tu peux vraiment lire les dessins et les hiéroglyphes ?
– Comme un livre. En fait, c'est un livre sur un mur qui raconte l'histoire du règne de Tenkaure et de la vie quotidienne à cette époque. Comment les gens commerçaient avec les autres pays, faisaient la guerre et la révolution... tout. Et nous n'avons rien pour l'instant, à part les quelques morceaux que j'ai réunis sur Tenkaure à partir des tombeaux de ses successeurs. Son fils et la tentative de coup d'Etat. C'est tout.
– Que sait-on sur son fils ?
– C'était l'héritier du trône et il a manifestement eu une aventure avec une des femmes de son père, qui l'a banni. Nous n'en savons pas plus ; j'espère que toute l'histoire est dans le tombeau. Nous savons toutefois qu'après Raneb, le fils, s'est rendu dans le delta où il a engagé des mercenaires pour le soutenir dans son coup d'Etat visant à renverser son père. Tenkaure l'a appris et a sans doute envoyé son fils en exil. Nous n'avons aucune certitude, mais il disparaît définitivement ; comme ce n'est pas lui qui succède à son père, j'en conclus qu'il n'est jamais revenu ou en tout cas qu'il n'a jamais réintégré la famille. Le monde n'évolue guère, n'est-ce pas ? Les querelles de famille se ressemblent toutes une fois réduites à l'essentiel.

– Et comment! fit Leo en regardant Gail. C'est à peu de chose près l'histoire des Chatham.

Gail s'empressa de nier.

– Pas vraiment.

Josh leva un sourcil.

– Comment ça?

– Eh bien, ce n'est pas tout à fait la même chose, reprit Leo. Ethan, le grand-père de Gail, a exclu Vince de la famille il y a bien longtemps. Tu ne pouvais pas être au courant; je doute que Dora l'ait été et c'est la seule qui aurait pu t'en parler. Pour autant que je sache, personne n'a abordé le sujet depuis que c'est arrivé. Quoi qu'il en soit, Vince a été viré; comme il a vendu ses actions de la société, il en était exclu également. Il n'a pas tenté de renverser son père, mais il est parti définitivement. Ethan ne lui a plus jamais adressé la parole.

– Pourquoi l'a-t-il fichu dehors? s'enquit Josh.

Devant le silence de ses amis, son regard alla de l'un à l'autre.

– Voyons, c'est la première question qu'on se pose. Et tu viens de dire que c'est une vieille histoire.

– Mais ça n'est pas la nôtre, dit Gail. Ce n'est pas à nous de t'en parler.

Perplexe, Josh observa les crêtes au loin. Un chercheur était payé pour établir des liens entre les choses. Il était en train de réunir trois faits : quelque chose avait tellement blessé Anne qu'une partie d'elle-même était gelée, ou endormie, et depuis très longtemps. Vince avait été jeté dehors par son père voilà très longtemps. Anne avait quitté la maison voilà très longtemps pour ne revenir que récemment. Il eut froid en lui-même, comme Anne. Mon Dieu, se dit-il. C'est impossible. Il regarda Gail et Leo.

– Cela avait-il un rapport avec Anne?

Gail soupira.

– On ne peut vraiment rien te dire, Josh. Ecoute, nous parlions de gens qui vivaient il y a quatre mille ans; ça n'a rien à voir avec nous. Ce qui nous intéresse, c'est que tu aies trouvé la sépulture; nous sommes fous de joie pour toi.

Elle mit les tasses dans l'évier.

– Nous allons chercher les enfants à l'hôpital, reprit-elle. Veux-tu qu'on te dépose en passant? Ça t'éviterait une joute avec les reporters. Ils vont sûrement revenir dès que la route sera dégagée.

Josh secoua la tête.

– J'aime marcher, et les joutes ne m'ont jamais fait peur; en l'occurrence, je n'ai qu'à parler de Tenkaure. Il n'y a pas de meilleure publicité au monde.

– Ils s'en moquent de Tenkaure; c'est toi qu'ils veulent, observa Leo.

– Ils prendront ce qu'on leur donne; je ne parle pas de moi, point final, dit-il en aidant Gail à débarrasser. Merci pour le petit déjeuner; je vous revaudrai ça quand ma maison sera achevée. Embrassez les petits pour moi ; dites-leur que je les emmènerai à la fabrique de chocolat dès que vous le leur permettrez.

Il s'éloigna à grands pas. L'air était clair. Il faisait chaud au soleil et frais à l'ombre. Josh se tenait à l'écart des voitures. Il parlerait aux journalistes devant chez lui et répondrait à toutes leurs questions sur l'Egypte. Puis, une fois installé dans le salon, la seule pièce habitable pour l'instant, il téléphonerait à Anne. Pas pour lui poser des questions ; il attendrait de la voir. Il lui téléphonerait en ami et en client. Puis, plus tard, quand elle reviendrait à Tamarack, ou lui à Los Angeles, il aborderait l'enfance d'Anne. Il était grand temps.

La plupart des convives avaient quitté la salle de bal du Brown Palace Hotel à Denver ; seuls s'étaient attardés quelques amis des organisateurs, assis tout près de Vince comme des boy-scouts autour d'un feu.

– Je compte deux millions net, dit Ray Beloit. Les gens aiment les gagneurs ; ils continueront à verser des fonds même quand tu n'en n'auras plus besoin.

– En politique comme ailleurs, il faut toujours de l'argent, et le temps ne vient jamais où on en a trop, observa Sid Folker.

– Sénateur, dit une jeune femme derrière Vince, pouvez-vous m'accorder quelques minutes ? Je travaille pour le *Rocky Mountain News*.

Vince se retourna, souriant déjà. Son sourire s'agrandit quand il la vit : grande et mince, cheveux blonds et courts jouant autour de son visage en forme de cœur, des yeux verts qui plongèrent dans les siens, admiratifs.

– Vous avez raté la conférence de presse ?

– Non, non, j'y étais ; je ne vous manque jamais. Mais je me disais que si nous pouvions bavarder un peu, si vous pouviez être un peu plus, un peu moins, enfin...

– Ah, vous vous intéressez vraiment à ce que vous faites ! Comment vous résister ? fit Vince en lui prenant le bras pour l'entraîner vers une des tables rondes débarrassées par les serveurs. Mais d'abord j'aimerais connaître votre nom.

Elle rougit.

– Pardonnez-moi. Sara Benedict.

– Sara. Quel joli nom ! Eh bien, Sara, que voulez-vous savoir ?

– Je m'intéresse à votre famille. Bien sûr, j'ai lu des choses sur eux ; la poisse qui s'acharne sur Tamarack – quelle horrible histoire, cet accident de télécabine ! Quand je pense que quelqu'un l'a provoqué !

– Un étranger, dit Vince. Un intrus qui essaie de détruire une famille. On va s'en occuper.

– Oui, mais ça n'est pas leur seul problème. Il y en a eu d'autres et ils ont aussi des ennuis à Chicago. Et voyez-vous, sénateur, je ne puis m'empêcher d'y voir un contraste saisissant avec votre propre réussite.

Vince attendit la question. Sara attendait aussi, comme si elle venait de la poser.

– Oui, dit enfin Vince, on pourrait y voir un gouffre. Mais si vous oubliez les affaires, si vous pensez à eux en tant que personnes dignes, honorables, vous diriez que ma famille surpasse tout le monde, moi compris, je suppose.

Sara gribouilla brièvement sur le carnet posé sur ses genoux.

– C'est très généreux de votre part, sénateur, mais je ne me demandais pas s'ils étaient des gens bien ou non – je suis certaine qu'ils le sont –, je me demandais juste comment il se faisait qu'on avait d'un côté une famille entière aux abois et de l'autre vous, au-dessus de la mêlée, et même candidat à la présidence...

– Non, non, Sara, ma petite Sara, il ne faut pas dire ça, et encore moins l'écrire, parce que c'est faux.

– Tout le monde dit que vous allez vous lancer dans la course.

– Laissez « tout le monde » se tromper. Je me représente aux sénatoriales en novembre et compte bien être élu ; j'espère aller au bout de mon mandat et servir de mon mieux les habitants du Colorado.

Il sourit d'un petit air embarrassé.

– Ça sonne comme un discours électoral, reprit-il, mais je le dis du fond du cœur, Sara. Je veux servir cet Etat ; ces gens ont confiance en moi. Savez-vous ce que j'éprouve quand ils votent pour moi par milliers ? Je sens qu'on m'aime, qu'on a besoin de moi, qu'on compte sur moi. Vous me direz, c'est ce à quoi chacun aspire : peut-être les hommes politiques plus que les autres, et c'est pourquoi nous choisissons la vie publique – je ne sais pas ; je ne suis pas psychologue –, mais je sais que je me sens roi et que je ne les abandonnerai pas pour toute la puissance et la gloire du monde.

Les yeux de Sara étaient brillants. Elle écrivit fébrilement pendant une minute.

– Mais vous réussissez, insista-t-elle. Et votre famille échoue.

– Oh non, ma chère, fit Vince avec une extrême douceur. Chez nous, tout le monde s'aime et se serre les coudes. En termes d'affection, tous sont riches et triomphants.

– Mais ils échouent en affaires.

– C'est vrai, mais il n'y a pas que ça dans la vie.

– Vous avez raison, sénateur, mais tout ça participe de la même chose, non ? Ce qui m'intéresse réellement, c'est l'élément humain. Comment est-il possible que vous ayez tous les même racines – Ethan Chatham fut l'un des hommes les plus brillants et les plus puissants du pays – et que vous soyez le seul à lui ressembler ?

Vince hocha la tête, pensif.

– Il y a souvent un seul véritable héritier, Sara. Mais ça n'a rien à voir avec les qualités de chacun. Les ennuis de ma famille sont mes ennuis. C'est une famille comme tout homme en rêve, et je ne dors pas la nuit à force de chercher comment leur venir en aide. Mes moyens sont limités, bien sûr ; ils sont fiers et obstinés ; je les en respecte davantage – et j'ai si peu de temps à moi ; mais je pense beaucoup à eux et je fais tout mon possible. Nous les tirerons de là... l'abîme du désespoir...

– Pardon ?

– C'est dans *Pilgrim's Progress,* mon livre de chevet; un vrai guide pour notre époque.

Sara hocha la tête.

– Comment allez-vous les aider ?

– Je ne sais pas encore. Tout sera plus clair quand nous aurons discuté sérieusement, sans doute avant mon retour à Washington à la fin du mois. Voulez-vous que je vous appelle si j'ai du nouveau ?

Sara leva rapidement les yeux de son calepin.

– Vous le feriez ?

– Avec plaisir. J'aime bavarder avec vous, Sara. Il jeta un œil rapide aux autres qui regardaient dans sa direction, prêts à partir. Cela vous suffit-il ou avez-vous d'autres questions ?

– Des milliers, mais c'était merveilleux, sénateur. Vous avez été rudement gentil. Et si vous m'appelez un jour...

– Je vous appellerai souvent. Cela vous tenterait d'avoir une longueur d'avance sur les autres ? Ils n'ont pas cherché à approfondir, vous si. Ce fut très agréable, ajouta Vince en l'entourant chaleureusement de son bras, la sentant s'incliner légèrement vers lui. Plus qu'aucune interview dont je puisse me souvenir. Je vous ferai signe.

Il esquissa le geste de s'éloigner.

– Oh, sénateur ! fit Sara en fouillant dans son sac. Ma carte ! Il vous la faut et aussi mon numéro personnel. Appelez à n'importe quelle heure.

– Je suis certain que vous avez des rendez-vous galants tous les soirs; vous êtes bien trop charmante pour rester seule chez vous, dit Vince en souriant. Je vous téléphonerai au bureau; au moins, je serai certain de vous trouver.

Il glissa la carte de visite dans la poche de son veston et retourna vers les autres. Mais, tandis qu'il leur parlait, il pensait à elle. Elle était fraîche, inachevée. C'était une professionnelle qui travaillait pour un des grands journaux de l'Ouest; mais ce regard émerveillé et sans fard, on ne le trouvait que chez une femme qui n'avait pas connu d'homme expérimenté. Délicieuse enfant, songea Vince cette nuit-là en s'apprêtant à se coucher, si jeune, si malléable; et il ajouta sa carte au petit paquet qu'il gardait dans son portefeuille. Ce serait une diversion agréable à la bousculade des mois à venir.

Sans compter qu'un journaliste dans sa poche pouvait faire toute la différence entre naviguer agréablement ou ramer comme un beau diable. L'abîme du désespoir, se dit-il, amusé. Bien joué; il en parlerait demain aux gars qui écrivaient ses discours. Et il leur dirait de lire *Pilgrim's Progress* pour qu'ils lui rappellent ce que ça disait – il ne l'avait pas ouvert depuis le lycée, soit près de quarante-cinq ans – et si ça constituait véritablement un guide pour notre époque. Il l'espérait; c'était une phrase mémorable et elle lui était venue comme ça, comme si son esprit n'était jamais au repos.

Le vent en poupe, pensa-t-il gaiement, et il alla rejoindre sa femme au lit.

Josh rentra à Los Angeles huit jours après son arrestation et appela Anne depuis son bureau à l'université.

– J'aimerais t'emmener dîner. Tu m'as manqué. J'ai réservé une table à l'Ermitage pour 20 heures. Ça te va ?

– Oui.

Josh perçut le sourire dans sa réponse et y pensa tout l'après-midi. Quand il se gara devant chez elle, elle l'attendait. Elle avait opté pour une courte robe de soie noire avec une veste de soie à rayures noires et blanches. Comme toujours quand il la retrouvait, il fut frappé par sa beauté. Et elle souriait.

– Bonjour, dit-elle en lui tendant la main.

Leurs doigts se serrèrent brièvement. Elle prit place à son côté.

– Content de quitter Tamarack ?

– Je vois que Gail t'a raconté pour les journalistes, dit-il en souriant à son tour.

– Elle m'a dit que c'était désagréable pour tout le monde et odieux pour toi. Pourquoi s'incrustent-ils ?

– Ils sont peut-être fans de ski.

Anne se tut. En quelques minutes, ils furent devant le restaurant. Le chasseur ouvrit la portière d'Anne.

– Soit, tu ne t'inquiètes pas, dit-elle comme ils entraient. C'est juste un léger contretemps. Tu veux vraiment me faire croire ça ?

– Non, dit-il tandis qu'ils s'installaient côte à côte dans un coin tranquille près de la cheminée. Ça pourrait être sérieux. Ils espèrent sans doute du nouveau d'une minute à l'autre. Ça n'en prend pas le chemin ; je n'ai pas le moindre signe de Tyler ni de quiconque. J'en conclus qu'il pense ne pas avoir assez contre moi. Il continue à parler aux gens. Il a parlé de mon tour en télécabine aux deux ouvriers de maintenance et à Keith Jax. Tous ont entendu les questions que j'ai posées. Méthode scientifique, ajouta-t-il tristement. N'omets aucune hypothèse et aucune interrogation. J'ai même demandé quel pouvait être le point faible. Je ne me rappelle pas qu'on ait parlé de la mâchoire de serrage, mais Keith a dit à Tyler que si. Puis Tyler a questionné mes ouvriers, mais je suppose qu'ils ne savaient rien de plus. Il a demandé le nom de mes investisseurs égyptiens, mais je ne crois pas qu'il les ait déjà appelés.

– Quand je pense à Tyler qui remue toute cette boue, ça me déprime.

– Tamarack a eu son lot dans le genre déprimant. Anne, ça m'aide beaucoup de pouvoir te parler ; je n'ai pas voulu tracasser Leo et Gail ; ils en ont assez sur les épaules.

Le sommelier apparut. Absorbé, Josh ne lui accorda qu'un bref regard.

– Apportez-nous votre bourgogne préféré.

– Vraiment mon préféré, *monsieur* ?

– Naturellement, dit-il, le visage déjà tourné vers Anne. C'est dur d'être à Tamarack en ce moment. C'est toujours aussi beau, mais les gens ont peur et ne peuvent s'empêcher d'en parler. S'ils se serrent les coudes, ce qui est une bonne chose, c'est contre le reste du monde. Ils s'attardent sur le mail en petits groupes, ou s'installent dans les cafés, sans un rire, cherchant un bouc émissaire. On ne m'a pas encore jeté de pierres...

– Quoi ?

– Ne t'inquiète pas ; ils traitent Tyler de con. Ça me rapproche de Tamarack plus que tout ce qui s'y est passé. Mais ils n'ont personne d'autre sur qui rejeter le blâme. Bien sûr, il y a Leo et la société parce qu'il ne fait pas surveiller la télécabine vingt-quatre heures sur vingt-quatre, mais c'est du baratin. Ils veulent un méchant, et il n'y en a pas, et certains commencent à porter des accusations pour bien montrer qu'ils font le ménage chez eux. Tu t'en doutes, ils ne savent pas que la famille va vendre. Tu es au courant ?

– Gail me l'a dit. Mais je ne puis m'en préoccuper maintenant. Il faut commencer par toi.

Le sommelier présenta la bouteille à Josh.

– Parfait, dit ce dernier.

– C'est mieux que parfait, monsieur, c'est un miracle !

Sur quoi Josh lui prêta un peu plus d'attention. Sa fierté concernant sa cave ne différait en rien de celle de Josh avec son tombeau.

– Alors, dégustons, fit-il en observant le sommelier accomplir le rituel du débouchage et de la décantation.

Il goûta. Ses sourcils se levèrent.

– Excellent. Merci.

Adouci, le sommelier s'inclina avec solennité et emplit les verres. Quand il se fut éloigné, Josh et Anne levèrent leurs verres.

– Au temps où tout cela sera fini, dit-elle.

Josh allait ajouter quelque chose sur ce dont ils parleraient alors, mais il renonça. Ils étaient peut-être au milieu des tapis persans et des arrangements floraux de l'Ermitage, mais ce devait être un repas d'affaires, pas une soirée romantique. Il s'y tiendrait. Tant que tout ne serait pas fini.

Anne se cala sur la banquette, verre à la main, petit carnet et crayon posés près d'elle.

– On reprend tout de zéro, dit-elle. Je voudrais m'assurer du timing. Leo affirme que le boulon a pu être ôté n'importe quand au cours des cinq jours écoulés entre la dernière inspection et l'accident, mais je veux être en mesure de prouver que tu n'as rien pu faire le matin de l'accident. Commençons donc par là. Je sais qu'on l'a déjà fait, mais reprenons. A quelle heure était ton avion ce matin-là ?

– 9 h 50. J'étais à l'aéroport à 9 h 25 environ.

– Tu es donc parti de chez toi à 9 heures à peu près ?

– Un peu après.

– Et tu n'as vu personne avant ?
– Non. Je faisais mes valises.
– Et les ouvriers ?
– Il n'y avait personne ; c'était dimanche.
– Et ton homme de confiance ?
– Je lui ai parlé le samedi. Nous nous voyons toujours la veille de mon départ.
– Tu n'as pas eu de courrier parce que c'était dimanche, mais on t'a sûrement téléphoné ?
– Non.
– As-tu passé des coups de fil ?
– Aucun.
– Quand ton équipe en Egypte a-t-elle appris que tu arrivais ?
– Le vendredi. Hosni a appelé pour me demander d'arriver le plus vite possible.
– On peut donc prouver que tu n'as pas décidé à la dernière minute de quitter la ville. L'ennui, c'est que tu as eu tout le temps d'aller à la gare de la télécabine et de rentrer chez toi avant 8 heures, heure d'arrivée de la patrouille à skis.
– Comment suis-je entré ? fit soudain Josh.
Anne fronça les sourcils.
– Je ne sais pas. Le bâtiment est fermé à clef, ça va de soi ; j'ai vu Leo l'ouvrir. Qui d'autre possède une clef ? Keith, selon toute probabilité. Peut-être un des patrouilleurs ou un des ouvriers de maintenance, mais j'en doute ; ils ont des horaires variables. Donc, il y a Keith et Leo ou quelqu'un qui ne nous vient pas à l'esprit. Et tu n'as pas eu accès à leur trousseau.
– J'étais chez Leo pour le repas de Noël et j'y suis repassé une ou deux fois ensuite. Si j'avais cherché la clef...
– Mais Leo aurait remarqué son absence.
– Est-ce certain ? Il n'en aurait eu besoin que s'il était prévu qu'il ouvre la gare. Et il montait rarement avant 9 heures, après que Keith ou un autre eut déjà ouvert.
– C'est maigre, très maigre.
– Ils construisent un dossier très épais sur presque rien, fit Josh sèchement.
Il leva les yeux sur le serveur debout près d'eux et ils passèrent commande.
– Nous devons trouver qui a fait le coup, dit Anne. Kevin et moi ne pouvons assurer ta défense et obtenir selon toute probabilité un acquittement tant les preuves sont ténues ; mais ce serait en exposant les lacunes du dossier, pas en te mettant définitivement hors de cause. C'est mieux que d'être condamné, mais je préférerais prouver ton innocence. Il nous faut un méchant, à nous aussi.
– Où commencer ? Nous ne voyons pas le moindre mobile. Si c'est

pour faire baisser le prix, alors il faut mettre ça sur ce type de Denver qui fait des pieds et des mains depuis des mois pour acheter. Beloit, c'est ça.

– Ray Beloit, murmura Anne. Non, attends, pas de Denver. Josh, quelqu'un a parlé de lui, il n'y a pas si longtemps. Tu étais là ; souviens-toi...

– Noël. C'était Charles ; il a parlé de... non, c'était Fred. Il a demandé à Charles s'il avait parlé à Vince.

– De Beloit ! s'exclama Anne. Parce que c'est son directeur de campagne. Et ils sont associés à Denver. Ça remonte à loin.

– Ahurissant, fit Josh sèchement. De tous les types dans le monde entier qui voudraient investir dans une station de ski, il faut qu'on tombe sur le directeur de campagne de Vince !

Ils se turent.

– Je me demande où ça nous mène, fit Josh lentement. Il pourrait vouloir acheter à bas prix mais il ne gagnerait rien à détruire l'affaire qu'il essaie d'acquérir. Et comment serait-il impliqué dans quelque chose qui se passe si loin ?

– Il a peut-être fait appel à quelqu'un, suggéra Anne, songeuse.

– Comment trouverait-il quelqu'un de confiance ? Et même, supposons. Pourquoi cacher l'écrou chez moi ? Pourquoi ne pas le jeter dans la première poubelle qui passe ? Tu t'es déjà posé la question.

– Il voulait probablement un méchant, lui aussi. Ça simplifie tout.

– Mais pas de mobile, pas de coupable. C'est sans doute quelque chose de si évident que nous ne le voyons pas. Comme ta fameuse liste : haine, rapacité, envie, peur. Il n'y a qu'à choisir.

Le garçon servit le potage ; ils étaient si absorbés qu'ils le remarquèrent à peine.

– La peur les engendre tous, fit Anne. A mon sens, quiconque est gourmand, ou envieux, ou haineux doit avoir terriblement peur, de beaucoup de choses. Les gens qui ont peur sans l'admettre sont les plus dangereux du monde. Des quatre, qu'est-ce que tu trouves le plus souvent sur les murs des tombeaux ?

– Tous, fit Josh, pensif. On croirait lire les journaux. A travers les siècles, on revit les mêmes drames ; on utilise les mêmes mots ; on affiche les mêmes expressions. J'ai raconté à Gail et à Leo l'histoire de Tenkaure et de son fils et ils ont dit que ça ressemblait à ta famille.

Anne se figea.

– De quelle histoire s'agit-il ?

Josh hésita, furieux après lui. Il était tellement absorbé qu'il n'avait pas vu où cela le conduisait. Mais reculer maintenant serait pis encore. Il dessina l'histoire dans ses grandes lignes.

– Ils n'ont pas voulu me dire pourquoi Ethan avait flanqué Vince à la porte ; ils ont prétendu que ce n'était pas à eux d'en parler.

Anne regardait la salle du restaurant sans rien voir. *Dis-lui. Dis-lui. Gail et Leo ont ouvert la porte pour toi. Tu peux lui faire confiance. Vois ce qu'on peut construire avec l'honnêteté et la confiance.*

Mais les mots ne sortaient pas. Un sentiment de honte qu'elle croyait enfoui l'envahit. Angoissée, désemparée, elle se rappela ce moment dans la nacelle où elle tenait Robin et Ned. Oh, mon Dieu, ça ne finira donc jamais!

Josh se taisait. Anne respira profondément. Inutile d'expliquer. Elle avait peur qu'il ne tire des conclusions en apprenant qu'Ethan avait banni Vince, mais pourquoi en serait-il ainsi ? Pourquoi lui viendrait-il à l'esprit qu'elle était au cœur de la querelle ? Il fallait chercher bien profond pour établir pareil lien. Sa main était calme.

– Je suppose qu'il y a de multiples raisons aux querelles de famille, mais, après un temps, toutes se ressemblent.

– Sans doute, dit-il d'une voix basse et triste où Anne crut percevoir le désappointement.

Ils mangèrent en silence.

– Mais toutes les histoires ne se ressemblent pas vraiment, dit enfin Josh. Vince n'a pas organisé de coup d'Etat contre son père.

– Non, il a fait son chemin. De toute façon, qu'aurait-il eu à gagner ? Le royaume des Chatham n'existe plus.

– Leur affaire était prospère.

– Mais ils l'ont laissée péricliter. Il a fait fortune à Denver et a été élu sénateur.

– Pourtant, les rancœurs s'accumulent, remarqua Josh. Tu n'as pas remarqué, avec tes divorces ? La colère, le ressentiment, appelle ça comme tu veux, frémit longtemps pour finir par déborder

– Oui, bien sûr, dit Anne en regardant le sommelier emplir les verres. Parfois – souvent, en fait – les gens bichonnent leur colère, et en jouissent. Il leur est crucial de ne pas trop profiter de la vie car ils sont persuadés qu'autrement ils y perdraient quelque avantage. Et leur colère finit par être si bien enfouie que personne ne la remarque à moins d'être tout près.

– Tu me fais le portait de Dora. Et de son père, pour autant que je puisse en parler. Mais même s'il s'est accroché à sa rancune toutes ces années et l'a laissée grandir, qu'en a-t-il fait ? Il n'a pas tenté le même coup que le fils de Tenkaure; il n'a pas levé une armée pour détruire son père...

– En fait, il a tenté un coup d'Etat moderne. Il n'avait pas besoin d'une armée, pas besoin de détruire son père, pas même besoin d'attaquer la famille. Il lui suffisait de nuire à l'affaire familiale. Voire de la ruiner.

On ôta les assiettes à potage, redonna du pain, changea les couverts. Anne et Josh se regardaient.

– Cette route nationale n'a jamais été construite.

– Elle semble avoir soudain disparu, dit Anne. Un jour on allait commencer les travaux et le lendemain personne n'était au courant de son existence. Et Vince faisait partie du comité.

– Il leur a peut-être fourni des raisons d'annuler le projet.

– Gail dit qu'il s'est excusé auprès de tous, affirmant avoir tout fait pour que ça aboutisse.

– C'est possible, dit Josh en jouant avec sa cuiller. Après tout, il n'avait rien contre eux ; c'est son père qui l'a chassé.

– Mais il était mort, réfléchit Anne à voix haute. Et la colère de Vince était bien vivante. La mort de mon grand-père aurait-elle suffi à la faire disparaître ?

– Pas sûr. Alors il empêche la construction de la nationale pour causer de gros dommages à la société d'Ethan, au fils aîné d'Ethan et à toute la famille. On pourrait nous accuser de manquer de preuves, comme Tyler avec moi, fit Josh en souriant.

– Josh, s'il voulait nuire à Chatham Development, il pouvait vouloir causer du tort à la Tamarack Company, tant qu'il y était.

Le serveur apporta les assiettes qu'il plaça délicatement sur la table.

– Le fossé qui rompt, dit Josh. Le réservoir pollué.

– Et l'EPA qui leur dit à brûle-pourpoint que tout l'est de la ville est empoisonné.

– Et la télécabine.

– Non, c'est trop, protesta Anne. Je ne puis croire que...

Ils étaient songeurs.

– Tu as sans doute raison, fit Josh. Ça ferait un sacré ramdam mais ça sous-entendrait que c'est un monstre.

Un long silence s'installa. Anne garda les yeux fixés sur son assiette. Josh observait la sienne, la finesse de la présentation, l'équilibre des couleurs, des textures, des formes. Il suffit de trouver les morceaux qu'il faut et de les assembler ensuite, songea-t-il. Comme trouver une sépulture sous des siècles de tremblement de terre. Ou de mettre la main sur un méchant. Il s'empara de sa fourchette.

– Il peut bien sûr exister des explications auxquelles nous n'avons pas songé, qui n'ont rien à voir avec le fait de nuire à ta famille ou faire baisser le prix de la compagnie. Peut-être quelqu'un en voulait-il à l'entreprise qui a fabriqué la télécabine. Ou alors il s'agit de vandalisme. Ou un accident pur et simple. Dans ce cas, le boulon est un problème, mais on peut sans doute trouver une explication à cela aussi.

*Mais c'est un monstre.*

– Il lui aurait fallu quelqu'un sur place, dit Anne qui n'avait rien entendu des paroles de Josh. Il était à Washington. Et je ne le vois pas ramper autour d'un réservoir pour le contaminer.

– C'est arrivé autrement, dit Josh, qui laissa tomber des spéculations auxquelles il ne croyait pas. Leo a expliqué que l'eau polluée est arrivée dans le réservoir parce qu'un fossé dévié avait rompu. Il pensait que c'était dû à un glissement de terrain ; il dit que ça se produit tout le temps. Cela dit... je suppose qu'on peut donner un coup de pouce.

– En provoquant une espèce d'explosion ! De la dynamite, peut-être, au-dessus du fossé. Je ne sais pas si ça ferait l'affaire ; je n'y connais rien en drainage. Ni en dynamite. Je me demande si on peut vérifier. Probablement pas en hiver : il doit y avoir un bon mètre de neige là-haut.

– Ce n'est pas ça qui les arrêtera. On va demander à Leo. S'il y a eu une charge de dynamite, la roche porte des traces. Si Vince a engagé quelqu'un, tout ce qu'il avait à faire, c'est...

– Mais qui ? En qui aurait-il suffisamment confiance ? Ça revient à remettre sa vie entre les mains d'autrui.

– Je ne sais pas. A mon avis, c'est sans importance pour l'instant. S'ils trouvent des preuves de l'existence de dynamite, nous nous concentrerons là-dessus. Je vais téléphoner à Leo ; je préfère me remuer au lieu d'attendre sagement que Tyler bouge le premier pion. Ça te va ?

Anne hésita. Jusqu'à maintenant, ils avaient raisonné à froid ; soudain, ça tournait à la chasse à l'homme. Et Vince était la proie. Elle était réticente, ne pouvant supporter l'idée du moindre lien avec lui, ne fût-ce que le fil ténu de questions posées à des tiers. Laisse tomber, se dit-elle ; reste à l'écart, c'est plus sûr. Reste en dehors.

Mais impliquée, elle l'était. Elle avait une famille, maintenant, et peut-être quelqu'un tentait-il délibérément de l'anéantir. Et elle avait l'amitié de Josh Durant. Il affrontait de graves ennuis, elle devait lui venir en aide.

– J'aimerais appeler tout de suite, si ça ne t'ennuie pas.

– Vas-y, appelle-le.

Il fit signe au garçon et lui demanda d'apporter un téléphone.

– Quoi d'autre pouvons-nous faire ? demanda-t-il dans l'intervalle. Et l'EPA ? Y a-t-il quelqu'un à contacter ? Nous pourrions savoir d'où est venue l'idée d'assainissement.

– Mieux vaut se déplacer, suggéra Anne. Peux-tu te libérer un jour ou deux pour aller à Washington ?

– Pas maintenant... Je dois préparer mes cours. Et toi ? Tu ne peux pas y aller ?

– Je ne pense pas... Bon, d'accord, je vais me débrouiller. Tant que j'y serai, j'essaierai de joindre quelqu'un du Comité de travaux publics.

– Bonne idée. Je suis désolé de ne pouvoir t'accompagner.

– Moi aussi.

C'est vrai, se dit-elle. C'est beaucoup mieux de travailler à deux que seule.

Le maître d'hôtel apporta le téléphone. Josh tira de sa poche un petit répertoire où trouver le numéro de Leo et Gail. Il le composa et regarda Anne tandis que ça sonnait à Tamarack.

– C'est parti, dit-il.

# 20.

Petit, l'air angélique, depuis longtemps membre du Comité sénatorial de l'environnement et des travaux publics, Zeke Ruddle, sénateur de l'Utah, fit le tour de son bureau pour accueillir Anne.

– Charmé, dit-il en lui serrant un peu longuement la main. J'ai beaucoup lu sur vos exploits, Miss Garnett; vos adversaires tremblent dans leurs chaussures. Nous autres hommes politiques aurions des leçons à recevoir.

– Peut-être est-ce vous qui les donnez, répondit Anne en souriant.

– Ah, fit-il en ouvrant grande sa petite bouche de satisfaction tandis que ses yeux, durs comme de l'agate, ne cillaient pas. Je vous en prie, ajouta-t-il en désignant un fauteuil de cuir. En quoi puis-je vous être utile ?

– J'ai un client... je ne puis être trop explicite, vous le comprenez...

D'un signe de tête, Ruddle approuva gravement.

– Je comprends parfaitement. Mais au gouvernement nous savons mieux que quiconque garder un secret.

– Comme vous avez raison, acquiesça Anne, pensive. Au fond, je pourrais peut-être vous donner quelques détails.

Ruddle se pencha en avant, les bras pliés sur son bureau.

– Je suppose que votre client est très connu.

– C'est un de ces hommes que les journalistes ne lâchent pas d'une semelle; ils campent devant chez lui; la situation devient difficile pour lui. Voilà pourquoi je suis venue à sa place.

– Ah, les journalistes. De la racaille. Mais un mal nécessaire; nous qui œuvrons pour la nation avons appris à vivre avec. Cinéma ou télévision ? Votre client, je veux dire.

– Sachez seulement qu'il traite au niveau international des biens et des matériaux de valeur inestimable.

– Très intéressant, murmura Ruddle.

– Bien. Nous avons dans cette affaire un conflit extrêmement délicat.

La question porte sur une grande bande de terrain au nord-ouest de Chicago, terrain détenu par Chatham Development, dont le siège est à Chicago. Si j'ai bien compris, il fut un temps dans l'intention de Charles Chatham, président de la société, de bâtir à cet endroit une ville entière baptisée Deerstream Village.

Ruddle fronça les sourcils.

– C'est le frère de Vince Chatham. Je l'ai rencontré une fois ou deux. Deerstream ? Jamais entendu parler.

– Je crois que ça remonte à deux ans, environ. Le problème, sénateur, est que des parties adverses s'intéressent à ce terrain et que son développement potentiel semble douteux.

Anne sortit une liasse de papiers de son attaché-case et reprit :

– Ce matin, j'ai lu le compte rendu du Comité de l'environnement et des travaux publics concernant la proposition d'une nationale allant du nord-ouest de l'Illinois au centre de Chicago. Le président étant absent ce jour-là, vous avez assuré son rôle. Le comité a voté de recommander au Comité d'attribution des crédits que la nationale d'Illinois soit repoussée *sine die* et que les fonds prévus soient attribués à une nouvelle nationale traversant le Colorado et l'Utah le long du parc national de Mesa Rosa.

– Oh, celle-là ! fit Ruddle. Bien difficile de se rappeler toutes nos sessions, vous savez. Que vous dire ? Vous avez lu le compte rendu ; ça devrait vous donner tout le topo.

– Je m'intéresse à la façon dont les fonds sont passés d'un projet à l'autre. Je n'ai rien trouvé dans le rapport qui m'éclaire sur la façon dont l'idée a pu surgir.

– Oh ! fit-il en lui offrant un visage inexpressif. Je n'en sais rien. Cela fait un bout de temps, vous savez.

– Oui, fit Anne, qui avait trop souvent entendu cette réponse au tribunal pour se laisser impressionner. Je suppose que, si l'idée venait de vous, vous en auriez le souvenir.

– Je ne me rappelle pas toutes mes idées géniales, mais presque. En tout cas, pas celle-là. Ce n'est fort probablement pas mon idée, de toute façon ; je ne prête guère attention à ce qui tourne autour des nationales des autres Etats une fois que nous avons recommandé le financement.

– Entendez-vous par là qu'il s'est produit quelque chose dans l'Illinois qui a rendu impossible le financement de la nationale ? Et que c'est pour ça que quelqu'un a eu l'idée de transférer les fonds sur un autre projet ?

Ruddle avait le regard perdu et sa petite bouche grimaçait de concentration.

– Il me semble que quelqu'un a mentionné le fait qu'ils ne savaient pas où la mettre, vous voyez, le meilleur tracé. Ça se chamaillait, a prétendu quelqu'un. Alors on s'est dit que, s'ils aimaient plus se chamailler que de mettre le projet au point, c'est qu'ils n'en n'avaient pas vraiment besoin. A y réfléchir, ça traînait depuis des années, alors autant donner l'argent à ceux qui voulaient vraiment s'en servir.

– Oui, ça figure dans le compte rendu, murmura Anne.

Les yeux de Ruddle se posèrent brusquement sur elle.

– Mais, si vous êtes déjà au courant, pourquoi me demander ?

– J'espérais que ça vous aiderait à vous rappeler ce qui s'est passé avant : « On s'est dit qu'ils n'en n'avaient pas vraiment besoin », racontez-vous. Qui, « on » ?

– Le comité.

– Mais qui l'a suggéré au comité ?

– Ça, c'est la colle.

Anne laissa le silence s'installer.

– Vous agissiez en tant que président, ce jour-là, sénateur. Pourquoi ?

– Voyons. Je ne sais pas. Vince – c'est Vince Chatham, le président – était malade, ou absent, ou Dieu sait quoi, et j'ai pris le relais.

– Vous avait-il laissé des instructions sur les questions à poser ou la façon de mener les débats ?

– Des instructions ? Vince ne me donne pas d'instructions, voyons ; nous nous comprenons. Nous nous retrouvons souvent face à face, mais nous nous estimons et nous nous respectons. Il m'a souvent dit à quel point il appréciait mon instinct et combien il se reposait sur moi... oh, ça me revient. Vince y a pensé. Nous avons eu une réunion au petit déjeuner et nous avons évoqué Mesa Rosa et les problèmes de construction d'une nationale à travers un parc national, beaucoup d'opposition, vous vous en doutez. Les gens ne comprennent pas que les nationales sont les veines et les artères de notre pays, sans elles ce serait la mort ; plus nous en avons, mieux nous nous portons ; c'est aussi simple que cela. Vince le comprend parfaitement. Il a dit qu'il ne voyait aucun inconvénient à faire passer une route au milieu du parc mais que des tas de manifestants s'enchaîneraient aux arbres, ce genre de trucs, pour l'en empêcher. Alors il a eu l'idée de la faire passer au bord pour que tout le monde soit content. Mais ça coûtait plus cher, aujourd'hui il faut compter un million de dollars par mile. Quand je lui ai dit que je ne voyais aucun moyen d'obtenir le financement, il s'est souvenu de l'Illinois. Il a dit que c'était toujours le bazar et que ça n'aboutissait pas, qu'il travaillait avec eux depuis des années pour les aider à se fixer sur un tracé ; qu'il passait son temps à réclamer des tracés mais qu'ils étaient incapables de travailler ensemble. Il faut reconnaître que Vince a vraiment le don de faire bouger les choses quand on se croit au point mort. Sacrée bonne solution. Je le lui ai dit, à l'époque.

Il y eut une pause. Lentement, Ruddle fronça les sourcils.

– Vous avez bien dit que c'était son frère qui possédait le terrain ?

– Oui.

Anne se tenait raide, sous le choc de ce qu'elle venait d'entendre. Tout collait. Vince avait tout manigancé pour que Deerstream échoue. Pour que Charles échoue.

– Le long du tracé de la nationale ? s'enquit Ruddle. Et il comptait y bâtir une ville ?

– Oui. Appelée Deerstream.

– Deerstream. Ce nom-là n'est jamais parvenu à mes oreilles. Nous ne parlions que d'une nationale qui irait du nord-ouest de l'Illinois jusque dans Chicago. Charles Chatham avait un projet en cours à cet endroit ? Ça alors ! Vous savez, je me rappelle avoir dit à Vince que j'étais impressionné de voir un sénateur abandonner une nationale dans l'Etat de sa famille au bénéfice d'un autre Etat. Mais vous me dites qu'il a carrément abandonné une nationale qui aurait aidé son frère ! Et sans broncher ! Nom de nom, c'est vraiment le pompon !

– Comme vous dites, approuva Anne en remettant ses photocopies dans son attaché-case. Merci, sénateur ; j'ai maintenant une vision plus claire de ce qui s'est passé. Je suppose qu'il y a encore une chance de construire cette nationale.

– Il y a toujours une chance. Le comité continue de s'intéresser au réseau routier, passé, présent et futur. Evidemment, on ne roule pas sur l'or, mais c'est classique, non ? Si votre client veut faire monter les enchères parce qu'il pourrait y avoir une nationale en plein milieu de son terrain, n'hésitez pas. Si le projet est représenté, nous le considérerons avec objectivité, comme nous le faisons pour chaque dossier, et nous ferons de notre mieux pour le bien de l'Etat et du pays.

Anne se leva et il la raccompagna à la porte de son immense bureau, tout sourire. Elle était malade en repensant au petit déjeuner où Vince avait orchestré la ruine de son frère.

*C'est monstrueux. Cela voudrait dire que Vince est un monstre.*

*Mais c'est un monstre.*

Il faut que j'appelle Josh, se dit-elle. Mais elle avait un autre rendez-vous. Quelques minutes plus tard, elle pénétrait dans le bureau de Bud Kantor à l'EPA.

– Heureux de vous voir, dit Kantor.

Il était jeune, ardent, avec un visage rond et coloré qui, à son grand désespoir, lui donnait l'air d'un collégien. Il portait une petite moustache et des cheveux à la militaire pour se vieillir, et arborait toujours des costumes sombres rayés pour avoir l'air d'un diplomate. Il serra la main d'Anne, l'admirant sans se gêner. Elle était vêtue d'un tailleur blanc et d'un chemisier ivoire à col de dentelle, et ce n'est manifestement pas ce à quoi Kantor s'attendait quand elle s'était présentée au téléphone comme avocate de Californie et avait demandé un rendez-vous.

– Nous ne voyons pas souvent le public, fit-il tandis qu'ils s'asseyaient dans le minuscule bureau spartiate. Je veux dire, nous travaillons dans l'ombre, vous savez ; nous ne parlons pas aux gens comme le font les sénateurs ou les députés.

– Faites-vous des recherches pour le législatif ?

– Exactement. Toutes les vérifications qu'ils demandent. Mais ça commence en amont de la législation ; des mois, parfois des années. On ne peut pas demander au Congrès de dépenser de l'argent sans être parfaitement sûr de connaître les conséquences sur l'environnement.

Anne le regarda intensément, amusée de ses tentatives pour se vieillir.

– Vous avez d'énormes responsabilités.

– Oui. Comme tout le monde, répondit-il solennellement.

– C'est pour ça que je savais que vous pourriez m'aider, dit Anne en prenant des papiers dans son attaché-case. Comme je vous l'ai dit au téléphone, j'essaie de reconstituer l'histoire de cette proposition d'assainissement à Tamarack. J'ai trouvé votre nom dans les derniers rapports, mais je ne trouve aucune étude remontant au tout début, quand le sol a été analysé la première fois.

Il y eut une pause.

– Ça remonte à loin, dit Kantor avec lenteur.

– Ça semble s'éterniser, fit Anne avec douceur.

Il acquiesça.

– Exact. C'est souvent le cas. La vérité, Miss Garnett, est que presque tout le dossier est encore sur mon bureau. Ces gens de Tamarack... vous êtes leur avocate, c'est bien ça ?

– Non, mais je conseille certaines personnes pour une autre affaire dans laquelle l'assainissement pourrait avoir des conséquences importantes. J'ai besoin du maximum d'informations ; vous savez à quel point c'est essentiel.

– Exact. Mais nous n'avons même pas commencé l'assainissement, vous savez ; ils ont eu une injonction... Etes-vous dans le coup pour ça ?

– Oui.

– Eh bien, je ne sais pas si...

– Mr. Kantor, nous ne sommes pas forcément adversaires en la matière. Pour l'instant je ne cherche que des renseignements. Cela ne devrait pas vous causer d'ennuis, n'est-ce pas ?

– Euh, non, j'ai toujours pensé que plus on est informé, mieux ça vaut. Bon. Vous savez ce qui se passe à Tamarack ; ils nous ont interrompus pour l'instant. Ils avaient d'autres problèmes et ils ne voulaient pas qu'on creuse une partie de la ville pendant qu'ils s'occupaient de tout le reste. Et je ne leur en veux pas ; je comprends leurs inquiétudes et voilà cette histoire de télécabine, pour couronner le tout ; ça pourrait être vraiment mauvais pour eux, ça. Quoi qu'il en soit, Miss Garnett, ils nous ont interrompus – je suppose que je devrais dire que c'est vous qui l'avez fait, non ? – et nous sommes en train de décider quels dossiers nous pouvons mettre à leur disposition. En attendant, c'est moi qui les ai.

Anne sourit.

– Je ne vous demanderai pas de me les communiquer car je sais que vous ne dérogerez pas à la règle. Mais, si vous pouviez m'en faire un bref résumé, ça m'aiderait beaucoup.

– Je pourrais essayer, du moins.

– Bien. Comment tout cela a-t-il commencé ? Tous les Etats montagnards possèdent de vieilles mines en sous-sol, et je pense que la plupart laissent filtrer des substances chimiques dans le sol émanant des eaux souterraines.

Anne attendit que Kantor approuve d'un signe de tête.

– Bon, alors pourquoi Tamarack ? demanda-t-elle. Ce n'est pas la ville minière la plus grosse, je ne vois donc pas pourquoi ce serait la pire.

– Nous ne l'avons jamais prétendu, Miss Garnett. Nous nous sommes simplement penchés dessus, et avons décidé...

– Avez-vous procédé simultanément dans plusieurs villes ?

– Absolument. C'est classique.

– Et toutes avaient besoin d'être assainies ?

– Eh bien, en fait, il existe une échelle dans le temps. Parfois, la situation était vraiment inquiétante. Comme à Love Canal ou Times Beach. Quand c'est catastrophique, on n'attend pas.

– Mais Tamarack n'appartenait pas à cette catégorie.

– Non, non, loin de là. Il n'y avait ni malades ni taux exceptionnel de cancers, ou autre chose de ce genre.

– Alors quoi ?

– On ne pouvait exclure l'éventuel danger que du plomb remonte dans le sol. Pas question de faire l'impasse là-dessus, Miss Garnett. Les fonds exceptionnels servent précisément à nous fournir les outils pour maintenir la planète propre.

– *L'éventuel danger*, répéta Anne. Le rapport initial ne mentionnait-il pas un « danger imminent » ?

– Euh, il faudrait vérifier...

– Cela me paraît inutile, fit Anne d'une voix égale. Je suis convaincue que vous vous souvenez à la lettre de chaque rapport qui quitte votre bureau parce que vous êtes consciencieux et que vous prenez votre tâche très au sérieux. Je crois que ce rapport était exagéré, et je crois que le planning a été accéléré. J'aimerais évoquer ce point particulier puisque vous ne me donnerez pas accès au dossier.

Le silence se fit pesant.

– Nous n'agissons pas de la sorte, fit Kantor. Nous sommes honnêtes avec les gens. Mais, dans ce cas précis, j'avais peur que les gens de Tamarack ne soient un peu trop contents d'eux ; ces villes de montagne voudraient vous faire croire que personne n'a rien à leur apprendre.

– Est-ce avéré ? En connaissez-vous beaucoup ?

– Non, aucune, malheureusement. Mais le sénateur Chatham m'en a parlé ; il les connaît bien. Nous avons donc cru bon de laisser entendre que le problème était un peu plus urgent qu'en réalité. Je n'ai pas menti – je ne mens jamais –, c'est seulement que ces choses peuvent se révéler fort dangereuses si l'on n'y prend garde. J'ai donc cru vital de les remuer.

– Ainsi, le sénateur Chatham vous a parlé des villes de montagne.

– Il s'inquiétait pour Tamarack. Evidemment, les décisions sont prises par l'ensemble du département, mais c'est le sénateur qui a le premier attiré mon attention là-dessus. C'est son Etat, il se faisait du souci pour la sécurité de ses concitoyens, aussi m'a-t-il demandé de m'en occuper.

– Et d'exagérer le danger.

– D'alerter l'opinion. Je vous l'ai expliqué. Nous n'avons rien exagéré ; nous avons choisi les mots qui attireraient leur attention. C'est notre métier, Miss Garnett. Vous comprenez, bien sûr, que nous prenons très au sérieux les demandes des sénateurs – qui connaît mieux qu'eux les dangers et les besoins d'un Etat ? – et, quand le sénateur Chatham nous a suggéré de souligner le danger, nous avons été ravis de transmettre aux habitants de Tamarack le caractère d'urgence de l'affaire.

– Et le planning ?

– Eh bien, nous aurions pu attendre, c'est vrai, mais le sénateur avait peur que si nous mettions ça en veilleuse et que rien ne se produise pendant des années – ça arrive, vous savez – les gens ne commencent à tomber malades ou à mourir, sans oublier que l'assainissement coûte encore plus cher.

– Il a donc insisté pour que ce fût fait immédiatement.

– Il m'a prié de l'envisager très sérieusement pour le bien commun. J'ai reconnu le bien-fondé de tant de prudence et envoyé la recommandation au service compétent.

*Et c'est un monstre.*

– A-t-il exercé une pression sur vous ?

– Oh non ! s'empressa de nier Kantor. Personne n'exerce de pression sur l'EPA. Il m'a fait part de ses inquiétudes et j'ai agi selon ma conscience.

– Qu'auriez-vous fait si vous aviez pensé disposer de davantage de temps ?

– Eh bien, comme je l'ai dit, nous aurions procédé à une étude exhaustive...

– Plus complète que celle que vous avez faite ?

– Plus longue, mais pas forcément plus complète. Et nous aurions multiplié les rencontres avec les gens du coin ; nous faisons toujours le maximum pour les arranger. Maintenant vous avez obtenu cette injonction, et je dois dire, Miss Garnett, que, si la situation avait constitué une menace pour la vie, votre procédure aurait été totalement irresponsable.

– Mais si vous aviez convaincu le juge qu'il y avait bien menace sur la vie des gens, il n'y aurait pas eu d'injonction.

Kantor acquiesça d'un bref signe de tête.

– Il semble que ça ne l'était en rien, vous n'aviez donc aucune raison de vous dépêcher autant, ni d'exagérer le danger car ni leur vie ni même leur santé n'étaient en danger, du moins dans un futur proche.

– Euh, non, vous allez trop loin...

Anne rangea ses papiers.

– Vous l'avez fait parce que le sénateur Chatham s'inquiétait pour la santé de ses concitoyens.

L'inquiétude disparut du visage de Kantor.

– Oui, et moi aussi. C'est exactement ça. Nous réagissons devant le danger, Miss Garnett, et le sénateur Chatham s'inquiétait pour ses concitoyens. Pas pour lui; il n'y habite pas. C'est un homme extraordinaire; il voit loin, il réfléchit. Qui imaginerait qu'il prendrait le temps de s'intéresser à une petite ville dont le problème n'a même pas frôlé le stade de crise! Mais si, il n'est jamais trop occupé pour négliger les détails. Et je lui suis reconnaissant d'avoir attiré mon attention là-dessus, parce que nous nous reposons sur ce type d'informations et nous croyons aux vertus de l'avertissement. Ne pas tenir compte des signaux de danger est ce que nous pouvons faire de pire.

– Comme je vous approuve, fit Anne en se levant. On devrait toujours tenir compte des signaux de danger. Merci de m'avoir consacré un peu de votre temps.

Il fronça les sourcils.

– Je me demande si tout cela vous a été utile.

– Vous m'avez fourni des renseignements, et je vous en remercie.

Elle rentra à Washington sous le soleil pâle de l'hiver, l'estomac noué de colère. Malgré tout ce qu'on pouvait reprocher à sa famille, elle ne méritait pas ça.

Elle se rendit en taxi à l'aéroport pour rejoindre Josh à Tamarack. Il leur fallait décider de l'étape suivante.

– Keith a vérifié, dit Leo.

Assis en compagnie de Josh sur un banc du mail, ils regardaient les quelques skieurs qui se dirigeaient vers les remonte-pentes. Les habitants faisaient les soldes, mais sans gaieté tant la ville était déserte; d'autant que des soldes avant fermeture en janvier signifiaient que la saison avait été désastreuse.

– Dès que nous nous sommes aperçus que le fossé de drainage était rompu, nous avons pensé à un glissement de terrain quelque part au-dessus. Keith est immédiatement monté vérifier. Il a dit qu'il s'agissait d'un banal glissement de rochers. C'est un phénomène fréquent et imprévisible. Nous déplorons plusieurs mini-tremblements de terre par an qui entraînent des mouvements de roches. Après ton appel, l'autre soir, j'ai téléphoné à Bill Clausan. Il a dit qu'il ferait un saut là-haut dans la semaine.

Josh tapotait son genou avec son journal enroulé.

– L'ennui quand on est chercheur, c'est qu'on ne se calme qu'une fois qu'on a vu les choses par soi-même. Or je ne suis là que pour deux jours. On le trouve où, ton Bill Clausan?

Leo lui donna ses coordonnées.

– Je t'accompagnerais volontiers.

– Pas question. Tu as fait tes trois heures de bureau aujourd'hui. Je sais que tu as le crâne solide, mais laisse-lui tout de même le temps de se remettre. A tout à l'heure.

Josh le planta là à s'inquiéter du ciel et de l'excès de calme. Il roula avec Bill Clausan dans les collines à l'est de la ville, au-dessus du réservoir, jusqu'à la route qui débouchait tout près de la digue de drainage.

– C'est par ici, dit Bill en faisant un geste sur la droite. Nous avons pensé que le glissement venait de là-haut, ajouta-t-il en désignant les escarpements au-dessus d'eux – et Keith a dit avoir trouvé la zone de glissement juste au-dessus. Ça n'est pas si raide que ça, mais autant marcher dans de la mélasse. Vous y tenez vraiment ?

– Et comment ! dit Josh, qui serra ses chaussures, enfila ses gants puis s'empara de ses bâtons de ski. Après vous.

Ils progressaient péniblement. On n'entendait que le bruit de leur souffle.

– Il fait rudement chaud, grommela Bill une fois.

Ce fut tout. Ils arrivèrent au pied de l'escarpement en haut de la colline, tournèrent, se frayèrent un chemin jusqu'à ce que Bill s'arrête.

– Ce doit être là. Le fossé est juste au pied de la colline.

Il prit une pelle à manche télescopique dans son sac à dos et commença à dégager une grande zone, dénudant les feuilles d'automne, dont certaines portaient encore des traces de couleur bronze. Au-dessous, de longues traînées d'herbes écrasées et de fleurs séchées au milieu des roches écrasées.

– Rien ici, murmura Bill en entreprenant de balayer plus largement.

Josh creusait avec sa propre pelle. Les deux hommes rejetaient la neige, le souffle court. Les lunettes noires de Josh lui glissaient sur le nez tant il transpirait ; ses mains étaient humides dans ses gants. Bill ôta son chapeau et défit la fermeture à glissière de son anorak. Ils ratissaient de plus en plus large.

Le soleil déclinait ; Bill remonta sa fermeture et remit son chapeau.

– Encore une demi-heure ? demanda-t-il.

Josh acquiesça.

– Vous savez vraiment ce que vous cherchez ?

– Oui.

Josh dégagea furieusement le terrain pendant encore cinq minutes puis s'arrêta. Il regardait une zone sans feuilles ni herbe. Juste au-dessus, à la base de l'escarpement, une section de roches semblait pâle contre la roche gris foncé qui l'entourait, comme si on l'avait nettoyée de frais.

– Bill, je tiens à ce que vous voyiez cela.

Bill regarda à son tour.

– Ça a cassé il n'y a pas longtemps. Aucune trace d'intempéries comme le reste.

Josh approuva.

– Regardez là, dit-il en traçant du doigt une étoile autour de la roche pâle. Ça vient d'une explosion.

– Il y a un zozo qui a fait l'imbécile dans le coin ; mais les gens sont donc incapables de se tenir tranquilles ?

Josh laissa courir délicatement ses doigts à la base de l'étoile et trouva des bouts de fil cassé.

– Des fusibles, dit-il en les mettant dans sa poche.

Il prit son appareil photo dans son sac et photographia la roche, avec gros plan sur le dessin en étoile. Il avait vu le même partout dans le monde, sur les sites archéologiques où les ouvriers provoquaient des explosions. Il se redressa pour prendre en photo la zone du fossé au-dessous ainsi que l'endroit où ils étaient, sous plusieurs angles.

– La nuit va tomber, dit-il.

Le soleil caressait déjà la crête des montagnes de l'autre côté de la vallée.

– Ça vous suffit ? s'enquit Bill. Alors on y va.

Josh rangea ses affaires. Tandis qu'ils redescendaient, il parla pardessus son épaule.

– Il faudrait ne pas en toucher mot pour le moment.

– Pourquoi ? J'aimerais passer ça dans le journal, que les gens font les andouilles près du fossé de drainage et feraient mieux de... J'y suis ! On a provoqué une explosion pour rompre la digue ? Merde ! fit-il au bout d'un moment. On a bousillé le réservoir ? Personne ne ferait une chose pareille. Personne.

– Pouvez-vous garder le secret jusqu'à nouvel ordre ?

– Sûr, répondit Bill gravement.

Mais, quand ils atteignirent la jeep, il dit :

– Ecoutez, pourquoi ne pas se contenter de faire sauter le réservoir si c'est ce qu'ils voulaient ? Ça n'a pas deux sous de bon sens de faire toute cette comédie.

Josh mit son sac dans la jeep.

– Vous avez tous cru qu'il s'agissait d'un accident, n'est-ce pas ? Un caprice de la nature imprévisible et inévitable. Mais si on avait fait sauter le réservoir...

Il regarda Bill en grimpant dans la jeep.

– Ç'aurait déclenché une véritable chasse à l'homme, dit Bill avec lenteur. Nous aurions tout fait pour retrouver l'enfant de salaud qui a fait le coup. Vous avez une idée, à propos ? demanda-t-il en faisant marche arrière pour rejoindre la nationale.

– Non. Mais j'espère bien mettre la main dessus. C'est pourquoi il vaut mieux ne pas piper mot.

– Compris.

Il faisait plus froid et Bill avait mis le chauffage dans la voiture. Aux abords de la ville, il s'arrêta à un croisement et se tourna vers Josh.

– Pourquoi diable faire ça ? Ça provoque une catastrophe générale, voilà tout. A quoi ça rime ?

– Celui qui a fait le coup s'en moquait comme d'une guigne. Je suppose qu'il ne pensait qu'à ce qu'il voulait. Ma voiture est garée sur le parking de Leo à son bureau, ajouta-t-il en jetant un œil dehors ; ça vous ennuie de me déposer ? Il faut que je file à l'aéroport.

– Vous partez ?

– Non. Je vais chercher quelqu'un.

Il regarda la pendule du tableau de bord. Dans moins d'une heure, il serait avec elle.

Attablés dans la cuisine, ils attendaient que Robin et Ned aillent se coucher pour pouvoir parler.

– On ne t'a guère entendu, ce soir, Ned, observa Leo. Quelque chose te tracasse ?

– Nan, murmura-t-il. Est-ce que je peux avoir deux parts de tarte pour la peine que j'ai rangé ma chambre, même que j'ai une jambe dans le plâtre ?

– Moi aussi, fit Robin. Ned a voulu casser la figure à Simon McGill, dit-elle à Leo.

– On avait dit qu'on ne dirait rien ! s'écria Ned.

– Ben, moi je t'ai trouvé courageux.

– A quel propos, cette dispute ? demanda Gail.

– Rien ! hurla Ned encore plus fort.

– Ned, à quel propos ? demanda Leo.

Ned secoua la tête avec obstination.

– Robin ? dit Leo.

Robin évita le regard de Ned.

– Il a dit qu'on déménagerait parce que tu étais renvoyé et l'affaire vendue et que nous n'avions pas le droit d'aller à l'école – ses yeux s'emplirent de larmes – parce qu'on n'avait plus rien à faire ici.

– Oh non ! gémit Gail. Pourquoi ne m'avez-vous rien dit quand je suis venue vous chercher ?

Ned haussa violemment les épaules.

– On a pensé que c'était vrai, murmura-t-il.

– Seigneur Dieu ! murmura Leo. Ecoutez, dit-il en prenant ses enfants par l'épaule. Je n'ai pas été renvoyé. Nous ne sommes pas sur le point de déménager.

– Mais la famille a effectivement décidé de vendre l'affaire, ajouta Gail en s'asseyant sur le bras du fauteuil de Robin pour la réconforter. On ne peut prétendre le contraire. Ils ont un acquéreur. Peut-être nous faudra-t-il partir.

– Mais ça n'est pas encore vendu, n'est-ce pas ? demanda Anne, assise en face avec Josh. Je ne pensais pas que c'était définitif.

– Pas encore, mais...

Gail regarda Leo.

– Votre oncle Charles a signé une lettre par laquelle il accepte l'offre, dit Leo aux enfants. Et quand ce sera définitif, les nouveaux propriétaires arriveront probablement avec leur équipe de direction. Je devrai alors trouver un poste ailleurs. Mais nous ne savons pas quand et, en attendant, nous habitons toujours ici. Inutile de casser la figure à Simon pour le prouver, Ned ; contente-toi d'aller à l'école comme avant. Ils comprendront le message.

– Non, fit Ned qui serrait les dents. Ils restent et pas moi. Ils sont chez eux et moi pas !

Robin regarda Anne à travers ses larmes.

– Tu viens d'arriver et tout allait si bien et maintenant tout change.

– Ça ne changera rien pour nous, dit Anne.

Elle fit le tour de la table et vint s'agenouiller en face de Robin et de Ned. Elle leur tendit les mains, compatissante. Jamais ils n'avaient eu à se demander s'ils faisaient bien partie du monde dans lequel ils vivaient.

– Je sais que c'est dur ; on se sent tout vide quand on ne sait plus très bien où est notre maison. Mais les choses importantes ne vont pas changer ; nous y veillerons. Et je serai avec vous, où que vous viviez. Je ne pourrai pas me passer de vous.

Jamais elle n'avait prononcé de telles paroles.

– Oh, Anne, dit Gail doucement, les yeux brillants. Ce serait horrible sans toi. Tu sais, Ned, aussi longtemps que nous serons tous ensemble, ce sera notre chez nous. Ça, personne ne peut te le prendre ; c'est à nous. Pour toujours. Anne est indissociable de nous.

– Josh aussi ? demanda Robin.

Il y eut un silence.

– Josh aussi, fit Josh gaiement.

– Oui, mais..., commença Ned.

– Nous avons tout le temps d'en reparler, dit Anne en se levant pour empiler les assiettes. Et pour l'instant je ne me perdrais pas en conjectures, Ned ; pas de jugements hâtifs et pas de bagarres. Dis-leur simplement qu'il se passe un tas de choses et que personne ne sait encore rien.

– C'est vrai ?

– Parole d'honneur.

– Je découpe la tarte, dit Gail. Deux parts pour Ned et Robin qui ont rangé leur chambre, qui sont dans le plâtre, etc. Deux pour Josh qui a abattu un sacré boulot dans la neige. Deux pour Leo qui va mieux. Une pour Anne et une pour moi. Et voilà, il n'y a plus de tarte.

Elle s'affaira pendant qu'Anne versait le café, et dès que possible Gail et Leo conduisirent les enfants dans leur chambre pour qu'ils fassent leurs devoirs.

– Bien, fit Leo. Où en sommes-nous ?

– Toi d'abord, dit Josh à Anne.

Il s'installa confortablement dans son fauteuil, jouissant de l'atmosphère électrique qu'il avait créée en disant, si naturellement : *Josh aussi*. C'était comme si les événements prenaient place autour d'Anne et de lui, malgré la tempête qui s'acharnait sur Tamarack. Ils étaient tous les quatre autour de la table, comme un cercle de lumière – amis, associés, famille.

– Dois-je prendre des notes ?

Anne sourit.

– C'est déjà fait.

D'une voix mesurée, elle décrivit ses rencontres avec Zeke Ruddle et Bud Kantor.

– Vince a fait ça ! s'écria Gail quand Anne leur parla de Ruddle. A son propre frère !

Et lorsque Anne parla de Kantor, Leo fut atterré.

– C'était sûr ; il n'y avait aucune raison de commencer par Tamarack.

Quand elle eut fini, Leo éclata.

– Quel salaud de première ! Comment a-t-il pu faire ça à Charles ? Et à nous ? Que lui avons-nous fait ? Il vit les deux sœurs échanger un regard. Nom d'un chien, ça n'est tout de même pas nous qui l'avons flanqué dehors !

Anne frémit intérieurement, persuadée qu'ils avaient tout raconté à Josh. Elle se sentit brusquement piégée. Elle repoussa son fauteuil, prête à se sauver.

– Nous avons l'évoqué, je m'en souviens, dit Josh d'une voix tranquille. Un jour, il faudra me raconter. Mais il y a des querelles dans la plupart des familles, vous savez, sans pour autant qu'un des membres essaie de mettre les autres sur la paille. On dirait qu'il s'en passe bien d'autres. Vous ne savez pas encore ce que j'ai fait aujourd'hui. Je ne vous ai pas raconté ma journée.

– Tu es monté avec Bill ? demanda Leo.

– Cet après-midi.

Josh sentit Anne se détendre. Comme il parlait, elle se réinstalla, les yeux rivés sur lui. Quand il eut fini son récit, il prit un morceau de roche dans sa poche et le montra à Leo.

– Evidemment, ce pourrait être une rupture récente due à un glissement naturel, mais, si tu réunis ça aux fractures d'explosion que nous avons trouvées, il ne fait pour moi aucun doute qu'il s'agit de dynamite. Celui qui a fait le coup a probablement trouvé une fissure et placé plusieurs charges de dynamite. Des restes de fusible, fit-il en posant les bouts sur la table. Il n'y avait pas besoin d'une grosse explosion ; en tout cas, on ne pouvait percevoir la déflagration en ville. Si de rares promeneurs l'ont entendue, les explosions sont fréquentes dans le coin, en hiver pour contrôler les avalanches et en été pour la construction. Elle devait tout de même être suffisante pour causer un petit glissement de terrain ; ça prend de la vitesse et de la force au fur et à mesure, et le fossé de drainage était probablement faible au départ. Il a sans doute commencé par vérifier ça.

– Qui, il ?

– A mon avis, celui qu'on a envoyé vérifier le coin après l'incident et qui a affirmé n'avoir rien trouvé d'anormal.

– Il a pu penser qu'il s'agissait d'un glissement naturel, dit Leo.

– Il a pu, dit Josh.

– Qui a vérifié ? s'enquit Gail.

– Keith, répondit Leo en faisant tournoyer la pierre dans sa main. Mais je ne vois pas Keith faire une chose de ce genre. Il connaît la musique et sait que les touristes se tirent dès que quelque chose va de travers.

Anne regardait dans le vide, se rappelant des événements isolés au cours des derniers mois, en particulier l'intérêt aigu que Keith lui avait porté au cours de ce dîner, son sourire trop éclatant et la façon dont il avait regardé Leo et elle le matin de l'accident de la télécabine. Elle n'avait jamais compris cet intérêt spécial qu'il lui témoignait; elle se rappelait avoir pensé qu'il avait l'air d'un collégien essayant d'apprendre par cœur pour pouvoir tout répéter. *Tout répéter...*

– Keith est-il proche de Vince? demanda-t-elle brusquement.

– Je ne pense pas, répondit Gail. Pourquoi?

– Je me demandais s'il pourrait exister un lien. Si Vince tenterait d'anéantir Tamarack en faisant venir l'EPA et en amenant quelqu'un à provoquer le glissement de terrain...

– Oh non! souffla Gail. Tu veux dire que Keith pourrait avoir agi sur ordre... oh non, c'est impossible. Où aurait-il trouvé la dynamite, de toute façon?

– La patrouille à skis l'utilise pour dégager les pistes et contrôler les avalanches, dit Josh. Un responsable adjoint du domaine skiable y a facilement accès.

– Vince ne met jamais les pieds ici, intervint Leo. S'ils passent beaucoup de temps ensemble, c'est ailleurs.

– A Denver, suggéra Josh. Ou à Washington.

– Avec Ray Beloit, dit Leo. Le directeur de campagne de Vince.

– Qui veut acheter la Tamarack Company, enchaîna Anne avec calme.

Tous se regardèrent.

– Dieu du ciel! jura Leo dans un souffle. On devient fou avec ces suppositions. On ne sait pas qui a déclenché l'explosion et, si c'est vraiment Keith, on ne sait pas s'il a jamais parlé à Vince ou si Beloit est au courant.

– On pourrait être en mesure de prouver que Vince et Keith étaient en contact, dit Anne, songeuse. Le téléphone est là pour ça. Si Keith appelait du bureau, tu dois en avoir trace.

– Les relevés, sourit Leo. Il n'y a que les avocats de divorce pour penser à ça. Mon Dieu, mais... Son sourire s'effaça. Bien sûr que nous avons la liste de tous les appels téléphoniques avec la durée de la conversation. Bon sang, tu te rends compte de ce que tu dis? Tout, alors? La route nationale, l'EPA, le glissement de terrain... S'il a vraiment tout fait, quelle sorte d'homme est-ce donc?

– Oh! s'écria Gail, les yeux écarquillés d'horreur. L'accident!

– On ne peut dire ça, intervint Josh. Nous n'en savons pas assez.

– Nous savons tout de même qu'on a essayé de te piéger, lança Leo. Quelqu'un qui connaît le mécanisme aurait pu ôter l'écrou et le planquer chez toi. Et qui a peut-être agi sur ordre.

– Non, pas ça, gémit presque Gail.

– Si c'est le cas, il n'a pu se contenter d'ôter le boulon, remarqua Josh. Il a dû saboter le système de serrage.

– Exact, dit Leo. Or ils ont fait des tests pendant huit jours sans rien trouver.

– Mais il s'est produit quelque chose, et ce fut délibéré, dit Anne. Quelqu'un a tenté de faire tomber une des nacelles. Je ne pense pas qu'ils aient prévu que deux nacelles entreraient en collision, mais on n'a aucune certitude là-dessus.

– Si tu voulais faire pareil coup, dit Josh en réfléchissant, comment t'y prendrais-tu ?

– Je ne m'y connais guère en mécanique, répondit Leo. Le véritable expert est sans doute cet inspecteur qui a pratiqué les tests toute la semaine. On pourrait l'appeler, mais je ne sais pas où il s'est installé. Et j'ai oublié son nom.

– Matheny, offrit Gail avec calme. Il a pris une chambre au Red Lion ; il t'a téléphoné de là-bas une fois et a laissé un message.

– J'appelle tout de suite, fit Leo en tendant la main vers le téléphone.

Tous se taisaient. L'énormité de la situation, qui n'avait cessé de frapper Anne depuis Washington, les hantait tous.

Leo raccrocha.

– Il dit que la solution la plus simple consisterait à enfoncer quelque chose dans la mâchoire de serrage pour l'empêcher de serrer.

– Il faudrait être sur place, au deuxième étage, dit Josh, attendre que la nacelle passe et enfoncer quelque chose.

– Quoi, par exemple ? demanda Anne.

– Peu importe, répondit Leo. Un morceau de bois, un bout de tuyau, quelque chose d'assez dur pour forcer l'ouverture. Jim dit que ça serait tombé sous le choc de la collision, mais personne n'a rien trouvé d'anormal.

L'air concentré, Anne essayait de se souvenir. Elle était dans la nacelle. En contrebas, un patrouilleur était resté pour les rassurer. Il était assis au soleil, levait les yeux vers eux ou regardait la vallée, et il y avait un bruit régulier...

– Leo... du jazz, dit-elle. Le patrouilleur resté sous la nacelle frappait un rythme de jazz sur sa chaussure de ski. Il avait ramassé un morceau de bois et battait la mesure.

Josh saisit la balle en premier.

– Il a ramassé un bout de bois au milieu de la pente ?

– Oui.

– Impossible, intervint Leo. Il est interdit de jeter quoi que ce soit. Quelle longueur ?

– Une trentaine de centimètres, à peu près.

– Impossible, répéta Leo. La patrouille l'aurait remarqué avant l'arrivée des skieurs. Je parie tout ce qu'on veut que ça n'y était pas avant l'ouverture des remontées mécaniques.

– Il y est peut-être toujours, dit Gail. Oh, on ne peut pas le savoir avec toute cette neige qui est tombée l'autre soir.

– Je vais appeler le chef de patrouille, dit Leo. Il est peut-être au courant. Il téléphone au gars et me rappelle, dit-il après avoir raccroché.

– Que faire si nous le trouvons ? demanda Gail. Un morceau de bois ne prouve rien.

– Jim a dit que la mâchoire aurait sans doute laissé des traces et qu'on pourrait théoriquement les comparer.

– Et après ? demanda Josh.

– Je ne sais pas. Anne, qu'en penses-tu ?

– Dressons une liste des hypothèses et des certitudes.

Elle alla jusqu'au petit bureau du coin de la cuisine où s'entassaient livres de recettes, listes de courses et des cartes de vœux dans une corbeille, et rapporta un carnet à spirale.

– Nous savons que Vince a suggéré la suppression du projet de nationale en Illinois ; je ne vois pas comment ça colle avec le reste, hormis le fait que ça nuit à un Chatham. C'est peut-être suffisant ; je n'en sais rien.

Elle écrivait tout en parlant.

– Nous savons que Vince a lancé l'EPA sur Tamarack et a tenté d'accélérer l'assainissement. Nous savons que le glissement de terrain a commencé par une petite explosion de dynamite au-dessus du fossé de drainage et que Keith est allé vérifier, qu'il a dit n'avoir trouvé trace d'aucun problème, que son travail le conduit à manipuler de la dynamite et qu'il devrait être capable de reconnaître des traces d'explosion.

« Nous pensons qu'un écrou a été ôté du mécanisme de sécurité de la télécabine. Il a pu être ôté n'importe quand puisqu'il n'a pas provoqué l'accident, empêchant seulement le système de se couper. Il a pu tomber et être trouvé par quelqu'un qui l'a mis chez Josh, mais cela paraît hautement improbable. Nous pensons qu'on a appelé le shérif pour lui dire où chercher. Nous pensons qu'on a utilisé un morceau de bois pour saboter la mâchoire de serrage et provoquer l'accident de la télécabine. Cela a dû être fait par quelqu'un familiarisé avec le système et qui pouvait être là sans attirer les soupçons. Keith correspond à cette description, mais peut-être d'autres aussi. Nous pensons que Keith a pu être en relation avec Vince, peut-être même travailler avec lui ; nous en saurons davantage quand nous aurons vérifié les appels téléphoniques.

Elle reposa son crayon et regarda Josh, Gail et Leo.

– Nous ne sommes pas certains de la raison pour laquelle un mécanisme de sécurité a été saboté plutôt qu'un autre.

– Que veux-tu dire ? demanda Gail. Si tu veux causer un accident, qu'est-ce que ça change si... ?

Leo mit la main sur son bras ; il regardait Anne.

– Tu veux dire que nous sommes confrontés à une nouvelle coïncidence. Il y a soixante-huit nacelles et c'est la nôtre qui a été sabotée.

Gail regarda son mari, puis Anne.

Josh saisit la main d'Anne et la serra. Anne referma sa main sur celle de Josh. Elle sentit la force de ses longs doigts et sa paume ferme emprisonnée dans la sienne, et, pour la première fois depuis aussi loin que ses souvenirs la portaient, elle se réchauffa au contact d'un autre. Elle ne se sentit pas menacée mais rassurée. Au bout de ce qui parut un long moment, le téléphone sonna.

– Oui, fit Leo. Merci, ajouta-t-il après quelques minutes. D'accord, demain matin. Tenez-moi au courant.

Il raccrocha et se tourna vers les autres.

– Le patrouilleur a jeté le morceau de bois au pied du pilier pour qu'il ne soit pas dans le chemin. Ils iront le chercher demain matin ; il sait exactement où il se trouve.

– Anne, fit Gail dans un murmure, il n'essaierait pas de te tuer... Ou Leo. Pas ça !

Mais elle n'avait pas oublié que, quelques mois auparavant, Anne lui avait raconté que Vince avait menacé de la tuer.

– Je n'arrive pas à y croire, fit Gail, désespérée. C'est notre famille, et si certains font des choses pas très jolies, nous ne tuons pas..., dit-elle en étouffant ses mots.

– Nous ne savons pas, fit Josh, tendu, essayant de maîtriser le trouble de sa voix sans lâcher la main d'Anne. Il y a trop de choses que nous ignorons. Il a pu choisir la première nacelle au hasard. Mais nous ne pouvons exclure l'hypothèse d'un acte volontaire. Anne, si c'est toi qu'il visait, il va recommencer. Il faut assurer ta protection.

Le regard d'Anne passa rapidement de Leo à Gail.

– Pas seulement moi.

Elle se mit à trembler. *Je n'en serai jamais libérée. Il ne me lâchera jamais.*

– Attendez. Il faut y réfléchir. Si Vince était derrière tout ça – et nous devons garder à l'esprit que nous ne sommes sûrs de rien –, je suis certaine qu'il ne tentera rien avant longtemps. Toute le monde ferait le rapprochement si Leo ou moi avions deux... accidents de suite. Je crois que nous ne craignons rien pour l'instant ; en fait, si nous étions véritablement en danger, nous ne pouvons être plus en sécurité que maintenant. Pas question que je prenne un garde du corps, ajouta-t-elle en les regardant tous les trois. Pas question que quiconque entrave ma liberté. Je vais faire mon possible pour savoir ce qui s'est passé et m'assurer que ça ne se reproduira pas.

Josh approuva.

– Voilà qui est parlé. Mais fais quand même attention en traversant la rue.

– Oh oui ! bien sûr, sans doute. Vous aussi, fit-elle à l'adresse de Gail et de Leo. Je pense que nous n'avons rien à craindre en ce qui concerne les enfants tant qu'ils auront plâtres et béquilles et resteront près de vous.

– Non mais vous nous entendez, dit Gail. Comment pouvons-nous parler ainsi ?

– Tu as raison, dit Anne. De toute façon, nous devons attendre d'être plus informés. Mais je tiens à vous dire, ajouta-t-elle avec lenteur, que, malgré tant d'horreurs, le fait de réfléchir tous les quatre, d'être ensemble, signifie beaucoup pour moi. Je tiens à vous remercier.

Des larmes surgirent dans les yeux de Gail.

– Tu n'as pas à nous remercier; c'est aussi merveilleux pour nous, Anne. Nous t'aimons. Quand je pense à toutes ces années sans toi.

– Sais-tu à quel point notre vie a changé grâce à toi ? Cela fait longtemps que je voulais te remercier. Nous t'aimons, Anne, et nous voici enfin réunis.

– Tu es avec nous, dit Josh avec calme.

Il avait compris la douleur, le vide de sa vie d'avant, et il avait eu bien du mal à ne pas la serrer dans ses bras. Anne, ma belle, je t'aime, lui murmura-t-il en silence. Pour l'instant, seuls Leo et Gail pouvaient le lui dire. Je t'aime et, s'il ne tient qu'à moi, plus jamais tu ne connaîtras le vide.

– Mais on ne peut pas s'arrêter comme ça, dit Leo. On est loin d'avoir tiré Josh d'affaire. Admettons qu'on trouve ce morceau de bois et que ça colle. Que se passe-t-il après ?

– Aucune idée, dit Josh. Mais les chercheurs sont payés pour réunir des faits. Les hommes de loi aussi. C'est un début. Anne a raison, dit-il en reculant son fauteuil. On doit s'en tenir là pour l'instant et nous avons eu notre compte pour la soirée. D'ailleurs, il faut que j'y aille; j'ai un boulot fou.

– Je te raccompagne un bout de chemin, suggéra Anne. Le grand air me fera du bien.

– Tu reviens toute seule? s'inquiéta Gail.

– Ne t'en fais pas... C'est Riverwood, il est tard et personne ne sait que je pars me promener.

– Il fait un froid de canard, dit Leo.

– Je n'irai pas loin et je vais bien me couvrir. J'ai seulement besoin de me changer les idées. A tout de suite.

Ils empruntèrent l'étroit chemin, soufflant de la buée dans l'air cristallin. Le ciel noir regorgeait d'étoiles de chaque côté de la Voie lactée. Près de l'horizon, un croissant de lune flirtait avec une étoile. On n'entendait que le bruit de leurs pas. Les lumières de la maison de Leo et Gail disparurent au tournant, mais les champs enneigés scintillaient légèrement sous les étoiles. Ils voyaient leurs visages.

Ils marchaient ensemble, sans parler, oubliant la laideur de leurs découvertes dans la splendeur de la nuit. Quand le chemin se courba de nouveau et qu'ils glissèrent sur une plaque de verglas, Josh prit naturellement la main d'Anne et la garda. Guère romantique, se dit-il en constatant qu'avec leurs gants de ski le contact était difficilement perceptible; mais ils savaient qu'ils étaient unis, et c'était suffisant.

Anne baissa les yeux et sourit. Elle se sentait encore plus proche de lui dans ce monde froid et silencieux, ombres sous les étoiles, que dans la chaleur de la cuisine.

– Parle-moi de tes cours, demanda-t-elle.

Il évoqua les étudiants de deuxième cycle qui l'aidaient dans ses recherches, les discussions pendant les cours et à la cafétéria qui, souvent, éclairaient son travail sous un nouveau jour. Anne perçut l'affection qu'il témoignait à ses étudiants et aux gens en général. Il était ouvert au partage et semblait ne pas connaître l'hostilité, même à l'égard de ceux qu'il découvrait ne pouvoir aimer; la compréhension et la compassion semblaient l'habiter en permanence.

Quel homme remarquable! se dit Anne; puis elle se demanda si personne ne l'avait jamais rendu furieux ou jaloux ou lui avait fait tant de mal qu'il n'ait pu ni oublier ni pardonner. Elle s'aperçut alors qu'elle était loin de le connaître.

De même qu'il était loin de la connaître. Mais c'était ainsi. Elle ne voulait pas lui parler d'elle. Cette simple idée suffisait à la faire trembler de tous ses membres.

Josh s'arrêta immédiatement au milieu de sa phrase.

– Tu ferais mieux de rentrer.

Ils se tenaient au milieu de la route. Il prit son autre main et tous deux se regardèrent sous la lumière pâle.

– Bonne nuit, dit Anne. A demain.

– Quand pars-tu?

– Demain après-midi. Si on se retrouvait de bonne heure au bureau de Leo? On serait sur place quand le patrouilleur apportera le bout de bois.

– D'accord. A quelle heure, dans l'après-midi? Je prends l'avion de 16 heures.

Anne sourit.

– Alors nous voyagerons ensemble. Bonne nuit, Josh.

Leurs mains se serrèrent encore un moment.

– Bonne nuit, Anne.

Chacun s'en fut de son côté.

Anne marchait à grands pas, soudain frigorifiée. Quand elle entra et ouvrit la porte de la cuisine, le choc de la chaleur lui fit tourner la tête et elle s'appuya contre le mur, refoulant ses larmes.

– Le café est chaud, dit Leo.

Ils étaient assis à la même place qu'avant, la tête de Gail sur l'épaule de Leo. Anne ôta ses vêtements chauds et se versa un café avant de s'asseoir en face d'eux.

– Il fait glacial dehors, mais c'est superbe. Grand-père avait raison: Riverwood est l'endroit le plus parfait de la vallée. Il devait adorer cette maison.

Gail hocha la tête.

– C'est vrai. Il ne lui reprochait qu'une chose: ton absence. Tu n'as rien dit à Josh, n'est-ce pas?

– Non. Et vous?

– Bien sûr que non, voyons! Mais il est très intelligent, tu sais; il nous a demandé si le bannissement de Vince avait quelque chose à voir avec toi.

– Qu'avez-vous répondu ?

– Que ce n'était pas à nous de répondre. Mais tu devrais lui dire, Anne ; tu ne peux construire éternellement un mur autour...

– Ma chérie, fit Leo avec douceur, Anne lui en parlera quand elle le pourra.

Il regarda Anne et lui sourit, plein d'amour et de compréhension. Il eut la sensation très nette que, si tous étaient en ce moment dans une situation précaire, elle était la seule à souffrir d'une blessure si profonde, si traumatisante, qu'elle n'en guérirait peut-être jamais.

– Pendant que tu te promenais, Gail et moi nous demandions si, une fois passé tous ces drames, un événement vraiment merveilleux pourrait alors se produire.

Anne le regarda, étonnée.

– Je ne sais pas. Je ne sais pas.

Le patrouilleur apporta le bout de bois mouillé dans le bureau de Leo et le posa sur la table.

– Exactement où je l'avais laissé ; nous avons juste eu à creuser.

– Merci, fit Leo en le tendant à Josh qui le retourna pour y chercher des marques. Nous allons le comparer au mécanisme de sécurité. J'ai téléphoné à Matheny hier soir ; il sera là à 7 h 30.

Josh tendit le morceau de bois à Anne.

– C'est aussi étonnant que de visiter un pays sur lequel on a tout lu ou de trouver un tombeau. On en parle, on l'imagine, on invente et, soudain, on le touche.

– Il y a autre chose, dit Leo en poussant une petite liasse de papiers devant lui. Les copies des relevés de téléphone du bureau des six derniers mois. J'ai souligné les appels correspondant au bureau de Vince et à son appartement, ajouta-t-il en regardant Anne et Josh les feuilleter. 305 est le code de Miami. J'ai retrouvé qui c'est : un gros bonnet de la politique en Floride.

– Il ne s'inquiétait apparemment pas qu'on l'entende, dit Anne au bout de quelques minutes. Il passait son temps à appeler d'ici.

– Ça revient moins cher, fit Leo sèchement. Petit problème classique de frais généraux.

– Au moins une fois par semaine depuis juillet, murmura Josh. Je ne vois rien avant. Que s'est-il passé en juillet dernier ?

– Je suis allée à l'enterrement d'Ethan, dit Anne. Tu permets ? demanda-t-elle à Josh qui lui tendit les photocopies. Les appels sont essentiellement concentrés en septembre et octobre pour reprendre en décembre.

– Septembre, dit Josh. La pollution du réservoir.

Leo acquiesça.

– Et décembre, la télécabine.

– Et octobre ? demanda Josh.

– Rien, fit Leo, songeur. Sauf... Je crois que Beloit était en ville ce mois-là – tu t'en souviens, Anne ? – il parlait comme si l'affaire lui appartenait déjà.

Jim Matheny frappa à la porte du bureau.

– Pas de secrétaire, je suis entré.

– Jim, jette un coup d'œil à ça, dit Leo.

Il s'empara du morceau de bois et les deux hommes sortirent. Il revint moins d'une minute après.

– Il vérifie tout de suite ; le mécanisme est dans leur remorque. Que faisons-nous de ces notes de téléphone ?

– Mets-les à l'abri, dit Anne. Elles ne prouvent que la communication, mais si elles collent au schéma global, nous pourrons les utiliser.

Elle fit le tour du bureau et se planta devant la fenêtre, le regard sur la montagne.

– Il y a bel et bien un schéma, ajouta Anne, mais je ne vois pas ce que nous pouvons en faire.

– Peut-être rien, dit Josh.

– Il va pourtant falloir te sortir de là, dit Anne sans quitter la montagne des yeux. Puis elle se tourna vers lui. Et ce que nous fournira Jim Matheny n'y suffira pas. Même s'il se révèle qu'on a utilisé ce bout de bois pour saboter la sécurité, tu pourrais être le coupable. Il y a tellement de trous dans ton emploi du temps. Josh, j'aimerais que nous revenions sur le matin où tu as fait tes valises. N'as-tu rien fait qui ait nécessité une autre personne ? Je sais que nous en avons parlé vingt fois, mais recommençons. Il faut vingt minutes pour aller en voiture de Riverwood à la gare de la télécabine. Il t'aurait fallu aller au deuxième niveau, faire le trajet inverse en vingt minutes et... oh, un instant. Cela pourrait tout changer. Leo, si tu voulais saboter une nacelle bien précise, tu devrais attendre qu'elle passe exactement à ton niveau, n'est-ce pas ?

– C'est ça.

– Pourquoi choisirais-je ta nacelle ? demanda Josh.

– Je n'en sais rien, mais ce n'est peut-être pas important. Rien d'autre que cela ne l'est peut-être. Josh, il faut être sûr du timing. Il te faudrait au moins une heure, et en faisant vite, pour rentrer en ville, te garer, te débrouiller pour pénétrer dans la gare de la télécabine et en haut sans te faire repérer, attendre 9 heures moins une que Leo et moi grimpions dans la nacelle, saboter le mécanisme, repartir dans la mêlée de la collision et mettre vingt minutes à rentrer chez toi.

– Il aurait pu y arriver à condition que personne ne le voie entre 8 et 9..., dit Leo.

– Impossible, remarqua soudain Josh.

Il croisa le regard d'Anne. Elle souriait, les yeux éclatants.

– Impossible parce que tu es parti de chez toi peu après 9 heures pour te rendre à l'aéroport.

– En taxi.

– Et la société de taxi a trace d'une course entre Riverwood et l'aéroport. Admettons même que tu te sois mis en route à 9 h 15, voire 9 h 20, tu n'aurais pu être au deuxième étage de la gare à 9 heures moins une et revenir à temps à Riverwood pour appeler un taxi et filer à l'aéroport.

– Merde! fit Leo, tout sourire. Pas faisable! Très juste!

– Peu importe que notre nacelle ait été ou non la cible, dit Anne. Le système n'a pu être endommagé qu'entre la minute qu'elle met pour démarrer et celle où elle quitte la gare pour gagner de la vitesse.

Le silence se fit.

– Est-ce suffisant? demanda Josh à Anne au bout d'un moment. Si le timing colle, Tyler va-t-il laisser tomber l'inculpation?

– Je ne vois pas ce qu'il peut faire d'autre. Si Jim confirme qu'on a bien utilisé ce bout de bois pour le sabotage, tu n'avais aucun moyen de te trouver dans le bâtiment quand ça a été fait. Nous appellerons Kevin ce matin et, dès que nous aurons le relevé de courses de la société de taxi, nous filerons au bureau de Tyler. Ça pourrait être réglé rapidement.

– Sauf qu'on ne sait toujours pas qui a tenté de piéger Josh, dit Leo. A moins que ça ne fasse partie du schéma que tu évoquais tout à l'heure.

Anne hocha la tête. *Un monstre.* Elle n'avait aucune preuve, mais le schéma se dessina clairement. Et c'est un monstre.

Tous trois s'assirent en silence. Jim Matheny revint bientôt et posa le morceau de bois sur le bureau de Leo.

– Comment avez-vous deviné que ce n'était pas un accident? s'étonna-t-il.

Leo regarda Anne. Elle était toute pâle.

– Ça colle? demanda-t-elle.

– A la perfection. Comment avez-vous deviné? Vous savez qui a fait le coup?

– Non, dit Leo vivement. Les autres non plus.

Il s'empara du bout de bois et passa le doigt sur les marques.

– Excellentes traces, remarqua Matheny. Faciles à vérifier. Une chose est sûre, vous voilà hors du coup, Leo. On a voulu vous mettre dans de sales draps. Si j'étais vous, je regarderais sous mon lit avant de me coucher. Bon, je vais donner ça à Arvin; il va être content; il déteste clore une enquête sans que tout soit expliqué. Il le remettra à Tyler, je suppose; à lui le flambeau, maintenant.

Après son départ, chacun se tut.

– Regarder sous le lit, murmura Leo. On se croirait en plein polar.

– Il faut appeler Kevin, dit Anne.

– Merci, mon Dieu, pour cette partie de l'affaire, au moins, dit Leo. Ta partie, Anne. Désormais, tu n'as plus à t'inquiéter. Tu en as déjà trop fait; tu es l'avocat de Josh, pas le nôtre. Si on nous sabote, c'est notre problème, pas le tien ni celui de Josh.

– Quelqu'un me visait, ou toi, dit Anne tranquillement. Je n'en conclus pas que je n'ai plus à m'inquiéter. Mais ce n'est pas tout. Tant que tu auras des ennuis, c'est aussi mon problème, ajouta-t-elle en prenant son manteau. Si tu es d'accord, une fois que nous aurons vu Kevin et Tyler, nous devrions avoir une petite conversation avec Keith.

– C'est une blague, dit Keith en secouant la tête d'étonnement. De la dynamite ! Qu'est-ce que tu racontes ? Quoi, qui aurait pensé à de la dynamite ? Je veux dire, c'est vrai. Je n'en cherchais pas vraiment. Bon sang, Leo, si ça m'a échappé, je suis désolé. Je veux dire, quoi, j'ai été nul sur le coup. Merde, s'exclama-t-il soudain, quoi, tu veux dire que quelqu'un l'a fait exprès ? Et comment t'as trouvé ? Je veux dire, il y a beaucoup de neige là-haut. Quoi, c'est dingue que tu aies trouvé. Tu es sûr que c'est le bon endroit ? Je veux dire, toute cette neige, c'est pas évident de savoir où c'était, alors comment t'as su, quoi, que c'étaient les bons rochers et tout ? Je veux dire, c'est plutôt dangereux, hein, d'accuser quelqu'un d'avoir fait une explosion quand tu n'es même pas sûr d'où c'était ?

– Nous savons ce que nous savons, fit Leo avec calme.

Son regard plongeait dans celui de Keith, assis dans son bureau. La pièce était si petite que Josh et Anne se tenaient dans l'encadrement de la porte, et Leo au coin de la table derrière le seul fauteuil et le meuble de rangement qui occupait ce qui restait de place. Keith était assis raide, le menton en avant, les yeux écarquillés. Mais ses mains tripotaient un crayon et une gomme, et Anne s'aperçut qu'il tapait nerveusement du pied.

– Euh, si je pouvais t'aider, quoi, Leo. Si j'ai vraiment merdé là-dessus, je suis navré, mais, tu sais, c'était il y a longtemps. Je veux dire, je ne vois pas ce que je peux faire.

Anne hocha la tête.

– Nous essayons de trouver des gens qui ont remarqué quelque chose d'anormal le matin de l'accident de la télécabine. Pourrais-tu réfléchir et nous dire si tu as vu quoi que ce soit ?

– Eh, c'est l'inquisition ou quoi ? Je veux dire, c'est vrai, vous déboulez et vous posez un tas de questions, et j'ai déjà dit à Halloran tout ce que je sais, alors quoi ? Comment ça se fait que vous ne lui demandez pas ? dit-il en désignant Josh du pouce. Je veux dire, c'est vrai, c'est lui qui a tout fait ; qu'est-ce qu'il vous faut de plus ?

Anne et Josh échangèrent un bref regard avec Leo. Moins d'une heure plus tôt, Tyler avait abandonné les poursuites contre Josh. Mais il n'y avait aucune raison de le raconter à Keith.

– De toute façon, reprit Keith en tapant de plus en plus vite du pied, je n'y étais pas. Je suis arrivé après l'accident. Désolé, Leo, là aussi je t'ai laissé choir. Je suis vraiment désolé, tu sais, mais Eve et moi, enfin, quoi, on se faisait un petit câlin et, quoi, j'ai perdu la notion du temps. Je veux dire, si j'avais su... mais comment aurais-je pu ? Je veux dire, je ne pouvais pas deviner, hein ? Et je suis là tous les matins de bonne heure, je veux dire, j'y étais même le jour de Noël, tu te rappelles ? J'y suis tous les jours, tu sais. Je veux dire, j'ai raté juste ce matin-là mais je ne pensais pas que ça ferait une telle histoire, mais comment je pouvais deviner...

– Tu étais au lit avec ta petite amie? demanda Anne.

– Je viens de le dire.

– Et elle était réveillée.

– Et comment! fit-il avec un coup d'œil entendu à Leo.

Leo regarda Anne en coin.

– OK, Keith. Je ne m'étais pas rendu compte que tu n'étais pas là le matin de l'accident; nous en reparlerons. A cet après-midi.

Le visage impassible, Keith les regarda partir. Sa main était déjà tendue vers le téléphone mais il se ravisa. Il ne savait pas ce qu'ils savaient, mais il savait ce qu'ils soupçonnaient et le pire c'est qu'il ne voyait pas comment ils avaient pu y parvenir. Pas question d'appeler Vince avant d'en savoir plus. Pour le moment, Vince pensait que Keith Jax était une véritable bénédiction et on pouvait parier gros que Keith n'allait pas lui dire que ces trous du cul fourraient leur nez partout et que c'était peut-être parce qu'il avait commis une bourde quelque part. Il se leva et enfila son anorak. Il pouvait manœuvrer Leo. Mais ce n'était pas une raison pour rester assis là à l'attendre. Il irait skier une heure ou deux, faire le vide dans sa tête, et réfléchir sérieusement. Son avenir était peut-être à portée de main, et pas de doute qu'il voulait être prêt.

– Vince a supprimé l'autoroute du projet de Charles, dit Leo comme tous trois se dirigeaient vers la grand-rue pour y déjeuner au café. Il nous a envoyé l'EPA. Il aurait pu s'arranger avec son neveu pour polluer notre réservoir. Il aurait pu s'arranger avec ledit neveu pour saboter la télécabine; cet alibi en béton n'a aucune valeur car la fille va le soutenir. Il a donc pu le faire, visant Anne ou nous deux, et piégeant Josh par la même occasion, encore que la raison m'échappe. En fait la raison de tout ça m'échappe. Nulle personne saine de corps et d'esprit n'entreprendrait pareille chose.

– On pourrait formuler cela autrement, commenta Anne en mettant ses lunettes de soleil. Il parlait au téléphone une ou deux fois par semaine avec son neveu, qui était toujours dans le secteur quand il se passait à Tamarack des événements ressemblant à des accidents mais en fait soigneusement orchestrés, et qui aurait pu avoir accès jour et nuit aux endroits où ils se produisaient. Le problème est qu'il n'y a aucune piste. Il y a un schéma, mais pas de preuves, et aucune flèche nous indiquant la direction à prendre.

Ils s'installèrent à la terrasse du café, observant les hommes d'affaires venus se restaurer, les mamans poussant leurs landaus vers le marché, et un groupe de touristes sortant d'un magasin où ils avaient loué leur équipement de ski.

– Voilà un bien agréable spectacle, remarqua Leo. Vous savez, à l'époque, Ethan et moi nous asseyions souvent ici. C'était son endroit préféré. Il aimait regarder les mouvements de la ville. Nous y étions quand il a prononcé ton nom, Anne. Je suis heureux qu'il ne soit plus là ; qu'il n'ait pas assisté à tout ça ; qu'il ne nous voie pas comprendre que tout nous ramène à Vince. Je suis heureux qu'il ne voie pas Tamarack entre les mains de ce vantard de salopard.

– Beloit, dit Anne. C'est sans doute la plus grosse pièce du puzzle, si nous arrivons à lui trouver sa place. Et si, pour quelque obscure raison, Vince voulait que Beloit ait Tamarack ? Il aurait pu faire tout ça pour que la famille vende à Beloit. Evidemment, Vince n'est peut-être pas dans le coup, mais admettons qu'il le soit. Il voudrait que la famille brade l'affaire. Ce qu'ils ont fait. Mais cela a pris un sacré bout de temps, ce qui expliquerait pourquoi le danger était chaque fois plus fort jusqu'au... meurtre. Mais nous ne pouvons rien prouver ; pas même apporter le moindre indice attestant de la volonté délibérée de diminuer la valeur de l'affaire. A moins que...

– Quoi ? fit Leo.

– Peut-être n'aurons-nous finalement pas besoin de preuves. Il nous suffirait d'empêcher la vente. Un petit indice et beaucoup de logique pourraient suffire, fit-elle, songeuse, en faisant tournoyer la salière de verre dans le soleil. A votre avis, un membre de la famille accepterait-il de vendre l'affaire s'il apparaissait que le prix de vente et probablement la décision de vendre étaient en fait dus à la manipulation occulte, au sabotage et à la tentative de meurtre ?

– Charles, fit Josh instantanément. S'il était au courant de nos certitudes et de nos suppositions...

– Il annulerait ! s'exclama Leo. Surtout s'il savait que nous croyons qu'Anne a presque été – oh, mon Dieu, comme j'ai du mal à le dire chaque fois – assassinée.

– Et toi, ajouta Anne. Et ses petits-enfants.

– Tout ce bordel, en fait. Il en serait aussi malade que nous. Il est clair qu'il refuserait de vendre à Beloit. Du moins attendrait-il que nous ayons fait toute la lumière. N'est-ce pas ?

– Il a besoin d'argent.

– Il faudra que nous trouvions l'argent par un autre moyen, dit Leo avec impatience. Il faut lui parler. Avant qu'ils signent quoi que ce soit. Je sais qu'il n'est pas trop tard parce que Marian nous l'a dit, mais ça ne devrait plus tarder. Demain ? On pourrait filer à Chicago.

Josh et Anne échangèrent un regard.

– Ça ne me regarde pas. Allez-y tous les deux, fit Josh.

– Je me demande..., hésita Leo. Je crois que c'est à Anne d'y aller.

– C'est ton affaire, dit Anne.

– Mais c'est ton père. Qu'en penses-tu ?

Elle regarda au loin. Elle n'avait pas parlé à son père depuis près de trois semaines. Avant, ils s'étaient appelés quelquefois, sans jamais parler de Vince. On ne pourrait y voir une vengeance personnelle maintenant, se dit-elle ; elle le faisait pour Leo et Gail. Et Charles devait connaître les méfaits de son frère. Que son frère avait peut-être tenté de faire assassiner sa fille. Pas prouvé, mais possible.

Elle aurait préféré être accompagnée de Josh, ou de Leo. Mais, depuis son retour, elle attendait qu'ils affrontent ensemble l'ombre de Vince.

– Soit, dit-elle. J'appelle mon bureau pour que tous mes rendez-vous soient repoussés de quarante-huit heures. Je serai à Chicago dès demain. Et je parlerai à Charles.

# 21.

De son bureau au soixante-cinquième étage de la Sears Tower, à travers un mur de vitres, Charles avait vue d'un côté sur Chicago qui se fondait à l'horizon et, de l'autre, sur le lac Michigan puis sur les rives de l'Indiana. Chaque matin en entrant, il s'en délectait en marchant sur la moquette bleue que Marian avait choisie pour Ethan quand il avait signé un bail pour Chatham Development peu après la construction du building. Tout ce qui était dans ce bureau appartenait désormais à Charles et, si tout allait mal ces temps-ci, du moins cette vue magnifique lui apportait-elle toujours autant de satisfaction. Il était encore président de sa société, faisait partie du Tout-Chicago, et il pourrait encore trouver le moyen que sa famille et la ville l'admirent autant qu'on avait admiré son père.

Mais, le jour de l'arrivée d'Anne, la vue était bouchée. Tandis que Charles attendait 10 heures – ainsi qu'elle l'avait annoncé –, il fixait les yeux sur une couche de lourds nuages blancs au-dessous de lui qui s'étendaient à l'infini. La seule preuve de l'existence de la ville était les antennes du Hancock Building qui perçaient les nuages. Le bureau de Charles paraissait blafard, flottant comme un fantôme oublié dans un monde sans couleurs.

Anne portait un tailleur rouge et un pull noir avec un collier florentin et des boucles or et argent. On aurait dit un phare dans la lumière inhumaine du bureau, et Charles la regarda s'avancer vers lui, étonné de constater que cette femme rayonnante était sa fille.

Il resta un instant debout, indécis, derrière le bureau incurvé dessiné par Ethan, puis s'avança à sa rencontre en lui tendant la main.

– Comme c'est gentil ! C'est la première fois que tu viens ici.

Anne lui prit la main et se pencha pour l'embrasser sur la joue.

– Pouvons-nous nous asseoir ici ? demanda-t-elle en allant droit sur un canapé de daim bleu installé près des baies vitrées.

Un service à thé en argent était disposé sur une table basse en noyer. Charles rougit de plaisir et la suivit.

– Je me rappelle le mobilier de l'ancien bureau de grand-père, dit Anne en s'installant. Il me donnait des ébauches pour jouer et je le regardais travailler. Tu n'as touché à rien.

– Non, tout me semblait parfait. Cela dit, j'avais oublié qu'il t'avait amenée. Quel âge avais-tu ?

– A peu près sept ans, la première fois.

– Juste après la mort de ta mère. J'étais sans arrêt en voyage d'affaires à l'époque.

– Oui.

Il y eut un silence.

– Je suis désolé, reprit Charles. Je sais que je ne t'ai pas consacré suffisamment de temps. Je le regrette ; j'aurais voulu pouvoir être celui dont tu rêvais. Je n'avais pas imaginé ça, tu sais ; souvent, je ne savais même pas ce qui se passait.

Devant le silence d'Anne, il ouvrit les mains puis les laissa retomber.

– Le plus triste pour moi est que je ne t'ai pas vue grandir. Mes amis ont des albums de photographies et des histoires qui remontent à des années, et, même s'ils ont eu des périodes difficiles avec leurs enfants, ils ont des souvenirs et savent qu'ils ont participé à quelque chose d'aussi important que leur propre vie. Ça ne finit pas toujours bien, j'en ai conscience, mais quand je songe à mes amis qui ont vu grandir leurs enfants, ils me semblent beaucoup plus accomplis que moi. Ils ont de l'amour, et un endroit où ils se sentent chez eux et voient les générations vivre ensemble ; je n'ai jamais connu ça. Et je les envie.

Il s'arrêta et fronça légèrement les sourcils. Anne avait le sentiment que sa venue avait libéré quelque chose en lui et que les mots s'échappaient ; comme s'il avait attendu ça pour qu'elle l'embrasse.

– Je n'ai jamais été ami avec mes filles, dit Charles d'une voix sourde. J'aimerais apprendre, ajouta-t-il en regardant Anne puis en détournant bien vite les yeux. Quand j'étais à Tamarack, en septembre dernier, tu as dit que tu ne me pardonnais pas et que tu ne pouvais pas m'aimer. Je ne sais quoi faire pour que ça change. J'ai perdu toutes ces années où tu as grandi, mais si je pouvais trouver le moyen de...

Il se raidit et changea de sujet comme s'il craignait sa réponse.

– Oh, je te reçois bien mal. Aimerais-tu une tasse de thé ? Ou de café ? La théière est froide, dit-il en l'effleurant, mais nous en gardons toujours du chaud à la cuisine. Qu'est-ce qui te ferait plaisir ? Des croissants ? Des toasts ? J'ai aussi acheté des éclairs ; je me rappelle que tu aimais ça... qu'y a-t-il ? Ça ne va pas ?

– Si, si, répondit Anne avec brusquerie. *Des petits éclairs au chocolat ; il n'y a pas meilleur au monde que les éclairs au chocolat ; on s'en met partout ; ce sont vraiment mes gâteaux préférés.* Je n'en mange plus depuis des années. Du thé simplement, ce sera parfait.

Charles alla à la porte, l'ouvrit et parla à sa secrétaire qui le suivit presque immédiatement avec une autre théière en argent recouverte d'un cache-théière.

– Je n'ai pas pris de petit déjeuner ; ça t'ennuie si je mange un peu ?
– Bien sûr que non.
Anne le regarda étaler de la confiture sur un toast. Sa main tremblait.
– Veux-tu verser le thé, s'il te plaît ? demanda-t-il. Ce qui est terrible, c'est que je ne sais rien de toi. Je ne sais quels sujets je puis aborder et ceux dont je dois m'abstenir. Tu sais, à ce fameux repas de Noël où tu as posé tant de questions sur Chatham Development et sur Tamarack, je voulais te dire d'arrêter ; je ne supportais pas de te voir contre moi. Tu l'étais parce que tu ne m'as pas pardonné, mais je me disais sans cesse que ce serait tellement merveilleux si nous étions ensemble, toi et moi, si même nous travaillions ensemble, pourquoi pas ? Tu vois, je ne sais vraiment pas de quoi parler, fit-il en se resservant de pain grillé.
– Tu pourrais commencer par moi, dit Anne tranquillement.
Ahuri, il la regarda, suspendant son geste.
– Que veux-tu dire ?
– Pour l'instant, que je n'ai entendu parler que de toi.
Anne regarda sa tasse à thé. Elle se rappelait le motif du service ; Marian l'avait acheté en même temps que la moquette, c'était de la porcelaine fleurie de chez Villeroy & Boch, trop délicate pour un bureau, mais c'est précisément pour ça qu'elle avait plu à Ethan ; et Anne s'était toujours sentie une grande personne reçue dans le grand monde quand la secrétaire apportait le plateau rien que pour eux deux et qu'Ethan s'échappait quelques minutes pour la rejoindre sur le canapé.
– Dans notre famille, dit Anne, personne ne se soucie des autres, c'est une sérieuse lacune. Tous autant que vous êtes, exception faite de Gail, vous êtes tellement préoccupés par votre petite personne qu'il n'y a plus de place pour autrui. Tu viens de me dire tout ce que tu aurais aimé pour te sentir plus heureux, et je suis navrée que tu sois si triste, mais il ne t'a manifestement pas effleuré l'esprit que, si tu avais agi autrement, ta fille en aurait peut-être profité ; elle aurait pu être plus heureuse ; elle aurait pu avoir confiance en son père quand son oncle la – sa gorge se noua mais elle s'obligea à poursuivre – la forçait, semaine après semaine, détruisant le peu d'enfance qu'il lui restait.
Charles avait reculé au coin du canapé. Il avait fait tomber son toast sans s'en apercevoir ; ses yeux étaient rivés sur Anne et il semblait rétrécir à vue d'œil.
– Et tu as évoqué ce repas de Noël, enchaîna Anne. Tu prétends que j'étais contre toi parce que je ne t'ai pas pardonné. Si tu ne pensais pas toujours à toi, tu aurais peut-être songé que je me faisais du souci pour Gail et pour Leo, que j'essayais de leur conserver leur maison et leur entreprise, que je faisais partie de la famille, que je voulais être liée à eux comme personne n'avait jamais tenté de le faire avec moi.
Elle s'interrompit. Elle commençait à s'emballer alors qu'elle s'était juré de rester clame. Toutes ces découvertes sur Vince l'avaient rapprochée de Charles, et elle l'avait embrassé spontanément en arrivant, mais, à

l'entendre, la colère avait resurgi, ainsi que le vide familier, le même sentiment de perte que le soir de ses quinze ans.

Mais cette fois elle n'était plus seule. Elle avait Gail, Leo et les enfants. Et elle avait Josh.

– Je ne voulais pas t'agresser, fit-elle en souriant. J'espérais chercher avec toi ce que nous pourrions bâtir ensemble ; je ne voulais pas m'emporter et parler comme un procureur.

– Est-ce vraiment nous ? fit-il, ébahi, tête baissée. Une fille ne devrait pas avoir à apprendre à son père à se conduire en père. Je ne m'étais jamais rendu compte...

Il se passa le poing sur le front et Anne eut envie de pleurer. Elle se rappelait ce geste, quand elle était toute petite : son père, assis seul, se frottant le front, pleurant après la mort de sa mère.

– Tu as raison. Nous ne faisons jamais d'introspection. Tu es différente, Anne ; tu réfléchis à ce qui se passe à l'intérieur des gens, à leurs relations, pas nous, apparemment. Je me demande pourquoi ; nous ne sommes pas méchants, tu sais.

Bientôt, Charles se leva, prit sa tasse et se rassit, plus détendu, comme si, une fois encore, Anne l'avait libéré et obligé à se voir autrement.

– C'est peut-être à cause de papa. Je pense beaucoup à lui ces temps-ci ; c'est comme si en mourant il avait pris encore plus d'importance, ce qui est difficile à admettre parce que c'est le plus grand homme que j'aie jamais connu. Peut-être nous a-t-il tellement dominés que nous nous sommes refermés pour lui échapper. Ou peut-être étions-nous jaloux, ou apeurés, au point de passer notre temps à essayer de lui plaire, ou de l'impressionner, ce qui ne nous a guère rendus généreux les uns envers les autres. Je ne sais pas, soupira-t-il ; je ne suis pas très doué pour trouver les motivations des gens.

Anne sourit.

– Je ne crois pas que nous devrions toujours mettre ce qui ne va pas sur le compte de nos parents.

Charles répondit à son sourire.

– Mais c'est si commode. Et si réconfortant.

Ils rirent ensemble. Puis ils échangèrent un long regard. C'était la première fois qu'ils riaient ensemble.

La musique de leur rire s'attarda, réchauffant Anne, et pendant un instant il lui sembla qu'ils pouvaient être fille et père et partager ensemble quelque chose d'unique. Mais elle savait que c'était impossible. C'était trop tard. Ils trouveraient de l'amitié, une bonne entente, mais pas plus. Trop tard, songea-t-elle avec regret.

– Après la mort de ma mère, dont mon père ne se remit pas, puis la mort de ta mère, il m'a fallu beaucoup de temps pour refaire surface, et plus jamais les choses ne m'ont paru équilibrées. Je n'y ai jamais songé auparavant, mais je crois que cela manquait de femmes, dans la famille. Il ne restait que Marian et Nina, et elles étaient si... évanescentes, pourrait-on dire. Marian est plus maligne, maintenant, plus agressive – quand tu es partie, elle semblait en état de choc, puis elle a commencé à changer – mais, quand tu étais petite, elle se contentait de flotter. Tu t'en souviens sans doute. Si bien que, pendant des années, les hommes ont mené la famille, comme une affaire. Ça manquait de douceur.

Anne hocha la tête.

– Possible. Il n'existe rarement qu'une raison aux événements. Mes clients cherchent toujours une explication bien propre et bien nette à l'échec de leur union. Mais c'est toujours très complexe et les torts sont souvent multiples.

– Ça n'était pas vrai quand tu étais petite. Ce qui t'est arrivé était..

– Je ne peux pas en parler.

– Mais je croyais...

– On peut tourner autour. Ça fait vingt-cinq ans que j'y arrive.

– Tu n'en as jamais parlé ? Personne n'a pu t'aider ?

– Je n'ai jamais eu besoin de personne. Je me suis débrouillée toute seule.

– Mon Dieu ! fit Charles d'une voix douce. Tu as réussi sans aucun appui, oh, mon Dieu ! J'ai toujours eu besoin des autres, ajouta-t-il après un temps de réflexion. J'ai toujours cherché quelqu'un pour ôter les cailloux devant mes pas, ou au moins pour m'indiquer le chemin... mon père, Vince, tous ceux qui détenaient le secret de la réussite et du triomphe. J'avais si peur d'échouer, si peur que les autres ne me montrent du doigt parce qu'ils savaient que j'étais un minable. Où as-tu trouvé ta force ? s'écria-t-il.

– Dans le désespoir, dit Anne en tentant en vain de paraître désinvolte. J'avais honte de moi ; je me haïssais. Je devais trouver le moyen de m'aimer à nouveau, d'être fière de moi. Peut-être ai-je également tiré ma force de mon grand-père.

– Il m'a dit une fois avoir ce jour-là commis sa pire action. Il se faisait tous les reproches et ne s'est jamais pardonné. Il n'a jamais cessé d'espérer ton retour car il voulait implorer ton pardon. Pendant longtemps, il a refusé de fermer la porte d'entrée afin que tu n'aies qu'à la pousser.

Ils se turent un long moment. Merci, grand-père, fit Anne en pensée. Merci d'avoir compris ce qui s'était passé, merci de m'avoir voulue à la maison.

– Le savoir est réconfortant, dit-elle à Charles.

Charles commença à dire qu'il avait peur d'être un mauvais père ; qu'il fallait lui montrer comment faire. Mais il se ravisa. Assez d'excuses ; sa fille méritait mieux. Il s'approcha d'elle et lui prit la main.

– Je t'ai toujours aimée, Anne. Je ne te l'ai pas dit assez, mais je fais des progrès. Je te le disais en t'embrassant le soir ou en partant en voyage, mais je me demande si tu le croyais vraiment. J'étais sincère, pourtant ; et j'admirais ta sagacité et ton courage. Te rappelles-tu que j'allais te voir aux concours d'orthographe où tu gagnais toujours ? J'étais rudement fier.

Assis dans l'auditoire, je t'observais, debout, bien droite, épelant des mots terriblement longs et inconnus pour moi – et je me disais que je m'occuperais toujours de toi et que tu serais très heureuse. Mais je ne savais pas ce dont tu avais besoin ; tu semblais très bien t'en tirer toute seule, ce qui ajoutait à ma fierté. Je ne sais même pas comment te demander pardon. Qu'aurais-je pu faire pour toi ? Je ne suis pas exactement un crack, mais j'aurais pu essayer de toutes mes forces et ma fille Anne aurait grandi près de moi. Au lieu de quoi, je t'ai laissée tomber. Je voudrais me rattraper : c'est lamentable de se contenter de dire pardon.

Anne se pencha vers lui et mit sa joue contre celle de son père. Leurs mains s'étreignirent.

– Merci.

Charles fut étonné de la force de l'amour qu'il éprouvait pour sa fille. Il recula et lui sourit.

– Et à propos de ne pas me pardonner et de ne pas m'aimer...

– Je te pardonne.

Ce fut tout. On aurait dit que la lumière s'était éteinte. Plus tard, se dit-il, dans un mois, un an. Un jour elle le dira. Un jour elle le pensera. Tout s'arrangera. Malgré tout, nous nous entendons bien dans la famille. Nous ne sommes pas méchants.

– Nous ne sommes pas méchants, murmura-t-il.

– Sauf un, dit Anne.

Elle caressa la théière encore chaude et resservit deux tasses.

Charles eut l'air surpris.

– Je croyais que tu ne voulais pas en parler...

– C'est vrai. Il s'agit d'autre chose.

Elle alla à la fenêtre et regarda le paysage blanc.

– Sais-tu pourquoi la nationale n'a jamais été construite ?

– Celle qui mène à... ? Non, personne ne sait. Un comité quelconque a changé d'avis, je suppose. Nous n'avons jamais su ce qui s'était passé.

Anne fit face à son père.

– Vince a empêché la construction.

Charles la dévisagea.

– Qu'est-ce que tu me chantes ? C'est le contraire. Il a essayé de sauver le projet.

– Du tout. Il a dit à Zeke Ruddle, sénateur d'Utah, que les gens d'Illinois n'arrivaient pas à se fixer sur un tracé, que vous ne la méritiez donc pas et que l'argent n'avait qu'à être attribué au Colorado et à l'Utah. Ce qui fut fait. Le sénateur Ruddle me l'a raconté il y a huit jours ; j'ai son numéro de téléphone si tu veux l'appeler.

Charles ne la quittait pas des yeux.

– Pourquoi ?

– Je ne sais pas. S'il fallait émettre une hypothèse, je dirais qu'il voulait t'atteindre, peut-être détruire Chatham Development. Je crois qu'il y a très longtemps qu'il cherche à nuire à la famille.

– Je n'en crois pas un mot. Vince s'inquiétait pour moi ; il n'aurait jamais... Il sauta sur ses pieds et déambula dans le bureau. Ruddle te l'a dit ? Exactement en ces termes ?

– A une virgule près. Du coup il prend Vince pour un héros. Abandonner une nationale à laquelle son frère avait intérêt, pour le bien de la nation. Tu vois le genre.

Charles se cogna à l'angle de son bureau et jura en se frottant la cuisse.

– Nous en avons parlé cent fois ; il savait que tout dépendait de ce projet et que j'étais aux abois... Ruddle t'a vraiment dit ça ? répéta Charles après un silence.

– Oui.

– Donne-moi son numéro.

Anne chercha son carnet d'adresses dans son sac puis alla jusqu'au bureau où elle transcrivit le numéro.

Quand elle retourna à la fenêtre, Charles se pencha pour lire.

– Il prétendait essayer de m'aider. Et il était au cœur de l'affaire, le salaud, murmura-t-il en se redressant. Comment ça, il veut nuire à toute la famille ?

Anne raconta, de l'EPA à l'accident en passant par ce qu'ils savaient sur Keith.

– Attends, fit Charles en se penchant à nouveau sur son bureau, sourcils froncés, l'EPA... c'est le boulot de Vince, du moins en partie. Son comité est responsable de l'environnement, des risques... Ce Kantor prétend que Vince lui a demandé d'exagérer le danger et de précipiter les choses ?

– Oui.

– Il peut y avoir des raisons... Il faut savoir tout ce qui s'est passé exactement. Apparemment, le reste n'est que conjectures.

– Pas que l'accident ait été volontairement causé. Nous manquons de preuves sur l'auteur. Mais ce n'est pas tout. On voit un schéma se dessiner. Un : la suppression de la route nationale, dommageable à toi, à Chatham Development et à toute la famille ; l'EPA, dommageable à la Tamarack Company et à toute la famille ; le fossé de drainage et l'accident de la télécabine, dommageables à la Tamarack Company et à toute la famille. Deux : Ethan a jeté Vince dehors après mon départ, circonstance qui peut conduire un être monstrueux à ourdir sa vengeance. Trois : l'étrange coïncidence du lien entre Vince et l'acheteur de la Tamarack Company.

– Ray Beloit.

– Cela ne t'a jamais tracassé qu'il fût si proche de Vince ?

– Non, quelle idée ! Vince m'a dit que Beloit voulait acheter une société prestigieuse et savait que j'étais vendeur. Il a servi d'intermédiaire avec Beloit ; ça m'arrangeait. Qu'y a-t-il de louche là-dedans ?

– Même après une série de catastrophes qui pousse la famille à brader l'affaire ? Tu obtiendrais aisément le double de ce que l'ami – et directeur de campagne – de Vince t'a offert, si l'affaire n'avait pas perdu tant de valeur à la suite de ces prétendus accidents causés par quelqu'un qui a réfléchi aux conséquences que ça aurait sur la ville, l'entreprise et la famille.

Le bureau fut plongé dans le calme.

– Tu penses qu'on nous a manipulés ? dit enfin Charles.

– Oui.

Lentement, péniblement, Charles secoua la tête.

– Tant de haine, c'est... le mal.

– Oui. Et il y a autre chose. L'accident de la télécabine. Peut-être n'aurons-nous jamais de preuves; toujours est-il qu'on peut difficilement croire à une nouvelle coïncidence. Sur cent soixante-huit nacelles, on a saboté justement celle où Leo et moi venions de grimper.

Charles s'écroula, paupières closes.

– Non, gémit-il. Qu'est-ce que tu dis ? Il ne ferait pas ça. C'est une terrible coïncidence, un accident, un hasard...

– Nous avons trouvé un morceau de bois. Ce n'était pas un accident.

– Bon, soit, mais pas avec cette nacelle précise. Quoi qu'il ait pu faire, il... pour l'amour du ciel, ce n'est pas un meurtrier !

Il regarda Anne et se souvint qu'elle lui avait dit qu'il l'avait déjà menacée.

– Pourquoi ? s'exclama-t-il. Toi et Leo ? Mon Dieu, je me refuse à le croire. Il n'y a aucune raison pour que...

– Je ne sais pas pourquoi. Si ce n'est que Leo s'est toujours opposé à la vente de la Tamarack Company et que je sais sur son passé quelque chose qui mettrait définitivement fin à sa carrière politique.

– Ce n'est pas une raison pour provoquer deux meurtres !

– C'est vrai. Mais si tu avais prévu de provoquer un accident de toute façon et que ça te donnait l'occasion de te débarrasser de deux personnes encombrantes, tu pourrais trouver cela parfaitement raisonnable.

– Raisonnable !

– Si tu étais monstrueux, expliqua Anne d'une voix neutre.

– Dieux du ciel ! s'écria Charles.

C'en était trop : sa fille avait été violée; presque assassinée. Et tant de gens avaient souffert entre ces deux crimes – lui, sa famille, Tamarack –, comment aurait-il pu imaginer cela chez un homme qu'il croyait connaître, qu'il avait admiré, aimé ? C'est plus que je ne puis comprendre et accepter, se dit Charles. Mais il n'avait pas le choix. Même s'il restait des hypothèses, les certitudes étaient largement suffisantes.

– Imaginer qu'il ait pu..., murmura Charles en se parlant comme s'il était seul. Mais même s'il n'avait rien à voir avec la télécabine – admettons qu'il n'ait voulu blesser personne –, malgré tout, le reste nous visait... et il m'a menti. Sur tout. Pendant des années... Il s'est joué de nous comme si nous étions des pantins. Et nous l'étions, Dieu m'est témoin. Presque. Ruddle, Kantor, tout le monde est au courant. Je vais les appeler... mais ça ne changera rien parce que je crois Anne. Elle a toujours dit la vérité. Le petit enfoiré, il savait ce que j'éprouvais pour lui, il m'a laissé lui faire confiance et m'a menti, il s'est amusé avec moi et m'a presque ruiné. Il m'a planté là en laissant tout le monde croire que j'étais le crétin qui avait laissé la société aller à vau-l'eau. L'ordure.

Il fit le tour de son bureau, repoussa son fauteuil et, toujours debout, prit un classeur dans le tiroir du bas. Il le posa sur son bureau et l'ouvrit. Il prit une lettre portant sa signature, la lut et hésita un moment. Elle signifiait soixante millions de dollars dont il avait un besoin urgent.

– Mais je ne peux pas être complice, murmura-t-il. Je ne le laisserai pas faire.

D'un geste vif, il déchira la feuille en deux, accomplissant sans doute la plus grande décision de sa vie.

– Il faut que je lui parle, se dit-il. Je veux l'entendre de sa bouche.

Il porta la lettre déchirée à sa secrétaire. Anne l'observa à travers la porte ouverte tandis qu'il la posait sur le bureau.

– Veuillez écrire à Ray Beloit à cette adresse pour lui annoncer l'annulation de la vente de la Tamarack Company. Envoyez-la par télécopie; précisez que je lui renvoie son chèque d'acompte cet après-midi avec les intérêts pour les quelques jours. S'il a des questions, qu'il prenne contact avec mon avocat; je ne serai jamais là pour lui.

Il revint à son bureau, referma la porte derrière lui et regarda Anne, s'étonnant de sa présence.

– Je ne sais pas ce qui va se passer maintenant, dit-il en essayant de sourire. Je rate tout ce que je fais. J'ai même réussi à empêcher la vente qui devait m'aider à remonter la pente.

– C'est une victoire, pas un échec, dit Anne. Nous trouverons ensemble le moyen de t'aider. Sans bagarre.

La confiance que témoignait Anne redonna le sourire à Charles. Une fois de plus, il se sentit débordant d'amour pour sa fille et se demanda comment il avait pu vivre tant d'années sans elle.

– Si seulement il me suffisait de tout quitter, avec vous tous à mon côté. Mais je ne puis laisser mourir l'affaire, même si j'ai largement contribué à sa ruine; je ne puis me mentir plus longtemps à ce sujet. Mais, si j'avais du temps et de l'argent, je lui redonnerais sa force et sa réputation. L'argent! explosa-t-il en claquant violemment le tiroir de son bureau. Bon Dieu, je croule sous les dettes! Je dois dix millions de dollars rien qu'en intérêts et les banques vont saisir mes biens si je ne paie pas cette semaine : je ne puis les lanterner davantage. J'ai parcouru la ville en tous sens pour trouver des fonds. Puis j'ai cherché dans tout le pays. Je n'ai plus aucun crédit. Il ne me restait que la Tamarack Company et je viens de déchirer le compromis de vente; je n'ai nulle part où me tourner. Excuse-moi, Anne; tu aurais mérité un vrai père et tu as devant toi un raté au bout du rouleau. A moins que comme dans les contes de fées le gentil prince n'arrive avec un chèque à mon ordre. Mais il y a beau temps que je ne crois plus aux contes de fées.

Anne alla jusqu'au bureau de Charles. Elle prit un presse-papier de verre qu'elle fit jouer dans la lumière. Au milieu, les poings sur les hanches, un lutin souriait d'un air sournois.

– Que dirais-tu d'un méchant prince ?

– Pardon ?

– Tu viens de dire que tu voulais évoquer toutes ces affaires avec lui..., fit-elle d'une voix douce.

Leurs yeux se croisèrent. L'idée d'affronter Vince emplit Charles de terreur. Vince tenait tête au monde entier ; et il l'emportait toujours. Charles ne se voyait pas en train de l'accuser, d'exiger un chèque pour... Seigneur Dieu, se dit-il, tout cela est insensé.

Mais Anne le regardait calmement. Il sut qu'il le lui devait, plus encore qu'à lui-même. L'heure était venue de choisir sa fille contre son frère ; avec vingt-cinq ans de retard. Je peux le faire, se persuada-t-il. Pour Anne, pour moi, pour notre famille. Je ne suis plus seul maintenant. Ils sont tous derrière moi. Tout est différent maintenant... Maintenant.

Ce mot sonnait comme le départ d'une course. Sans se donner le temps de changer d'avis, Charles mit son manteau, ses gants et son chapeau.

– On prend le premier vol pour Washington. Tu ne vas pas rater ça.

Vince rentrait juste de Denver pour assister à l'ouverture de la session parlementaire. Il était seul ; Clara avait prolongé son séjour d'une semaine. Son domestique avait défait ses bagages et tout rangé. Vince avait pris une douche et s'était servi un whisky soda. Il s'habillait pour le dîner, un deuxième verre à la main, quand le portier appela pour dire que Charles Chatham attendait dans l'entrée.

– Alors, Charles, fit-il en avançant dans le salon tandis que le domestique ouvrait la porte sur Anne.

Vince s'arrêta net, l'air perplexe, son esprit émettant mille hypothèses.

– Vince, fit Charles, qui entra à son tour sans lui tendre la main.

Il observa le smoking, le col ouvert, le nœud qui pendait et eut comme souvent l'impression qu'il dérangeait une vie très occupée.

– Désolé de ne pas m'être annoncé plus tôt, reprit Charles. Nous venons tout droit de Chicago. Je ne pense pas... ce ne sera pas long.

– Je l'espère bien, lança Vince sans pour autant suggérer qu'ils se voient le lendemain.

– Alors ? Que me vaut le plaisir ?

– Si nous nous asseyions, fit Anne d'un ton calme.

Vince sentit sa gorge se nouer devant l'aisance avec laquelle elle le mettait en face de sa grossièreté à les laisser volontairement plantés au milieu de la pièce.

Il les précéda jusqu'à d'immenses fauteuils autour d'une table de jeu près des fenêtres arrondies qui donnaient sur le port.

– Un verre ?

– Non merci, dit Anne.

Charles refusa d'un signe. Vince se versa un whisky soda et s'installa, une cheville sur l'autre genou, son fauteuil loin de la table, et commença à se balancer, la tête rejetée en arrière.

Il regarda Charles et attendit.

– Nous avons parlé de Keith, commença Charles.

Vince sursauta. On ne voyait pas ses yeux, mais sa voix était égale et vaguement curieuse.

– Keith ?

– Ton neveu. Qui d'autre, à ton avis ?

Charles inspira longuement. Il se sentait plus fort. Il ne l'avait jamais remarqué auparavant, mais Vince avait tout d'un animal traqué ; pas vraiment paniqué, mais en alerte et prêt à battre en retraite.

– Il s'est passé trop de choses ces derniers temps, Vince. Il est difficile d'admettre que la même famille ait eu à subir tant de revers. Il y a d'abord eu cette histoire de route nationale jusqu'à Deerstream. Nous avions un sénateur dans le bon comité au bon moment, mais, malgré tout, on l'a perdue. Puis ce fut cette enquête de l'EPA à Tamarack : mauvais pour la ville, l'affaire et la famille, sans compter l'effroyable publicité ; ça nous est tombé dessus comme le ciel sur la tête alors que nous avions un sénateur de notre côté. Vint ensuite la pollution du réservoir de Tamarack : mauvais pour la ville, l'affaire et la famille. Ajoutons à cela l'accident de la télécabine : terrible pour la ville, l'affaire et la famille. Après quoi, il y a eu cette offre d'achat de la Tamarack Company alors que personne n'essayait de vendre. Il se passait trop de choses et, au bout d'un moment, il fut difficile de croire que tout cela n'était que coïncidences. Nous avons donc eu des conversations avec Keith, Zeke Ruddle, sénateur de l'Utah, tu le connais, bien sûr. Et Bud Kantor, je suis persuadé que tu le connais aussi.

Charles recula devant les yeux enragés de Vince. Il regarda alors ses mains aux jointures blanches, car la vue de son frère le troublait toujours. La beauté de Vince était aussi pure et angélique qu'au temps de leur enfance, son visage aussi bien dessiné, sa chevelure aussi épaisse. Rien ne semblait l'atteindre. Vince l'invulnérable, songea Charles, puis il se rappela avoir entendu dire qu'il allait se présenter à la présidence.

Vince sourit avec une telle douceur que Charles crut un instant s'être trompé.

– Eh bien, dis-moi, ça a dû te prendre un temps fou. Moi qui te croyais occupé à sauver l'affaire de papa ; en fait, tu bavassais avec des gens de Washington et de Tamarack. A moins que ce ne fût pas toi. « Nous », qui est-ce ?

– Au début, je me refusais à le croire, dit Charles d'un air sombre. Nous étions si proches, je t'ai toujours admiré et fait confiance, Dieu m'est témoin – et je ne pouvais imaginer que tu esquisses le moindre geste contre moi. Toutes ces fois où tu m'as affirmé que tu te démenais pour m'aider.

– C'était le cas. Comment peux-tu imaginer le contraire ? J'ai travaillé des mois sur cette nationale, en vain ; tous les fermiers, le diable et son train avaient des idées différentes sur son tracé. Quand Zeke est venu me trouver, que pouvais-je dire ? J'ai tout tenté. Et Bud Kantor est venu me voir, alors qu'il est plutôt bas dans la hiérarchie et qu'il aurait dû passer par le canal normal ; seulement il s'inquiétait pour Tamarack et, sachant que ma famille la dirigeait, il pensait que je me montrerais compréhensif. Ce que je fus. Tu sais parfaitement que rien ne me préoccupe davantage que la salubrité de la ville, en fait tout ce qui touche à la famille.

– Mensonges que tout cela.

Charles était livide et serrait les dents, affolé d'avoir traité Vince de menteur. Mais il continua à parler, ses yeux allant et venant sur Vince.

– Je viens de te le dire, je n'y ai pas cru, au début. Mais bientôt quelque chose m'est revenu à l'esprit. Sans doute l'as-tu totalement oublié. Cette promenade que nous avons faite un soir après dîner, le long du canal C & O. Un gosse nous a sauté dessus, il voulait de l'argent, pas beaucoup ; cinq dollars, je crois ; peut-être dix. Et tu as commencé à le tabasser. C'était atroce ; je ne pouvais pas croire que c'était toi. C'est la nuit où papa a eu son attaque. J'ai pris l'avion pour Tamarack et oublié l'incident. Mais, aujourd'hui, ça m'obsède. Parce que tu es capable de tabasser un gosse. Et ta famille.

– Charles, Charles, le gronda Vince gentiment. Tu n'es pas sérieux. Le Charles que je connais ne peut porter pareilles accusations. Quelqu'un t'a retourné contre moi ; tu fuis mon regard ! Charles, notre famille a vécu de durs moments, mais jamais nous ne laisserons des étrangers empoisonner les sentiments que nous éprouvons l'un pour l'autre. Que dirait papa s'il t'entendait ? M'accuser d'être une espèce de monstre qui cherche à t'anéantir. Il ne le supporterait pas s'il le savait...

– Laisse papa en dehors de ça ! Nom de Dieu, Vince, tu as trahi tout ce à quoi il tenait ; il t'aurait foutu dehors plutôt dix fois qu'une s'il avait su tout ça. Et qui est l'étranger ? Je te parle de notre famille ; tout ce que nous avons fait s'est passé dans la famille. Tu voulais savoir qui est « nous ». Nous appartenons tous à cette famille. S'il y a un étranger, c'est toi.

La pièce fut silencieuse une fraction de seconde. Puis Vince se tourna violemment vers Anne.

– Espèce de sale petite garce ! C'est toi qui es derrière tout ça.

– La ferme ! fit Charles en se levant d'un bond, se dressant plus haut que Vince. Je t'interdis de parler ainsi à ma fille ! Tu lui en as assez fait quand elle était enfant ! Si tu veux t'en prendre à quelqu'un, prends-t'en à moi ! Je te dis ce que je pense, moi, pas ce que disent ou pensent les autres. Et regarde-moi, nom de Dieu ! Parle-moi un peu de tes manigances avec Zeke Ruddle. Et Bud Kantor. Et de la dynamite à Tamarack. Parle-moi du morceau de bois que Keith a utilisé pour saboter le mécanisme de sécurité de la nacelle d'Anne et de Leo, et de l'écrou qu'il a ôté avant de le dissimuler dans la maison de Josh Durant. Allez, vas-y!

– Je ne comprends pas un traître mot de ce que tu racontes! dit Vince d'une voix aiguë, furieux d'être trop petit pour que ses yeux soient au niveau de ceux de Charles. Tu n'a rien appris de Keith! Il n'a rien pu te dire parce qu'il n'y a rien...

– Tu ne sais pas ce qu'il nous as dit. As-tu vraiment confiance en lui ?

– Espèce de salaud!

– Avez-vous besoin de quelque chose, sénateur ? fit le domestique qui se tenait dans l'encadrement de la porte, livide.

– Non, répondit Vince sèchement. Et ne nous dérangez plus.

Il attendit que le domestique se fût retiré, aussi silencieux qu'il était venu, puis se tourna vers Charles, plus calme, le regard étonné.

– Si Keith t'a parlé de quoi que ce soit, qu'ai-je à y voir ? On dirait un gosse qui veut jouer les James Bond. Je ne pensais pas que Keith était comme ça. Pourquoi parlerait-il de dynamite ? Et du bois enfoncé dans... dans quoi déjà ? Et un écrou manquant dans la nacelle d'Anne et de Leo ? C'est un peu mince, tu ne trouves pas ? Tu insinues qu'ils étaient visés ? Nous nageons en plein mélo. Je ne vois pas en quoi je puis t'aider. Je ne peux davantage croire que Keith ait fait preuve d'autant d'imagination. J'ai rarement l'occasion de bavarder avec lui, et, s'il me semble charmant, il n'est pas inventif pour deux sous. En fait, tu ne sais rien, dit-il en s'éloignant de Charles avec désinvolture. Tu as imaginé des histoires à dormir debout dont je n'ai que faire. J'en ai assez entendu. Nous n'avons plus rien à nous dire, Charles. Tu me déçois terriblement; je croyais que nous étions plus proches que les autres frères, mais...

– Voici la liste des jours où Keith t'a téléphoné au cours des six derniers mois, à Denver, Washington et Miami, ainsi que la longueur des appels, dit Charles en posant sur la table une feuille qu'il avait tirée de sa poche. Si tu étais proche de quelqu'un ces temps derniers, c'est bien de lui.

Il y eut un silence. Vince jeta un coup d'œil sur la feuille mais n'esquissa pas un geste pour la prendre.

– C'est un truc d'avocat, ça. On épie les gens et on dresse la liste des appels téléphoniques. Je ne devrais pas m'étonner, n'est-ce pas, Charles ? Tu n'as jamais su penser tout seul. Tu as toujours penché d'un côté, de l'autre; tu as trouvé un nouveau cerveau pour te souffler tes idées.

Charles se dit que cela avait été vrai trop longtemps. Il regarda Anne. Sans le quitter des yeux, elle n'avait pas bronché. Maintenant elle lui souriait, très posément, avec beaucoup de douceur. Ni Charles ni Vince ne sauraient combien la voix de Vince la blessait, la bile remontait dans sa gorge, sa tête était encore pleine de peur et de honte. Mais, cette fois, elle n'était pas impuissante; elle avait sa vie, et la colère et le mépris brûlaient en elle. Vince ne la dominerait plus jamais et, s'il ne tenait qu'à elle, il ne dominerait plus Charles non plus.

– En l'occurrence, c'était mon idée, rappela-t-elle à Charles. Mais nous nous sommes partagé la tâche. Pour aller loin, il faut travailler en équipe. Et se respecter.

– Reste en dehors de ça, lança Vince méchamment.

Mais, voyant que Charles souriait, il se tourna à nouveau vers lui pour lui faire perdre de son assurance.

– Ecoute, Charles, de quoi m'accuses-tu ? D'avoir été en contact avec mon neveu ? Que dis-tu de toutes ces fois où nous nous sommes téléphonés pour garder le contact ?

Il attendit, mais Charles se tut. Vince souffla de colère. Il alla se planter près du vestibule d'entrée.

– Dehors, tous les deux. Je ne sais pas ce que vous espériez et je m'en tape. Fichez-moi le camp. Immédiatement.

– Je veux soixante millions de dollars, fit Charles d'une voix forte pour masquer l'incertitude qui montait en lui.

Ils n'avaient aucune preuve ; Keith ne leur avait rien dit. Mais il ne pouvait plus reculer.

– J'ai annulé la vente de la Tamarack Company et il me faut cet argent pour Chatham Development.

Sous le choc, Vince le fixa du regard.

– Tu as annulé la vente ? C'est impossible.

– Je suis président de la société mère. J'ai signé le compromis. Et l'ai déchiré ce matin. Beloit est déjà au courant. Je lui ai renvoyé son chèque d'acompte. C'est terminé.

– Non, fit Vince, incrédule. Le marché était conclu.

– Il ne l'est plus. J'ai besoin de cet argent, Vince, je suis très sérieux. Et tout de suite.

– Tu deviens fou. Tu as annulé la vente... d'ailleurs, non ; je vais faire en sorte qu'elle ait lieu. Tu as conclu un marché et tu vas t'y tenir, bordel ! Tu annules tout et tu t'imagines que je vais te donner soixante millions de dollars ! Tu as perdu l'esprit. Tu n'auras pas un centime ! Tu déboules chez moi, tu m'accuses de tous les maux de la terre comme si j'étais une espèce de criminel ; tu me cries après comme une poissonnière ; tu m'accuses de tentative de meurtre, et tu me dis que je suis étranger dans ma propre famille, et après ça tu me réclames de l'argent ! Merde ! soixante millions de dollars ! Non mais, tu es dingue ! D'ailleurs, c'est elle qui a eu cette idée de génie, hein ? Les avocats sont des maîtres chanteurs-nés. Mais pas avec moi ! Pas question de me faire chanter, mon salaud ; je ne te donnerai jamais un sou, jamais ! C'est clair ? Et ne t'avise pas de revenir pleurnicher dans mon giron ! Basta ! Toi et ta petite garce, vous...

– Attends un peu, fit Charles en se ruant sur son frère.

– Laisse-moi répondre, dit Anne.

Elle se leva. Elle était à contre-jour et Vince ne voyait que sa silhouette.

– Tu perds ton temps, lui dit-elle d'une voix claire. Tes propos orduriers ne m'atteignent pas, ni mon père. Tout ce que tu as fait à cette famille est aussi vil que tes paroles, mais, quand ça ne te rapporte pas ce que tu escomptes, tu ne penses qu'ajouter à l'horreur. Crois-tu vraiment que nous ne soyons pas au courant ? Tu as laissé des traces de tes vilenies ; on n'a eu qu'à les suivre. Tu as comploté, manigancé, menti, utilisé des gens, intimidé, tenté de diviser et de tuer ; tu t'es gaussé de l'esprit de famille... uniquement pour parvenir à tes fins. Tu n'as aucun droit de te proclamer fils d'Ethan Chatham. Il a construit des villes ; tu n'as su que tenter d'en détruire une. Mais Tamarack est toujours là, et la famille aussi, plus forte que jamais. Il y a tant de mal dans le monde qu'on apprend à vivre avec, à négocier avec, ou parfois à ne pas le voir. Une fois le mal fait, ça laisse toujours des cicatrices, mais on survit et bien souvent on en sort plus fort parce qu'il le faut bien. Et parce qu'on éprouve la satisfaction de se dire qu'on a affronté les pires personnes au monde et qu'on a triomphé.

– Fous le camp. Je ne vois pas pourquoi j'écouterais ça. Tu es chez moi. Fous le camp.

– Le plus étonnant avec les malfaisants de ton espèce, poursuivit Anne sans se départir de son calme, c'est de voir leur comportement enfantin. Tu n'as qu'une idée en tête, obtenir ce que tu veux. Il me le faut, penses-tu, persuadé que nul n'a le droit de se mettre en travers de ton chemin parce que ce qui compte le plus au monde est de satisfaire tes désirs. Famille, amis, travail, et je ne parle pas de la nation, rien n'a d'importance en dehors de ton appétit qui semble croître au fur et à mesure que tu le satisfais. Alors, tu joues des poings et tu piques des colères noires, comme un gosse, à ceci près que tu vas jusqu'au meurtre, ou à la tentative de meurtre. Et, comme un enfant, tu te mens à toi-même. Et aux autres, par la même occasion...

– Petite salope, j'aurais dû...

– Tu aurais dû quoi ? lui lança Anne. Trouver un saboteur plus efficace ? Tu paies toujours un exécuteur pour tes basses besognes, n'est-ce pas ? Comme Ray Beloit et Keith Jax. Tu parles, tu menaces, mais tu n'agis pas. Tu es petit, et couard, tu te caches derrière des gens encore plus petits que toi.

Vince réprima un cri. Le visage tendu de rage, il semblait près de bondir. Il respirait trop vite et trop fort comme si sa gorge était trop serrée pour laisser passer l'air. Puis, lentement, il se redressa et regarda Anne le visage tordu ; il tentait de sourire.

Elle se dit alors qu'il était à cet instant le plus dangereux ; Charles eut la même impression : il se serra contre elle. Mais elle ne pouvait s'arrêter de parler. La colère et la douleur jaillissaient enfin après tant d'années ; du même coup, ses sentiments s'éveillaient, se libéraient. Son père près d'elle, sa famille et Josh qui l'attendaient, la force qu'elle s'était bâtie année après année, tout cela l'aida à franchir un immense pas vers sa propre liberté.

– Sauf une fois, enchaîna-t-elle, glacée de mépris, où tu as fait toi-même ton sale boulot. Ah, tu étais si brave ! Tu la dominais, tu l'humiliais, une enfant! Tu dois être fier quand tu y penses. On imagine mal à quel point les êtres malfaisants se complaisent dans des souvenirs qui donneraient des cauchemars aux gens normaux et les feraient frémir de honte. Toi, tu ne connais pas la honte; tu t'aimes pour ce que tu fais. Tu es persuadé que personne ne peut t'arrêter, ou même te ralentir, parce que tu te crois plus intelligent. Mais, détrompe-toi, tu n'es que sournois. C'est pour ça que ta famille l'emportera sur toi.

Vince avançait vers elle.

– Garce, salope, répétait-il comme une incantation. Garce.

Il continuait d'avancer, raidi sous l'effort de ne pas lui sauter à la gorge.

– Tout ça, c'est du baratin, reprit-il, mais personne n'est là pour entendre ton tissu de mensonges. Il y a longtemps que tu attends un auditoire pour pouvoir m'inquiéter avec tes inepties. Et toutes ces autres conneries de meurtre, de dynamite et de télécabine, ça ne veut rien dire, bordel; ça ne t'a servi qu'à mettre le grappin sur Charles. Tu as entrepris de me ruiner comme tu as déjà essayé de le faire; c'est tout ce qui t'intéresse. Mais tu savais bien qu'une minable petite avocate ne fait pas le poids contre un sénateur des Etats-Unis, alors tu t'es attiré les faveurs de la famille avec ces conneries. Ecoute-moi bien, petite salope, ce que je t'ai fait, tu l'as bien...

Charles ferma les yeux, pris de nausée. Il avait cru Anne; il savait que Vince avait menti. Mais maintenant, c'est Vince qui le disait, et Charles entendait la voix de Vince menacer Anne, il voyait Vince la forcer... Il se pencha et crut qu'il allait vomir. Non, se dit-il, je ne peux pas être faible à ce point, je ne peux pas abandonner Anne. Il se redressa.

Vince parlait toujours.

– Une petite futée. Tu n'étais pas une enfant, merde, tu m'as fait du gringue, tu me voulais. Mais tu as décidé que tu n'aimais pas ça – espèce de salope... de glace, tu étais de glace – et depuis tout ce temps tu attends de t'en servir contre moi, tu as suivi tous mes faits et gestes pour choisir ton heure et me détruire.

Anne secoua la tête.

– Alors quand? hurla-t-il. Quand, putain? Quand?

Elle secoua à nouveau la tête.

– Je ne te détruirai jamais, je te l'ai dit.

– Mais moi si, intervint Charles brusquement.

Anne le regarda, alarmée.

Vince pivota pour faire face à Charles.

– Qu'est-ce que tu racontes?

– Le monde entier sera au courant, dit Charles, un goût amer dans la bouche, mais la voix ferme. Quels que soient les motifs d'Anne de se taire, ça la regarde, mais pour moi c'est différent. Et je crois qu'il est grand temps qu'on cesse de cacher cette affaire.

Anne plongea ses yeux dans les siens. Non, il ne ferait pas ça pour elle. Mais à le voir et à l'entendre, elle n'en était pas si sûre. Peut-être bluffait-il, peut-être pas. Et ça, même Vince ne pouvait le savoir. Il est très fort, songea Anne avec fierté. Aussi fort que Vince. Peut-être plus.

Charles ne quittait pas Vince des yeux.

– Du bluff, fit Vince d'une voix ténue. Si elle ne veut pas qu'on en parle, tu te tairas.

– Du tout. Je le ferai pour moi. Tu t'imagines que je vais te regarder devenir président sans broncher ? Pas question que tu sois seulement candidat.

Vince crut que le sol se dérobait sous ses pieds. Il n'avait pas pensé à ça.

– Qu'est-ce que la politique a à voir là-dedans ? hurla-t-il. Grâce à moi, la famille marque des points ; elle a de l'influence et de la considération. Plus je grimpe, mieux vous vous portez. Tu serais bien bête d'abandonner tout ça.

– J'ai été bien bête pour beaucoup de choses, toi, essentiellement. Je n'ai que faire de ton influence et de ta considération, Vince ; pour l'instant, ça n'a réussi qu'à nous causer des ennuis. Je n'ai aucune envie de marquer des points grâce à toi. Une seule chose m'intéresse : t'empêcher d'accéder à la Maison-Blanche. Et j'en ai les moyens. Je vais divulguer l'histoire d'Anne ; elle ne peut m'en empêcher ; elle apprendra à vivre avec. Et je raconterai aux journalistes ce que tu as fait de la route nationale, comment tu as manipulé un honnête petit gars de l'EPA. Je leur raconterai aussi tout ce que nous avons trouvé sur la contamination du réservoir et sur le sabotage de la télécabine, sans oublier de préciser la nacelle visée. Même les meilleurs journaux ne crachent pas sur des conjectures quand ça fait monter le tirage, tu en sais quelque chose ; la meilleure chose au monde qui leur soit arrivée est le mot *supposé.* Ils n'ont même pas besoin d'assembler les morceaux du puzzle, leurs lecteurs s'en chargeront, et c'est ton nom qui surgira. Tu as baisé cette famille assez longtemps, Vince ; j'ai très envie de m'assurer que le monde entier sera au courant.

Tout fichait le camp. Vince hochait la tête, tentant de s'accrocher.

Charles évitait toujours le regard d'Anne, mais sentait son soutien. Jamais dans sa vie il n'avait fait une chose pareille ni même songé à la tenter. Ahuri, stimulé, il observa Vince faiblir. On ne devrait jamais placer personne sur un piédestal, se dit-il ; cela lui donne trop de pouvoir.

Son action était imparfaite – ce serait beaucoup mieux s'il pouvait éliminer Vince totalement du Sénat et de la vie publique –, mais il ne pouvait faire plus pour le moment. Il n'avait pas idée de ce dont Vince était capable si on lui ôtait toute raison d'être prudent. Et Charles savait ne pouvoir bluffer que jusqu'à un certain point. Il ne forcerait pas Anne à régler son chagrin en public ; il n'entreprendrait rien qui pût mettre son équilibre en péril. Je ne peux pas faire mieux, songea-t-il. Puis une pensée plus plaisante lui vint. Vince pouvait perdre les élections en automne. Et sans danger.

– Tu ne le feras pas, dit Vince, perspicace, en dévisageant Charles de ses yeux plissés. Elle vient de dire qu'elle ne bougerait pas. Tu ne lui en as pas parlé; tu ne sais pas ce qu'elle veut. Tu ne la forceras pas.

– Si, je le ferai, répliqua Charles qui, tout en gardant son calme, sentait monter l'excitation de la victoire. Anne comprendra. Et elle trouvera le moyen de vivre avec. Ce n'est pas à elle d'avoir honte.

– Cela fait vingt-cinq ans, tout le monde s'en fout.

– Alors, cela n'aura pas d'importance. Nous verrons bien.

Leurs regards se croisèrent, et, pour la première fois de toute leur vie, ce fut Vince qui détourna les yeux. Il courbait l'échine. Il alla s'affaler dans le fauteuil le plus proche. Le silence régnait en maître.

Ecroulé, les bras ballants, il était incapable de songer à l'avenir, aux mesures à prendre très rapidement. Il n'arrivait à se concentrer sur rien. Soudain, il prit conscience du silence pesant. Il eut l'impression d'étouffer. Il fallait faire quelque chose; il ne pouvait respirer. On allait le détruire. Charles allait le détruire. Vince connaissait Charles mieux que quiconque, il avait toujours lu en lui comme dans un livre, et il sut sans l'ombre d'un doute que Charles ne bluffait pas. Vince se surprit à penser à Beloit en train de reconnaître qu'il ne serait jamais secrétaire d'Etat ou ambassadeur en Grande-Bretagne. *On se retrouve impliqué dans des trucs et on ne sait pas ce qui resurgira quinze, vingt, trente ans plus tard. C'est comme si, toutes ces années, on se baladait avec une bombe dans sa poche qui va exploser si on fait un truc bien précis, et c'est toujours ce putain de truc qu'on a le plus envie de faire. Seulement, pas moyen, cette fois. Jamais. Tu comprends?*

Ainsi, Vince n'avait pas le choix.

– Ce ne sont que des rumeurs, cette histoire de Maison-Blanche, dit-il d'une voix monocorde. On ne cesse de me harceler avec ça, mais je n'ai jamais rien promis. J'ai toujours pensé que je me devais aux habitants du Colorado. Justement, j'en parlais l'autre soir à une journaliste; je lui disais que les électeurs avaient besoin de moi et que je ne les laisserais pas tomber. C'est une question, ajouta-t-il péniblement, c'est une question de priorités.

Aucune réaction. Ça ne lui suffit pas, songea Vince, qui retournait la situation dans tous les sens à la recherche d'une issue. L'argent! Mais du diable s'il allait aider Charles à s'en tirer. S'il voulait de l'argent, qu'il aille donc ramper devant Beloit et essayer de s'entendre avec.

*Même les meilleurs journaux ne crachent pas sur des conjectures quand ça fait monter le tirage, tu en sais quelque chose... Ils n'ont même pas besoin d'assembler les morceaux du puzzle, leurs lecteurs s'en chargeront, et c'est ton nom qui surgira.*

Nul endroit où se cacher, se dit-il, le cœur battant. Au bout d'un moment, il haussa les épaules. Et merde. Ethan avait toujours dit que Vince savait mieux que personne comment faire la part du feu. Il trouverait un moyen de tout récupérer; ce ne serait qu'une question de temps.

– Le plus important, dit-il enfin, est Chatham Development. Il regardait la nuit, avec les lumières du port comme autant d'étoiles. Il ne faut jamais l'oublier. C'était l'affaire de papa. Soixante millions de dollars, murmura-t-il, je peux sûrement les dégager sans problème.

# 22.

– Extraordinaire! Sensationnel! C'est vraiment un homme hors du commun! s'exclama l'animateur du magazine télévisé du dimanche soir. Mes amis, le sénateur Vince Chatham vient de faire le plus grand sacrifice jamais consenti par un homme pour sa famille. Et croyez-moi, pour qui pense que la famille c'est sacré, rien n'est plus merveilleux.

– Je suis heureux que vous le pensiez, dit Vince avec un tel sourire que le réalisateur demanda au cameraman de faire un gros plan. Et c'est un geste qu'il est merveilleux de pouvoir accomplir.

– Nous vous remercions d'avoir accepté de venir ainsi à la dernière minute, reprit l'animateur. Je crois que nous devrions expliquer exactement aux téléspectateurs ce que vous avez fait; il reste peut-être une ou deux personnes qui ne sont pas encore au courant. Mesdames, messieurs, écoutez bien : le sénateur Vince Chatham donne toute sa fortune pour sauver sa famille! soixante millions de dollars pour éviter qu'une des affaires familiales ne dépose son bilan et tirer l'autre des griffes de gens qui l'auraient conduite à la faillite! Nous allons évoquer tout cela ce soir. Mais d'abord, sénateur, soixante millions de dollars, c'est une petite fortune! D'où vient tout cet argent?

Dans sa chambre, alors qu'il s'habillait pour sa conférence de presse, Vince regardait avec un faible sourire la cassette qu'il avait enregistrée dans l'après-midi. Peu de gens étaient assez balourds pour poser pareille question, mais de toute façon il aurait abordé le sujet lui-même. On se méfiait toujours des gens fortunés, et cela lui avait donné l'occasion de régler le problème.

Sur l'écran, il baissa les yeux.

– J'ai eu beaucoup de chance. Mon père fut un des grands constructeurs de ce pays. C'est lui qui m'a lancé. Je ne serais pas là sans l'aide, la confiance et l'amour qu'il m'a témoignés. Il est mort l'année dernière. Il n'est pas un jour que je ne pense à lui et ne le remercie. Il m'a légué un peu d'argent qui m'a servi à fonder ma propre affaire à Denver où j'ai construit des centres commerciaux et des immeubles de bureaux. Denver est une des grandes villes de notre pays – saine, vaste, riche en ressources, plus riche encore en hommes, qui ont beaucoup en commun avec leurs ancêtres pionniers – et je suis arrivé pendant le grand boum, Denver m'a porté chance. J'ai beaucoup gagné et beaucoup investi, essentiellement dans le Colorado. Et ces fonds y resteront.

– A Tamarack, pour être précis, s'empressa d'intervenir l'animateur. Nous abordons maintenant la partie de l'histoire que vous ne connaissez sans doute pas, mesdames et messieurs, dit-il en s'adressant à la caméra. Tamarack est pour beaucoup d'entre nous synonyme de célébrités, de prestige, de vie éclatante ; mais, récemment, elle a connu quelques déboires et on a bien cru qu'il faudrait la vendre. C'est alors que le sénateur... Sénateur, racontez-nous, ce sera beaucoup mieux.

– Il n'y a pas grand-chose à ajouter si ce n'est que ma famille est propriétaire de la Tamarack Company et que nous sommes tous amoureux de cet endroit plus que nous ne saurions le dire. C'est là que nous nous sentons chez nous, affectivement, en tout cas. Mon père a découvert Tamarack lorsque c'était une petite ville fantôme cachée dans la montagne, et il en a fait un lieu de réputation mondiale. La Tamarack Company, fondée par mon père, est profondément enracinée dans la vie de la cité et de ses habitants. Vous le savez, toutes les affaires connaissent des hauts et des bas, et cela fait un bon moment qu'une série de problèmes inquiète ma famille au point qu'ils ont cru n'avoir d'autre choix que de vendre.

– Et nous savons ce qui serait arrivé, commenta l'animateur. Mais rappelons aux téléspectateurs ce que vous avez fait. Mes amis, le sénateur a sauvé cette montagne du genre de croissance que les défenseurs de l'environnement craignent le plus. Racontez-nous, sénateur.

– La croissance n'est pas mauvaise en soi, corrigea Vince avec amabilité. Mais il faut la contrôler, parce que c'est un enfant qui a les yeux plus grands que le ventre. On ne doit jamais construire sans une étude minutieuse et sans d'excellentes raisons. Les acquéreurs potentiels n'avaient aucun respect de la terre ni de l'histoire de cette ville. Ils voulaient l'étouffer sous d'énormes tours et des parkings ; ils voulaient construire une quatre voies le long de la vallée avec des toboggans et des voies souterraines qui auraient augmenté la pollution et détruit la beauté naturelle qui nous avait attirés là. Ils ne prévoyaient rien pour la protection des élans et des oiseaux ni pour le maintien de la pureté des cours d'eau ; ils se souciaient comme d'une guigne des enfants qui y habitent, des familles qui y travaillent, des valeurs qui nous sont chères...

– Sénateur, fit le domestique dans l'encadrement de la porte, les journalistes sont en bas.

Vince coupa le récepteur et traversa le salon en ajustant sa cravate. Clara était restée à Denver. Il le lui avait demandé ; il contrôlait la situation. Elle aurait pu se tenir près de lui pendant la conférence de presse, mais c'était inutile. Pour l'instant. Un homme hors du commun. Pourquoi pas, après tout ? Il y avait bien des façons d'utiliser cette formule. A ce moment-là, il aurait besoin de Clara.

Il s'arrêta à la porte de la salle de conférences en bas de l'immeuble et compta les journalistes assis à l'attendre sur des chaises pliantes. Il en avait espéré une centaine; il n'en voyait que trente. Quelqu'un avait mal fait son travail. Vince passa mentalement en revue les membres de son équipe pour trouver le coupable. Il leur avait expliqué qu'il voulait gonfler l'affaire au maximum pour que ça ne se réduise pas à un misérable article sur une donation quelconque à une collection d'art ou à un nouvel hôpital. Pour les shows télévisés, ç'avait été facile : ils adorent faire pleurer dans les chaumières. Quelques coups de fil avaient suffi à le faire apparaître sur tous les écrans du pays. Mais, dans la presse, c'étaient des durs à cuire; il lui faudrait s'assurer qu'ils couvrent l'événement à son idée.

Il se plaça devant le podium placé sur la petite estrade et rayonna comme un prêcheur face aux flashes des appareils photos.

– Que puis-je vous dire que vous ne sachiez déjà ?

– De quoi allez-vous vivre maintenant ? demanda quelqu'un.

Il y eut des rires, mais Vince répondit avec sérieux.

– Il me reste un peu d'argent.

– Combien ?

– Combien gagnez-vous par mois ? répondit Vince du tac au tac.

Chacun rit de plus belle; il perçut leur admiration et leur envie. En fait, il lui restait des millions de dollars en placements immobiliers et en investissements fonciers, mais ça ne regardait personne.

– Un peu, répéta-t-il, et mon traitement de sénateur. Et, si ma famille veut bien prendre soin de moi quand je serai vieux, pouffa-t-il, je ne serai peut-être pas en position de refuser. Nous avons le sens de la famille. Voilà tout.

Vince aperçut au fond de la salle un visage extasié, en forme de cœur, entouré de courts cheveux blonds. Sara. Elle le regardait de ses yeux verts adorateurs. La petite Sara – Sara comment, déjà ? – du *Rocky Mountain News*. Elle avait fait le chemin depuis Denver pour le voir.

– Sénateur, dit un journaliste. Il y a là une question d'impôts que personne n'a abordée. Votre bureau affirme que vous donnez soixante millions de dollars à votre famille. Ce n'est pas vraiment ça, n'est-ce pas ?

– Pas littéralement, répondit Vince en souriant. Vous avez tout à fait raison; si je donnais cet argent à mon frère, qui est président de Chatham Development, il devrait payer des droits de donation; si je le donnais à la compagnie, elle devrait payer l'impôt sur les sociétés. Vous savez tous que je suis contre l'évasion fiscale, mais, si je vide mon compte en banque pour aider ma famille, je veux qu'elle puisse disposer du moindre centime. Mon frère et ses avocats d'affaires ont donc décidé d'émettre une catégorie spéciale d'actions préférentielles de Chatham Development et de me les céder pour soixante millions de dollars. Ces actions ne sont pas assorties de droit de vote, elles ne possèdent pas de coupons de dividendes, elles garderont leur valeur nominale, et je ne puis les vendre ou les transférer sans l'accord du conseil d'administration. En d'autres termes, c'est un cadeau.

– Pas mal, approuva le journaliste. N'empêche, ça n'a pas dû être facile de tout abandonner. Aucun droit sur soixante millions de dollars en actions ?

– Quand on fait un cadeau, on ne demande pas d'avoir des droits dessus. Ou alors, c'est un cadeau boomerang, ajouta Vince avec douceur. Je ne joue pas ce jeu-là avec ma famille.

– On nage dans les bons sentiments, murmura un reporter à son voisin. Tu y crois, toi ?

– Sénateur, qu'est-il arrivé à Chatham Development ? s'enquit un autre. Votre père a fondé l'affaire, c'est bien ça ? C'était une des cinq cents plus grosses affaires mondiales...

– Exact, et ça le redeviendra. Toutes les affaires connaissent des hauts et des bas ; Chatham Development va se retrouver à sa place, au sommet.

– Oui, c'est ce que vous avez dit à propos de la Tamarack Company, mais ma question était : que s'est-il passé ?

– Je crains de vous décevoir, car je n'ai pas l'intention de m'étendre là-dessus. Quand une affaire a des ennuis, les causes sont souvent multiples : direction, clients, approvisionnement, situation économique, voire le gouvernement avec sa réglementation. Repérer l'un ou l'autre des facteurs serait stérile ; tout cela est du passé et, maintenant que l'argent est là, tout redeviendra comme avant. Ils me l'ont promis et je les crois.

– Trop beau pour être vrai, murmura un journaliste au cameraman à côté de lui. Combien tu paries qu'on nous raconte le dixième de l'histoire ?

– Mais que pensez-vous de la direction ? demanda un autre. Est-il exact que, lorsqu'une affaire va mal, la première chose à faire est de regarder côté gestion ? Pourriez-vous nous en parler davantage ?

– Certainement pas, fit Vince avec fermeté.

– Alors, pourriez-vous nous parler de l'acquéreur ? Qui était-ce ? Le *New York Times* d'hier citait votre énumération de tout ce qui se serait produit si l'affaire avait été conclue. Mais vous ne mentionnez aucun nom. Qui était-ce ?

– Plusieurs investisseurs se sont intéressés à Tamarack, y compris des Egyptiens, mais rien n'a abouti, je crois donc inopportun de donner des noms. Après tout, pouffa-t-il, je me suis montré un peu dur avec eux.

– Etait-ce quelqu'un de votre connaissance ?

Vince hésita.

– Pour certains, oui, dit-il, souriant toujours. Je ne les fréquenterai plus guère, désormais.

– Ne pouvez-vous nous donner des noms ?

– Pas si je peux l'éviter, fit-il sans se départir de son sourire. La malédiction de l'homme politique est qu'il doit savoir se taire. Surtout quand vous rôdez dans le coin.

Il les regarda rire à nouveau.

– Et la Maison-Blanche ? demanda quelqu'un. Rien à nous dire, sénateur ?

– Eh bien, si.

Vince les observa, tous haletants. Il les gratifia d'un petit sourire mutin, mais la rage l'étouffait, cette rage qui l'habitait constamment. La seule à s'en apercevoir fut Sara, qui eut l'air étonné.

– Des personnes très haut placées, de vrais patriotes, m'ont fait l'honneur d'insister pour que je me présente. Comme j'avais pour eux beaucoup d'admiration et de respect, j'y ai réfléchi sérieusement. Vous le savez, les sondages me sont très favorables. J'ai pourtant décidé de ne pas me présenter.

La salle de conférences bouillonna d'activité. Les flashes se remirent à crépiter, les journalistes se redressèrent.

– Mais pourquoi, sénateur ?

– Que s'est-il passé ?

– Allez-vous... ?

– Que comptez-vous... ?

– Est-ce que le président a quelque chose à voir avec... ?

– Si vous me laissiez parler, dit Vince d'une voix forte afin de couvrir le brouhaha. Il leva la main et le silence se fit. Les habitants du Colorado, les meilleures gens du monde quand on les connaît, m'ont envoyé ici pour accomplir une mission et je leur ai promis de faire de mon mieux. J'aime mon travail et je crois qu'ils l'apprécient. Alors, je reste au Sénat ; à condition qu'ils me réélisent en novembre, bien sûr. Dans le cas contraire, je redeviendrai promoteur ; il n'y a pas de honte à ça, mais ça n'est pas aussi gratifiant que d'œuvrer pour le bien de l'Etat ou de la nation. Si les électeurs de ce grand Etat sont d'accord, je serai donc là pour longtemps. C'est tout ce que j'ai à dire. D'autres questions sur le cadeau que je fais à ma famille ?

– Avez-vous parlé au président, sénateur ? Est-il pour quelque chose dans... ?

– J'ai dit que je n'en parlerai pas.

– Mais, sénateur, ce dernier sondage. Les candidats se feraient damner pour obtenir pareils résultats...

Vince secoua la tête. La fureur cognait en lui.

– Ne pourriez-vous nous dire ce qui vous a fait changer d'avis ? La semaine dernière aussi, vous saviez que vous représentiez les habitants du Colorado, mais votre équipe parlait beaucoup de vous pour la Maison-Blanche.

– Ils ont omis de m'en parler avant. Oui, Sara ? fit Vince en la voyant lever la main.

Elle parla d'une voix ténue mais claire.

– Votre famille vous a-t-elle demandé de laisser tomber ?

– Quoi ? Sara, je le répète pour la dernière fois : je ne parlerai pas de ma décision. Sachez que personne dans ma famille ne me demanderait une chose pareille; ils me font confiance autant que les électeurs du Colorado.

De petits rires firent écho à son rire étouffé.

– Et moi aussi, j'ai confiance en eux, c'est pourquoi je leur fais cadeau de soixante millions de dollars pour les remettre en selle.

– Bon d'accord, reparlons-en, fit un autre journaliste. Ça vous fait quoi, de vous retrouver sans un sou ? Vous allez devoir modifier votre train de vie, non ?

Vince répondit par une anecdote sur son père lui apprenant, quand il était gosse, à ne compter que sur lui-même en l'emmenant chasser à Tamarack. Il n'avait jamais chassé, Ethan non plus, mais les journalistes notèrent; ça faisait bien dans le côté humain. Il répondit à leurs questions pendant exactement trente minutes, puis se tourna vers la porte.

– Bien, ça suffit, assez parlé de moi. A moins que vous n'ayez des questions sur mes activités au comité ou sur les projets de loi que j'ai déposés.

– Il n'y en a pas beaucoup qui agiraient comme vous, sénateur Si vous changiez d'avis pour la Maison-Blanche, vous partiriez avec une sacrée longueur d'avance.

– Je l'ai fait uniquement parce que ma famille avait besoin de moi et que, grâce à Dieu, j'ai pu les aider. C'est pourquoi je me sens bien en ce moment. Mais qui refuserait les faveurs de la presse ?

Il sourit devant leur bonne réaction et les regarda partir. C'était son plus grand triomphe et il rayonnait tout en étant rongé par la rage de voir la Maison-Blanche le narguer dans le lointain.

Quelques journalistes vinrent à sa rencontre en sortant et il descendit de l'estrade pour leur serrer la main.

– Heureux de vous voir, leur dit-il Rendez-vous pendant la campagne électorale.

– J'espère que vous reviendrez sur votre décision, dit un pigiste du *Denver Post*. Nous avons besoin d'hommes comme vous. Encore une chose : vous l'emporterez haut la main en novembre; tout le monde le sait.

Tous partirent. Sauf Sara. Elle était restée au fond de la pièce, agrippée à son carnet, les yeux rivés sur Vince.

– Salut, fit-il avec chaleur. Quel bonheur de vous revoir. Le *Rocky Mountain News* vous aurait-il nommée à Washington ?

– Non, et je le déplore. Je suis venue de mon propre chef, sénateur. Je n'aurais jamais cru possible qu'on fasse une chose aussi merveilleuse; vous savez comme tout le monde ne parle que d'égoïsme, de rapacité, et voilà que j'ai lu ce que vous avez fait. Vous vous rappelez, vous m'avez parlé à Denver il y a une quinzaine de jours...

– Bien sûr que je m'en souviens. Je vous ai dit que j'avais apprécié cette interview.

Elle rougit.

– Je suis désolée de vous avoir posé cette question tout à l'heure; je ne pensais pas que ça allait vous contrarier.

– Ça ne m'a pas contrarié, fit Vince avec douceur. Surpris, seulement. Qu'est-ce qui vous a poussée à me demander ça ?

– Eh bien, c'est toutes ces choses à propos de votre famille ; je me demandais... Pourrais-je vous poser une ou deux questions ?

– Bien sûr, répondit Vince tandis qu'ils s'installaient sur des chaises.

Sara prit une nouvelle page de son carnet.

– Si votre famille vous demandait de l'aide, envisageriez-vous de leur donner des conseils, voire de retravailler avec eux un jour ?

– Non, dit Vince avec brusquerie. Les sénateurs ne font pas d'affaires, ajouta-t-il avec plus de douceur, même avec leur famille, Sara.

– Oui, je sais, mais un jour vous aurez peut-être envie de retourner près d'eux, non ? Au fond, après avoir vendu vos parts de Chatham Development et avant votre installation à Denver, vous...

Vince fronça les sourcils.

– Comment êtes-vous au courant ?

– Dans un vieux numéro du *Rocky Mountain News* ; on raconte la fondation de Lake Forest Development et la construction de votre premier centre commercial. Je les ai tous lus. Votre associé a dit à un journaliste que vous aviez débuté à Chicago, puis revendu vos actions à votre famille afin de lancer votre propre affaire. J'ai trouvé formidable que vous vous soyez débrouillé tout seul, et je me suis dit que maintenant que vous aviez agi de façon aussi merveilleuse avec votre famille ils voudraient vous avoir à nouveau près d'eux et qu'ils vous avaient peut-être demandé de renoncer à votre candidature à la présidence.

Vince secoua lentement la tête.

– D'abord, je ne les ai jamais véritablement quittés, Sara. Et, quand je leur ai donné cet argent, je leur ai dit qu'il était désormais à eux, comme les sociétés, et que ma place était ici, au Sénat.

– Et ça ne vous a pas rendu furieux ?

– Furieux ? répéta Vince en la regardant d'un œil perçant. Quelle idée !

– Oh, je peux me tromper ; mais vous serriez les poings et... excusez-moi, ça paraît stupide ; oubliez ça.

– Du tout, je tiens à l'entendre. Je serrais les poings, et quoi d'autre ?

– Votre visage était... tendu. Comme si vous grinciez des dents.

– Eh bien, dites-moi, sourit Vince, en voilà une jeune observatrice. Continuez comme ça et vous serez célèbre. Vous avez raison, Sara, je grinçais des dents, mais pas de colère. La foule m'intimide – question stupidité, je vous bats à plate couture – et c'était pis que d'habitude parce que je déteste qu'on me prenne pour un saint. Presque tout le monde aide sa famille, mais avec de plus petites sommes, alors personne n'y prête attention. Je me sentais mal à l'aise d'être traité comme quelqu'un de spécial ; voilà ce que vous avez vu. J'étais pourtant persuadé de bien cacher mon jeu ; il faut que je me méfie avec vous.

Sara rougit de nouveau.

– Merci, j'apprécie votre honnêteté.
– Et moi la vôtre.

Vince plongea son regard dans les yeux ardents de Sara et se sentit envahi de désir. Une enfant, si douce, ravissante, pleine d'adoration. Sa peau était pure, ses lèvres douces; ses seins étaient petits et ses épaules légèrement arrondies, comme si elle se penchait sur lui. Elle pouvait se révéler une diversion encore plus agréable qu'il ne l'avait imaginé à leur première rencontre; elle pourrait être sa petite amie, son élève, sa camarade de jeux. A lui. Prête pour lui, prête à lui faire plaisir. Sara serait sa détente, la seule chose dont il serait sûr dans ce monde soudain plein de traquenards.

Sans compter qu'elle était journaliste. Elle pourrait être son porte-parole; elle pourrait l'aider à construire la famille dont il avait entrepris ce soir les fondations. *J'espère que vous reviendrez sur votre décision; nous avons besoin d'hommes comme vous.* Avec Sara, il trouverait le moyen de reprendre cette route; avec une Sara aimante prête à faire tout ce qu'il voulait, n'ayant qu'un désir, tout faire pour le rendre heureux, il pourrait tout faire. Ou presque.

Vince consulta sa montre.

– Vous savez, dit-il d'un ton réfléchi, je suis censé me rendre à une soirée rasoir, ce soir, mais après un tel tohu-bohu, j'ai besoin de calme. Que diriez-vous de dîner avec moi ?

– Oh oui, ça me ferait très plaisir... Mais votre femme...

– Elle est à Denver. Elle y passe pas mal de temps pour faire plaisir à sa famille. La famille avant tout, n'est-ce pas ? ajouta-t-il en se levant. Il lui prit la main et sourit devant ses yeux brillants, oubliant presque sa fureur. Je vous emmène dans un de mes endroits préférés où personne ne fait attention à...

– Salut, Vince, on m'a dit que je te trouverais là, dit Keith, dont le regard s'attarda sur Sara à qui il tendit la main. Keith Jax. J'espère que je ne dérange pas. Je suis le neveu d'oncle Vince.

– Oh!

Sara rougit de confusion en lui serrant la main, désireuse de l'interroger sur Vince mais plus encore de dîner avec Vince en tête à tête. Elle espérait que Vince ne l'inviterait pas aussi et le regarda pour voir ce qu'il allait faire.

Le visage de Vince demeura impassible.

– Ça fait cinq jours que je cherche à te joindre.

– J'étais absent, dit Keith, tout sourire. Mais je suppose que tu le sais déjà. Je me disais que ce serait sympa d'arriver en voiture, quoi. Quand même, ça fait une trotte. C'est vrai, quoi, je ne savais pas que c'était si loin de Tamarack.

– Vous êtes de Tamarack ? s'enquit Sara.

– Sara, fit Vince.

Il la prit par le coude et la conduisit à l'écart en parlant à voix basse.

– Ça vous ennuie de m'attendre en haut dans l'entrée ? J'en ai pour quelques minutes avec Keith ; puis nous irons dîner tous les deux. Désolé, mais il a fait tout ce trajet, je ne peux le renvoyer comme ça.

– Naturellement, fit Sara, qui, observant l'expression de Vince, espérait en apprendre davantage. Il a l'air enchanté d'être là. Il vous aime sûrement beaucoup.

– Je l'espère bien, dit Vince en la poussant imperceptiblement vers la sortie. Je vous retrouve en haut dans une minute.

Il la regarda partir, puis se tourna vers Keith.

– Qu'est-ce qui t'a pris de ficher le camp sans me prévenir ? Je tiens à ce que tu sois là quand je t'appelle.

– Oh, désolé, oncle Vince. Quoi, ça m'a pris comme ça d'un coup, alors je me suis tiré.

– Tu n'as plus qu'à faire demi-tour et à rentrer dare-dare. Demain. J'appelle le portier pour lui dire de te laisser entrer, ajouta Vince en sortant ses clefs. Je te vois au petit déjeuner ; il faut que je te parle avant que tu repartes.

– Je peux rester ici ? Je veux dire, tu n'en as pas besoin pour la petite demoiselle, quoi ? Non, quel idiot je fais ; tu es bien trop malin pour ça. Je veux dire, quoi, c'est plus prudent d'aller chez elle.

– Boucle-la. Et lève-toi tôt demain matin ; petit déjeuner à 6 h 30. Tu files tout de suite après.

– Non, t'as pas compris, oncle Vince. Je ne rentre pas. Quoi, Eve est dans la voiture et avec nos bagages. Tout. Je vais travailler pour toi, tu sais, faire tout ce que tu veux, je serai ton bras droit, comme on a dit, tu te souviens ? C'est moi qui fais plein de boulot, mais les journalistes ne sont pas au courant pour moi. Je veux dire, je n'essaie pas d'être connu ou quoi, ça c'est ton truc et tu es super ; juste, je veux participer à tout, aider les gens du Colorado, quoi... indispensable.

Une fois encore, Vince sentit le sol se dérober sous ses pieds. Il se sentit envahi par le sentiment qu'il détestait le plus au monde, celui de perdre le contrôle.

– Que leur as-tu dit ? demanda-t-il, agressif.

– A qui ? s'étonna Keith.

– A Leo, Charles, Anne.

– Charles ? Quand ça ? Je veux dire, je ne l'ai pas vu depuis Noël. Anne et Leo sont venus dans mon bureau et m'ont posé un tas de putains de questions sur, tu sais, la dynamite, l'accident, mais quoi, j'ai juste écouté ; je n'ai pas bronché. Ah si, j'ai dit que j'étais au lit avec Eve le matin de l'accident, quoi, et que c'était super et qu'elle s'en souvenait sûrement.

– C'est tout ?

– Ben oui. Quoi, je ne suis pas fou, Vince. Sans quoi, tu ne voudrais pas de moi comme bras droit. Quoi, tu parles beaucoup : qui est en travers de ton chemin, ce que tu vas faire, de qui tu vas te débarrasser. Mais tu ne fais jamais rien. Je veux dire, tu n'en as pas le cran, Vince. T'as une grande gueule, mais ça se borne là. Ça tombe bien que je sois dans le coin, hein ? Et j'y serai toujours, t'as pas à t'inquiéter ; tu ne me perdras jamais. On ne va pas rester longtemps chez toi, ajouta Keith en faisant danser les clefs dans sa main. On veut pas te gêner ; quoi, on va se trouver quelque chose tout de suite. Oh, sans doute qu'il nous faudra une mise de fonds, quoi, mais on te remboursera. Je serai bien payé, alors il n'y aura pas de problème ; je ne serai pas un fardeau ou quoi. On sera plutôt associés. Tu vois ?

Vince se taisait, l'esprit en feu. Il lui faudrait régler la question de Keith ; mais il avait eu trop à faire pour y penser. Le fieffé imbécile ! Vince allait s'en débarrasser à son gré. Je vais l'utiliser un moment, se dit-il ; mais, s'il croit pouvoir me coller aux basques jusqu'à la fin de mes jours, il se fourre le doigt dans l'œil. Personne ne me fait chanter ; il s'agit seulement de choisir le meilleur moment d'agir. Le petit con ! il ne sait pas de quoi je suis capable. Personne ne le sait.

Il regarda Keith comme s'il n'existait pas. Je m'en occuperai en temps voulu. Comme de tous les gêneurs. Et Sara sera avec moi. Elle m'aidera à tout reprendre.

– Bon, fit Keith devant le silence de Vince. Je vais dire à Eve que tout est réglé ; quoi, elle était inquiète. Tu connais les femmes. Mais je lui ai dit qu'on n'aurait plus jamais à se faire de mouron. C'est vrai, toi et moi, ça va être super, hein, Vince ? Je ferai tout ce que tu veux. Tu peux compter sur moi. Tu m'as. Pour toujours.

De l'autre côté de la porte, Sara entendit Vince s'approcher et courut en haut. Elle était à la fois excitée et triste. Vince Chatham n'était pas ce qu'elle avait cru. Bien sûr, c'était peut-être parce qu'il n'aimait pas son neveu, mais Sara eut l'impression d'en avoir plus appris en vingt minutes sur le vrai Vince Chatham qu'au cours de ses conférences de presse, de leur entrevue de Denver et des centaines d'articles qu'elle avait lus. C'est ça qui l'excitait : les choses allaient bien au-delà de l'apparence.

Fascinant, se dit la journaliste en Sara, surprise, débordante de curiosité. Elle était dans un tel état d'excitation qu'elle dut s'obliger au calme avant l'arrivée de Vince. Elle ne savait pas ce qu'elle détenait avec ces petits bouts de phrases et ces insinuations, mais l'affaire semblait beaucoup plus complexe que le simple don d'un sénateur à sa famille.

Peut-être même y a-t-il plusieurs histoires. De quoi faire un de ces récits d'enquête que publient les reporters. Retrouver le moindre détail sur ce sénateur et les siens pourrait prendre des mois, peut-être des années. Elle ne savait même pas ce qu'elle cherchait, mais dans ce genre d'enquête, une chose menait à l'autre. Et peu importait la durée : elle avait tout son temps. Autre chose, son patron ne cessait de la complimenter sur un point : elle avait des tonnes de patience.

Elle prit un petit miroir dans son sac, se remit du rouge à lèvres et se redonna un coup de peigne. Je tiens peut-être mon avenir, se dit-elle en posant tranquillement les mains sur ses genoux en attendant Vince.

## 23.

Josh attendait à l'aéroport de Louxor quand l'avion d'Anne atterrit.

– Je suis si heureux que tu sois là, dit-il en lui tenant les mains. Ces trois semaines m'ont paru interminables.

– A moi aussi, dit Anne.

A Los Angeles où elle avait dû rattraper le temps perdu, s'avancer dans son travail afin de pouvoir entreprendre ce voyage, elle s'était souvent surprise à regarder par la fenêtre, ne pensant qu'à être avec lui. Son cœur cogna de joie en le voyant tandis qu'elle descendait de l'avion. Peut-être en partie à cause de l'exotisme du lieu, se dit-elle en regardant l'aéroport plutôt minable. C'était un petit bâtiment d'un étage où tout était tassé dans une seule pièce : touristes tournicotant autour de leur guide, hommes d'affaires en costume et cravate, agents de la sécurité, employés de l'aéroport alanguis, visiteurs étrangers qui connaissaient le coin et se dirigeaient prestement vers la sortie. Anne regarda Josh, grand, confiant, avec son visage net qui plus jamais ne lui semblait dur ; elle sut alors qu'il n'y avait pas que la nouveauté de l'endroit.

– Je suis heureuse d'être là, fit-elle.

Josh prit son sac de voyage et la housse qu'elle portait par-dessus l'épaule.

– Tu as encore beaucoup de bagages ?

– C'est tout. Tu m'as dit que ce serait sans cérémonie, ajouta-t-elle en souriant devant son étonnement.

– Très juste. Tu voyages léger, approuva-t-il en souriant à son tour, comme moi.

Ils passèrent devant les gens agglutinés attendant impatiemment l'ouverture des soutes et se dirigèrent vers la voiture de Josh.

– Il n'y a pas grand-chose à voir à cette heure de la nuit, fit Josh. Nous ferons une visite de jour quand tu voudras.

– Après le tombeau. J'ai apporté tes lettres et tes photos ; j'ai du mal à croire que je vais vraiment voir tout ça. J'ai d'ailleurs du mal à croire que je suis là.

Elle regarda par la vitre les lumières éparses, habitée par un étrange mélange de calme et d'excitation. Jusqu'à présent, elle avait toujours voyagé seule et entrait dans une nouvelle ville avec sa curiosité et son planning à elle, si bien que le doute l'avait envahie pendant le vol qui la conduisait vers Josh. Mais elle avait ses lettres aux escales de Londres et du Caire. On avait rappelé Josh en Egypte le lendemain de son entrevue avec Charles à Chicago et, depuis, il lui avait écrit chaque jour des lettres chaleureuses, amicales, réservées, enthousiastes sur les révélations de la sépulture au fur et à mesure de leur mise à jour. Chaque fois qu'il la suppliait de le rejoindre et de partager son aventure, les raisons de refuser s'amenuisaient.

Et voilà qu'elle roulait dans les rues mal éclairées bordées d'un côté par des hôtels et de l'autre par des bateaux de croisière accostés. Elle éprouvait le sentiment d'être en un lieu ne ressemblant en rien à ce qu'elle avait visité en Europe, et de partager la grande découverte de Josh, dont tous les journaux du monde parlaient encore. Assise près de lui, elle n'avait plus peur ; elle était seulement impatiente.

– Le Winter Palace, fit Josh en se garant devant un bâtiment carré. Nous pouvons dîner dans un café du coin, si tu as faim.

– Non, je te remercie. Le steward de l'avion de Londres m'a recommandé un restaurant au Caire, et j'avais tellement de temps entre les deux avions que j'y suis allée dîner.

– Quel restaurant ?

– Le Mahfoud.

– Un de mes préférés, dit-il, ravi. Je m'imaginais t'emmener par la main dans les rues étroites et sales des villes égyptiennes. Je vois que tu te débrouilles très bien toute seule.

– C'est ce que j'ai fait pendant des années, dit-elle d'une voix soudain glacée.

Elle sortit de la voiture et attendit que Josh prît ses bagages du siège arrière. Ils entrèrent dans le hall de l'hôtel et Anne remplit la fiche que lui remit le directeur.

– Partons-nous de bonne heure, demain matin ?

– 7 heures, si ça te convient. Petit déjeuner à 6 h 30.

– Parfait, fit-elle en tendant la fiche avec son passeport et sa carte de crédit.

– Nous sommes enchantés de vous avoir parmi nous, madame, dit le directeur dans un anglais parfait, sans montrer la moindre curiosité. Votre chambre donne sur le Nil. J'ose croire que vous la trouverez agréable, ajouta-t-il en lui tendant sa clef.

– Merci. Pourrions-nous prendre un café quelque part ? demanda-t-elle à Josh. Je n'ai pas vraiment faim et je n'ai pas dormi depuis hier, mais je ne supporte pas l'idée de m'enfermer dans une chambre d'hôtel, en tout cas pas encore.

– Excellente idée.

Il demanda qu'on fasse monter les bagages d'Anne et ils sortirent dans la douceur du soir.

– Oh, est-ce que ça va ? s'enquit Anne en regardant son pantalon de lainage fin. J'ai apporté une jupe, à tout hasard.

– Tu es très bien ainsi.

Assorti à son pantalon gris foncé, elle portait un chemisier de soie gris pâle dont le col ouvert révélait un collier d'argent, et un blazer de cuir rouge. Malgré les quatorze heures de vol, ses vêtements étaient impeccables et elle n'avait pas cet air blafard qui caractérise souvent les gens qui ont fait la moitié du tour du globe en avion.

– A vrai dire, tu es parfaite. Il peut y avoir un problème si une femme porte une jupe très courte ou un décolleté profond, ou un short, mais même ça, ça a tendance à disparaître ; ils ont bien trop besoin de nos dollars pour nous ennuyer avec ça. Tu serais étonnée de voir que leurs soucis s'apparentent de près à ceux de Tamarack.

Ils quittèrent l'hôtel, marchèrent près d'hommes installés dans de minuscules cafés en terrasse de trois ou quatre tables, et des groupes d'hommes assis en tailleur sur le trottoir, parlant avec animation et fumant le narguilé. Une petite fille s'avança vers eux, se frottant les doigts.

– Bakchich, bakchich.

Elle était très jolie, avec un foulard bariolé sur la tête, une longue jupe fleurie, et des Nike aux pieds. Elle marchait dans les pas de Josh et d'Anne, les bousculant, main tendue. Tout près, vêtue de noir, sa mère la regardait tristement.

– Bakchich, répéta la petite fille.

– Non, fit Josh.

– Bakchich, insista l'enfant comme si de rien n'était.

Elle les regardait sans les voir. Josh baissa les yeux.

- Non, répéta-t-il d'une voix ferme.

Il employait le ton d'un père avec son enfant. La petite fille s'éloigna sans manifester le moindre signe de dépit et traversa la rue, à la recherche d'un autre touriste. Sa mère la suivit.

– J'aurais pu lui donner quelque chose, remarqua Anne.

– Moi aussi, et il en serait arrivé cinquante. Et demain la même chose. Ce sont de drôles de petits futés. Lors de mon premier séjour, j'ai vidé mon portefeuille en moins de deux. Depuis j'ai appris à dire non. Traversons le souk.

Ils remontèrent une courte allée et se trouvèrent soudain plongés dans les bruits et les odeurs du marché qui fermait pour la nuit. Des deux côtés de la ruelle, les vendeurs rangeaient leurs produits dans de minuscules cabanes qui fermaient à clef : tonneaux d'épices, pièces de tissu, chemises et djellabas suspendues à des rails, tapis soigneusement roulés, scarabées presse-papiers et petits pharaons sculptés. D'autres se préparaient à pousser hors du marché d'énormes charrettes avec ce qu'il leur restait de fruits et légumes, tandis que les boulangers éteignaient leurs fours et fermaient boutique. Des écoliers en uniforme marchaient main dans la main, murmurant, riant discrètement; des femmes drapées de noir et de violet faisaient leurs dernières emplettes, balançant sur leur tête de hauts paniers tressés ou des panières de linge en plastique; des touristes prenaient des photos, posant près d'un âne ou un étal d'aromates.

Anne regardait partout, se régalant des couleurs, du rythme de la langue arabe, de la voix haut perchée des enfants, des parfums d'épices, de café, de pains, de fruits mûrs, de laine et de poussière, le tout mêlé au pas des chevaux attelés à des calèches le long des rues adjacentes et aux klaxons des chauffeurs ravis de faire du tintamarre.

– Ne me lâche pas, dit Josh en lui prenant la main. Traverser la rue n'est pas une mince affaire, ici.

Ils attendirent une interruption dans la file des véhicules qui circulent tous feux éteints et se faufilèrent entre deux voitures et une calèche agressive jusqu'à la corniche.

– Le pied agile et une attitude détachée face à la vie, voilà ce qui permet de traverser les rues en Egypte, commenta Josh. Et Louxor n'est rien comparée au Caire.

– Et Rome.

Ils se sourirent.

C'était plus calme, maintenant; ils étaient sur la grande corniche qui longeait la ville au bord du Nil. Anne contemplait les dizaines de bateaux bord à bord.

– Y en a-t-il toujours autant?

– Pas en été quand il fait trop chaud pour les touristes; mais en hiver, on en compte près de deux cents qui remontent et descendent le cours du Nil. Il y a quelques années, il y en avait quatre, je m'en souviens.

Des voix s'exprimant en plusieurs langues venaient des passerelles où des hommes en costume sombre et des femmes en robe de soie étaient attablés devant des verres et du café. Il y avait parfois de la musique: une chanteuse française, un orchestre allemand, un ténor italien, un chanteur de folk-song américain. Anne avait l'impression d'être seule avec Josh, deux Américains à Louxor, en plein février, à l'écart des touristes, du marché de la culture. C'était comme s'ils étaient dans un petit cercle magique qui les séparait de tout.

– Par ici.

Josh indiquait un escalier de pierre. Les marches menaient à la berge et aux bateaux de touristes, mais, sur une large terrasse à mi-chemin, il y avait un café en plein air d'où émanait une forte odeur de café turc et qui faisait hurler de la musique arabe.

– Je t'ai prise au mot, dit Josh. C'est ce qu'on appelle un *gahwah*, une guinguette, même si le mot te surprend; on n'y sert que du café. Si tu préfères, il y a un excellent endroit un peu plus bas; on peut y dîner et revenir prendre le café ici.

– Non, c'est parfait ; ça me plaît beaucoup.

Anne s'installa sur le côté à une petite table ronde ornée d'une nappe à carreaux et observa les groupes d'hommes qui parlaient à grands gestes. Josh apporta les tasses et s'assit près d'Anne, approchant sa chaise le plus possible pour l'entendre.

– D'ordinaire, quand je me balade dans Louxor, je suis avec des habitants du cru, ils me servent de camouflage, observa-t-il. Mais aujourd'hui nous passons immanquablement pour ce que nous sommes : deux Américains différents. Les autres ont leur bateau, leur guide, leur groupe ; nous avons nos pieds, notre voiture, et nous. Il y a longtemps que je me sens proche de toi, mais aujourd'hui nous sommes sur notre île, et nul ne peut nous atteindre. Eprouves-tu la même chose ?

Anne se sentit débordante de joie. Elle voulait toucher Josh, poser sa main sur la sienne et le remercier d'être avec elle et de voir le monde comme elle. Mais ses mains demeurèrent immobiles.

– C'est exactement ce que je me disais sur la corniche. Un cercle magique.

– Encore mieux qu'une île, approuva-t-il dans un sourire.

L'odeur de café, de tabac et de narguilé les enveloppait. La musique s'entremêlait aux vagues de fatigue qui déferlaient sur Anne puis s'éloignaient pour revenir. Elle buvait à petites gorgées.

– Veux-tu que je te raconte ce qui s'est passé depuis ma dernière lettre ? proposa Anne. Cela me paraît si lointain que j'ai l'impression d'essayer de me rappeler un livre que j'ai lu il y a bien longtemps ; mais je peux quand même essayer.

– S'il te plaît. Après quoi, nous n'y penserons plus, du moins le temps de notre séjour.

– J'aimerais tant oublier tout ce qui est arrivé depuis Noël. Tu es au courant des articles sur Vince ? demanda-t-elle après un moment.

– Je n'ai lu que celui du *Los Angeles Times* que tu m'as envoyé. Je suppose qu'il a paru dans tout le pays.

Elle acquiesça d'un signe.

– Et à la télévision. Nous n'avons pas imaginé une seconde que ça tournerait à son plus grand triomphe.

– Mais ça ne change rien pour la famille, n'est-ce pas ? Même s'il n'est responsable que de la moitié de ce que nous croyons, nous serions ravis de le voir ramper, mais nous n'avons pas de quoi le faire condamner ; il est donc plus important que Charles ait son argent et que la famille reste à Tamarack, tu ne trouves pas ?

– Si, répondit Anne après avoir hésité. Je préférerais qu'il ne fût plus sénateur, mais...

– Mais ce n'est pas à ça que tu pensais.

– Non. C'est un être malfaisant. Et c'est terrible de voir que ces gens se hissent à des sommets et trouvent toujours le moyen de retourner la situation à leur avantage, malgré les atrocités qu'ils ont commises.

Josh ne lui demanda pas pourquoi elle avait dit « toujours ». Il croyait deviner, mais il ne pouvait le lui dire, encore moins calmer l'angoisse que sa voix trahissait; il devait attendre qu'elle se confie à lui. Il fit à la place une remarque banale.

– Mais il a perdu sa fortune et toute chance de devenir président des Etats-Unis; c'est pourtant les deux choses auxquelles il tenait le plus au monde, non ?

– C'est vrai, fit Anne avec calme. Voyons, quoi d'autre? Charles a reçu plusieurs personnes pour la vice-présidence de Chatham Development; il n'essaiera pas de se débarrasser de Fred mais il tient à lui opposer un sérieux contrepoids. Je crois que, dès qu'il réussira un grand projet, il prendra sa retraite. Sans doute pour s'installer à Tamarack. Non qu'il cherche à être Ethan Chatham mais parce qu'il y a sa famille et qu'il veut couper tout lien avec Chicago. Ah, je t'ai écrit que la commission d'enquête avait conclu à un sabotage sans pour autant trouver de coupable. Ça n'a plu à personne, seulement on ne pouvait faire mieux. Tyler poursuit ses investigations, mais les chances d'aboutir sont ténues. Le plus satisfaisant dans tout ça est que Halloran a précisé dans son rapport que la qualité de la maintenance avait toujours été exceptionnelle. Leo s'en sert dans sa nouvelle campagne publicitaire; il espère limiter la casse pour la fin de la saison. Je suis persuadée qu'il y parviendra; Gail dit qu'il y a deux jours on recevait déjà des réservations par téléphone.

– Et Robin et Ned n'ont plus peur de quitter Tamarack?

– Non, fit Anne en souriant. Ils organisent une fête pour notre retour. Ils sont tout excités; la ville semble croire que grâce à Leo ils vont échapper aux buildings et aux néons; tous les Calder sont désormais des héros, ce qui vaut pour les enfants dans leur école. Le temps des bagarres est révolu.

Anne s'interrompit au souvenir de Robin agrippée à elle lors de sa dernière nuit là-bas.

– Robin m'a dit que depuis mon retour la famille est agrandie. Ils ne faisaient que passer, m'a-t-elle expliqué, mais maintenant ils viennent plus souvent et pour plus longtemps. Comme si – sa voix était si faible que Josh dut se pencher pour l'entendre – comme si chacun avait retrouvé une maison.

– Elle a raison. Ils faisaient tout pour s'éviter. Ils ne savaient pas être une famille; il leur fallait quelqu'un pour les tenir ensemble. Ethan l'a fait de son vivant. Et tu as pris le relais.

– Avec Tamarack. Maintenant qu'ils ont failli perdre Tamarack, ils sentent que c'est là qu'ils sont chez eux, en paix.

Ils se turent un moment. Rien ne semblait plus loin de la poussière de l'Egypte ancienne que Tamarack, nichée sous la neige étincelante et le ciel d'un bleu acide, mais tous deux la voyaient. Un endroit où être en paix. Leurs yeux se rencontrèrent. Il y avait beaucoup d'endroits où être en paix.

– Un autre café? demanda Josh avec naturel.

Son cœur battait la chamade. Il sentait que tout ce qui comptait pour lui, tout ce qu'il désirait était dans cette ville grouillante et vibrante, et que tout ce à quoi il aspirait allait arriver d'une façon inimaginable il n'y avait pas si longtemps. Sept mois, se dit-il. Depuis ce mois d'août, quand je me suis assis pour la première fois dans le bureau d'Anne, jusqu'à ce soir où nous sommes assis dans un cercle magique.

– Oui, volontiers.

Anne était immobile, comme si elle craignait de rompre le charme.

Il revint avec deux tasses et s'assit près d'elle. Leurs bras se touchaient.

– D'autres nouvelles ? s'enquit Josh.

– Keith est parti. Il y a une quinzaine de jours, il a laissé un mot sur le bureau de Leo disant qu'il voulait voir autre chose et pensait que Leo n'avait plus confiance en lui. Je n'en crois pas un mot ; je parie qu'il est allé à Washington demander un job à Vince ; et je parie qu'il l'a obtenu ; chacun a probablement un dossier sur l'autre. Leo est ravi de ce départ, même s'il s'est senti coupable en l'annonçant à Marian ; il faut dire qu'elle était rassurée de le savoir là.

– Marian voit aussi clair en Keith qu'en Fred, fit Josh, songeur. Elle s'est fait une raison. Comme William avec ses lettres inutiles ou Nina avec ses maris ; les gens se créent un monde où ils se sentent bien, et il n'est pas aisé de les en déloger. Charles est le seul à avoir changé de cap ; d'après ce que tu m'as raconté, personne n'a jamais rompu aussi radicalement avec un mode de vie que Charles ne l'a fait avec Vince.

Anne se taisait. Elle sentait le bras de Josh contre le sien. Mon père et moi, songeait-elle, rompant avec un mode de vie. Mais elle savait qu'elle ne serait pas libérée avant d'avoir parlé de son passé à Josh. Si elle avait jamais cru pouvoir l'éviter et découvrir une vie avec lui, elle savait maintenant que c'était un leurre. Il faut tout partager, le meilleur et le pire. Mais elle sentit immédiatement le sommeil l'envahir et ses paupières s'alourdir. *Demain. Ou après-demain. Nous avons tout le temps.*

– Bon, il faut que tu dormes, décida Josh. Si tu es trop fatiguée, nous pouvons remettre le tombeau à plus tard.

– Pas question. Petit déjeuner à 6 h 30. C'était agréable, Josh. J'ai aimé avoir l'impression d'appartenir à une ville étrangère et boire un café avec les habitants.

– Et leur musique.

Ils éclatèrent de rire au claquement des cymbales qui déchira l'air.

En se glissant entre ses draps, c'est à leur rire partagé que songeait Anne. *Bonne nuit*, Josh, dit-elle en silence, comme elle l'avait déjà murmuré dans l'ascenseur. *Dors bien*, dit la voix de Josh dans ses pensées comme il l'avait fait en l'accompagnant à sa chambre. Demain sera une merveilleuse journée.

J'ai passé une merveilleuse soirée, pensa-t-elle en souriant.

On aurait dit qu'une petite ville avait surgi autour du tombeau. La vallée étroite et déserte qui s'étendait entre les collines brunes grouillait de voitures et de camions, de tables et de chaises pliantes, caisses, piles d'outils, lampes-torches de différentes puissances, morceaux d'échafaudages, boîtes de ravitaillement et bouteilles d'eau minérale, soldats égyptiens en armes, ouvriers, journalistes et photographes, archéologues, stagiaires, représentants du gouvernement et un petit groupe de visiteurs privilégiés. Tous se mouvaient dans un nuage de poussière aveuglant. Anne avait en mémoire les diapositives que Josh lui avait montrées d'une vallée silencieuse et immobile, aussi désolée que le bout du monde; elle avait du mal à croire qu'il s'agissait du même endroit.

– J'aurais aimé que tu voies ça quand nous sommes venus la première fois, dit Josh en la regardant observer le fourmillement. Mais, à dire vrai, j'ai le sentiment que c'est à quoi ça ressemblait à l'époque des pharaons. Il y avait continuellement des ouvriers creusant de nouvelles tombes, des artistes pour les peindre et les sculpter, et des serviteurs pour les remplir de trésors et des objets quotidiens nécessaires dans l'autre monde. Comme deux ou trois équipes se succédaient, les allées et venues étaient incessantes. Je me demande si la vallée était vide autrement qu'en de courts laps de temps après la fin des pharaons. Et déjà, les pilleurs de sépulture opéraient. On y va?

Ils commencèrent la longue descente des marches grossièrement taillées. Les ouvriers avaient installé une vague rampe, mais Anne voulait pénétrer dans le tombeau comme Josh la première fois; elle ne s'y tint donc pas. On avait accroché des lampes qui projetaient leur ombre crue sur la pierre, donnant à Anne l'impression qu'elle descendait vers le centre de la terre. Elle fut d'autant plus surprise quand elle arriva près de Josh à l'entrée de la première salle.

La pièce resplendissait de couleurs : d'immenses lampes éclairaient les couleurs intactes grâce à l'air sec et à l'obscurité totale. Anne n'entendait plus les voix des gens dans les autres salles. C'était comme si Josh et elle étaient seuls, le temps suspendu. Roulant leurs manches sous la chaleur oppressante, buvant l'eau de la bouteille apportée par Josh, ils avançaient lentement le long des murs de pièce en pièce, la tête en arrière, contemplant les silhouettes miniatures ou grandeur nature. Au gré de leurs pas, Josh racontait à Anne les histoires que cachaient les scènes, celles des trésors entassés le long des murs ou laissés comme on les avait trouvés. Elle n'entendait que lui; la magnificence du tombeau semblait lui appartenir. Il l'avait trouvé et dévoilé au monde, et parlait comme si c'était un album de famille.

– Nous photographions chaque chose, expliqua Josh, nous en faisons un descriptif, lui attribuons un numéro de catalogue, l'enveloppons et la plaçons dans une caisse; elle est ensuite remontée et expédiée en camion jusqu'au Nil pour rejoindre le Musée égyptien du Caire. Chaque élément est inestimable, tu t'en doutes, ce qui explique la présence d'une patrouille armée dans la vallée.

– As-tu une idée du nombre d'objets qui se trouvent ici?

– Pas encore. A vue de nez, je dirais dix mille.

Anne tenta d'imaginer la classification et le déménagement de tant d'objets, des minuscules statuettes aux immenses trônes lourdement ornés de joyaux et de feuilles d'or. Josh avait dit que cela prendrait des mois, voire un an. Elle se demandait combien de temps il passerait en Egypte.

Ils parvinrent à la dernière salle, avec l'énorme sarcophage de pierre au centre qui attendait encore l'échafaudage et le treuil indispensables pour soulever le couvercle et libérer la momie. Soudain, Anne eut un étourdissement à cause de la chaleur.

– Un instant, dit-elle en s'appuyant à la paroi, les yeux fermés.

– Oh, mon Dieu, dit Josh, penaud.

Il la prit par le bras et la conduisit à un rebord de pierre le long d'un mur.

– Assieds-toi; bois un peu d'eau. Nous nous en irons dès que tu te sentiras mieux. Je suis vraiment désolé; je me suis laissé emporter et j'ai oublié que je suis plus habitué que les autres.

Il était furieux après lui, et Anne s'en aperçut.

– J'aurais dû te demander de ralentir, dit-elle en lui souriant. Mais je ne voulais pas. Je n'ai jamais rien vu d'aussi somptueux.

Josh s'assit à côté d'elle.

– Il n'y a rien de comparable. Nulle part au monde. Mais nous aurions pu étaler la visite sur deux ou trois jours.

– Non, c'était mieux ainsi.

Anne promenait son regard dans la salle carrée. Il y avait moins de fresques; le plafond était constellé d'étoiles d'or sur fond bleu et les murs étaient couverts de hiéroglyphes : des colonnes successives de prières du *Livre des morts*.

– Je voulais me sentir engloutie, expliqua Anne. Je voulais m'y perdre.

– Pourquoi?

C'était la première fois qu'il lui posait une question directe sur ses sentiments et Anne recula d'instinct. Elle croisa son regard et détourna vite les yeux, honteuse.

– Pour y prendre part, répondit-elle au bout d'un moment, pour éprouver la même chose que toi. Je pense que tu t'es laissé consumer comme je me suis laissée consumer, et je me disais que, si je pouvais être totalement absorbée par tout ceci, je comprendrais cette partie de toi et je saurais que tu comprends cette partie de moi. Et aussi, ajouta-t-elle en hâte pour ne pas laisser à Josh le temps de réagir à ce qu'elle venait de dire – beaucoup plus révélateur que ce qu'elle n'avait jamais dit à quiconque –, aussi quand je voyage j'aime me sentir du pays, et en Egypte cela veut dire le chaos des rues du Caire ou un café de Louxor ou l'indicible splendeur d'un tombeau. Aujourd'hui, c'était le tombeau.

Josh approuva.

– Et tu te sens mieux maintenant ?

– Oui, merci. Ça m'a fait du bien de m'asseoir. J'aimerais que tu me parles de cette salle.

Il marcha le long des murs, traduisant certains hiéroglyphes, puis s'agenouilla près du sarcophage, laissant courir ses doigts sur les sculptures d'Isis et les peintures d'animaux sacrés tout en narrant les légendes. Anne se sentait comme une enfant qui écoute un conte de fées au moment de se coucher : elle se sentait aussi au chaud et aussi protégée que si elle était sous ses couvertures douillettes, bercée par sa voix qui recréait pour elle un monde ancien et merveilleux.

– J'ai faim, dit soudain Josh.

Anne sursauta comme s'il l'avait réveillée.

– On rentre à Louxor, dit-il en la regardant avec intensité tandis qu'elle se levait à son tour. Nous pouvons revenir cet après-midi si ça te tente, ou demain, ou tous les jours ; il y a des dizaines d'autres sépultures, dont certaines sont très différentes de celle-ci, et des temples, des monuments, comme tu veux.

– Ou bien ?

– Ou bien on peut s'échapper, dit Josh carrément. Où que tu te tournes, nous aurons droit à des hordes de touristes ; la Vallée des Rois n'incite pas à l'intimité. Pas plus que Louxor.

– Où aimerais-tu aller ?

– Sur le fleuve. Un ami m'a prêté son bateau pendant son absence. Nous pourrions visiter une partie de l'Egypte invisible autrement.

– Et être dans l'intimité ? s'enquit Anne dans un sourire. Avec deux cents autres bateaux ?

Il sourit.

– Ils gardent leurs distances et nous n'autoriserons pas les abordages intempestifs.

Il n'y eut qu'une brève pause.

– Ça me plairait beaucoup, dit Anne.

– Parfait.

Josh la précéda jusqu'au-dehors, où le soleil cognait.

– Dans ce cas, déjeuner sur le bateau. Nous partirons dès que tu auras fait tes bagages.

Le bateau s'appelait *Apis*, du nom du dieu du Nil. C'était un petit yacht vert et blanc resplendissant dans le soleil, avec un salon et deux cabines de luxe et des quartiers pour un équipage de trois hommes. Josh rangea les bagages d'Anne dans une des cabines, puis ils se rendirent sur le pont bien astiqué pour se tenir sous un grand dais vert et blanc à regarder la ville de Louxor s'éloigner vers le milieu du fleuve.

Le Nil était bleu de long des rives et bleu-vert au milieu, l'*Apis* filait vers le sud. Le steward leur servit une salade de crudités et du vin blanc à une table près du bastingage recouverte d'une nappe verte sur laquelle il avait dressé un couvert de porcelaine blanche et de lourde argenterie ancienne. Du rivage, de jeunes garçons criaient et faisaient de grands signes, de la musique leur parvenait des petits villages, mais, hormis cela, seul le ronronnement des moteurs de l'*Apis* ou la corne d'un bateau les troublait. L'après-midi s'écoula aussi doucement et calmement que les rides du fleuve. Josh et Anne s'étaient installés dans des fauteuils d'osier munis de profonds coussins de coton clair et regardaient le paysage. Sur une table, des verres de thé glacé perlés d'humidité étaient régulièrement remplis par le steward. Une petite brise murmurait quand le bateau prenait de la vitesse. Sur les rives, des femmes en noir faisaient leur lessive, tapant les vêtements sur de grandes pierres plates, devisant, s'arrêtant de temps à autre pour appeler un enfant nu qui s'approchait trop près de l'eau. Les enfants plus grands nageaient non loin et criaient gaiement. Plus loin du bord, de jeunes hommes debout dans de petites barques de pêche battaient l'eau avec de grandes perches pour effrayer les poissons et les contraindre à se jeter dans le filet de l'homme le plus âgé qui se tenait à l'autre bout. De jeunes garçons maigres écumaient la surface de l'eau dans de petites felouques identiques à celles qu'utilisaient les pharaons; leurs voiles blanches ondulaient comme des danseuses. Un fermier retournait son champ avec un araire traîné par un bœuf; un autre conduisait un tracteur rouge flamboyant. Juste au-dessus des cultures, des villes anciennes avec leurs minarets, des petits groupes d'usines dont les cheminées lâchaient des volutes noires dans le ciel, c'était le désert à perte de vue, jusqu'aux pays voisins.

Si l'on exceptait le tracteur et les rares usines, on se serait cru à plusieurs milliers d'années de là, et Anne contemplait ce spectacle avec fascination. Installée dans la fraîcheur d'un bateau moderne, elle observait des hommes, des femmes et des enfants accomplir des gestes ancestraux.

– Je m'imagine mal mener cette vie-là, murmura Anne en regardant une femme rassembler le linge qu'elle avait mis à sécher sur une pierre, mais il faut reconnaître qu'il y a du bon.

Josh acquiesça d'un signe.

– Il faudrait ralentir et réfléchir à ce que nous avons conservé ou aurions dû conserver du passé. J'y pense beaucoup quand je suis ici. Bien sûr, les Egyptiens ont leurs problèmes; il essaient d'être un pays moderne, mais c'est l'endroit idéal pour se réconcilier avec le passé et l'intégrer au présent.

Le soleil glissa lentement derrière des dunes de sable. Il réapparut dans une fente et lança des feux d'un orange intense sur le fleuve. Bientôt, il disparut pour de bon. Le Nil devint bleu foncé, puis noir. Il faisait plus frais. Le crépuscule ne s'attardait pas, ici. On passait sans transition d'un soleil de plomb à l'obscurité totale. Seules quelques lumières éparses marquaient le rivage.

– J'aimerais me changer pour le dîner, dit Anne en se levant et en s'étirant car elle avait passé l'après-midi assise. Ça t'ennuie?

– Au contraire, dit Josh en se levant à son tour. 8 heures, ça te convient ? Nous pouvons dîner ici ou au salon.

– Ici, s'il te plaît. Va pour 8 heures.

Elle traversa le salon jusqu'à la cabine où Josh avait posé ses affaires. C'était une petite pièce avec un grand lit recouvert d'un couvre-pied en nid-d'abeilles blanc, un bureau et une armoire en bois d'olivier et un fauteuil de chintz bleu. La fenêtre, entrouverte, occupait la largeur de la pièce, Anne percevait le clapotis des vagues contre le bateau. Une porte conduisait à une minuscule salle de bains de marbre rose munie d'une baignoire sabot. Anne sourit. Ce qu'elle voyait lui plaisait. Ce qui se passait aussi.

Mais son sourire faiblit. *C'est l'endroit idéal pour se réconcilier avec le passé et l'intégrer au présent.* Oui, je sais, songea-t-elle. Donne-moi encore quelques minutes.

Assise dans un bon bain chaud, elle se débarrassait avec délice de la poussière, ravie de se sentir propre. Elle sécha ses cheveux et les laissa en liberté, puis se glissa dans un caftan de soie or presque transparent. Quand elle revint sur la passerelle, Josh l'attendait, pantalon et chemise légère ouverte, blazer bleu marine. Il la contempla, admiratif.

– Tu es magnifique.

– Toi aussi. Mais ce bateau mérite qu'on s'habille, Josh ; il est si beau.

– Tout à fait d'accord. Beaucoup de mes amis ont des bateaux, mais celui-ci est mon préféré. Je voulais le plus beau pour toi. Je t'ai acheté quelque chose à Louxor, avant ton arrivée, ajouta-t-il.

Il prit un écrin dans sa poche et regarda Anne l'ouvrir. Sur un lit de velours reposait un collier de cabochons ovales en lapis-lazuli réunis par des joncs en or. Anne en eut le souffle coupé.

– L'or et le lapis, expliqua Josh. Les couleurs des pharaons. Si j'avais pu choisir ce que tu porterais ce soir, j'aurais opté pour la soie or.

– C'est superbe, dit Anne en le lui tendant pour qu'il l'attache à son cou.

Il recula pour en mesurer l'effet.

– Une reine d'Egypte, dit-il d'une voix douce, mais beaucoup plus belle et vivante, prête pour dîner, j'imagine.

Il lui prit la main et ils allèrent s'installer à la table qu'on avait déplacée pour la protéger des sautes de vent soudaines. Josh emplit les verres de vin et leva le sien.

– Je suis heureux de voir l'Egypte à travers ton regard. Cela me fait du bien de me rappeler à quoi ça ressemblait au début ; on oublie trop vite. Alors merci de m'aider à voir d'un œil neuf ce pays que j'aime.

– Merci de m'avoir fait venir, dit Anne en faisant tinter leurs verres. Chaque instant est merveilleux.

Ils dînèrent tranquillement, assis tout près l'un de l'autre, parlant à voix basse. Le steward apporta des *tahini* et du potage, puis un plat de bœuf et de riz épicé avec de grands anneaux de pain azyme.

– J'adore essayer de nouveaux plats, fit Josh en se resservant. Dora avait horreur de ça.

Anne lui offrit un regard étonné. Cela faisait des mois qu'il n'en avait pas parlé.

– Elle avait un palais délicat et ne prenait que d'excellents repas. Je crois finalement qu'elle m'a quitté lorsqu'elle a découvert que je n'étais pas un excellent homme.

– C'est elle qui est partie ? s'étonna Anne.

– Ça revient à ça. Elle me ressassait avec une régularité surprenante que si je ne changeais pas, si je ne devenais pas exactement ce qu'elle voulait, elle s'en irait. J'avais beau refuser, elle ne lâchait pas prise. J'ai fini par lui dire qu'elle n'avait plus qu'à me quitter.

Il se pencha pour remplir les verres.

– Tout cela semble affreusement banal, même pour moi ; je me demande combien de fois tu as entendu ce couplet dans ton bureau. Mais cela me paraissait important. J'ai vécu avec deux autres femmes et les deux fois ça n'a pas marché ; ça nous a désolés mais nous sommes restés amis. J'ai toujours su que je ne voulais pas épouser Dora, mais pendant un temps nous étions bien ensemble ; encore un échec, tu vois. J'avais les moyens de la satisfaire, mais je m'y refusais. Ce qui m'en a dit plus sur mes sentiments, ou mon absence de sentiments, que tout le reste.

– Que voulait-elle ?

Il sourit tristement.

– La liste est impressionnante. Dans le monde égocentrique de Dora, rien n'était jamais suffisant. Au début, et au cours des premiers mois de son installation chez moi, j'avais cru percevoir en elle le désir insatiable de tout tenter. Mais ce n'était que le désir insatiable de tout posséder. Non, pis que ça. C'était le besoin incontrôlé de posséder et de manipuler, de plier tout et tout le monde à sa volonté.

Il s'interrompit, songeur.

– J'ai l'impression qu'elle tient ça de son père. Bref, au bout de quelque temps, malgré sa douceur et son charme, je ne vis plus que cette tendance à la manipulation, cette fascination sans bornes qu'elle éprouvait pour elle-même. J'ai alors repris mon rythme de quatorze heures de travail par jour, six ou sept jours sur sept. Dora voulait que je passe davantage de temps à la maison. J'aurais pu le faire, évidemment. Mais ça ne me disait plus rien. Avant notre vie commune, je travaillais toujours comme un fou et je ne voyais aucune raison de rester chez moi, expliqua-t-il, le regard perdu. A vrai dire, j'ai commencé à bourrer mes journées au maximum dès la mort de mes parents ; c'est devenu ma façon de vivre. D'abord, je me suis réfugié dans le passé pour m'apercevoir bientôt que c'est là que je me trouvais le mieux. Aujourd'hui cela semble bien faible, mais pendant des années je m'en suis contenté sans me poser de questions.

Il s'appuya sur le dossier de son fauteuil et étendit les jambes d'un côté de la table. Dans les lampes-tempête, les chandelles brûlaient et faisaient jouer leur ombre sur son visage.

– Toutes ces années, je ne suis jamais tombé amoureux. Aimais-je trop le passé ? En tout cas je sais une chose, le passé ne me suffit plus, et mon travail non plus. Il fut un temps où la découverte du tombeau de Tenkaure aurait constitué l'événement le plus important de ma vie, donnant la mesure de mon succès en tant qu'être humain, et un but en soi. Mais il n'en est rien. Ça compte, c'est sûr, mais c'est loin d'être aussi important que toi.

Il se tut un moment, son regard accrocha celui d'Anne. Elle était immobile. Le monde entier semblait suspendu, à l'exception de la faible vibration du yacht.

– Je t'aime, Anne, dit Josh d'une voix calme. Je crois que tu t'en es aperçue de mille manières, mais je ne m'étais pas encore autorisé à te le dire ; trop de choses semblaient se passer dans ta vie, et Dieu sait qu'il s'en passe autour de nous. Mais je veux que tu saches que dès l'instant que j'ai compris que je t'aimais et que je voulais t'amener à la vie, et faire partie de toi et de ta famille, le passé s'est glissé à sa place, à l'arrière-plan.

Le steward apporta du café et du cognac ainsi qu'un serviteur muet garni de mignardises.

– Posez ça là, je vous prie, dit Josh en désignant une table basse en rotin.

Quand le steward se fut éloigné, Anne et Josh s'installèrent sur une balancelle et tirèrent la table à eux. Anne servit le café, incapable de parler. Elle était troublée. *Douce petite Anne; tout le monde devrait t'aimer.* Personne ne lui avait parlé d'amour depuis qu'elle avait quitté la maison. Mais dans la bouche de Josh, cela ne sonnait pas comme dans son souvenir. C'était comme si elle entendait ce mot pour la première fois. Et malgré l'inquiétude, elle entrevoyait des possibilités et elle voulait l'entendre à nouveau.

Mais elle ne savait pas parler d'amour. J'aimerais tant. Elle brûlait d'envie de lui parler. Mais elle en était incapable.

Josh était calé sur le siège, sa tasse à la main. Il paraissait détendu, mais Anne percevait nettement son impatience de l'entendre, elle. Elle en éprouva du ressentiment. Il n'avait aucun mal à parler d'amour ; il avait de l'entraînement et, quand il pensait à tout ce que signifiait l'amour, aucun souvenir obsédant ne le rendait malade et sans voix.

– Nous accostons, dit-il au moment où les moteurs ralentirent.

Surprise par le calme soudain, Anne regarda les lumières de la ville marchande et celles, plus familières, des bateaux de touristes le long de la corniche.

– Edfou, dit Josh. Nous y passerons la nuit, un peu à l'écart de tous ces bateaux. Nous pourrons aller à quai demain, si tu veux – si nous partons de bonne heure, nous devancerons la foule – ou nous pouvons faire voile avant le petit déjeuner. Le seul impératif de ce voyage est de faire ce que tu désires.

L'*Apis* longea le quai en silence pour s'arrêter dans un endroit désert.

Des hommes saisirent le cordage lancé par l'équipage et l'arrimèrent à une borne de métal fixée au sol. Les cafés diffusaient de la musique, comme à Louxor; on retrouvait les mêmes bruits, les mêmes odeurs. Anne eut l'impression que le temps et l'espace devenaient flous. Elle était à la fois en une terre ancienne et dans son monde moderne; elle était en Egypte et sur un fleuve sans début ni fin, dont l'eau coulait et demeurait immobile.

Josh et elle en étaient le centre stable. Une fois de plus, elle se sentit seule avec lui, séparés du reste du monde. Elle eut la sensation que pour la première fois elle arrivait au cœur de sa vie.

Elle ne savait encore qu'en faire. Quand elle voulut lui en parler, tout simplement, les mots ne vinrent pas; elle avait peur d'ouvrir la porte à quelque chose qu'elle ne pouvait contrôler.

Mais même si elle avait pu parler, ce n'était pas le moment. Elle le savait. Elle avait autre chose à lui dire avant.

Il l'avait aidée en lui parlant de Dora. Il l'avait fait naturellement, mais pas gratuitement. *Le passé s'est glissé à sa place, à l'arrière-plan.* Il voulait qu'elle forçât le passé à reculer. Il était grand temps.

Elle posa sa tasse et se tourna vers Josh.

– Il faut que je te raconte quelque chose qui m'est arrivé il y a longtemps. C'est la première fois que j'en parle; avant, j'en étais incapable. J'avais treize ans. Ma mère est morte quand j'avais sept ans; Gail et moi vivions chez Marian et Fred. Nous possédions tous des maisons proches les unes des autres et nous déjeunions presque tous les dimanches chez mon grand-père. C'était une cérémonie obligatoire, que tout le monde appréciait, je crois, sauf Vince. Il détestait qu'on lui imposât quoi que ce fût et je suis certaine que seule la crainte d'affronter mon grand-père l'obligeait à venir. A mon sens, Ethan Chatham était le seul homme dont Vince eût jamais peur.

Elle regardait au loin les lumières d'Edfou, mais elle ne voyait que la maison de Marian, la salle à manger aux murs fleuris, l'immense pelouse au-delà des portes-fenêtres qui s'étendait jusqu'à l'étang, et la forêt où elle parlait à son amie imaginaire. Comment s'appelait-elle ? Elle avait oublié. Elle était en train de lui parler, d'écrire dans son cahier, quand Vince...

– Qu'est-il arrivé quand tu avais treize ans? demanda Josh en la ramenant sur terre.

– Vince m'a violée.

Elle gémit de douleur et de honte et du choc que lui causaient ses propres paroles.

Josh réprima un cri.

– Oh, mon Dieu! dit-il dans un souffle.

Il avait deviné, mais n'était pas préparé au choc d'entendre Anne le dire, ni à l'agonie de sa voix, ni à la rage meurtrière qui l'envahit. Il vit Anne avec Vince – il essayait de ne pas l'imaginer, mais c'était là, plus fort que lui –, la tête d'Anne rejetée en arrière, Vince l'obligeant à se plier, à céder, Vince qui la forçait... C'en était trop.

– Mon Dieu ! s'exclama-t-il, hors de lui et tendant la main vers Anne pour effacer cette image de son esprit.

Elle se leva d'un bond et recula, debout contre le bastingage, les mains triturant nerveusement la barre de cuivre.

– Il faut que je dise tout.

Elle parlait d'une voix basse mais claire. Elle était décidée. Avec la force qui l'avait arrachée à Lake Forest, elle irait au bout.

– Il m'a violée pendant longtemps. Il venait dans ma chambre. Au début, c'était tout le temps, et puis il prévoyait et je devais être prête pour lui. Et jouer un rôle, et dire des mots qui ne signifiaient rien pour moi. Qui, depuis lors, ne... signifient rien pour moi.

Elle ferma les yeux un court instant. Elle sentait les mains de Vince dans la prison de sa chambre, elle l'entendait donner des ordres, l'obliger à réagir, sifflant méchamment quand elle ne bronchait pas. *Nom de Dieu, sens quelque chose quand je joue avec toi !*

Je ne peux pas, se dit Anne, je ne peux pas. Elle avait le souffle court et sa poitrine la brûlait, comme si elle avait trop couru. Ses mains s'agrippaient au bastingage.

Josh s'obligea au calme, déchiré entre la colère et la pitié.

– Tu n'as rien dit à ta famille ? fit-il d'une voix douce.

Anne ouvrit les yeux, surprise d'entendre Josh. Quand elle luttait contre ses souvenirs, il n'y avait jamais d'autre voix ; elle était toujours seule. *Mais je ne suis plus seule, maintenant.* Elle regarda Josh un long moment. Elle vit dans ses yeux assombris qu'il partageait sa peine et sa colère. *Je ne suis plus seule.* Elle commença à comprendre ce que signifiait partager son chagrin.

– Comment aurais-je pu ? Je l'ai laissé faire !

Les mots s'échappèrent comme un torrent, leur violence ravivait une blessure jamais refermée.

– J'avais tellement honte de ma faiblesse... de ma méchanceté. Il me disait que je l'avais séduit et je le croyais parce que pourquoi aurait-il commencé, autrement ? Je me sentais souillée, malade, honteuse, mais je le laissais faire. Encore et encore. Chaque fois que j'y réfléchis ou que je ne peux m'empêcher d'y penser, j'essaie de comprendre comment j'ai pu le laisser faire, semaine après semaine, tout en menant une vie normale, sans que personne devine. Il venait, faisait ce qu'il voulait, je faisais ce qu'il voulait... et il repartait. Mais je n'ai jamais réagi à ce qu'il me faisait, jamais. Ça le rendait fou ; il me haïssait de ne rien sentir. Je croyais que c'était comme le mariage : une personne appartient à une autre. Non, ce n'est pas ça. Je n'ai jamais eu le sentiment de lui appartenir. C'était comme si mon corps était à lui, pas à moi, et que, plus il s'en servait, plus il lui appartenait et moins je contrôlais ce qui lui arrivait. J'avais mes pensées, mes sentiments, qui ne lui ont jamais appartenu, mais il décidait du sort de mon corps. Il me disait qu'il me tuerait si j'en parlais à quiconque, que de toute façon on ne me croirait pas. C'était une grande personne, un homme marié qui avait un enfant, travaillait avec mon grand-père dans l'affaire familiale, et mon grand-père avait confiance en lui. Et tout le monde l'admirait, ôtait le moindre caillou sous ses pas, et s'il se trouvait quelqu'un en travers de son chemin, il était balayé sans que personne y prête attention. Je le croyais invulnérable. J'avais treize ans, j'étais un peu sauvageonne et ma famille me faisait souvent des remontrances.

Anne s'interrompit et ses doigts se dénouèrent peu à peu.

– Cela a duré deux ans.

Elle entendit Josh réprimer un cri.

– Puis un jour je leur ai dit. C'était le jour de mes quinze ans; nous étions à table et je l'ai dit à mon grand-père devant tout le monde. Je ne me rappelle plus pourquoi je me suis enfin décidée à parler; je me souviens seulement des mots qui s'échappaient et de la tête qu'ils faisaient. Nina et William essayaient de faire comme si je n'avais rien dit, les pauvres; Marian a essayé de remettre tout cela à plus tard; Vince et Rita m'ont traitée de menteuse. Et mon père... a choisi... Vince. Il ne m'a pas crue. Mon grand-père me suppliait d'en dire davantage, de dire la vérité. Il refusait ce qu'il venait d'entendre. Je pense qu'il était prêt à me croire si je l'y poussais, mais à l'époque je n'ai vu qu'une chose : il espérait que je ne l'y obligerais pas. Personne ne voulait croire une chose pareille; c'était trop embêtant. J'ai quitté la maison la nuit même.

Josh ne put se contenir davantage. Il courut prendre Anne dans ses bras. Elle se raidit d'instinct.

– Attends...

Mais quelque chose en elle se détendit et son corps sembla se fondre contre celui de Josh. Elle se mit à pleurer. Dans les bras de Josh, le front contre son épaule, elle sanglotait avec le désespoir de l'enfant qu'elle avait été et la douleur glacée de la femme qu'elle était devenue.

Josh la tenait contre lui, sa joue dans ses cheveux, prenant son visage dans une main comme pour la protéger de l'orage. Ils restèrent longtemps ainsi. Les sanglots d'Anne se calmèrent. Son souffle se fit plus régulier. Elle ne pensait à rien.

– Oh, fit-elle enfin en reculant. Ton veston...

Ils regardaient le revers trempé du blazer.

– Un vrai déluge, dit Josh d'un ton léger. Rien de grave; bénéfique, en fait.

Il ôta sa veste et la posa sur le bastingage avant de reprendre Anne dans ses bras. Lentement, elle prit Josh par la taille. Cela faisait si longtemps qu'il imaginait le contact de son corps sous ses doigts que la sensation en était presque familière.

– Tu savais, dit Anne d'une voix étouffée. Gail et Leo te l'avaient dit.

– Non, s'empressa-t-il de répondre en la tenant à bout de bras pour mieux la voir, rappelle-toi. Mais tous les éléments étaient là, surtout pour quelqu'un comme moi qui a l'habitude de réunir des informations. J'ai deviné, et je me suis refusé à le croire, puis j'ai bien dû me rendre à l'évidence. Je connaissais Vince; pas parfaitement, mais suffisamment.

– Ma famille aussi. Mais ils n'ont pas hésité à détourner les yeux et à me laisser la honte de... oh, mon Dieu, fit-elle, les yeux embués de larmes, ça ne finira donc jamais. Je croyais en te racontant que...

– Ecoute, fit Josh en posant ses mains sur ses bras et en plongeant ses yeux dans les siens. A qui la honte ?

– Comment ?

– Tu ne cesses de répéter que tu avais honte, que tu as honte, que tu vis dans la honte. Mais pourquoi toi ? C'est lui qui a fait ça. La laideur, la monstruosité lui reviennent – tu le savais; tu disais que c'était un monstre –, c'est à lui d'avoir honte.

Anne demeurait perplexe. Pourquoi ne se l'était-elle jamais dit ? Cela semblait si simple... et si c'était vrai...

– Je ne sais pas, dit-elle avec lenteur.

– Bien sûr que si. Tu étais trop jeune pour en avoir conscience quand tu es partie; on t'avait trop longtemps terrorisée. Tu croyais ce qu'il te disait, que c'était de ta faute, et tu étais persuadée d'être souillée au point de n'être plus digne d'amour. Rien de cela n'était vrai, mais d'une certaine façon, malgré toute ton assurance professionnelle, tu n'as jamais cessé d'avoir peur, si bien que la distance ne t'a pas aidée à y voir clair. Tu t'es laissé habiter par la honte. Mais cette honte est en toi uniquement parce que d'autres l'y ont mise, aidés par ta peur et ton désarroi. Mais ça n'est pas toi. Tu peux t'en débarrasser.

Anne sourit faiblement.

– C'est si simple.

– Peut-être pas. Mais tu peux y arriver. Tu as réussi des choses beaucoup plus difficiles.

– Peut-être.

Les bras de Josh autour d'elle, Anne eut une sensation de légèreté qui lui était inconnue. Elle avait l'impression d'attendre quelque chose, sans crainte. Elle commençait à croire Josh.

Les lumières d'Edfou s'étaient éteintes; les bateaux de touristes étaient plongés dans l'obscurité. Il était presque minuit. Le steward apporta du café chaud et leur approcha la table avant de s'en aller. La porte se referma derrière lui.

Josh serra Anne contre lui. Elle s'étonna de ne pas se dérober à son étreinte. Elle se lova contre lui; le cœur de Josh battait contre ses lèvres. Elle se sentait bien, légère et pleine d'espoir.

Elle leva les yeux sur lui. Il se pencha pour l'embrasser. Leurs bouches se rencontrèrent avec une aisance et un naturel qui le surprirent. Si elle avait franchi cet obstacle, ils pourraient...

Mais Anne fut soudain tendue et elle cria en silence. Une bouche sur la sienne, qui l'étouffait, qui la volait... Elle se libéra violemment et recula, les dents serrées pour ne pas hurler. Elle tremblait si fort qu'elle tenait à peine debout. Elle détournait les yeux car elle ne pouvait affronter le regard de Josh.

– C'est trop tard, dit-elle péniblement. Je suis désolée, Josh; c'est trop tard.

Il mit son bras autour d'elle mais elle s'éloigna, ratatinée en elle-même.

– Oh, mon Dieu, pourquoi ne puis-je oublier tout ça?

– Tu y parviendras, fit Josh d'une voix ferme.

Le doute l'envahissait pourtant, et pour la première fois le désespoir, mais il n'en montra rien. Il tenait Anne fermement et la fit asseoir sur la balancelle.

– Tu y parviendras parce que nous le voulons, reprit-il avec assurance. Faire l'amour est secondaire. C'est ta vie qui est en jeu, notre vie. Je veux t'épouser, avoir des enfants et construire avec toi quelque chose de plus solide que tout ce que nous avons eu jusqu'alors. Et ça vaut la peine de se battre.

– Nous aurions dû nous rencontrer quand j'avais dix ans, dit Anne avec sérieux. Nous aurions pu grandir ensemble et rien ne nous aurait séparés.

– Rien ne nous sépare dont nous ne puissions nous débarrasser, dit Josh avec calme. Ecoute. Cesse donc d'analyser, de disséquer, de ne compter que sur ton esprit et ton intelligence; pour une fois, fais confiance à tes émotions. Je t'aime, Anne. Je t'aime pour ce que tu es, ce que tu as été, ce que tu fais maintenant et ce qui t'est arrivé. J'aime tout en toi, pas seulement ce qu'il y a de plus beau ou de plus facile. Anne, ma douce, fit-il en lui effleurant la joue. Il y a tant de choses que je veux faire pour toi. Mais je veux que toi aussi tu fasses quelque chose pour moi. Nous avons été suffisamment seuls; tu t'es donné beaucoup de mal pour fuir ton passé et moi pour ne pas le quitter; c'en est fini, désormais. Nous allons construire une vie ensemble; et une vie n'est ni un cabinet d'avocat ni un appartement gardé par un concierge ou des milliers d'années d'histoire... une vie, c'est quelqu'un – une famille, si on a de la chance – qui vous accueille et vous fait une place où vous nicher. C'est quelqu'un qui vous tend les bras. C'est une porte toujours ouverte. Voilà ce que je veux de toi. Je veux te donner ça pour que jamais plus tu ne fermes les portes sur toi-même.

Anne l'écoutait de toute son âme. D'abord, elle s'attarda sur chaque mot; puis les mots se fondirent pour l'envelopper comme une musique qui semble jaillir de l'intérieur de celui qui l'écoute. Elle ferma les yeux, bercée par la chaleur rythmée de sa voix et la fermeté de sa main.

– Nous avons tant à faire ensemble, dit Josh. Pays, livres, pièces, amis, tout ce que nous avons connu séparément. Nous allons achever ensemble la maison de Tamarack et y passer le plus de temps possible. Nous ferons nos promenades favorites et en découvrirons d'autres; nous ferons du ski, de la bicyclette, et je ne suis jamais allé à la pêche, mais il n'est pas trop tard.

Il ne s'arrêtait plus. Sa voix était comme un murmure. Il évoquait la maison qu'ils auraient à Los Angeles, le jardin qu'ils feraient à Tamarack, les heures qu'ils passeraient ensemble. Il évoquait leur travail, qui continuerait de les occuper, les merveilles et les beautés du monde.

Et nous les partagerons. Jusqu'alors, je n'avais guère envie de partager tout ça, mais maintenant je ne songe pas un instant à faire quoi que ce soit tout seul.

Il passa un bras autour d'elle. Elle eut la même sensation de chaleur et de réconfort qu'avec sa voix. Alors, sans y penser, sans même ouvrir les yeux, elle se lova contre lui.

– Il y a une chose que j'aimerais faire très vite avec toi. Un voyage de Genève à Paris, dit Josh d'une voix rêveuse à laquelle Anne s'accorda d'emblée. Juste après Genève, on traverse une série de combes aux confins du Jura. On peut le faire par beau temps ou attendre une tempête de neige. Dans ce cas, c'est fabuleux : les nuages déferlent de la profondeur des gorges au-dessus de nous, et tout autour, et les formations rocheuses sont un miracle de noir et d'argent qui semble flotter dans la brume.

Il s'interrompit. Le silence était total. Le yacht ressemblait à une pièce doucement éclairée dans l'immensité du désert et du Nil. Des amas d'étoiles brillaient dans le ciel voilé; la lune s'attardait au-dessus de la ville comme si elle s'était prise dans un minaret. Anne se nicha au creux de Josh. Elle sentit ses longs doigts jouer dans sa chevelure et sur son visage. Elle ouvrit les yeux puis les referma, s'abandonnant à la douceur de ses caresses, réconfortantes comme une pluie d'été.

– Puis la route monte, poursuivit Josh avec ce murmure régulier qui semblait émaner de ses doigts, et nous traversons le pays du vin, les collines moutonneuses, le vert foncé se faisant plus pâle puis bleu-gris à l'horizon, avec de petites maisons ramassées comme des oiseaux blancs se reposant au milieu d'un champ.

Anne s'y voyait. Elle était sereine et apaisée.

Il évoquait d'autres lieux et Anne le suivait par la pensée. Elle effleurait de sous ses doigts la pierre rugueuse des monuments anciens, elle respirait le parfum du thym, de la menthe et de l'origan, et sentait la chaleur du soleil tandis qu'ils traversaient des champs de fleurs sauvages qui s'inclinaient à leur passage. Anne s'épanouit sous la splendeur de cette vision. Le paysage, les bruits et les senteurs d'Egypte s'étaient mêlés aux autres visions et elle se sentit envahie de désir. Elle se rappela avoir éprouvé la même chose tandis qu'ils se promenaient autour du lac mais, cette fois, c'était plus, beaucoup plus. Elle se sentait prête à toutes les découvertes.

Les paupières toujours closes, elle leva le visage vers lui. Les lèvres de Josh effleurèrent les siennes, légères comme la brise du soir. Les lèvres d'Anne s'entrouvrirent. Celles de Josh s'y pressèrent lentement, leurs souffles se mêlèrent. Il l'attira à elle et, la serrant plus fort, chercha doucement sa langue.

Anne eut un choc et chercha à s'échapper. Mais Josh, sans vouloir la forcer, ne bougea pas. Bientôt, Anne eut brusquement envie de sentir son corps contre elle, très fort; pour la première fois elle éprouvait la passion. Elle passa sa main dans les cheveux de Josh. Sa langue s'enroula autour de la sienne. Elle se sentait libre, exultante.

– Je t'aime, dit-elle.

C'était la première fois qu'elle le disait librement.

– Oh, mon Dieu, murmura-t-il comme une prière. J'ai tant rêvé de t'entendre dire ça, et que tu viendrais à moi librement... et je n'étais pas sûr que ça arriverait.

– Je croyais que ça n'arriverait jamais, dit Anne, frissonnante.

– Ça n'a rien à voir, fit-il, mû par la colère qui tardait à le quitter. Nous irons notre chemin et ferons nos propres découvertes; nous ferons l'amour, notre amour. Il nous faut régler nos comptes avec le passé; il restera à la porte de notre chambre.

Ils se sourirent.

– Et tes fantômes? Et tes vieilles ombres?

– Pas une once n'en franchira le seuil. Il n'y a que maintenant, et nous deux, et un fleuve éternel sous nos pieds.

*Nous ferons nos propres découvertes. Nous ferons l'amour. Notre amour.*

Elle tressaillit encore. *Non! Je n'aurai pas peur!* Il est temps, se dit-elle. Elle redressa le menton, comme pour s'armer de courage, et prit la main de Josh. Ils traversèrent la passerelle, puis le salon en direction de sa cabine.

Une niche pratiquée dans le mur projetait une lumière ivoire sur le plafond; le reste de la chambre était dans l'ombre. Josh referma la porte à clef sur eux. Il se tourna vers Anne et lui prit les mains, le regard intense. Il vit la détermination luire dans ses yeux et un mouvement de la tête qu'on n'aurait pu qualifier de romantique. Il souffrait pour elle. Il n'y avait aucun moyen de savoir exactement ce qu'elle traversait, mais il pouvait deviner et essayer de l'aider, sans partager pour autant. C'était un combat qu'elle devrait mener seule. Elle en avait mené d'autres. Du moins était-il là, maintenant. Et tous deux savaient qu'il y avait en elle des feux qui ne demandaient qu'à brûler. Cela prendrait du temps; ils avaient été trop longtemps étouffés. Mais ce feu ardent, le jour où il prendrait, les consumerait tous deux.

– Mon doux amour, dit Josh tendrement. J'ai tellement envie que nous ne fassions qu'un.

Anne laissa échapper un soupir. Elle voulait être dans ses bras, sentir ses caresses. Josh l'embrassa longuement, doucement, puis il la tourna avec douceur et entreprit de déboutonner son caftan.

*Enlève ton pyjama, je veux te voir.*

Non! hurla Anne en silence. Non!

Puis les souvenirs s'éloignèrent et elle se retrouva dans la cabine doucement éclairée de Josh, les mains le long du corps, sentant la chaleur de ses paumes repoussant la soie de ses épaules, le long de ses bras, de sa taille, de ses hanches.

– Dieu que tu es belle, murmura-t-il.

Anne laissa encore la voix de Josh l'apaiser. La fraîcheur du soir entrait par la fenêtre ouverte et glissa sur sa peau quand Josh lui ôta ses sous-vêtements de soie ; elle n'éprouva aucune honte, seulement une onde de plaisir dans ce corps long et ferme qu'elle avait si bien entretenu pendant vingt-cinq ans.

Mais alors elle vit Josh, en chemise blanche et blazer. *J'ai trop de vêtements. Déshabille-moi, nom de Dieu !*

Non ! hurla-t-elle encore. Arrête, arrête, je t'en prie.

Une fois encore, l'image disparut. Josh se déshabillait prestement et Anne le regardait, émerveillée. Tout avait été si simple, grâce à lui ; il n'exigeait rien. Et quand il mit son bras autour d'elle et que, pour la première fois, elle sentit le corps d'un homme contre elle sans contrainte, elle se nicha contre lui, de gratitude. Dans ses moments de panique, la passion qu'elle avait éprouvée plus tôt avait disparu ; son désir s'était envolé ainsi que son extraordinaire sentiment de liberté. Mais elle s'accrochait à cette gratitude qu'elle éprouvait : Josh ne la forcerait à rien.

Pendant un long moment, ils demeurèrent immobiles, proches, caressés par la brise. Puis Josh prit Anne par la main et la conduisit jusqu'au lit blanc recouvert d'une fine courtepointe. Il repoussa les draps et guida Anne dans la douceur du lit avant de s'allonger près d'elle. Anne sentait qu'il la regardait. Brusquement la chambre parut s'obscurcir. Ses pensées s'arrêtèrent ; son corps agissait de sa propre volonté. Elle s'assit, se pencha sur Josh et, d'un geste précis et froid, referma sa bouche experte sur son pénis.

Atterré, Josh se dégagea. Anne recula vivement. Elle pleura amèrement et se recroquevilla dans un coin du lit en position fœtale, glacée, abandonnée.

– Non, dit Josh, tu n'es pas seule.

Il s'assit près d'elle et essaya d'attirer son regard. Elle l'évitait.

– Anne, je t'en prie, écoute-moi.

Elle secouait toujours la tête et il s'empara de sa main tandis qu'elle cherchait à s'échapper.

– Je vais parler, et j'espère que tu m'écouteras. Nous sommes tous les deux et, tout ce que nous ferons, nous le ferons ensemble. Et nous faisons ce que nous voulons. Il n'y a pas de règles, seulement notre désir et notre amour, comprends-tu ? Je t'aime, Anne, et tu m'aimes aussi, et nous allons nous aimer l'un l'autre. Nous ne jouons pas une autre vie en un autre temps ; nous ne suivons pas le script d'un autre. Et pas question que tu marches dans les pas que tu as tracés. Tu es différente, maintenant, et tu es avec moi, et nous créons ensemble quelque chose qui n'a jamais existé. Rien, aucun souvenir n'empêchera ça. Il n'y a pas de monstre dans l'ombre ou en toi ; il est parti. Il ne peut plus t'atteindre, jamais.

– Il n'est jamais parti, murmura Anne, presque inaudible. Les choses qui nous arrivent ne disparaissent pas. Elles font toujours partie de nous.

– C'est vrai. Mais, si on les affronte, elles perdent leur pouvoir. Anne, mon amour, n'aie pas peur; tu as affronté le pire en toi et tu l'as emporté. Bien sûr qu'il est encore là; ce serait trop beau d'imaginer qu'il puisse disparaître, mais il n'a plus assez de force pour te dominer. Il ne peut nous faire aucun mal. Il ne peut même pas s'immiscer entre nous. Ce que nous bâtissons ensemble est beaucoup plus fort. Tu entends, Anne, ensemble. Tu n'es plus seule pour te battre.

Le silence s'attarda. Anne ne bougeait pas. Paupières closes, elle se détendit peu à peu et relâcha ses bras autour de ses genoux. Elle déroula son corps, allongea ses jambes et s'appuya contre la tête de lit, laissant la voix de Josh résonner en elle.

– Je te crois, dit-elle enfin.

Bientôt, elle ouvrit les yeux et releva la tête comme si elle venait de se réveiller. La chambre semblait plus claire, désormais. On ne voyait que l'obscurité à travers la fenêtre; plus d'étoiles; pas de lune. Comme c'est merveilleux de se retrouver dans ce petite monde de lumière avec Josh! se dit-elle.

Puis elle se retrouva dans ses bras. Leurs lèvres se rejoignirent et ils s'embrassèrent longuement.

– Je t'aime, dit Anne, tout contre Josh, je t'aime.

Elle put enfin le regarder. Son corps était long et musclé; sa peau plus hâlée que la sienne, le centre de sa poitrine couvert de fines boucles brunes. Ses yeux étaient d'un bleu profond et intense, comme s'il apprenait par cœur les lignes de son corps, et le tremblement à peine perceptible de sa bouche.

– Anne, ma douce, ma belle, mon amour, murmura-t-il en se penchant sur elle.

Il la caressa longuement, avec tendresse, suivant la courbe de ses épaules, de sa fine taille et de ses longues cuisses. Ses mains l'effleuraient avec tant de délicatesse qu'elle s'aperçut qu'elle désirait leur étreinte. Elle tendit la main et la posa sur la poitrine de Josh, touchant sa peau comme si c'était la première fois qu'elle touchait une peau. Josh aussi éprouvait ce sentiment de nouveauté. Leurs corps venaient de prendre vie dans un monde où tout était neuf.

Anne se sentait au chaud sur le drap; son souffle se fit plus rapide et elle commença à onduler sous la main de Josh. Il se pencha encore; ses lèvres touchèrent sa poitrine et s'y attardèrent. Sa main caressait son corps quand il prit le bout de son sein dans sa bouche et y fit courir sa langue. Quand le sein d'Anne se dressa comme une minuscule rose, il prit l'autre. Anne laissa échapper un petit gémissement; elle se sentait vibrer tandis que du bout de ses doigts il traçait de fines flammes de désir.

Elle leva les yeux sur son visage. Son corps suivait le mouvement de sa main. Puis, comme si une porte s'était brusquement ouverte, un monde de sensations l'envahit; la passion revint. La joie de laisser le désir monter en elle fut bientôt illimitée. Elle sentait le désir de Josh, la tension de son corps, l'appel de ses yeux. *Ce que nous faisons, nous le faisons ensemble.* Josh plongea les yeux dans ceux d'Anne, puis s'allongea sur elle.

La sensation de Josh sur son corps, son poids sur elle lui furent si doux qu'elle ouvrit grands les yeux. Sa joie éclata tant qu'elle rit. Josh sourit, de soulagement et de joie. Anne l'embrassa.

– Je t'aime, dit-elle.

Elle avait l'impression qu'elle ne le dirait jamais assez. Elle se sentait forte et son corps semblait couler comme un fleuve. Elle devint fleuve aux eaux tumultueuses, absorbant dans ses profondeurs le ciel et le soleil. Elle leva les hanches et ouvrit les jambes pour enserrer Josh et le conduisit en elle.

Anne réprima un cri de douleur ; Josh ne bougea plus et la douleur disparut. Elle le sentait en elle, dur et doux, et elle s'agrippa à lui, l'enserrant avec vigueur, l'obligeant à se fondre en elle. C'était bien, elle en pleurait. Josh n'était pas un intrus. Ils ne faisaient qu'un. Elle l'avait attendu.

– Mon amour ! dit Anne en soulevant les hanches pour l'attirer plus encore.

Ils étaient unis, non plus dans le combat, mais dans le désir, l'amour et une tendresse qu'elle n'avait jamais connue.

Ils bougeaient ensemble, trouvaient leur rythme. Josh serait allé plus lentement, mais Anne le guidait, ondulant avec abandon. Leurs souffles et leurs voix se mêlaient.

– Mon amour, oh, mon amour ! dit Anne.

Et pour la première fois de sa vie, elle connut le plaisir.

Sa tête retomba sur l'oreiller. De petits frissons la parcouraient en vagues successives. Elle entendit Josh respirer fortement ; il explosa en un cri puis reposa sur elle, immobile, sans la lâcher. Elle tourna la tête pour trouver ses lèvres. Elle sentit une douce langueur l'envahir puis la brise, plus fraîche qu'avant. Sans bouger, Josh s'empara de la courtepointe dont il les recouvrit.

– Oh, merveilleux, murmura-t-elle.

Elle devina son sourire.

– Je l'espère, dit-il.

– Je ne savais pas, dit-elle simplement. Je ne savais pas.

Josh releva la tête et croisa son regard.

– Tout ce que j'espérais, tout ce dont je rêvais est en toi, dit-il. Tout ce que je peux te donner, pour le restant de mes jours...

– Nous le trouverons ensemble et nous le partagerons, dit Anne d'une voix lente et alanguie. Je suis si extraordinairement heureuse, ajouta-t-elle en lui souriant.

Josh se pencha pour l'embrasser, comprenant à quel point il avait attendu ces mots désespérément. Désormais, nous pouvons tout faire, songea-t-il ; le plus dur est passé.

Anne laissait courir ses doigts sur le visage de Josh, dessinant ses sourcils, la ligne droite de son nez, le sourire de ses lèvres.

– Je sais si peu de choses sur toi, dit-elle.
Il s'étonna.
– Après cette virée au tombeau de Tenkaure ? Après m'avoir sauvé des griffes du shérif de Tamarack ? Après avoir dîné dans mon appartement et m'avoir écouté parler de mes parents ? Après cette nuit ?
– Je ne sais pas ce que tu veux faire demain.
– Continuer à remonter le Nil, dit-il promptement. Après Assouan, j'aimerais faire demi-tour, direction la Méditerranée. Qu'en dis-tu ? Si on naviguait trois ou quatre mois pour oublier le reste du monde ? Nous avons des livres, de la musique, de la nourriture et des domestiques ; et tant à découvrir l'un sur l'autre. C'est un bon début. Tu es d'accord ?
– Oh oui ! dit Anne tout simplement.
– Parfait. J'appelle l'université et le musée dès demain et je leur dis que je reprends contact en mai ou juin.
– Et j'appelle ma secrétaire. Elle s'occupera de tout. Il faut aussi téléphoner à Gail et à Leo ; ils vont se poser des questions.
Il y eut une pause.
– Tu me mets au pied du mur, fit Josh, l'air accusateur.
– Quel mur ? demanda-t-elle en ouvrant de grands yeux innocents.
Il éclata de rire.
– Tu sais qu'on ne doit pas s'ennuyer avec toi ! Tu sais très bien de quoi je parle. Anne, je t'ai déjà dit que je voulais t'épouser. Y as-tu réfléchi ?
– Oui, moi aussi je veux t'épouser. Mais il y a si longtemps que je vis seule ; je ne dois pas être facile.
– Ne t'inquiète pas pour ça. Ce sera très amusant de nous habituer l'un à l'autre. Où allons-nous habiter ?
– Chez toi, je ne veux plus retourner dans mon appartement.
– Tu as raison, il ne te ressemble pas.
Josh repoussa les cheveux qui cachaient le visage d'Anne. Elle avait le teint coloré et les yeux brillants ; il émanait de sa beauté une profondeur et une douceur qui n'existaient pas auparavant. Son corps était comme de la soie ivoire se détachant sur le drap blanc, avec des creux et des courbes ombrées qui se soulevaient au rythme de son souffle.
– Il te faut des couleurs gaies, dit-il, et les tissus les plus chatoyants et les plus sensuels. Je veux te draper de velours, de soie, de cachemire et d'angora, de tout ce qui est doux et riche, pour que tu te sentes somptueuse, et que tu éprouves tout le bienfait que tu t'es si longtemps refusé ; je veux que tu sentes que...
– Oui ! fit Anne dans un cri de bonheur.
Elle l'embrassa, étendit son corps contre le sien ; elle voulait se fondre en lui. Elle appuya ses mains le long de son dos, descendit sur ses cuisses et le serra plus fort. Encore, se disait-elle, surprise de la violence de son désir.
Josh embrassa la ligne de son cou tandis que sa tête retombait ; il laissa ses lèvres errer sur ses seins, son ventre ferme et la douceur du creux

où il rejoignait ses jambes. Anne s'entendait respirer plus vite; elle baissa les yeux, observant ses doigts dans les cheveux de Josh, et, quand elle sentit sa langue, vive et lente, sûre et tâtonnante, la vague du plaisir déferla sur elle. La chambre se mit à tourbillonner. Anne lutta, essaya de se calmer, mais elle se laissa sombrer et garda les yeux ouverts pour voir Josh. Il tremblait, c'est ainsi qu'elle s'aperçut qu'elle pleurait encore.

– Josh, dit-elle dans un souffle.

Puis elle se reprit et explosa sous la caresse insistante de sa langue et hurla. Une larme tomba sur l'oreiller.

Il était allongé près d'elle et la berçait, embrassant ses yeux mouillés. Anne retrouva son calme.

– Pourquoi pleurais-tu ? demanda-t-il.

– Parce que c'était si merveilleux. C'est terrible quand quelque chose de merveilleux est souillé. Et même si je savais ce qu'on m'avait fait, je ne savais pas qu'on souillait quelque chose de beau.

– Maintenant tu as compris, et c'est bien.

– J'ai compris grâce à toi.

Les yeux mi-clos, elle regarda la cabine. Soudain, elle frissonna et s'assit.

*Le monde était sa chambre fleurie; ils s'y tenaient, s'y allongeaient, y bavardaient. C'était comme une minuscule maison de couple.*

– Josh, si on allait sur le pont.

– Bonne idée, dit-il en jetant un rapide regard à son visage troublé. On étouffe, ici. Une seconde, je prends nos robes de chambre.

Il sortit un peignoir en éponge du placard et l'enfila puis alla chercher celui d'Anne dans l'autre cabine. Il le lui tendit et l'aida à l'enfiler. Ces simples gestes suffirent à effacer définitivement la chambre fleurie de sa mémoire.

Dans un coin abrité, Josh étendit de grands coussins verts à fleurs et ils s'allongèrent, observant les étoiles.

– Voilà qui est mieux, murmura-t-il.

Il serra Anne contre lui et lui montra un groupe d'étoiles dont trois étaient alignées en son centre.

– Orion. Les trois étoiles représentent sa ceinture. Quand j'étais gosse, j'inventais des histoires sur lui, qu'il régnait sur le ciel et veillait sur la terre et aidait qui avait besoin d'aide sur une quelconque planète. Un peu comme un père, un proviseur et un dieu en une personne. Nous étions devenus amis. Tout enfant a besoin de quelqu'un comme ça, plus visible que Dieu, plus accessible qu'un proviseur et suffisamment loin pour pouvoir lui confier ses peines, prendre en charge sa colère avec la certitude qu'elles ne viendront plus vous hanter.

– J'avais une amie; elle s'appelait Amy, dit Anne, retrouvant son nom. Je l'ai imaginée quand j'avais à peu près huit ou neuf ans, et je l'ai gardée jusqu'à l'arrivée de Vince. Alors, elle a disparu. Peut-être que, si elle avait été quelque part dans le ciel, j'aurais pu garder le contact. Mais, quand elle a disparu, je n'ai plus eu personne. Josh, tu disais que tu voulais avoir des enfants.

– Oui, ça fait longtemps, d'ailleurs, à intervalles réguliers. Mais en même temps ça m'a toujours tracassé – c'est tellement présomptueux de créer des êtres humains et de décider de leur formation – et je ne trouvais personne avec qui envisager la chose, alors j'ai toujours prétendu trop voyager pour faire un bon père. C'est différent, maintenant. Je risque fort d'être présomptueux tant que je serai avec toi.

– Je suis peut-être trop vieille.

– Alors on ferait bien de s'y mettre tout de suite.

Elle s'assit et le regarda gravement.

– J'ai presque quarante ans, Josh.

– Et moi, quarante-deux, dit-il en croisant les mains derrière sa tête, tout sourire. Tu as peur que nous soyons gâteux le jour où ils voudront se coucher tard pour parler des choses de la vie ? Ou crains-tu que, le moment venu, nous ayons perdu la mémoire au point d'être incapables de leur expliquer comment on fait les enfants ?

– C'est sans doute la dernière chose qu'on oublie, remarqua Anne en souriant. Et ce ne serait pas juste si j'oubliais; j'ai commencé si tard que je n'aurai jamais assez d'années.

– Tu n'oublieras pas et tu n'es pas trop vieille, dit Josh d'une voix tranquille.

– Peut-être que je ne peux pas avoir d'enfants. Peut-être que j'ai été enfermée trop longtemps. J'avoue que ça n'est guère scientifique, mais ça m'inquiète.

– Eh bien, nous n'en aurons pas, voilà tout. Nous aurons nous deux, et notre vie ensemble. Serais-tu désespérée si nous n'en avions pas ? demanda-t-il en la regardant intensément.

– Oui, répondit Anne simplement. Parfois, quand je suis avec Ned et Robin, ça me fait mal car je pense à ce que ce serait si j'avais des enfants à moi et que je leur donne une vraie enfance. J'ai tant à donner... mais c'était un rêve; je ne me suis jamais autorisée à y penser sérieusement. Jusqu'à aujourd'hui.

– Quoi qu'il advienne, tout ira bien, mon amour. Peu importe que nous ayons une demi-douzaine de bambins ou que nous passions quatre mois sur un bateau ou que nous vivions dans tel ou tel appartement. Nous nous sommes retrouvés, c'est merveilleux.

– Et tu m'as réveillée.

– Tu t'es réveillée toute seule. Je t'ai aidée, mais cela venait de toi. Tu le sais bien.

Josh lui tendit la main. Elle la prit et l'embrassa puis posa un baiser sur chacun de ses doigts.

– Je n'aurais jamais imaginé que cela serait si simple. Agir, être, éprouver des sentiments. Et que ça soit bien. Et bon.

Elle posa les yeux sur son corps. Toujours un bras sous la nuque, il souriait. Sentant le désir la saisir, déjà familier, Anne s'étira comme une chatte. Elle entendait le clapotis des vagues; elle voyait la silhouette du bateau se détacher clairement. Tout était si clair, si lumineux.

– Je ne me suis jamais sentie aussi gourmande, dit-elle en se penchant sur Josh.

Il glissa une main dans son peignoir et caressa son sein.

– C'est une des choses que j'aime en toi.

Elle dénoua le peignoir de Josh, l'ouvrit et se pencha sur lui. Comme dans un rêve, à son idée, ses doigts éprouvaient une sensation nouvelle.

Elle embrassa la poitrine velue. Il avait le cœur battant sous les lèvres d'Anne et tressaillait sous l'effet de sa langue pointue.

– Anne, ma douce, dit-il d'une voix caressante.

Les mains d'Anne tenaient ses hanches, ses seins effleuraient ses cuisses et elle le prit dans sa bouche, lentement, doucement. Elle s'emplit de lui, de sa chaleur, de sa force vive. *Je n'aurais jamais imaginé que ce serait si simple.* Et si bien. Plus de portes fermées, plus de jours glacés. Elle était libre, réveillée. Elle rit d'une joie pure.

Josh la souleva et la posa sur le côté, ouvrant son peignoir. Une sauvagerie les poussait l'un vers l'autre. Les doigts de Josh s'enfoncèrent en Anne, l'attirant avec force sur lui, et Anne lui mordilla le cou comme si elle ne savait comment lui faire comprendre à quel point elle le voulait uni à elle. Bientôt, ils criaient à l'unisson. Anne était étendue sur Josh, ses jambes sur les siennes, ses lèvres contre son cou qui battait plus régulièrement. Son corps se calma et son sang circula moins vite, mais elle était habitée de richesse, pour la première fois. *Je veux te draper de velours et de soie... et que tu éprouves le bienfait que tu t'es si longtemps refusé...*

– Je me sens somptueuse, dit-elle avec un long soupir. Comme si je rentrais chez moi par une nuit glaciale pour trouver du feu dans la cheminée et une longue robe de chambre bien douce et une boisson chaude en sachant que tout ça est pour moi, et que c'est ma maison.

Elle se glissa sur les coussins et se roula contre lui, une main sur sa poitrine. Elle ferma les yeux, enveloppée dans l'obscurité qui les enveloppait comme un coin ombragé. Puis elle entendit des voix et se redressa.

– Ils lèvent l'ancre, expliqua Josh.

Il s'assit et l'aida à fermer son peignoir avant d'en faire autant pour lui.

– Oh, Josh, regarde! dit Anne, émerveillée.

Le ciel était gris pâle avec des bandes roses, pêche et violettes qui se changèrent sous leurs yeux en orange puis en cet or blanc du soleil désertique. Le Nil chatoyait en éclairs ondulants qui se reflétaient dans les fenêtres du salon, faisant jouer la lumière dans leurs peignoirs blancs. On entendait le muezzin appeler à la prière de sa voix haut perchée, comme un animal nocturne à peine éveillé qui s'émerveille de la beauté du soleil levant.

– Tant de beauté, dit Anne d'une voix douce. Tant de façons d'être vivant.

Elle se tenait au bastingage et regardait les gens commencer la journée parmi les immeubles de stuc et les rues poussiéreuses.

– Josh, je n'ai pas sommeil; pouvons-nous aller à terre, et explorer quelque chose?

Il rit, un bras autour d'elle.

– Pour l'instant, rien ne peut nous empêcher de faire ce qu'on veut. Profitons-en. Nous nous occuperons du reste du monde la semaine prochaine.

Anne le prit par la taille et appuya sa tête sur son épaule. Pieds nus, en peignoir, sous le ciel bleu et or, ils regardaient le rivage tandis que l'*Apis* glissait sur les eaux profondes du Nil et prenait de la vitesse avec bonheur. La brise se leva. De chaque côté du fleuve, de grands bananiers aux immenses feuilles luisantes longeaient la rive; derrière, des fermiers arrivaient pour sarcler leurs cultures en terrasse, riches et fertiles, qui retenaient le désert nu et hostile. Le bateau fila au vent avec douceur et régularité entre ces grands champs qui célébraient la vie. Josh et Anne se serraient l'un contre l'autre. Il sourit tant ses yeux étaient lumineux.

– Bonjour, mon amour, dit-il.

*Cet ouvrage a été imprimé*
*dans les ateliers de B.C.A.*
*à Saint-Amand-Montrond (Cher)*
*sur papier offset de la papeterie Nordland*
*et relié par la Nouvelle Reliure Industrielle*
*à Auxerre*
*pour le compte de France Loisirs*

*Imprimé en France*

Dépôt légal : octobre 1993
N° d'édition : 26159. - N° d'impression : 93/636